AGE OF VICE

कलियुग

Deepti Kapoor

AGE OF VICE

कलियुग

roman

Traduit de l'anglais (Inde) par Michèle Albaret-Maatsch

Robert Laffont

Carte © Malik Sajad

Titre original : AGE OF VICE
© Deepti Kapoor, 2023
Traduction française : Éditions Robert Laffont, S.A.S., Paris, 2023

ISBN 978-2-221-25172-0
(édition originale : ISBN 978-0-5933-2879-8, Riverhead Books, an imprint
of Penguin Random House LLC)

Dépôt légal : janvier 2023
Éditions Robert Laffont – 92, avenue de France, 75013 Paris

Pour les *nagas sadhus*[1], la catastrophe de la Kumbh Mela de 1954 n'a jamais été qu'une expression de violence additionnelle dans un événement fondé sur la violence d'hommes faisant profession de violence. Si les choses ont tourné autrement, c'est parce que de simples mortels se sont mis en travers, et rien de plus.

William Pinch, *Warrior Ascetics and Indian Empires*

Et, du fait de la brièveté de leur existence, ils ne pourront acquérir un grand savoir. Et, du fait de la pauvreté de leur savoir, ils n'auront aucune sagesse. Et, par suite, convoitise et avarice les écraseront.

Le *Mahabharata*

---

1. Ascète nu ayant renoncé à toute possession matérielle.

UN

NEW DELHI, 2004

Cinq sans-abri gisent sur le bas-côté du périphérique intérieur de Delhi, le Inner Ring Road. Morts.

On croirait le début d'une sale blague.

Si c'est le cas, personne n'a prévenu les malheureux.

Ils sont morts à l'endroit même où ils dormaient.

Ou presque.

La Mercedes qui les a fauchés en prenant son virage sur les chapeaux de roues les a traînés sur une dizaine de mètres.

On est en février. Trois heures du matin. Six degrés Celsius.

Quinze millions d'âmes dorment, recroquevillées sur elles-mêmes.

Un pâle brouillard soufré borde les rues.

Parmi les morts, Ragini, dix-huit ans. Elle était enceinte de cinq mois. Son mari, Rajesh, vingt-trois ans, dormait à côté d'elle. Couchés sur le dos l'un comme l'autre, la tête et les pieds serrés dans un gros châle, sac à dos sous la nuque et sandales sobrement rangées le long du corps, ils ressemblaient déjà à des cadavres, moins les signes caractéristiques.

Cruelle ironie du destin : le couple était arrivé à Delhi la veille seulement. Ils s'étaient placés sous la tutelle de Krishna, Iyaad et Chotu, trois migrants d'Uttar Pradesh de la même région qu'eux. Tous les jours, ces trois hommes se réveillaient avant l'aube pour aller proposer leurs services au mandi[1] *aux journaliers et tenter de s'assurer une rentrée d'argent grâce au boulot qu'ils pourraient trouver – cuisinier dans une* dhaba[2]*, serveur dans un mariage, maçon, n'importe quoi – afin*

---

1. Le marché (glossaire en fin d'ouvrage).
2. Gargote.

d'envoyer de l'argent au village, payer le shaadi[1] *d'une sœur, l'école d'un frère, les médicaments quotidiens d'un père. Ils vivent au jour le jour, d'une heure à l'autre, travailleurs pauvres, ils bataillent pour survivre. Reviennent dormir dans ce lieu désert une fois la nuit tombée, à côté du Ring Road et près de Nigambodh Ghat. À deux pas des bidonvilles rasés de la Yamuna Pushta où ils vivaient avant.*

Mais les journaux ne s'attardent pas sur ces trois hommes. L'aube venue, leurs noms s'effacent avec les étoiles.

Un fourgon de police arrive sur les lieux de l'accident. Quatre flics en descendent, voient les cadavres et la foule en colère qui hurle et se presse autour de la Mercedes. Il y a encore quelqu'un dedans ! Un homme jeune, assis droit comme un i, les bras crispés sur le volant, les yeux fermés. Il est mort ? Il est mort comme ça ? Les flics repoussent la populace et jettent un coup d'œil dans l'habitacle.

« Il dort ? » demande l'un d'eux à ses collègues.

À ces mots, le chauffeur tourne la tête et soulève les paupières. On dirait un monstre. Le flic le regarde à son tour et manque sursauter de peur. Il y a quelque chose de grotesque dans ce beau visage lisse. L'homme a un regard méchant, fou, mais sinon il est impeccable. Les flics ouvrent la portière, agitent leurs lathis[2] *d'un geste menaçant, ordonnent au chauffeur de sortir. Il a une bouteille de Jack Daniel's vide à ses pieds. Il est très mince, a des cheveux brillantinés à la perfection, la raie tracée au millimètre près et, dans son costume safari en gabardine grise, il a le corps d'un habitué des salles de sport. Derrière les relents de whisky se devine une autre odeur : celle de l'eau de toilette Cool Water de chez Davidoff, même si les flics ne risquent pas de remarquer ce détail.*

Ce qu'ils remarquent en revanche, c'est que ce gars n'est pas un riche. Pas du tout. C'est plutôt un fac-similé, un homme vêtu pour suggérer la richesse, pour la servir. Les vêtements, les détails soignés, la voiture ne peuvent masquer la pauvreté fondamentale de sa naissance ; elle sent plus fort que n'importe quel alcool ou eau de toilette.

Oui, c'est un domestique, un chauffeur de maître, un conducteur, un « boy ».

Une version bien nourrie et bien dressée de ce qu'il vient de tuer sur la route.

---

1. Mariage.
2. Bâtons.

Et ce n'est pas sa Mercedes.
Ça veut dire qu'on peut lui taper dessus.

Abruti par l'alcool, il sanglote tandis que les flics l'extirpent de la voiture. Plié en deux, il vomit sur ses mocassins. Un flic lui flanque un *coup de* lathi, *l'oblige à se redresser. Un autre le fouille, met la main sur son portefeuille, sur son holster d'épaule vide, sur une boîte d'allumettes provenant d'un hôtel appelé Palace Grande, sur une pince à billets serrant vingt mille roupies.*

À qui appartient cette voiture ?

D'où vient cet argent ?

À qui tu l'as piqué ?

Tu pensais t'offrir une virée à bord de cette bagnole volée ?

À qui est ce whisky ?

Et où est passée l'arme, chutiya[1] *?*

Et pour qui tu bosses, ducon ?

Dans son portefeuille, il y a une carte électorale, une PAN card[2] *avec son numéro d'identification fiscale, un permis de port d'armes, un permis de conduire, trois cents roupies. D'après ses papiers, il s'appelle Ajay, et son père Hari. Il est né le 1er janvier 1982.*

Et la Mercedes ? Elle est immatriculée au nom d'un certain Gautam Rathore.

Les flics se concertent : ce nom ne leur semble pas inconnu. Et l'adresse – Aurangzeb Road – est éloquente. Seuls les riches et les puissants habitent là.

« Chutiya, braille un agent en brandissant les papiers du véhicule. C'est ton patron ? »

Mais le jeune gars prénommé Ajay est trop soûl pour répondre.

« Hé, l'enfoiré, tu l'as piquée, cette bagnole ? »

Un des flics s'approche du bas-côté et examine les morts. Les yeux de la fille sont ouverts et, avec le froid, sa peau est déjà bleue. Du sang coule d'entre ses jambes, là où il y avait de la vie.

Au commissariat, Ajay doit retirer ses vêtements ; il reste nu dans une pièce froide et aveugle. Il est tellement soûl qu'il tourne de l'œil. Les policiers reviennent lui balancer un seau d'eau glacée sur la tête et il reprend

---

1. Connard.
2. Carte d'identification fiscale.

connaissance en hurlant. Ils l'asseyent, lui plaquent les épaules contre le mur, lui écartent les jambes. Une femme agent de police se campe sur ses cuisses jusqu'à lui couper la circulation du sang, il rugit de douleur et s'évanouit à nouveau.

Le lendemain, l'affaire a pris de l'ampleur. Les médias sont horrifiés. Au début, c'est à cause de la femme enceinte. Les chaînes d'information se lamentent sur son sort. Mais elle n'était ni photogénique ni promise à un bel avenir. Donc, l'intérêt se reporte sur le tueur. Une source confirme que la voiture est bien une Mercedes immatriculée au nom de Gautam Rathore, et, ça, c'est de l'info – Rathore apparaît régulièrement dans les événements mondains de Delhi, il joue au polo, il a de la conversation, c'est un prince appartenant à une authentique famille royale, le fils unique du maharaja Prasad Singh Rathore, lui-même membre du parlement. Gautam Rathore était-il au volant ? Cette question est sur toutes les lèvres. Mais non, pas du tout, il a un alibi irréfutable. La nuit dernière, il se détendait en dehors de Delhi. Il était près de Jaipur, dans un fort transformé en palace. On ignore en revanche où il se trouve actuellement. Cependant, il a fait une déclaration exprimant son horreur et a envoyé ses condoléances aux défunts et à leurs proches. Le chauffeur, selon ladite déclaration, n'était à son service que depuis peu et aurait pris la Mercedes à l'insu de Gautam. Il aurait pris le whisky et la Mercedes pour aller se balader sans autorisation.

Un communiqué de la police confirme le tout : profitant de l'absence de son employeur, Ajay a volé une bouteille de whisky au domicile de Rathore, s'est offert une virée au volant de la Mercedes et a perdu le contrôle du véhicule.

Cette histoire devient un fait établi.

Elle est consignée dans les journaux.

Et un rapport d'enquête préliminaire, un FIR, est déposé.

Ajay, fils de Hari, est arrêté en application de l'article 304 du code pénal indien pour homicide involontaire. Peine maximale : deux ans.

Il est expédié vers le tribunal bondé et déféré devant le magistrat de district qui, au terme de deux petites minutes, le place en détention sans possibilité de libération sous caution. Un bus l'emmène, lui et les autres prévenus, à Tihar Jail, la prison. On les fait attendre à la queue leu leu pendant qu'on prépare leur mise sous écrou ; ils s'asseyent en rangs maussades sur des bancs en bois dans le hall d'accueil où les entourent,

16

cloués sur les murs au plâtre humide et grêlé, des panneaux affichant le règlement intérieur. Lorsque son tour arrive, Ajay est poussé dans un bureau exigu où un greffier et un médecin pénitentiaire armés, qui d'une machine à écrire, qui d'un stéthoscope, vont s'occuper de lui. Une fois encore, ses biens sont exposés : portefeuille, pince à billets avec les vingt mille roupies, la boîte d'allumettes du Palace Grande et le holster d'épaule vide. On compte son argent.

Le greffier se munit de son crayon et remplit le formulaire.

« Nom ? »

Le prisonnier regarde fixement les deux hommes.

« Nom ?

— Ajay, répond-il d'une voix tout juste audible.

— Nom de ton père ?

— Hari.

— Âge ?

— Vingt-deux ans.

— Profession ?

— Chauffeur.

— Parle plus fort.

— Chauffeur.

— Qui est ton employeur ? »

Le greffier lui jette un coup d'œil par-dessus ses lunettes.

« Quel est le nom de ton employeur ?

— Gautam Rathore. »

On le soulage de dix mille roupies et on lui rend le reste.

« Range ça dans ta chaussette », lui conseille le greffier.

Une fois effectuée la mise sous écrou, il est envoyé à la prison n° 1, traverse la cour pour gagner les bâtiments, emprunte un couloir humide et froid jusqu'à une large cellule où s'entassent neuf autres détenus. Comme sur un étal de marché, des vêtements pendent accrochés aux barreaux de la cellule et le sol disparaît sous les matelas en lambeaux, les couvertures, les seaux, les paquets, les sacs de jute. Dans un coin, de petites toilettes à la turque. En dépit de l'exiguïté, le maton ordonne qu'on fasse un peu de place à Ajay par terre à côté des latrines. Mais impossible de lui fournir un matelas. Ajay étale sur le sol en pierre glacé la couverture qu'on lui a remise. Il s'assied, dos au mur, le regard dans le vague. Quelques codétenus s'approchent et lui disent leur nom, mais il ne répond rien, ne percute rien. Il se roule en boule et s'endort.

Lorsqu'il reprend ses esprits, un homme est penché sur lui. Vieux et édenté, il a le regard fou. Il a plus de soixante ans, dit-il. Plus de soixante ans. Il vient du Bihar et il conduit un auto-rickshaw[1], *du moins il le conduisait quand il était libre. Ça fait six ans qu'il attend de passer en jugement. Il est innocent. C'est une des premières choses qu'il dit. « Je suis innocent. Je suis censé être un dealer. Mais je suis innocent. Je me suis fait prendre au mauvais endroit. Il y avait un dealer dans mon rickshaw, mais il s'est enfui en courant et les flics m'ont coffré. » Il continue et demande de quoi Ajay est accusé et combien d'argent il cache sur lui. Ajay l'ignore et se tourne dans la direction opposée. « Comme tu veux, lui lance le vieux avec bonne humeur, mais faut que tu saches que, moi, je peux débrouiller des trucs ici. Pour cent roupies, je peux t'avoir une autre couvrante, pour cent roupies, je peux t'avoir une meilleure bouffe. » « Fous-lui la paix, beugle un autre détenu, un jeune gars rondouillet à la peau foncée qui vient d'Aligarh et se cure les dents avec un bâton de* neem[2]. *Tu sais donc pas qui c'est ? C'est le tueur à la Mercedes. » Le vieux s'éloigne en traînant des pieds. « Moi, je m'appelle Arvind, ajoute le gros. Ils disent que j'ai tué ma femme, mais je suis innocent. »*

Dehors dans la cour, c'est l'heure de la promenade. Des centaines de prisonniers émergent de leurs cellules et se rassemblent. Des mecs le jaugent. Ajay est une sorte de célébrité. Tous ont entendu parler du Tueur à la Mercedes. Ils veulent le voir de plus près, juger par eux-mêmes de son innocence ou de sa culpabilité, voir si c'est un vrai dur, s'il a peur et quelle place lui attribuer. Une minute leur suffit pour comprendre que c'est un innocent, qu'il sert de bouc émissaire à son riche patron. Les mecs essaient de lui arracher la vérité. Que lui a-t-on promis pour qu'il porte le chapeau ? Quelque chose de bien ? De l'argent à sa sortie ? On enverra ses fils et filles à l'école ? Ou bien ils ont choisi un autre moyen ? On a menacé sa famille ? Il a craint pour sa vie ? Ou il a juste été loyal ?

Des représentants des gangs qui tiennent la prison l'approchent dans la cour, au réfectoire, dans les couloirs, cherchent à le rallier, débitent

---

1. Tricycle motorisé faisant office de taxi.
2. Margousier.

leur argumentaire. Le Gang Chawani, le Gang Sissodia, le Gang Beedi, le Gang Haddi, le Gang Atte. Le redouté Gang Bawania. Le Gang Acharya, les Gupta. Comme il est innocent, qu'il ne connaît pas la vie criminelle, il aura besoin de protection. S'il ne choisit pas un gang, il deviendra vite la cible de rackets ; sans le soutien d'un gang, il ne tardera pas à se faire violer, un gardien le fera transférer dans une cellule où il se retrouvera seul avec un autre détenu, à sa merci, personne ne viendra lorsqu'il hurlera. Et ils lui piqueront tout son argent. Ils présentent ça comme s'il s'agissait d'un conseil sage, neutre, comme si eux-mêmes n'étaient pas une menace. Il est harcelé de toutes parts. Combien t'as de pognon ? Entre dans notre gang. Entre dans notre gang, et tu seras en sécurité. Tu auras un portable, du porno, du poulet. Tu échapperas au « bizutage ». Entre dans notre gang et tu pourras baiser, tu pourras violer. Notre gang est le plus fort. Tu devrais te joindre à nous avant qu'il soit trop tard. Il ignore tout ce baratin. Quand il réintègre sa cellule, sa couverture a disparu.

De toute façon, il préfère être seul et souffrir dans son coin. L'horreur de ces morts le poursuit en taule, il les pleure comme il respire. Il rejette tous les gangs, snobe les émissaires et leurs avances. Du coup, le deuxième jour, alors qu'il est seul devant la pharmacie de la prison, juste après avoir dû se présenter devant le médecin, trois mecs d'une autre cellule marchent sur lui. Ils tirent la langue pour récupérer les lames de rasoir qu'ils ont cachées dans leur bouche, puis ils lui tombent dessus et lui tailladent la figure, le torse et les avant-bras qu'il lève pour se protéger. Il accepte ces estafilades comme une punition, ne fait aucune grimace de douleur. Puis la patience finit par l'abandonner, elle cède comme une trappe. Du talon de la main, il démolit le nez de son premier agresseur, saisit le deuxième par le coude et le lui casse au niveau de l'articulation. Le troisième, il le fiche par terre. Il attrape une des lames, presse la mâchoire du gars qui beugle, la bouche grande ouverte, et lui fend la langue en deux par le milieu.

On le découvre éclaboussé de sang, planté au-dessus de ses agresseurs qui hurlent de douleur, et il est mis à l'isolement, dans un état second. Les matons le castagnent, lui disent qu'il n'est pas près de sortir. Une fois la porte refermée, il laisse libre cours à sa fureur, gronde, frappe les murs à coups de poing et de pied. Il braille dans une langue qui n'en est pas une. Des mots incompréhensibles. Il est dépassé par ce qui lui arrive.

19

Il imagine la fin. Tout ce qu'il est et tout ce qu'il a fait. Mais non. Le lendemain matin, la porte s'ouvre sur de nouveaux gardiens. Ils lui demandent de les suivre. D'abord, il se douchera. Il frissonne, nu et à vif. Lorsqu'ils l'approchent, il serre les poings et recule vers le mur pour se battre. Ils se marrent et lui lancent des vêtements propres.

On le conduit au bureau du directeur. Agréable festin : fruits fraî-chement coupés, paratha[1], lassi[2]. Vision paradisiaque. Le directeur l'invite à s'asseoir. « Prends une cigarette. Sers-toi. C'est une erreur. On ne m'avait pas prévenu. Si je l'avais su, ça se serait jamais passé comme ça. Franchement, personne n'était au courant, pas même tes copains. Mais ça va changer. À présent, on va t'emmener rejoindre tes copains ici. Tu seras libre, dans les limites du raisonnable. Et on oubliera cette malheureuse affaire avec ces autres types. On pourrait les punir. Mais tu l'as déjà fait, pas vrai ? Quelle démonstration de force. Oh, et cet argent, il est à toi. Tu aurais dû dire quelque chose. Tu aurais dû être clair. Tu aurais dû nous le dire. Pourquoi tu nous l'as pas dit ? »
Ajay fixe la nourriture, le paquet de cigarettes.
« Dit quoi ? »
Le directeur sourit.
« Que tu faisais partie du clan des Wadia. »

---

1. Pain plat cuit à la poêle, très populaire, souvent fourré. Aux pommes de terre ou à autre chose.
2. Boisson traditionnelle à base de lait fermenté ou de yaourt battu. Se boit nature, salé ou sucré.

MAHARAJGANJ, EST DE L'UTTAR PRADESH, 1991

Ajay

(Treize ans plus tôt)

1.

Ce qu'il ne faut pas oublier, c'est qu'Ajay n'était qu'un gamin de huit ans, mal nourri. Sachant à peine lire. Vigilant depuis le fond du fond de ses yeux. Sa famille était pauvre. Ravagée par la misère. Vivant au jour le jour dans une hutte, colmatée avec des herbes sèches et des morceaux de plastique, bâtie sur un monticule au-dessus de la plaine inondable près des roseaux à quenouilles à quelques jets de pierre du village. Père et mère vidangeurs de latrines sèches, récupérant, à la main ou avec une ardoise, la merde des villageois pour l'entasser dans un panier en osier qu'ils charriaient sur leur tête et allaient vider un peu plus loin. Pissant et caguant dans les champs avant l'aube. Pissant à la nuit tombée. Cultivant de maigres légumes à feuilles dans d'immondes eaux de ruissellement. Buvant l'eau répugnante d'un puits éloigné afin de ne pas polluer la source commune. Conscient des limites à ne pas outrepasser. Pour ne pas s'exposer à une mort certaine.

Rupa, la mère d'Ajay est à nouveau enceinte.
Hema, sa sœur aînée, s'occupe de leur chèvre.
On est dans l'est de l'Uttar Pradesh. En 1991.
Au nord s'élèvent les contreforts du Népal.
La lune reste visible longtemps après l'aube.
Ajay n'avait pas poussé son premier cri qu'on le pleurait déjà.

2.

On est en 1991 et la région connaît une misère noire. Les grands propriétaires terriens des castes supérieures et leurs copains prospèrent. Tous les jours, le gamin se rend à pied à l'école publique, une structure vieillissante et délaissée ; espoir déçu de béton sans portes ; fenêtres aux volets de bois fragmentés et criblés de trous ; pièces trop exiguës pour la multitude d'enfants morveux, cheveux peignés, cheveux huilés, aux uniformes décousus mais propres et luttant contre l'usure à tout-va. Le maître d'école est absent, souvent soûl, souvent parti, encaissant souvent son salaire de fonctionnaire sans avoir bougé de chez lui. Ajay est pauvre, plus que pauvre, parqué au fond avec les autres Valmikis, Pasis et Koris, repoussés, ignorés. Le midi, on les fait attendre à part, à même la pierraille, tandis que les enfants des castes supérieures prennent leurs repas dans des feuilles de bananier, assis en rangs, jambes croisées, sur l'estrade bien lisse. Quand ces derniers ont terminé, vient le tour des hors-castes, portion congrue, allongée d'eau. Après le repas, Ajay est mis à contribution. Il balaie le sol, retire la merde séchée dans les coins, nettoie les crottes de lézard sur le rebord des fenêtres. Un jour, un chien mort gît à côté du mur d'enceinte ; il est boursouflé, en pleine décomposition, il a été mordu par un serpent. On oblige Ajay à lui attacher les pattes arrière avec une ficelle pour l'enlever. Dans la chaleur de l'après-midi, Ajay parcourt plusieurs kilomètres pour rentrer chez lui et aider Hema à prendre soin de la chèvre. Il passe devant le temple de Hanuman, devant les jeunes garçons qui jouent au cricket. Il reste à distance prudente. Il y a trois ans, il a commis l'erreur de ramasser une balle perdue et de la leur renvoyer de toutes ses forces. Les autres se sont écartés comme devant un lépreux et ont pourchassé Ajay à travers champs. Il leur a échappé en sautant par-dessus l'égout à ciel ouvert. Ils lui ont dit : « Touche la balle encore une fois, et on te tranche les bras et les jambes, on y fout le feu et, toi, on te balance dans le puits. »

On est en 1991 et son père a des problèmes. La chèvre s'est détachée et elle est entrée dans le champ d'un villageois dont elle a mangé les épinards. Ajay et sa sœur la rattrapent, mais le propriétaire du champ vient à apprendre ce qui s'est passé. En fin d'après-midi, il débarque en compagnie du chef du village, Kuldeep Singh. Kuldeep Singh est escorté de quelques *goons*[1] qui ne demandent qu'à en découdre. En leur présence, le propriétaire du champ exige une explication, alors que nulle ne suffira, pendant que le père d'Ajay, lequel n'a que la peau sur les os, implore son pardon, alors que nul ne lui sera accordé. C'est de la chèvre qu'ils s'occupent en premier. Devinant ce qui l'attend, elle crache, renâcle et relève les cornes, de sorte que les *goons* reculent. Il faut que Kuldeep Singh les pousse de côté et abatte prestement sa matraque avec brutalité sur la tête de l'animal. Le crâne craque, la chèvre bascule dans le néant, ploie les pattes – l'espace d'un instant, elle ressemble à un nouveau-né qui apprend à marcher. Kuldeep Singh appuie son genou sur sa tête et lui tranche la gorge avec son couteau. Émoustillés par le sang chaud, les *goons* s'attaquent au père d'Ajay. Ils le flanquent à terre, le maintiennent par les épaules et les genoux et se relaient pour lui fouetter la plante des pieds avec des baguettes de bambou, et, dans leur zèle, passent à ses chevilles, puis à ses mollets, à ses genoux, à son bas-ventre. Ils lui portent des coups terribles au bas-ventre, au torse, aux bras. Sa femme et sa fille crient, pleurent, les supplient d'arrêter. Ajay tourne les talons pour s'enfuir, mais Kuldeep Singh le retient solidement. Ses grosses mains empoignent Ajay par les épaules. Qu'elle est âcre à ses narines cette haleine de tabac mêlée d'alcool. Le gamin se détourne, porte son regard vers le ciel rosé, mais Kuldeep Singh lui tord la tête pour l'obliger à regarder.

Son père se met à faire de la fièvre, ses os virent au violet crépusculaire. Au matin, sa mère au désespoir va trouver l'usurier local, Rajdeep Singh, et lui demande de quoi emmener son mari se faire soigner à l'hôpital public, à vingt kilomètres du village. Après une négociation humiliante, Rajdeep Singh lui prête deux cents roupies à quarante pour cent d'intérêts.

Lorsque Rupa se présente à l'hôpital, les médecins refusent d'admettre son mari si la totalité des frais n'est pas réglée au préalable. Ils prennent cent cinquante roupies, puis laissent

---

1. Terme d'origine anglo-saxonne désignant des voyous ou des hommes de main.

le malheureux croupir dans une salle. Il n'est pas minuit qu'il quitte discrètement ce monde. Dans la nuit, Rupa ramène péniblement le corps attaché à une planche en bois et arrive chez eux après l'aube. S'étant vu interdire l'accès au crématorium du village, ils l'incinèrent eux-mêmes sur un bûcher dressé à côté de chez eux avec de l'huile récupérée ici et là et du bois bon marché. Ils n'en ont pas assez pour finir leur ouvrage. La puanteur est insupportable. Ils creusent une tombe peu profonde à côté des bois et y enterrent les restes calcinés.

Le lendemain, les hommes de Rajdeep Singh débarquent pour rappeler sa dette à la mère d'Ajay. Les *goons* tournent autour de la sœur d'Ajay, échangent des commentaires obscènes et des allusions sur ce qu'elle pourrait peut-être faire. Caché au milieu des plants du champ voisin, Ajay suit la scène sans faire de bruit. Il y a un cafard sur la terre craquelée à côté de ses pieds. Il se bouche les oreilles pour ne pas entendre les cris et écrase le cafard dans la poussière. Et après il s'enfuit. Lorsqu'il revient, deux heures plus tard, sa sœur sanglote dans un coin de la hutte et sa mère attise le feu.

Un peu plus tard, le *thekedar* – le recruteur local – se manifeste. Il leur présente ses condoléances et, conscient de la précarité de leur situation, propose de régler lui-même la totalité de leur dette. Ils ont la possibilité de le rembourser d'une façon simple, honorable.

3.

Ajay n'a pas son mot à dire. Le lendemain matin avant l'aube, on le fait monter à l'arrière d'un *Tempo*[1] transportant huit garçons qu'il n'a jamais vus. C'est une vieille fourgonnette avec une cabine cabossée et à l'arrière une cage graisseuse dont le toit s'ouvre sur les étoiles, de sorte que sa cargaison humaine peut voir ce qui se passe, mais ne prendra pas le risque de s'échapper. À part ses vieux vêtements et une couverture sale, Ajay

---

1. Fourgonnette, camionnette.

n'a rien pris avec lui. Sa mère et sa sœur se tiennent à l'écart, puis elles battent en retraite et s'en vont. Le moteur tourne au ralenti sur la piste en terre à côté de l'égout à ciel ouvert. Puis le recruteur grimpe dans le *Tempo*, l'assistant aussi, et ils s'éloignent de l'aube qui s'annonce furtivement pour s'engager sur une route truffée de nids-de-poule en direction d'un horizon noir piqueté d'étoiles. Ajay est accablé au milieu des autres garçons amers et grelottants. Le patchwork de leurs couvertures leur tient à peine chaud. Serrés les uns contre les autres dans la cage du côté proche de la cabine, face à l'est, ils voient leurs foyers s'estomper dans le lointain et attendent l'aube.

Juste avant le lever du soleil, ils s'arrêtent pour pisser à une *dhaba* bourrée de monde. Un tube lumineux impitoyable piège des papillons de nuit avides de lumière. De la buée sort de la bouche des camionneurs qui font une pause. En l'espace de quelques minutes, le ciel pâlit et le paysage se dévoile. De part et d'autre de l'autoroute où des véhicules avancent lentement, des champs de blé se déploient dans la brume. L'assistant du recruteur, un bonhomme sec et nerveux à la peau sombre et grêlée, au visage allongé avec de tout petits yeux et une moustache en guidon de vélo, ouvre l'arrière de la cage. Tout en guidant les gamins vers le fossé où ils vont se soulager, il les met en garde contre une fuite éventuelle et, pour balayer toute ambiguïté, reste posté derrière eux en jouant avec son couteau. Le brouillard s'épaissit encore, le soleil apparaît brièvement sous la forme d'un pâle disque argenté, puis s'efface. De nouveau bouclés à l'arrière du *Tempo*, les garçons reçoivent des *rotis*[1] et du *chaï*[2], tandis que le *thekedar* et son assistant, assis à une table en plastique devant, commandent des *aloo*[3] *parathas*.

Et subitement...

Un des gamins enfermés, torse bombé, cheveux bouclés et jusque-là passif, fonce, escalade la cage et saute à terre. Il se carapate avant que quiconque ait pu réagir, court vers l'arrière de la *dhaba*, où d'instinct des mains se tendent pour l'attraper, mais il se faufile, bondit par-dessus des tas d'ordures, puis

---

1. Pain en général (chapati ou autres).
2. Thé (au lait généralement).
3. Pommes de terre.

franchit le fossé nauséabond et s'enfonce dans le champ noyé dans le brouillard. L'assistant du *thekedar* est vite debout, sa chaise en plastique se renverse tandis qu'il s'élance à la poursuite du fuyard ; il longe les toilettes, franchit lui aussi le fossé, dégaine son couteau. Puis l'homme comme le jeune garçon disparaissent. Les routiers, les employés de la *dhaba*, les autres enfants, tous regardent dans la direction du fuyard et de son poursuivant et, dans l'expectative, scrutent la grisaille pour tenter d'entendre quelque chose. Seul le *thekedar*, fort de sa grande expérience, reste calmement assis et boit son *chai* à petites gorgées.

Cinq minutes s'écoulent sans qu'il se passe rien.

La vie normale reprend son cours.

Puis un cri paralysant s'élève, un hurlement atroce quelque part dans le brouillard. Tous les chiens errants se mettent à aboyer.

Lorsque l'assistant revient, haletant, il est seul et son maillot de corps blanc est constellé de sang. Il crache par terre et s'assied sans un mot.

Personne n'ose croiser son regard.

Il termine son *chai*, mange sa *paratha*.

Ce moment se grave au fer rouge dans le cerveau d'Ajay.

Dans les champs, la brume se lève et se dissipe.

Ils roulent toute la journée, et le soleil devient brutal, brûle et asservit le monde à travers ses villes aux carrefours poussiéreux encombrés de camions et d'étals de légumes. Quelques garçons bougent comme s'ils émergeaient d'un sommeil médicamenteux, ils chuchotent entre eux, tentent de se protéger de l'éclat du soleil, de la poussière et du vent. Ajay plisse les yeux et ne parle à personne ; il cherche à se rappeler le visage de son père, le visage de sa sœur, le visage de sa mère. Il cherche à se rappeler le chemin pour rentrer chez lui. Dans l'après-midi, il se réveille sans se rendre compte qu'il a dormi et découvre une ville dotée de larges boulevards, de grands immeubles, de jardins débordants de fleurs éclatantes de couleurs, un monde rêvé, croit-il.

Lorsqu'il se réveille à nouveau, c'est presque le coucher du soleil et ils sont sur une route étroite qui grimpe une chaîne montagneuse, avec une barre d'éboulis prêts à tomber et un paysage vallonné à l'arrière-plan.

Il regarde les yeux des autres garçons et finit par ouvrir la bouche.

« On est où ? demande-t-il.

— Au Pendjab.

— On va où ? »

De la tête, l'un de ses compagnons indique un point au-dessus d'eux.

« Là-haut.

— Pour quoi faire ? »

Le garçon détourne le regard.

« Pour travailler », lui répond un autre.

Tard cette nuit-là, ils entrent vraiment dans la montagne, attaquent les premiers contreforts, se traînent sur les routes en lacets : le *Tempo* n'avance pas plus vite qu'une mule, son moteur est à la peine au milieu du fracas du torrent de la gorge et de l'obscurité totale. La lune réapparaît, elle est presque pleine, le ciel très haut. Mais, au-dessous de l'armée de nuages en mouvement, il y a du noir, des formes grotesques, des à-pics vertigineux, un monde d'ombres, le bruit hypnotique du moteur. La température chute, les garçons, sacs d'os s'entre-choquant dans leurs cages, se serrent pour avoir plus chaud et s'arment de courage. Puis commencent les heures de cauchemar, pareilles à une coulée de lave, la montée incessante, les brusques descentes, l'égrenage des heures qui s'enroulent autour des vallées et des virages en épingle à cheveux, l'air si froid qu'il vous balafre, et Ajay se cramponne dans l'attente du prochain lacet, du plateau, du lever de soleil quand les rayons se répandront sur la rivière invisible, du retour chez lui, de sa mère qui le tirera du sommeil, pour qu'il enlève des chiens morts devant l'école.

Puis des volutes de jour apparaissent et c'en est fini de la nuit, le jaune d'un soleil se devine derrière les pics, l'écran bleu de la mort qui plombait les dernières heures s'éteint. Pure lumière, victoire de l'aube. Ajay scrute les visages des garçons qui clignent des yeux et gigotent, hébétés, sous leurs couvertures. Visages plus âgés : quatorze ou quinze ans, et là un plus jeune, sept ans peut-être. Il les observe pour voir s'ils ont changé. Non, ils n'ont pas changé. Mais ils ont franchi un cap.

Il n'y a plus espoir d'un chez-soi à présent.

Pour le petit déjeuner, la fourgonnette s'arrête à une échoppe à thé ménagée comme une grotte dans une abrupte paroi rocheuse, en haut d'une montagne, à deux pas d'un autel dédié à une déité locale. De l'autre côté de la route, à peine assez large pour que deux véhicules se croisent, une paisible rivière coule au fond d'une gorge. L'assistant saute de la cabine, lève les bras en l'air et s'étire, allume un *beedi*[1] et s'approche de l'à-pic où des pierres peintes font office de garde-fou. Il se cure les ongles avec son couteau de poche et crache dans le vide tandis que des singes, occupés à s'épucer, émettent des bruits menaçants, montrent les crocs et courent vers le prochain virage.

Les garçons sont toujours assis dans la cage.

C'est le bruit du moteur éteint qui est le plus assourdissant.

Le *thekedar* salue le *chai walla*[2], qui s'affaire au-dessus d'une bassine posée sur un réchaud à pétrole. L'assistant revient s'asseoir auprès de son boss et en profite pour ouvrir la cage d'une chiquenaude. Les trois hommes bavardent, s'informent des dernières allées et venues.

L'assistant siffle à l'attention des garçons.

« Dégourdissez-vous les jambes et allez pisser. Vous n'aurez pas une autre occasion de sitôt. »

Les hommes sont détendus, l'incident de la veille à la *dhaba* est oublié.

Cette fois-ci, les garçons n'ont nulle part où fuir.

Ils sortent donc et errent sans but, lèvent la tête vers le couloir de roche calcaire, inspirent à pleins poumons de longues goulées d'air pur et frais. Ajay entend la rivière, invisible, qui se déverse du sommet du monde.

Un des garçons, le plus petit peut-être, celui qui a sept ans, s'approche de l'à-pic.

Ajay l'observe : planté là subjugué, en équilibre à la limite même du précipice, il fixe le vide.

---

1. Petite cigarette roulée dans une feuille de *Diospyros melanoxylon*.
2. Marchand de thé.

Jusqu'à ce que l'assistant l'attrape par le bras et le tire en arrière avec brusquerie.

Et ils repartent.

À dix heures, le soleil est brutal. Portées négligemment, les couvertures procurent un peu d'ombre.

Ils traversent l'Himalaya à vive allure.

Libérés de la nuit.

Plus perdus que jamais.

Ils dorment à présent.

À la mi-journée, le *Tempo* atteint un bourg décati au fond d'une vallée brûlante, asphyxié par l'huile de vidange et les moteurs automobiles, dépotoir de montagne, réceptacle à cochonneries. Ils franchissent un pont métallique hérissé de drapeaux de prière, enjambant de peu une petite rivière rocailleuse encombrée et étranglée par les ordures, rejoignent une nouvelle route à la sortie du bourg et remontent le cours de la rivière à travers les pins. De petites îles herbues rompent le flux des eaux. Au nord, des montagnes au sommet enneigé s'élèvent à travers des brèches entre les arbres aux effluves de résine. Nouvelle chaîne colossale, infranchissable mur blanc. Ajay se rendort et rêve de son père : il porte un panier sur la tête, dessous, son corps est totalement calciné.

Dans l'après-midi, la fourgonnette s'approche d'une grosse bourgade incrustée au flanc d'une montagne boisée. Elle garde l'embouchure d'une longue vallée escarpée qui entaille la terre en profondeur. Des cascades plus haut viennent s'écraser dans des éclaboussures au milieu des rochers et leurs eaux se fraient gentiment un passage pour rejoindre et ensauvager la rivière aux méandres. Un peu plus loin en aval, des villageoises font la lessive, battent leur linge contre des rochers. Le *Tempo* négocie un tournant et l'épaisse couverture de pins assourdit le fracas de la rivière. Ils passent en slalomant devant des bâtiments revêtus de bois, bien entretenus, s'arrêtent sur un parking au milieu des arbres.

D'un seul coup, le moteur s'arrête, une rupture de plus – les garçons battent des cils et se lèvent en chancelant, pareils à des hommes qui mettent pied à terre après plusieurs mois en mer.

Déjà une foule de gens les attendent. Le *thedekar* saute de la fourgonnette, puis, très méthodique, il crache son *paan*[1] et sort un petit calepin. Il ne perd pas une minute pour appeler des noms, pendant que l'assistant ouvre l'arrière du *Tempo* et remet les garçons, un à un, à qui de droit. De petites disputes éclatent, de l'argent change de main. Des liens qui venaient à peine de se former sont à nouveau brisés. Une pluie fine se met à tomber et, en attendant, Ajay s'accroupit dans la cage. L'un après l'autre, les garçons sont emmenés. Pour les trois restants, des enchères commencent.

4.

Ajay est vendu à un petit gros aux joues rubicondes, bien habillé et l'air suffisant.

« Tu peux m'appeler papa, dit-il en prenant Ajay par la main pour le conduire à la station d'*auto-rickshaw* proche. Et toi, comment tu t'appelles ? »

Mais Ajay est incapable de répondre. Il est trop obnubilé par le choc qu'il éprouve face à ce gros bonhomme qui tient sa petite main crasseuse.

Ils grimpent le flanc est de la vallée à bord d'un *auto-rickshaw*. La bourgade en contrebas s'estompe, happée par les courbes des collines. Derrière les pans de toile du *rickshaw*, de plus hauts sommets apparaissent, glaciers aux allures de joyaux, étincelants sous la pluie torrentielle qui s'abat à présent sur eux. Enfoncé dans son siège, Ajay frissonne sans rien dire, tandis que papa, juché sur le bord de la banquette, bavarde avec le conducteur. Quelques kilomètres plus haut, un village plus modeste, plus paisible, émerge, émaillé de maisons de couleur sombre typiques du style montagnard traditionnel – toits de chaume, grosses pierres, charpentes en bois, balcons richement sculptés et décatis –, que menacent de nouvelles constructions en béton

---

1. Préparation à base de noix d'arec, de tabac, d'épices et parfois d'autres ingrédients enroulée dans une feuille de bétel.

intimidantes, flanquées de tas de cailloux et de sable de rivière protégé par des bâches en plastique.

Le *rickshaw* les dépose devant ce qui ressemble à une maisonnette bâtie à flanc de colline, mais, une fois sur la route, Ajay s'aperçoit que la bâtisse descend sur cinq étages, comme si elle s'était effondrée sous le coup d'un glissement de terrain. Papa et Ajay se précipitent vers un court passage à découvert, franchissent une lourde porte en bois et pénètrent dans un vaste espace lumineux, chaleureux et encombré qu'éclairent sur deux côtés des panneaux de verre courant du sol au plafond et donnant sur la splendeur panoramique de la vallée. L'endroit regorge de canapés, de tapis faits main, de bibelots et d'objets, l'élément majeur étant un énorme poêle à bois déployant vers d'autres pièces des tuyaux tentaculaires, dont l'un d'eux éructe sa fumée vers le ciel par un orifice proche de la fenêtre. Une grosse bassine de lait bouillonne sur le fameux poêle. Les lieux ont le crémeux de leur odeur.

Une femme, ronde, rose et parfumée, plus élégante que toutes celles qu'Ajay a jamais vues, se lève et lui sourit.

« Je te présente maman, déclare papa, qui tient Ajay par les épaules.

— Bonjour, dit maman en lui tendant sa main toute rose. Comment tu t'appelles ?

— Allez, prends-la ! » s'exclame papa.

Mais Ajay se borne à la regarder fixement.

« Comment il s'appelle ? insiste maman, qui fait des efforts pour continuer à sourire.

— Serre-lui la main, ordonne papa. Regarde, ajoute-t-il en lui montrant comment faire. Comme ça. »

Ajay lève les yeux vers papa et sourit bêtement.

« Tu as mangé ? demande maman à Ajay d'une voix de bébé. Tu veux un *chai* ? »

Ajay se contente de sourire.

« Il est timide », décrète maman, comme si elle posait un diagnostic.

Elle plie les genoux, examine Ajay attentivement.

« Tu es sûre qu'il n'est pas muet ?

— Bien sûr que non », proteste papa.

Mais Ajay ne dit pas un mot.

« Je ne pense pas qu'il sache lire ou écrire, poursuit-il, mais il n'est pas muet. Pas vrai ?

— Tu n'as pas vérifié ? dit maman, un peu contrariée.

— C'était le seul qui restait.

— Comment tu t'appelles ? » redemande maman en prenant les deux mains d'Ajay dans les siennes.

Ajay est fasciné.

Il chuchote, un chuchotement tellement inaudible qu'on ne l'entend pas.

« Ajay.

— Encore une fois ? dit-elle, souriante, en tournant l'oreille vers le visage d'Ajay.

— Ajay.

— Ajay ! s'exclame-t-elle, victorieuse, en se relevant et elle répète le prénom comme si c'était le plus beau du monde. C'est très mignon.

— Je t'avais bien dit qu'il n'était pas muet, marmonne papa.

— Pourquoi ne pas lui montrer sa chambre ? »

Il fait ressortir Ajay ; au lieu de rejoindre la route, ils longent le bâtiment et tournent à l'angle pour descendre un escalier en pierre protégé par le toit en saillie, passent une série de petites terrasses herbeuses, poursuivent jusqu'au rez-de-chaussée, cinq étages plus bas et entrent dans une pièce extrêmement humide, où la terre gorgée d'eau semble tout près de traverser le sol en béton nu. C'est un débarras rempli de tout un fourbi et de sacs de ciment où traînent un matelas crasseux et quelques couvertures.

« Voilà ta chambre. Et ta clé. »

Il la remet à Ajay.

« Fais-y attention, si tu la perds, tu ne pourras plus fermer ta porte. »

Ajay fixe la clé dans sa main.

« La salle de bains est ici, continue papa en lui indiquant une porte. Tu trouveras du savon à l'intérieur. Lave-toi et fais un somme. Il est une heure. Je reviendrai te chercher à cinq heures, et tu te mettras au travail. »

Ajay a le regard braqué sur l'étagère à côté du matelas ; dessus, il y a quelques effets personnels, deux T-shirts, un cahier d'écolier, un ballon de foot dégonflé, un canard mécanique à roulettes et un miroir dépoli.

« Tu peux les prendre, dit papa qui se retourne, alors qu'il s'apprêtait à refermer la porte. C'était au dernier boy. »

Ajay s'endort au milieu des couvertures, avec au cœur les vibrations persistantes du *Tempo*.

Quand il se réveille, la pluie a cessé, le silence règne et une drôle de lueur pulse derrière le carreau poussiéreux de la petite fenêtre au-dessus du fourbi. Il ne sait pas où il est, puis peu à peu tout lui revient, le voyage s'estompe à la manière d'un rêve, il n'y a plus que la pièce, concrète, déconnectée de tout le reste.

Il passe un long moment immobile dans les couvertures, l'esprit pareil à un oiseau endormi au-dessus de l'océan.

Le soleil se couche derrière les montagnes du versant opposé de la vallée, les nuages se sont dissipés et dévoilent un bleu pur. Des gouttelettes d'eau constellent les herbes des terrasses. Une solitude vibrante émane du bâtiment au-dessus de lui. Il grimpe les marches pour regarder à l'intérieur, mais les lumières de la maison principale sont éteintes. Il ne sait pas quoi faire. Tous les logements sur le flanc de la colline paraissent abandonnés. Alors, il retourne à sa chambre, enfouit la tête sous les couvertures et attend.

« Tu t'es lavé les mains ? » demande papa.

Ajay ment et répond oui en chuchotant.

« Relave-les. »

C'est le mantra de la maison.

Lave-toi les mains. Relave-les. Lave-toi les pieds, lave tes habits. Lave ton petit nez morveux.

Ajay est nourri. Papa l'encourage à manger.

« Pour travailler, il faut que tu sois fort. Prends du sel et du *ghee*[1] avec ton riz, bois du lait, ne lésine pas sur les bonnes choses, du *ghee* et du lait, il y en a à revendre. »

À présent, on lui explique le travail qui l'attend. Il enregistre tout d'un air impassible.

---

1. Beurre clarifié.

Papa possède une petite ferme à une heure de là en grimpant à travers bois jusqu'à une prairie en altitude. Ajay remplace le dernier garçon. Il aura à s'occuper du lait, à faire du *ghee* et à se charger des corvées ménagères, préparer le petit déjeuner, balayer et briquer le sol, laver le linge, allumer le feu, préparer le repas et faire la vaisselle après. On lui attribue une assiette, une tasse, un bol et une cuillère.

« Tu sais faire la cuisine ? » demande papa.

Ajay secoue la tête.

« Alors, tu vas apprendre. Dès maintenant. Et demain, après le petit déjeuner, on montera à la ferme. »

Le soir, maman lui montre comment elle prépare le dîner, poulet au curry, *aloo gobi*, pommes de terre et chou-fleur, *palak paneer*, épinards au fromage de bufflonne, riz. Il observe bouche bée la masse d'ingrédients, la débauche d'épices, les cuillerées de *ghee*. Maman est une cuisinière généreuse, une maîtresse patiente. Elle dépose sur le dos de la main d'Ajay des larmes de choses à goûter, et il lève vers elle de grands yeux incrédules chaque fois que les saveurs explosent sur sa langue.

« Regarde son sourire », dit maman.

Mais papa est plongé dans le journal.

Quand on en vient aux *rotis*, on lui ordonne de les faire lui-même, et on les juge bons, bien qu'il ait été trop chiche sur le sel.

À présent, on lui explique comment mettre la table, placer les cuillères de service, les bols, les assiettes et, une fois le dîner prêt, on lui demande de s'asseoir à la table avec papa et maman.

Il ne comprend pas bien.

« Assieds-toi, lui dit maman en tirant la chaise à côté d'elle. Ici. »

Il grimpe sur le siège sans la quitter des yeux.

« Maintenant, sers-toi. »

Il regarde papa et maman d'un air hésitant.

« Allez. »

Il se saisit d'une cuillère de service, place maladroitement de petites portions de nourriture dans son assiette. Papa fait mine de ne pas voir qu'il renverse de la nourriture.

Devant les petits tas qui ponctuent l'assiette d'Ajay, papa finit par céder au besoin d'intervenir.

« Il te faut plus que ça, décrète-t-il en ajoutant dans l'assiette de grosses cuillères de riz et de *dal* qu'il arrose de *ghee*.

« C'est pas le meilleur *ghee* que tu aies jamais mangé ? s'enquiert maman.

— Si », murmure Ajay.

Il n'a encore jamais mangé de *ghee*.

« Ton père est mort, dit papa, comme si le père d'Ajay en personne venait de lui annoncer la nouvelle par téléphone, et ta mère a besoin que tu fasses tout ton possible pour l'aider. »

Il est en train de construire une histoire.

« Et tu es venu travailler ici pour que tout se passe bien chez toi. »

Ajay se contente de le regarder fixement.

« Désormais, ta mère n'a plus à se tracasser. Ta famille est heureuse parce que tu travailles. »

Ajay revoit le visage de sa mère, figée dans le noir alors qu'il monte dans le *Tempo*. Il revoit le cadavre fumant de son père. Il voit les champs de blé, il tourne les talons et fuit les hurlements de sa sœur. Il écrase un cafard sous ses pieds nus, répète dans sa tête les noms de Kuldeep et Rajdeep Singh.

« Je sais que tu viens d'un endroit, continue papa, où les gens ont beaucoup de coutumes et de croyances rétrogrades. Des tas de règles et coutumes emblématiques de la réalité de votre monde. Mais, ici, nous sommes libres de tout ça, et tu es donc libre aussi. Tu comprends ? »

Le regard d'Ajay va de papa à maman, aux braises du feu, au poulet au curry.

« Chez nous, on a d'autres règles. On n'attache pas d'importance à tes origines. Nous sommes tous des êtres humains, et tous les êtres humains sont pareils. Tu comprends ce que ça veut dire ? »

Ajay reste muet.

« Ça veut dire que si quelqu'un te demande qui tu es et d'où tu viens, voici ce que tu diras : je viens d'une famille de Kshatriyas[1]. »

Ajay baisse les yeux vers son assiette.

« Répète, insiste papa en s'attardant sur chaque mot. Je viens d'une famille de Kshatriyas. »

---

1. Caste de guerriers. L'Inde compte quatre grandes castes : les Brahmanes, les Kshatriyas, les Vaishyas et les Sûdras.

Ajay consulte maman du regard, et elle l'encourage d'un signe de tête.

« Je vis dans une famille de Kshatriyas, chuchote-t-il.

— Non, insiste papa. Tu viens d'une famille de Kshatriyas, d'accord ? »

Ajay acquiesce.

« Je viens d'une famille de Kshatriyas.

— Très bien, réplique papa, c'est bon. Maintenant mange. »

Ajay s'y efforce.

Il façonne une boulette de riz et de *dal*. La regarde fixement.

Mais il ne parvient pas à la porter à sa bouche.

Il semble paralysé.

« Qu'est-ce qui ne va pas ? s'exclame papa en posant ostensiblement sa cuillère.

— Qu'est-ce qui ne va pas, mon petit ? » répète maman en se penchant vers lui pour qu'il puisse chuchoter à son oreille.

Quand c'est fait, elle considère papa d'un air préoccupé.

« Il veut savoir, explique-t-elle avec douceur, s'il peut manger... – elle s'interrompt et détourne le regard –... par terre. »

Papa pousse un long soupir circonspect qui traduit ses sentiments mieux que n'importe quelles paroles.

« Je t'avais prévenu, lance-t-il à maman.

— Je sais.

— Très bien, dit-il à Ajay en revenant à l'hindi. Prends un plat en métal et vas-y. »

Ajay quitte la table d'un bond et s'empare d'un plateau en métal bon marché. Il y transfère le contenu de son assiette en porcelaine, rajoute un peu de poulet et file vers le coin de la cuisine, où il s'assied en tailleur en leur tournant le dos et s'empiffre. Ce repas dépasse en quantité ce qu'il a mangé en une semaine – il a l'impression que son ventre va exploser.

Après le dîner, maman et papa le chargent de faire la vaisselle pendant qu'ils se détendent. Lorsque tout est propre, maman lui apprend à préparer un lait chaud au curcuma.

« La journée commence à cinq heures », annonce papa, tandis qu'Ajay accroupi près du feu boit son *haldi doodh*[1].

---

1. Lait au curcuma.

La chaleur est hypnotique. Ajay a terriblement envie de s'allonger et de s'endormir sur place. Mais quand il a terminé sa boisson, on lui remet des sandales et on l'envoie descendre les marches glacées ; il frissonne dans l'air froid et humide, s'enferme dans sa chambre et se couche en prenant toutes les couvertures qu'il peut trouver ; puis, allongé dans l'obscurité pétrie de tristesse, il attend l'aube.

5.

L'hiver se termine, le printemps approche, la neige fond et on ne va pas tarder à mener le bétail à la pâture. À la ferme, on lui montre les vaches, on lui apprend à donner du fourrage aux animaux, à curer leurs étables, à s'occuper de la traite, à attacher les bêtes au pré. Le matin, Ajay doit courir chercher deux pichets de lait pour la maison. Les commis descendront le reste afin qu'il en fasse du *ghee* ou qu'il le mette en bouteille pour le vendre.

Il travaille dur, et il est constamment épuisé, mais il mange trois fois par jour et personne ne le maltraite ni ne menace de le tuer. La vie qu'il mène est plus agréable que ce qu'il a vécu ou pu espérer vivre. Tous les matins, il a droit à son verre de lait frais et à plusieurs *rotis* arrosés du *ghee* le plus savoureux qui soit. Les repas qu'il prépare, à partir des recettes de maman, regorgent de légumes frais, et le riz ne manque jamais.

À ses moments de loisir, quand personne ne regarde, Ajay adore se rouler dans les jardins en étage, il se crotte dans l'herbe, saute d'une petite terrasse à l'autre, descend, comme la maison, vers le fond de la vallée, vers la large et puissante rivière. De semaine en semaine, il se remplume, parle davantage, rit, sourit. Puis la honte le saisit, et il se console avec le mensonge que papa lui a soufflé. Grâce à lui, sa mère et sa sœur vivent bien maintenant. Il se construit une image de leur journée. Son sacrifice a fait le lit de leur prospérité. Il se répète ça à l'envi jusqu'à en oublier la vérité. Il décide qu'il se plaît bien ici. Il aime courir au milieu des arbres, jouer avec les chiens de ferme, s'asperger la figure d'eau froide, s'asseoir avec maman le soir à côté du feu. Et il découvre autre chose : il a plaisir à faire plaisir, il a plaisir à anticiper tout désir éventuel, pas seulement ceux de maman et papa, mais de tout le monde, des commis de ferme, des bêtes, des commerçants. Il ne s'agit pas seulement de faire plaisir, pas vraiment, ça ressemble davantage à une façon de panser une blessure, de contenir la marée, à un sacrifice pour abolir le traumatisme de sa naissance.

Au début de l'été, il se produit quelque chose d'inattendu ; les étrangers arrivent. Ils débarquent en bus, à moto, drôles de personnages débraillés et heureux aux cheveux longs qui fument la pipe, assis, comme des *sadhus*[1], font du bruit, jouent de la musique et bouleversent la vie paisible de la montagne ; à les voir, ils n'ont ni hiérarchie, ni rituel, ni règle. Quand le premier convoi de motards apparaît, c'est le milieu de l'après-midi. Ajay sort de sa chambre en trombe pour identifier la source du vacarme. Il entend le grondement des moteurs au loin, croit à une avalanche ou à un tremblement de terre jusqu'à ce qu'il aperçoive les motos dans le fond de la vallée, qui remontent la route de la rivière à une vitesse d'enfer et disparaissent derrière la bosse d'une colline.

Il attend, l'oreille tendue, n'ose s'élancer, il n'est pas encore prêt à subir une déception.

Il les repère, qui surgissent à cinq cents mètres de lui.

Il grimpe l'escalier quatre à quatre, court vers la route au moment précis où arrivent les premières motos rugissantes, il les suit aussi vite qu'il le peut en faisant des bonds et en hurlant, les acclame, et eux le saluent en retour en un joyeux flou.

Cet été-là regorge d'émerveillements. Durant les heures où il est censé se reposer, il s'esquive discrètement de sa chambre, grimpe jusqu'au village, près des sources chaudes, où les étrangers passent leurs journées, observe bouche bée ces gens merveilleux qui fument, bavardent et jouent de la musique assis dans les cafés, il s'enfuit s'ils tentent de lui parler, impressionné, lutte contre sa timidité. Ils le voient, lui font signe et l'invitent à se joindre à eux et, de jour en jour, il s'enhardit. Quand il a

---

1. Ascète renonçant à la vie matérielle afin de se libérer du cycle des renaissances et se fondre dans le divin.

le courage de s'approcher, ils rient et blaguent avec lui, ils lui sourient avec gentillesse. Et quand quelqu'un renverse une boisson, il court chercher une serviette. Quand quelqu'un a besoin d'un briquet, il accourt avec sa boîte d'allumettes, en frotte une et observe les rires. Il décide d'avoir toujours sur lui une boîte d'allumettes, où qu'il aille. Allume un chillum, une cigarette chaque fois qu'il en a l'occasion. Le Môme aux allumettes. C'est le surnom qu'ils lui donnent.

Tout l'été, les cafés et restaurants, jusque-là fermés, débordent de lumière, de musique, d'odeurs de nourriture inconnue, exotique, d'hommes et de femmes épanouis et vêtus de fleurs. Le premier mois n'est pas terminé qu'Ajay a appris quelques mots d'anglais. S'il vous plaît, merci, oui et non. Désolé.

Papa va même jusqu'à ouvrir quelques chambres des étages inférieurs – qu'Ajay nettoie à la va-vite – et les loue cinquante roupies la nuit.

Mais lorsque le long été s'achève, les étrangers se volatilisent aussi rapidement qu'ils sont apparus, grand exode de motos et de bus en partance vers le sud afin de regagner l'Inde ; et les couleurs de l'automne explosent, le froid s'installe, la terre se fait dure et s'éteint peu à peu. Les bêtes redescendent de la montagne et réintègrent leurs étables et quand la neige commence à tomber, la maisonnée se replie sur la pièce centrale où le feu brûle nuit et jour. Tout au long de l'hiver, Ajay dort dans la grande pièce, à côté du poêle. Il se sent plus seul que jamais ici et, dans la lueur orangée, face à la neige qui tombe drue au clair de lune, il repense en rêve à sa mère et à sa sœur.

6.

Sept années passent dans cet endroit qui ne devient jamais un foyer, mais qui est le seul lieu qu'il connaisse, où il vit, respire, grandit, attaché à son corps, dans cet endroit qu'il ne peut quitter. Ajay accomplit toutes les tâches qui lui incombent, court après les étrangers, apprend le pendjabi et l'himachali en plus de son hindi, grappille des notions d'anglais, d'allemand, d'hébreu et de japonais, comble les preuves creuses de son existence, donne nom à une foule de choses, maman est gentille avec lui – parfois larmoyante, parfois cruelle –, mais elle s'emploie à lui apprendre à lire et écrire, à écrire son nom en anglais aussi.

Et à la maison et à la ferme, il devient un adolescent fort et docile, musclé, mince ; il apprend à tirer, il apprend à chasser, aide les vaches à vêler, nourrit et dresse les chiens, veille à tenir ours et léopards à distance, toujours vigilant, toujours là, jamais tout à fait là ; il trie les graines de vie, les met à tremper, serviteur loyal à papa, indispensable mais si insignifiant face à l'ordre des choses, à nu devant les rythmes et courants sous-jacents de son anse domestique, dont il est néanmoins protégé aussi, il mange, boit, boit son lait, grandit par à-coups, se laisse pousser une petite moustache ridicule, apprend à se raser – il n'arrête jamais de travailler, comment ne deviendrait-il pas fort ? Son corps s'inscrit dans l'âge adulte, alors que son psychisme est encore à la traîne quelque part, Ajay parfois enfant cherche sans relâche à ce qu'on ait besoin de lui plus que lui n'a véritablement besoin de quiconque. L'été, il dort seul la nuit dans sa chambre en écoutant les fêtes dans les vergers de pommiers, l'hiver en haut, à la chaleur de la cheminée. Il ne tarde pas à dépasser maman en taille, puis papa, même si ces derniers ne voient pas la chose comme ça. Et, au village, l'été, quand reviennent les hippies, qu'il les colle dans le dédale de cafés et de pensions de famille autour des sources chaudes, il continue à apprendre son anglais, Ajay l'allumette, le Môme aux allumettes, interprète mutique, clown muet, toujours disponible, prêt à procurer du *charas*[1] à quelqu'un en échange d'une somme convenue, à rouler des joints pour une roupie, à préparer un chillum pour cinq, à avoir de la gaze sous la main, ce garçon dont auparavant se moquaient tel drogué allemand, tel Israélien dur-à-cuire, tel freak japonais dingue d'acide, tel Anglais miséreux, est à présent fort, vigilant et plus beau qu'il en a jamais eu le droit. Mais il est surtout prêt à rendre service, de sorte qu'il fait le bonheur de ceux qui reviennent chaque printemps et s'exclament :

« Ajay, c'est toi ? Oh là là, qu'est-ce que tu as grandi… »

Et ceux qui l'année précédente lui donnaient des ordres avec beaucoup de désinvolture hésitent, prennent des mines

---

1. Concentré de cannabis préparé avec des plants encore sur pied.

de propriétaire aussi tout en cherchant à s'attirer ses bonnes grâces. Et ceux qui ne l'ont jamais vu brûlent de l'impressionner. Les femmes plaisantent sur son physique séduisant. « Ce n'est qu'une question de temps », dit l'une d'elles, et elles rigolent les unes des autres d'un air entendu. Curieux, le passage du temps. Curieux, ce corps. Mais Ajay n'est pas comme ça. Il n'a pas une once de malice et sait que le corps peut se révéler extrêmement précaire.

Il a appris au fur et à mesure ce qu'il était advenu des autres garçons, ceux qui avaient fait le voyage dans la cage avec lui. L'un d'eux a disparu en forêt et on l'a retrouvé dévoré par Dieu sait quoi, un autre s'est noyé en nageant dans la rivière en crue. Quatre autres se sont enfuis après avoir volé leurs employeurs et, sur ces quatre, deux ont été accusés d'être des *dacoïts*[1] et condamnés pour meurtre et on sait que les deux derniers ont été abattus avant même d'avoir atteint la prison.

« Et, toi, pourquoi tu ne t'enfuis pas ? lui demande papa, chaque fois que leur parvient une nouvelle de ce genre.

— Parce que je suis pas idiot, répond Ajay.

— C'est vrai, reconnaît papa. Tu n'es pas idiot, et tu es un bon garçon par-dessus le marché. Répète après moi, ajoute-t-il en passant à l'anglais. Rien ne vaut son chez-soi. »

Au fil des années, papa agrandit la gigantesque maison déserte, rénove les structures vides des étages inférieurs, fait des lieux un espace accueillant pour des clients en repeignant les plateaux à neuf, de sorte que ça lui rapporte de l'argent en été. Tâche supplémentaire : Ajay a la responsabilité de la pension de famille en plus des corvées de la ferme, il change les draps, fait le ménage, la cuisine pour les clients et toutes les courses nécessaires.

Il arrive que les étrangers descendus à la maison lui posent des questions. D'où es-tu ? Où est ta famille ? Tu rentres chez toi de temps en temps ? C'est comment la vie dans ton village ?

Des questions qu'il élude d'un sourire timide.

« Tu vas école ? » lui demande l'Italien au visage recuit de soleil quand il a quinze ans.

---

1. Brigands de grand chemin, en général des paysans dépossédés de leurs terres et devenus maoïstes.

Ajay hoche la tête.

« Qu'est-ce que tu fais ? Pour apprendre ?

— Je travaille. »

Il sourit.

« Tu vas école avant ?

— Quand j'étais petit, dit-il en pesant chaque mot.

— Quand tu pars ? »

Silence. Haussement d'épaules.

« Quand tu viens ici ? »

Tenace, l'Italien le suit des yeux, essaie de le percer à jour.

« Tu touches argent, non ? »

L'homme recourt au geste universel, se frotte le pouce et l'index, puis exhibe un billet de dix roupies en plus.

« Argent. Roupies. »

Ajay fait mine de ne pas comprendre, sourit.

« Vas-y, prends. »

Il s'exécute et glisse timidement les dix roupies dans sa poche.

L'Italien se penche en arrière et l'observe.

« Tu touches pas argent, hein. Pas vrai ? »

C'est vrai. Ajay n'a jamais été payé. Papa lui a dit que sa mère recevait son salaire tous les mois. Il n'a aucune raison de douter de lui, il le croit sur parole.

Mais à présent il veut des détails, c'est comme lorsqu'on écoute le même conte de fées tous les soirs.

Peu après, un après-midi où il revient de la ferme et se fraie un chemin à travers la forêt en s'arrêtant de temps à autre pour que papa ne soit pas à la traîne, il lui demande tout à trac comment ça se fait que son salaire parvienne à sa mère au village.

Papa garde le silence un petit moment, comme s'il n'avait pas entendu, puis finit par répondre :

« Je dépose ton salaire sur un compte bancaire. Et ta mère le récupère de son côté.

— Dans une banque ?

— Oui.

— Elle a une banque ?

— Oui. Celle de ton village.

— Je ne la connais pas.

— De ton temps, il n'y avait pas de banque. Elle vient d'ouvrir.

— Et avant, comment elle le touchait ?

— L'homme qui t'a amené ici la payait.

— Combien elle touche ?

— Elle reçoit cinq cents roupies par mois », répond papa.

Ajay tourne et retourne les chiffres dans sa tête, calcule tout ce qu'elle a pu acheter.

Ils continuent à marcher. Sous le soleil, les branches semblent s'embraser. L'air embaume la résine.

« Je peux la voir ? s'enquiert Ajay.

— Bien sûr, répond papa du tac au tac. Quand tu veux.

— J'aimerais bien la voir.

— Mais si tu t'en vas, poursuit papa, je serai obligé de te remplacer et tu ne pourras pas revenir, tu comprends, hein ? »

À l'idée qu'un autre prenne sa place, Ajay est saisi de peur.

« Je me rappelle pas comment rentrer chez moi », finit par dire Ajay.

Silence.

« Mais je peux lui parler au téléphone ?

— Peut-être, marmonne papa, comme si cette idée ne l'avait jamais effleuré. Elle a un téléphone ?

— Je sais pas.

— Et même si elle en a un, on ne connaît pas son numéro. »

Ils réfléchissent là-dessus dans un silence mutuel.

« Et les hommes qui m'ont amené ici ? insiste Ajay. On peut leur demander ?

— Ça fait des années qu'ils viennent plus », répond papa.

Le sentier s'élargit, ils passent devant une machine abandonnée, une odeur de rouille mêlée de vieille huile flotte dans l'air.

« Tu n'es pas heureux ici ?

— Je suis heureux.

— Tu as tout ce dont tu as besoin. Tu n'as pas faim, tu n'as pas de soucis. Et tu es en pleine nature.

— Des fois, je pense à ma mère. »

Papa soupire.

« C'est normal.

— Des fois, je rêve d'elle.

— Ta mère voulait que tu travailles.

— Des fois, j'envisage de retourner là-bas après.

— Après quoi ?

— Quand vous ne voudrez plus de moi, je veux retourner là-bas et devenir un grand monsieur.

— Ah oui ?

— Quand je serai plus vieux.

— Ça me fait de la peine que tu veuilles t'en aller.

— Je ne m'en irai pas. »

Ils émergent de la forêt et commencent à parcourir la courte distance les séparant de la maison.

« Voilà ce qu'on va faire, dit papa d'un ton affectueux. Un de ces jours, dans pas longtemps, je te dirai tout ce que je sais sur ta mère et ton village. Et alors, tu décideras si tu veux partir. D'accord ?

— D'accord.

— Tu admets que personne ici ne te retient de force ? »

Ils continuent à marcher. Dans la vallée, le ciel change.

Les glaciers du côté du Ladakh sont en train de fondre.

« Quand est-ce que ce sera ? insiste Ajay. Quand est-ce que vous me direz tout ? »

Papa plisse le front et contemple les nuages.

« Disons dans un an, quand tu auras seize ans. »

Papa meurt quelques mois plus tard, quand sa Mahindra Armada entre en collision avec un bus local un soir tard dans un virage sans visibilité sur la route Bhuntar-Manikaran. Vingt-six personnes décèdent. Le chauffeur avait pris des amphétamines en vente libre, le contrôleur avait l'âge d'Ajay.

Le corps de papa est retrouvé le lendemain dans la gorge, vingt mètres en contrebas de l'épave, enchâssé entre les branches d'un arbre, trempé par la pluie, les viscères à l'air, comme une bande de cassette mal rembobinée.

Totalement oublié dans le déferlement de chagrin, Ajay se réfugie à la ferme, il s'occupe des bêtes, rapporte le lait à la maison et descend à sa chambre, la nuit, juste pour dormir. La mort, la crémation ravivent chez lui des rêves terrifiants. Dès la dernière cérémonie de prières, quatre jours après l'accident, la famille de maman remmène celle-ci, désespérée, à son village natal, dans une autre vallée à six heures de route. On la guide vers la voiture, on l'entraîne sous les yeux d'Ajay. Debout à côté de la vitre, il lui tend la main et elle le voit, mais elle ne lui parle pas, ne fait pas un geste.

Puis elle est partie. Les commis retournent à la ferme et Ajay reste seul dans la maison. Il a souvent été seul dans la maison, mais jamais comme ça, jamais sans directives, jamais sans objectif précis. Il prépare du feu encore une fois et quand les flammes grondent, il fait bouillir le lait et l'écrème. Puis il découpe des légumes pour un dîner que personne ne mangera. Quand tous les plats sont prêts et posés sur la table où il a placé deux sets, il prend son assiette en métal, s'assied par terre et mange sa part en silence. Après le dîner, après la vaisselle, il esquisse quelques pas hésitants dans la partie privée des lieux, la chambre de maman et papa. Planté là, il regarde fixement le lit, les peluches de maman dans leur vitrine, la pendule qui tictaque sur le bureau de papa. Il finit par grimper sur leur lit, du côté de maman et, couché en chien de fusil, il hume l'oreiller, le serre dans ses bras, s'endort. Il y a tant de choses qu'il veut demander à maman. Il veut lui demander le nom de la banque de sa mère, son numéro de compte et l'adresse de cette succursale.

Au matin, il se réveille, un homme penché sur lui. Il ouvre les yeux, sursaute, effrayé, et se réfugie tête baissée dans un coin de la pièce.

« Sale cochon, s'écrie le bonhomme, fous le camp. T'as pas honte ? »

C'est un parent de papa, il vient reprendre la maison et la ferme. Il a amené ses propres commis.

Ajay est expédié vers la pièce principale. Il se tient bêtement, bras ballants, entre la cuisine et le poêle. On commence déjà à déplacer des choses. L'ordre qu'il a contribué à créer, qu'il a connu et respecté au fil des années est battu en brèche. Déjà, les bruits et l'aspect de la maison paraissent bizarres, l'endroit n'a plus rien de stable. On lui dit qu'il a une heure pour vider les lieux.

« Je peux aider, bredouille Ajay.

— J'ai pas besoin d'aide, répond le bonhomme.

— Je travaillerai pour rien. »

Le bonhomme part d'un rire âpre.

« Tu travailles déjà pour rien. »

Ajay est tellement désespéré qu'il ne bouge pas. Il espère que cette réponse est peut-être un assentiment.

« T'attends quoi ? hurle le bonhomme en levant la main, comme on chasserait un chien des rues.

— Mais où est-ce que je vais aller ?

— Qu'est-ce que tu veux que ça me fasse ? Rentre chez toi. »

On est en avril 1999. Ajay n'a pas de papiers, pas de carte d'identité, pas d'instruction, pas de salaires, pas de sécurité et ne possède que peu de choses : un canard mécanique, une collection de boîtes d'allumettes, son intelligence, ses maigres connaissances linguistiques, ses compétences de domestique. Il monte à la ferme, fait ses adieux aux bêtes, les laisse enrouler leurs douces langues chaudes autour de ses doigts, tandis que leurs naseaux et leurs yeux frémissent de plaisir et de gratitude. Il a aidé certaines vaches à vêler. Il en a vu d'autres mourir. Lorsqu'il redescend à la maison, les meubles ont déjà été déplacés, les pièces vidées des affaires de maman, qu'on va lui expédier. D'autres jeunes accomplissent diverses tâches d'une manière qu'il juge contestable. Il attend un moment de calme, puis met la main sur son assiette et son bol dans la cuisine, les fourre dans un sac en toile de jute, s'approprie son couteau de cuisine préféré, court à sa chambre, la déverrouille et récupère, dissimulés tout au fond du fouillis, dans des cachettes secrètes, protégés de l'humidité par des épaisseurs de sac en plastique, les pourboires qu'il a économisés au fil des années. Ça fait un tout petit peu moins de cinq mille roupies, fortune qui jusqu'à aujourd'hui a représenté une source de joie pour lui, mais constitue désormais une source d'inquiétude. Lorsqu'il part, toutes ses possessions serrées dans un malheureux petit bagage, il referme la porte à clé derrière lui, puis se dirige vers l'enceinte de la propriété. Debout sur le muret le plus bas, il contemple la vallée et la rivière, le champ voisin en contrebas, baisse son pantalon et pisse en direction de la rivière ; quand il a fini, il jette de toutes ses forces la clé de sa chambre dans les hautes herbes luxuriantes de la propriété voisine, convaincu que les nouveaux occupants de son ancienne maison l'observent.

Il quitte cette maison, dont il connaît les moindres recoins, même les yeux fermés, sachant qu'il ne la reverra jamais. Il monte au village et s'enfonce dans les ruelles, décrit des zigzags au gré des pentes escarpées, franchit des ruisseaux, des vergers, contourne d'autres demeures par-derrière, traverse des jardins fourmillant de chats et de chiens qu'il connaît. Il grimpe au-dessus du village, jusqu'à l'arête couverte de pins, se juche sur un gros rocher.

Que faire ? Le monde s'ouvre à lui. Il pourrait descendre à Delhi si ça lui chantait, et de Delhi rayonner en Uttar Pradesh. Il pourrait essayer de se lancer à la recherche de sa mère et de sa sœur, s'il s'appliquait vraiment, il pourrait encore se rappeler la région, la découpe des contreforts montagneux au loin et, avec le temps, il tomberait sûrement dessus. Il est fort à présent, il est malin. Il sait lire et écrire, il parle même un peu anglais. Il pourrait réussir, ce n'est pas inconcevable. Seulement… chaque fois que son esprit creuse cette idée, il se ratatine et se met au ralenti sous l'effet de la peur. L'image de sa mère se flétrit, celle de sa sœur hurle. Est-il seulement capable de se rappeler ce à quoi elles ressemblent à présent ? Il continue à les voir en rêve, il voit leurs visages du coin de l'œil, mais ceux-ci se défont sous l'intensité de son chagrin lorsqu'il essaie, éveillé, de bâtir l'image de ce qu'elles sont. Mais elles sont sûrement riches aujourd'hui, sûrement. Elles sont heureuses à cause de lui. C'est pour ça qu'il a travaillé si dur, pour ça qu'il s'est sacrifié, pour ça qu'il a passé tant d'années ici. Elles doivent sûrement être assez riches aujourd'hui. Si l'argent cessait d'arriver sur le compte en banque de sa mère, que penserait-elle ? Qu'il est mort ? Peut-être. Elles le pleureraient peut-être. Peut-être valait-il mieux qu'elles croient ça. Il a payé sa dette, il est libre à présent.

Il se relève, fort de cette soudaine libération, et regagne le village, son bagage à bout de bras. Il peut désormais se dire que sa liberté est une chance. Il peut vivre, s'il le souhaite, comme les étrangers. Libre d'attaches, il peut faire ce qu'il veut. Il peut travailler un moment dans la ville, passer du temps à gagner de l'argent à Delhi, découvrir le monde et ses merveilles, descendre jusqu'à la lointaine Bombay. Il visualise ça. Il pourrait travailler là-bas un certain temps, apprendre à connaître les deux villes et après, quand ça l'arrangerait, une fois devenu riche, il pourrait aller chercher sa mère et sa sœur. Mais, à ce stade, il hésite. Il n'a pas de papiers après tout. Son identité est liée à la ferme, à papa, à ce village. Et de quelles qualifications dispose-t-il pour la ville, ce lieu terrifiant ?

Il s'aventure dans le village, le cerveau en ébullition, et s'assied sur les marches du Purple Haze, un des cafés de routards où il a passé tant de temps, tout juste toléré d'abord, puis adopté à la manière dont on adopte un chien des rues. Surjeet, le patron, s'est toujours montré bienveillant avec lui. Justement, il sort pour lui présenter ses condoléances.

« Houlà, et c'est quoi, ça ? s'écrie-t-il en collant un coup de pied dans le bagage d'Ajay. On s'en va ? Tu comptes partir en vacances ? En pèlerinage ?

— Non, répond timidement Ajay.

— Alors, c'est quoi ? On t'a fichu à la porte ? »

Ajay acquiesce et sourit gentiment.

Surjeet hoche la tête.

« J'ai entendu dire que ce nouveau gars était un voleur. Où vas-tu aller ?

— À Delhi.

— Hé ! Va pas à Delhi. Cette ville, c'est l'enfer.

— Je vais travailler là-bas.

— Tu risques plutôt de te faire tuer. »

Ajay attend patiemment la suite.

« Écoute, finit par dire Surjeet. Mes clients te connaissent. Je sais que tu es un bosseur. Pourquoi tu ne restes pas travailler pour moi ? Pour de l'argent, comme un vrai employé. »

Ajay accepte cette proposition avec une rapidité effarante.

Il se coule dans cette vie de serveur. Il touche deux mille roupies par mois, il est nourri et, la nuit, il a le droit de dormir dans le café avec les autres boys sur un matelas posé par terre quand chaises et tables ont été rangées. Surjeet habite une maison du village – il part autour de six heures. Après la fermeture du Purple Haze, les garçons – des Népalais qui sont là depuis trois ans – traînent, se préparent à manger, fument des cigarettes bon marché, regardent des films sur disque laser, parlent de leur village avec nostalgie, de ce qu'ils feront le jour où ils auront mis suffisamment d'argent de côté, des cafés qu'ils ouvriront, des machines agricoles qu'ils achèteront. Pas Ajay. Il fait son boulot, balaie, s'assure que tout est bien rangé, puis il est le premier à se coucher, à dix heures pile, en chien de fusil, sourd aux bruits, aux rires. Il ne songe jamais à se joindre à eux, à leur demander de se joindre à eux, et ils ne songent jamais à le lui proposer – ils l'acceptent tel qu'il est, sans malice et sans curiosité. Il est aussi le premier à se lever, avant l'aube. Il ne veut pas éprouver la bonne fortune qui lui a permis de décrocher cette place, il ne veut pas compromettre sa sécurité par une conduite débridée. Dès son réveil, il range sa literie, puis gravit durant une quinzaine de minutes une pente de la forêt tout en se brossant les dents avec un bâtonnet de *neem* et gagne, armé d'un savon, une petite cascade qu'il connaît. Il se déshabille et se lave, totalement nu dans l'eau glacée, il oublie tout pendant un moment, puis retourne au café où il récupère les déchets de la veille pour nourrir les vaches et les os de poulet pour les chiens errants sur la place. Lorsqu'il revient au Purple Haze, il balaie discrètement les détritus de la nuit pendant que les boys continuent de dormir puis, quand ils se réveillent, il sort les tables et les chaises. Les Népalais s'étirent, crachent, se brossent les dents, s'enroulent dans des châles tout en contemplant les montagnes en silence, fument une cigarette pendant qu'Ajay se charge de leur boulot, ce qu'ils ne comprennent pas trop, puis ils allument les brûleurs, préparent le *chai*, le petit déjeuner. Bientôt, son dur labeur leur appartient... Ils s'habituent vite au fait qu'il se tape le gros des corvées, Ajay devient une sorte de mascotte. Ils le laissent faire, se prêtent à son jeu d'une certaine façon. Il passe cette première saison à travailler ainsi, sans fléchir, sans faiblir. Il ne juge personne, ne se fait aucun ennemi, garde ses opinions pour lui. Sourit et acquiesce quand on lui demande quelque chose. Les boys veillent sur lui. Préparent de la nourriture en plus pour lui, qu'il mange avec reconnaissance. Il suscite l'amitié et la loyauté.

Lorsque la saison se termine, il compte son argent et encaisse sa part de pourboire. Il a amassé quatorze mille roupies en tout – si facilement qu'il a du mal à y croire. C'est presque comme si ça lui était tombé du ciel sans qu'il ait rien fait. Ce pactole devient magique, irréel. Il aime la sécurité qu'il lui procure, il pourrait aller n'importe où à présent, passer un moment dans tel ou tel endroit, décider par lui-même. Mais ça ne va pas sans risque – et il a maintenant une décision à prendre. L'hiver approche, les cafés ferment, la neige va tomber, les routes seront coupées, le village va hiberner, comme tous les ans, et Ajay n'a nulle part où aller. S'il reste, il faut qu'il trouve un endroit où travailler pour vivre. Il demande à Surjeet s'il peut rester – Surjeet dit qu'il part à Chandigarh, que sa maison ici sera fermée.

« Je peux m'en occuper, propose Ajay.

— Seul ? Tout l'hiver ?

— Oui.

— Non, pourquoi ne te cherches-tu pas un autre boulot et tu reviens au printemps ? »

Surjeet et ses Népalais confèrent – Ajay est invité à descendre à Delhi avec eux, puis à continuer sur Goa pour y travailler. Excepté deux d'entre eux, tous mettent le cap sur une paillote de plage, un endroit où ils vont toujours. Ils appellent le patron. Quand ils finissent par l'avoir au bout du fil, ils lui demandent. Et oui, Ajay peut venir bosser avec eux. Ils partent pour Delhi deux jours plus tard.

Ils démarrent bien avant l'aube et, dans le bus, la tête pressée contre la vitre froide, tandis qu'il regarde les montagnes bleues qui défilent devant ses yeux et suit les lignes d'un terrain qu'il connaît tellement bien, Ajay nourrit un autre plan. Il lui est venu dans la nuit, alors qu'il n'arrivait pas à dormir. Il était trop nerveux pour le mettre en mots à ce moment-là, mais à présent il le tient, confirmé dans l'élan du moment. Il va le faire, il va faire ce qu'on lui a dit, ce qu'il avait trop peur de faire avant : il va rentrer chez lui.

Comment pourrait-il se dérober ?

Avec l'argent qu'il a en poche, il va rentrer chez lui.

Il trouvera son chemin d'une façon ou d'une autre. Son argent le guidera et le protégera.

Il inspire à fond, dit adieu aux montagnes ; son cœur palpite et son esprit s'emballe devant l'immensité de la tâche qui l'attend. Et il finit par s'endormir.

Il se réveille au milieu de la circulation et de la fournaise, le soleil qui tape contre le flanc gauche du bus flamboie sur son front collé au carreau. Il doit être à peine neuf heures du matin, mais il fait déjà bien plus chaud qu'il ne devrait.

« On est à Delhi ? » demande-t-il, abasourdi.

Les boys rigolent. Ils sont encore en montagne.

« Il fait tellement chaud, bredouille-t-il, étonné.

— Par ici, il fait plus chaud », lui explique un des gars.

Ils sont coincés dans un embouteillage au milieu d'un bourg, plusieurs bus, camions et *Tempos* essaient de franchir ce bouchon. C'est vrai, ils sont toujours dans les montagnes – il voit leurs sommets –, mais elles sont différentes, le ciel est différent et la fumée noire des moteurs engorge l'air. L'angoisse envahit Ajay. La chaleur est ignoble, les klaxons l'agressent. Tout à coup, le plan qui lui paraissait tellement évident, tellement sûr, le terrifie, lui donne l'impression de lui filer entre les doigts. Comment a-t-il pu nourrir pareil projet ?

Cette sensation s'amplifie et se renforce au fil de la journée. Comment est-il censé survivre à ça ? Comment est-il censé naviguer à travers cette perfide marée de corps et d'objets ? L'argent dans sa poche lui paraît à peine suffisant. L'horrible angoisse qui lui noue les tripes refuse de le lâcher. Lorsque enfin ils atteignent Delhi, il est sous le coup d'un désespoir abominable. La ville l'accable, le bruit, le béton tous azimuts, la pagaille omniprésente, tout l'oppresse. Il n'y comprend rien. À la descente du bus, il reste aux côtés des Népalais. Ils se dirigent avec détermination vers l'endroit où ils logent toujours – un toit adjacent à un hôtel de Paharganj où travaillent d'autres Népalais. Ils ont beau lui répéter de ne pas s'éloigner, il manque les perdre à plusieurs reprises, ballotté par la foule, harcelé par les sifflets et les mots orduriers. Il tient son sac devant son ventre, son argent tout près de lui. Il est soulagé quand, après avoir zigzagué au gré de passages humides et nauséabonds, ils arrivent à l'hôtel, puis débouchent sur le toit. Là-haut, c'est calme au moins. Le pire de la ville est tenu à distance. Les Népalais lui conseillent de ne jamais se séparer de son argent ni de ses papiers, ni de quoi que ce soit de valeur. Ici, ne fais confiance à personne, ne t'éloigne pas. Ils installent quelques matelas, où ils dormiront serrés les uns contre les autres, à la belle étoile. Comme le soleil se couche, les garçons collectent un peu d'argent, le peu qu'ils gardent pour se payer du bon temps, pas ce qu'ils mettent de côté pour les frais du voyage ou pour envoyer chez eux, et vont acheter une bouteille de bon whisky au magasin de spiritueux, leur unique petit plaisir de l'année. Puis, avec leurs copains de l'hôtel, ils organisent une fête, montent un réchaud et préparent des *momos*[1] vapeur au poulet, du *porc sekuwa*[2], des *tamatar jhol*[3]. Ils boivent le whisky, finissent la bouteille entre eux et chantent pendant des heures. Ajay, en retrait, observe, observe sans relâche, il ne touche pas à l'alcool, touche à peine à la nourriture. Il demande pourquoi ils ne restent pas en ville pour y travailler. La ville est dangereuse, lui disent-ils, elle grouille d'escrocs, de criminels, elle est moche et sale, c'est pas bon, seuls les riches s'en tirent bien, tous les autres en bavent. Ils installent leurs matelas, s'allongent pour dormir. On est en septembre – on décèle une infime fraîcheur dans la nuit. Il va peut-être pleuvoir, déclare quelqu'un. Il a entendu dire qu'il pleuvait à Goa, une rincée de fin de mousson. Tu as déjà vu l'océan ? Non, avoue Ajay. Tu vas adorer, lui assure-t-on. C'est différent là-bas, c'est pas dur comme la montagne. À Goa, la vie est agréable.

Toute la nuit, le lointain rugissement de la circulation, les camions énormes et leurs coups de klaxon, chagrines complaintes de l'exil, envahissent son âme. Il suit ces bruits et imagine la vaste et terrible terre d'où il est issu. La perspective de partir, de retrouver son chez-lui lui paraît pitoyable. C'est impossible. Il n'a pas de chez-lui – il n'arrête pas de devoir se le rappeler, il faut qu'il lâche prise. Sur ce constat, il sombre dans le sommeil. Et, au matin, quand sonnent les cloches du temple et que les *bhajans*[4] entament leurs modulations hypnotiques, Ajay est prêt à partir.

Ils arrivent à Goa trois jours plus tard et s'installent à Arambol, dans une paillote appelée RocknRoll. C'est là qu'Ajay découvre l'océan, qu'il se poste face à lui sur la plage, laisse les vagues s'enrouler autour de ses chevilles, lécher ses pieds nus. Ses journées sont pleines et vides à la fois, et son travail plus agréable que tout ce qu'il a pu connaître. La vie à Goa est agréable. À la paillote, on l'apprécie aussi, ce bosseur qui ne fume pas et

1. Sorte de raviolis.
2. Recette népalaise de porc aux herbes et aux épices, rôti.
3. Variété de curry à la tomate.
4. Chant dévotionnel.

ne boit pas. Ce gars qui parle déjà des rudiments d'anglais et de népali. On l'apprécie, parce qu'il sait se tenir, qu'il sait ne pas dévisager les étrangères avec insistance et ne pas poser trop de questions. Les étrangers l'apprécient aussi ; il est sérieux, il court à la cuisine avec la commande, se dépêche de revenir avec le plat et un sourire. Les filles l'apprécient parce qu'il est timide et beau garçon, qu'il a des dents parfaitement blanches, qu'il n'a pas une once de graisse, qu'il ne les regarde pas fixement et ne cherche pas à les draguer avec des paroles creuses et des fanfaronnades. On l'adore. Il se borne à servir. Tout est oublié. Une saison s'écoule ainsi. Principalement aveuglé par le soleil. Lequel se réfléchit parfois en de violents éclats. Ajay et les boys serrent leurs brosses à dents ensemble dans la salle de bains humide à l'arrière. Se partagent le déodorant Axe oublié, les T-shirts et les jeans oubliés. Ajay est à moitié paumé. Brûlé de soleil et pétrifié. Il apprend à nager, d'abord en faisant le petit chien, puis, à mesure que la saison avance, des étrangers lui montrent comment faire la brasse et après le crawl. Il apprend aussi à piloter un bateau à moteur, va pêcher le crabe à marée basse dans les rochers les nuits de clair de lune et dort à la belle étoile sur la plage. Il joue au volley, au cricket et au foot pendant les siestes de l'après-midi, quand il n'y a pas beaucoup de clients. Il mange du poisson, du bœuf, des pâtes carbonara au poulet et des frites, des mangues, boit de l'eau de coco verte, du jus d'ananas, il est bronzé de la tête aux pieds.

Il se sent heureux, content. Mais, dans le noir, il se répète : *tu sais que la vie peut être extrêmement précaire.*

C'est vrai.

Certains Népalais vendent leur *charas* à Goa. À chaque saison, ils en descendent des montagnes. Cent *tolas*[1] au total. Plus d'un kilo. Un parfait *charas* de montagne. Collant, vert et enveloppé dans de la cellophane. Ils le vendent dans la paillote même, prennent la commande en même temps que celle du repas, c'est comme ça que ça marche : le client commande la « grillade spéciale des montagnes », plat qui n'apparaît pas sur le menu, et règle en même temps que son plat, c'est marqué sur la note avec le reste. Le *charas* est remis au client dans un petit coffret

---

1. Un tola représente 11,66 g.

en bois avec la monnaie. C'est un bon système. Le patron prend sa part, la police aussi. Mais il y a des boys à qui ça ne suffit pas, ils vendent aussi sur la plage, seuls, sans protection, et d'autres dealent dans d'autres bars et sur des petites routes la nuit. Un jour, un des boys est retrouvé mort dans la jungle, ligoté à un arbre, un bout de chiffon enfoncé dans la bouche, les mains tranchées.

Il est incinéré. L'affaire est oubliée.

Elle n'est jamais oubliée.

Les boys lâchent du lest et s'éclatent grave en douce. Certains ont des copines étrangères, des filles qu'ils rencontrent dans le café, avec lesquelles ils sympathisent, ils leur filent de la drogue, les emmènent dans la jungle ou à moto vers des cascades loin à l'intérieur des terres, leur montrent des endroits cachés, dans l'espoir de leur arracher une promesse illusoire – « Je me porterai garante pour ton visa, viens vivre avec moi ». Les boys poussent Ajay à se trouver une fille. Qu'est-ce qu'il attend ? Il a pas mal d'admiratrices. C'est souvent qu'elles posent des questions sur lui. Mais il est trop timide ; il recule. Pour lui, c'est inconcevable, son corps, ses désirs le terrifient. Il aime se fixer des limites, elles préservent sa force. Il dort, recroquevillé sur le sable, collé contre l'échine des chiens de la plage que sa gentillesse et l'odeur de désirs mutuels attirent.

Il échafaude toute une histoire : il va aller chercher sa mère et sa sœur. Il arrivera dans sa propre voiture, un chauffeur au volant, lui sera assis à l'arrière, et tous pleureront quand il touchera les pieds de sa mère. Et tout le village se réjouira.

7.

Cette vie en différé aurait pu se prolonger éternellement, sans la soudaine apparition de Sunny Wadia. Il débarque quand Ajay rentre de Goa et regagne les montagnes et le Purple Haze pour la saison d'été 2001.

Sunny est le meneur d'un petit groupe de fêtards, des Indiens vivant comme des étrangers, phénomène encore rare à l'époque. Qui vivent comme des étrangers, mais ne leur ressemblent pas du tout, quatre hommes et une femme, ce qui est dangereusement nouveau et osé ; de jeunes Indiens riches et éblouissants, qui n'ont pas peur de le montrer, ni de s'encanailler, partout appréciés, des autres et d'eux-mêmes. Des voyageurs qui se contrefichent de l'authenticité et ne demandent pas mieux que de s'asseoir avec les étrangers dans un café, de fumer un chillum et de manger leur cuisine de routards ; qui ont déboulé dans de grosses bagnoles rutilantes et sans la moindre éraflure et pas en bus ou à moto, portent de beaux vêtements et occupent les meilleurs nouveaux hôtels du village, ceux aux balcons en pin clair et aux bars de luxe.

Ajay n'a jamais rencontré d'Indiens comme eux. En un rien de temps, le petit groupe donne l'impression de prendre le contrôle du village. Les commerçants envoient des paquets et des colis de marchandises à leur hôtel. Des chauffeurs rôdent dans les parages, ils meurent d'envie de les servir, attendent de les emmener en excursion, à des soirées, de manière à leur éviter de conduire. Et, contrairement aux étrangers, qui comptent chaque roupie, ce nouveau groupe se moque de l'argent. Pour eux, ce n'est pas un problème, à quoi bon les économies de bouts de chandelles. Eux, ils dépensent. Ils veulent leur confort, la misère n'a pour eux aucun charme. Les gens ne tardent pas à apprendre qu'ils dépensent sans compter et distribuent de généreux pourboires en prime. L'économie du village se réorganise autour d'eux. Tous les employés les veulent, tous les villageois les veulent. Tout le monde se dispute leurs faveurs. Mais certains étrangers ronchonnent. Ces Indiens, clament certains, ne comprennent pas leur propre culture, l'Occident les a corrompus. C'est bien triste de voir à quel point ils se perdent.

Les boys du Purple Haze se lancent dans des discussions animées chaque fois qu'ils les voient, et analysent par le menu les activités du groupe. Ils sont cinq ! Et tellement éblouissants. Que les hommes sont beaux et riches. Et il n'y a qu'une femme avec eux ! À qui est-elle mariée ? De qui est-elle la petite amie ? Comment est-ce possible ? D'où crois-tu qu'ils viennent ? De Chandigarh, de Delhi, de Bombay ? Quelqu'un décrète que la femme est une actrice célèbre. Quelqu'un pense qu'il y a un joueur de cricket parmi eux. Assis dans les cafés, ces Indiens fument du *charas* tous les jours et n'hésitent pas à s'offrir de la *Malana cream*[1]. Ils phagocytent les endroits où ils vont, les envahissent, les colonisent, changent d'établissement. L'argent le leur permet. Ils veulent le gâteau aux noix ici. Ils veulent les crêpes aux bananes là-bas. Ils aiment ce Stroganoff. Ils commandent des plats dans un restaurant pour qu'on les leur livre dans l'établissement où ils sont installés. Assis au Purple Haze, ils commandent des plats au Moonbeam.

« Vous n'avez aucun respect », proclame une voix.

C'est une Espagnole d'une quarantaine d'années, maigre comme un clou et à la peau fripée par le soleil ; elle fume, assise à l'autre bout du café, et cherche à se friter.

« Vous ne pouvez pas vous comporter comme ça, ajoute-t-elle, énervée, en agitant les bras dans leur direction. C'est pas bien. »

Le doigt pointé sur le patron, elle poursuit :

« Il prépare ses repas pour ici. »

Elle pointe le doigt sur son propre plat.

« Et vous faites venir les trucs comme ça. Vous n'avez pas honte ? »

Ils l'observent, amusés, et se mettent à plaisanter en hindi.

« Écoute un peu cette *chuté*[2]... elle est timbrée, cette salope.

— Vous n'avez pas intérêt à vous moquer de moi, hurle-t-elle. Vous n'avez pas intérêt à parler de moi.

— M'am, intervient l'un des membres du groupe dans un anglais languide teinté d'un accent londonien, avec tout le respect que je vous dois, si vous aviez appris la langue de ce pays, vous sauriez que nous ne parlions pas de vous.

— Me sortez pas vos conneries, s'écrie-t-elle en brandissant sa cigarette dans sa direction. J'ai bien vu votre comportement.

— M'am, inutile de parler grossièrement », déclare Sunny avec un sérieux feint qui déclenche les gloussements de ses amis hilares.

En hindi, il marmonne :

« Quelle tarée ! »

Et tous se marrent de plus belle.

---

1. Variété de résine de cannabis particulièrement réputée.
2. Conne.

« Allez vous faire foutre, rétorque-t-elle. Vous déboulez ici avec votre pognon et vos grosses bagnoles, vous vous croyez tout permis et vous donnez des ordres à tout le monde. Vous avez du pognon, mais vous avez perdu votre culture. »

Le groupe éclate de rire.

Mais l'humeur du jeune homme s'assombrit.

« Madame, réplique-t-il, ne venez pas nous expliquer notre culture. Nous ne sommes pas des bêtes de zoo destinées à vous divertir, ni des autochtones souriants censés accessoiriser votre éveil spirituel. La simplicité et l'honnêteté que vous croyez connaître tiennent simplement au fait que votre regard abuse votre cerveau. Vous ne voyez ni n'entendez rien. Et ce gars, dit-il en désignant le patron, se fiche totalement que nous fassions venir des plats de l'extérieur. Nous le payons pour ce privilège. Vous le sauriez si vous parliez notre langue. Si vous connaissiez notre culture, vous sauriez que le respect a sa valeur, mais qu'en fin de compte c'est l'argent qui parle. Enfin, mettez-vous bien dans le crâne ce que je vais vous dire. L'Inde est notre pays, pas le vôtre. Vous êtes notre invitée. Quant à nous, nous sommes des hôtes formidables, mais n'allez pas nous manquer de respect chez nous. »

Ce jeune homme, c'est Sunny Wadia. Grand et imposant, il a une séduction charismatique. Des yeux en amande, un nez joliment aquilin, une barbe courte d'un noir intense. Les cheveux courts, le torse large, les avant-bras solides. Il porte un T-shirt vintage aux couleurs passées, des lunettes aviateur. Il se situe à mi-chemin entre le profane et le sacré.

Au bout de quelques jours, le groupe de Sunny se fixe sur le Purple Haze. L'atmosphère, le service, l'ambiance leur plaisent. Ils charment les Népalais, ils leur sont supérieurs, mais se montrent fraternels en même temps, plaisantent avec les boys, réclament des services, accaparent la chaîne pour écouter leur musique. Conscients que des pourboires vont tomber, les cuistots ne voient aucun inconvénient à préparer des plats pas prévus au menu.

Ajay, déboussolé et débordant de nervosité, les étudie avec une attention extrême, il est fasciné par leur comportement, la richesse qui les entoure, l'aisance avec laquelle ils la portent. Il ne cesse de les observer et essaie de ne pas les dévisager. C'est Sunny qu'il observe le plus, depuis des jours maintenant. Parfois, Sunny rit plus fort que tout le monde. Parfois, il rabaisse ses amis. Mais, à part l'incident avec l'Espagnole, il se montre presque trop courtois avec les gens qu'il ne connaît pas. Chaque fois, c'est lui qui paie.

Ajay décide de veiller à ce que Sunny ne manque de rien. S'il voit qu'on ouvre un paquet de cigarettes, il se précipite avec un briquet. Quelque chose est renversé ? Il apporte une serviette dans les secondes qui suivent. Il sert Sunny en premier, débarrasse son assiette dès qu'il a terminé, s'assure que la table est d'une propreté irréprochable. Cela n'échappe pas au petit groupe. Ils s'en amusent. « Regarde-le, c'est ton *chela*[1]. »

Pour tirer profit de son énergie, ils lui confient d'autres corvées. L'envoient leur acheter des provisions, le paient pour qu'il fasse nettoyer leur linge, lave leurs voitures. Leur procure du *charas*. Quand ils s'aperçoivent qu'il prépare les chillums à la perfection, ils font appel à ses compétences. Il est vigoureux et méticuleux quand il nettoie la pipe avec un bout de gaze, il a le geste habile d'un cireur de chaussures, l'œil d'un horloger ; devant lui, ils rigolent avec admiration. Quelle attention aux détails ! Quel fin connaisseur ! Est-ce qu'il veut fumer avec eux ? Il refuse d'un signe de tête, horrifié. Pas question. C'est bien, disent-ils. Bientôt, il fait le tour de leurs chambres le matin avant de commencer son travail et, après, alors qu'il devrait souffler, il va leur chercher ce qui leur manque. Ils trouvent son empressement extraordinaire, tantôt touchant, tantôt un peu pathétique. Quelqu'un lui déniche un surnom. Puppy, le chiot. Puppy est là.

Sunny aimerait acheter un terrain. Il a décrété qu'il voulait construire quelque chose dans les alentours. Il veut sa propre villa ou son hôtel, un endroit où s'échapper, où crécher. Allez savoir pourquoi, l'info circule. Mais par ici ce n'est pas simple. Pour commencer, il aurait besoin d'un associé local. Un gars qui n'est pas du coin ne peut pas acheter seul. Le hic, c'est que maintenant qu'il a dévoilé son jeu, maintenant qu'on sait qu'il

---

1. Disciple, élève.

veut quelque chose de concret de la région, les comportements changent : il représente une opportunité. Des agents immobiliers autoproclamés rôdent, des villageois « connaissant un endroit » viennent l'accoster. On lui propose des parcelles de qualité inférieure, mais il connaît la musique. On va essayer de le saigner à blanc. Cerné par les vautours, Sunny s'irrite de la bêtise de ce monde. Il soupçonne certains de ses amis d'avoir parlé de ce qu'il avait en tête. Un jour, alors que la brume matinale s'accroche aux montagnes de l'autre côté de la route, qu'une légère bruine tombe sur les vieilles allées pavées, Ajay entend Sunny, vautré sur les coussins du café, le leur reprocher. Sinon comment ça se serait su ? Sunny se referme dans la morosité. Il fait la gueule à tout le monde durant plusieurs jours. Il ne quitte le Purple Haze que rarement, passe son temps à fumer, n'adresse la parole à personne, échafaude de sombres combines. Lorsque Sunny renâcle, ça ne rigole plus. Attentif à côté de lui, Ajay attend.

Puis, après quelques matinées de cette formidable bouderie, un nouvel ami débarque et sauve l'ambiance. Un grand sikh anguleux, au front barré d'une profonde cicatrice qui lui fend même le nez ; il porte un treillis et un T-shirt Superman. Il déboule au volant d'une jeep Gypsy gonflée, s'arrête dans un crissement de pneus en manquant se crasher dans le Purple Haze ; ses haut-parleurs monstrueux balancent un rock des années soixante-dix avec une telle puissance que la foule sort des boutiques, des maisons et des cafés et s'amasse pour ne rien rater de cette apparition décoiffante. Sunny accourt et serre son copain dans ses bras. Les amis de Sunny, jusqu'ici discrets, lui emboîtent le pas.

Le nouveau venu s'appelle Jigs. Il braille :

« *The jig is up !* » La fête est finie.

Il arrive du terrain de golf de Chandigarh, explique-t-il. La veille dans l'après-midi, il a réussi un albatros, et ses potes l'ont baladé sur leurs épaules avant de sécher toutes les réserves d'alcool du club. À quatre heures du matin, en sillonnant les rues au volant de la Gypsy, il a décidé de pousser vers les montagnes pour pimenter la fiesta un poil de plus. Il a entendu dire que Sunny était là-bas. Il est rentré chez lui, a réveillé sa femme, a pêché un peu d'amphé et d'acide dans son tiroir, puis s'est mis en route à cinq heures, il a roulé non-stop avec un pack de douze bières et une pinte de whisky pour lui tenir compagnie sans oublier le blé à filer aux flics.

Il court jusqu'à la Gypsy jonchée de canettes, ouvre la boîte à gants et attrape son chillum italien sculpté à la main.

« Donne-le-lui, dit Sunny en désignant Ajay. Il te prépare des chillums du tonnerre. »

Puis il s'adresse directement à Ajay.

« Hé, lance-t-il en claquant des doigts, va chercher la gaze. »

Le cœur d'Ajay fait un bond dans sa poitrine.

Sunny et Jigs font la fête quatre jours de rang ; dans la chambre d'hôtel de Jigs, la musique trance pulse à donf, le proprio a reçu une belle somme à titre de compensation. Ajay est chargé de leur apporter de la bière, de les approvisionner en *charas*, de leur livrer un carton de bouffe à l'occasion. Les autres amis de Sunny, ceux avec lesquels il était venu, se retirent dans d'autres hôtels ou rentrent chez eux, incapables de s'adapter à ce nouveau rythme, ils fuient la montagne. Quand Ajay vient faire ses livraisons, qu'il entre dans la pièce enfumée, éclairée par les ultraviolets que Jigs a apportés, la pièce aux rideaux tirés, au sol jonché de boîtes de pizza et de plateaux de nourriture, de cendriers remplis à ras bord et de vieilles gazes, la pièce d'où s'est envolée toute illusion de convenance et de sobriété, il ne manifeste aucune émotion, aucun jugement, s'abstient de réagir. Il fait ce qu'on lui demande, point à la ligne.

Au matin du cinquième jour, Sunny et Jigs disparaissent à bord de la Gypsy qui descend la route en brimbalant.

Le village est brusquement réduit au silence. La tornade est passée. Revenu au Purple Haze, à son quotidien et à la grogne des Népalais qui lui reprochent de ne pas avoir assuré son boulot, Ajay se sent perdu.

Mais deux jours plus tard, Sunny réapparaît, il émerge des bois plus haut et erre dans le village, seul, pieds nus, les vêtements sales et déchirés. On jurerait qu'il a fait la guerre, on dirait qu'il ne sait plus qui il est. Il va de-ci, de-là, s'arrête, repart, jusqu'au moment où Ajay l'aperçoit, le ramène au café et l'installe sur un siège rembourré à l'écart, puis lui apporte une grande tasse de thé vert et lui roule un joint. Sunny fume le joint et passe une heure comme ça pendant qu'Ajay sert d'autres clients. Puis il l'appelle et lui réclame une bière, mais avant qu'Ajay ne court la lui chercher, Sunny lui dit :

« Ajay. Regarde-moi. »

Les yeux de Sunny sont grands ouverts, et plus foncés que d'habitude. Sa respiration est superficielle. Il se cramponne au bord de quelque chose que lui seul peut voir. C'est la première fois qu'il appelle Ajay par son prénom.

« D'où es-tu ? demande-t-il.

— D'ici.

— Non, riposte Sunny, exaspéré. Non. »

Il abat le poing sur la table.

« Non, tu n'es pas d'ici. Tu n'es pas d'ici, tu n'es pas de la montagne. »

Il scrute Ajay de ses yeux sombres.

« Alors, d'où es-tu ? Dis-moi.

— D'Uttar Pradesh, répond Ajay dans un murmure.

— Oui, s'écrie Sunny. Oui, tu viens d'Uttar Pradesh. »

Sunny inspire à fond et se redresse sur son siège.

« Et d'où ça en Uttar Pradesh ? insiste-t-il.

— Je ne sais pas », répond Ajay.

Sunny le regarde un long moment.

« Ce n'est pas grave, déclare-t-il. Toi et moi, on est de la même terre. On est frères. »

Il ferme les paupières et reste ainsi l'espace de plusieurs secondes.

« Maintenant, va me chercher ma putain de bière. »

« Tu t'occupes de moi, dit-il quand Ajay revient.

— Oui, *sir.*

— Tu ne veux rien en échange. »

Ce n'est pas une question. Ajay ne sait que répondre.

« Où est ta famille ? poursuit Sunny qui s'empare de sa bière et s'efforce de brider son émotivité.

— Je ne sais pas.

— Pourquoi tu ne sais pas ?

— Mon père est mort.

— Et tu t'es sauvé de chez toi ? »

Ajay secoue la tête.

« Ma mère m'a fait partir.

— Et ?

— J'ai travaillé ici dans une maison du village, mais mon patron est mort. »

Quelque chose dans cette image calme Sunny. Il se rejette en arrière, ferme les yeux un moment, puis les rouvre, comme si l'obscurité lui était insupportable.

« Tu te plais ici ? demande-t-il. Tu ne veux pas autre chose ?

— Autre chose, s'entend dire Ajay.

— Ça ne te dirait pas de faire quelque chose de ta vie ? Quelque chose d'important ?

— Si. »

Sunny bataille avec son portefeuille. Il essaie de jeter un coup d'œil à l'intérieur, mais il a du mal à se concentrer, alors il le confie à Ajay.

« Tu as été chic avec moi, ajoute-t-il. Tu n'as jamais cherché à tirer quelque chose de moi. »

Ajay tient le portefeuille sans trop savoir ce qu'il est censé faire. De toute façon, il n'y a pas d'argent dedans.

« Sors-en une, lui ordonne Sunny. Une des cartes blanches. »

Ajay attrape une carte de visite.

« Prends-la, dit Sunny. C'est pour toi. »

Ajay lui rend le portefeuille et examine la carte. Dessus, deux mots en caractères gris foncé et en relief : SUNNY WADIA.

Ajay marmonne le nom.

« Passe-la-moi, ajoute Sunny. Et va me chercher un stylo. »

Ajay s'exécute et file chercher un stylo.

« Je m'en vais, annonce Sunny lorsque Ajay revient. Si tu veux bosser – il fait un grand effort pour gribouiller quelque chose au dos –, viens à Delhi, à cette adresse. Dis aux gardiens que tu veux voir Tinu. Remets-leur cette carte et explique-leur que c'est Sunny Wadia qui t'a fait venir. »

8.

La vie normale reprend au Purple Haze, mais Ajay a dans le cœur un énorme trou qui a la silhouette de Sunny Wadia. Tout ce qui était stable avant a changé de manière subtile. Il n'a soufflé mot à personne de la proposition de Sunny. Il n'a que sa carte de visite pour preuve. Il la range dans son vieux portefeuille marron, lequel se plie aussi facilement qu'un bout de carton fatigué. C'est un client allemand qui le lui a donné. Il sort souvent la carte et la fait tourner entre ses doigts, et parfois il hume cette légère odeur d'eau de toilette, de richesse et de bonheur, qui va en s'estompant, bout de carton qui commence à s'user sur les bords s'il le touche trop longtemps. Il sait qu'il devrait la cacher, mais il ne peut pas s'empêcher de loucher dessus, elle lui est précieuse. C'est la dernière chose qu'il regarde avant de s'endormir. Mais peut-il faire pareil saut dans l'inconnu ? Six semaines passent, la saison en montagne touche à sa fin. Rien ne change, il ne fait aucune nouvelle rencontre, ne découvre rien de neuf ni d'excitant, il n'y a plus de bruits, plus de couleurs depuis que Sunny Wadia est parti. Il se met à réfléchir sérieusement à cette option. Il rêvasse à ce qui pourrait arriver s'il allait le trouver. S'il travaillait à Delhi, s'il travaillait pour Sunny Wadia. Dans un magasin peut-être ? À vendre des vêtements ? Ou dans un bureau quelque part ? Bien habillé, lui aussi, chemise et cravate, moderne comme Sunny. Mais, à ce stade, sa rêverie vacille. Il ne parvient pas à imaginer quoi que ce soit au-delà, ne voit pas à quoi sa vie pourrait éventuellement ressembler. Il remet la carte dans son portefeuille et range le tout.

Lorsque le café ferme, tout le monde présume qu'Ajay descendra à Goa avec les autres boys, comme d'habitude.

Mais, la veille de leur départ, dans l'après-midi, tout de suite après qu'il a touché son salaire et ses pourboires, il fait son sac et s'en va. Il prend juste son argent, ses vêtements et les quelques affaires qui lui appartiennent et descend le flanc de la montagne pour gagner l'arrêt de bus. Il attrape le bus de dix-huit heures pour Delhi, s'assied et regarde par la fenêtre, impatient d'entendre le moteur tourner.

Il se dit qu'il ne pourra pas fermer l'œil en route, mais à peine le véhicule a-t-il démarré qu'il s'effondre et s'éteint comme une chandelle. Il en perd sa boussole. Il se réveille dans le noir quelques heures plus tard, alors qu'ils dévalent les multiples plis et replis de montagne à des centaines de kilomètres des plaines.

Je peux toujours revenir, se dit-il. *Je vais juste voir comment c'est.* Mais une part de lui sait qu'il ne reviendra jamais. Et c'est vrai que ce départ a quelque chose de libérateur, cette façon de balancer tant d'années par-dessus son épaule pour aller au-devant d'une vie de dignité.

Lorsqu'il atteint la ville, où le bus l'a déposé à l'ISBT, la gare routière de l'Inter-State Bus Terminal, il approche un groupe de rabatteurs qui cherchent à vendre des chambres et leur demande s'ils peuvent lui expliquer où il doit aller. Il leur donne l'adresse de mémoire, ils se consultent du regard, l'un d'entre eux déclare que c'est sur son chemin et qu'il peut l'y conduire. Ajay grimpe dans un *auto-rickshaw* avec lui, et soudain trois autres gars se joignent à eux. Ils parcourent une courte distance, puis s'arrêtent dans une ruelle tranquille où ils tabassent Ajay et lui volent toutes ses affaires.

En état de choc et le nez en sang, il sillonne les rues durant les quelques heures qui suivent, il a la figure entaillée en plusieurs endroits, pleure la perte de tout ce qu'il possédait. Sans les Népalais pour le guider, tout lui est étranger et menaçant, et tous les gens alentour sont des agresseurs potentiels. Il avance au petit bonheur en espérant entrevoir une solution, mais il est bien incapable de déchiffrer le mystère que représente la ville et a peur de demander.

Il s'aventure dans un quartier mieux nanti, où il y a de larges boulevards et, sous le couvert de grands arbres, des bungalows gardés par des flics. Il passe devant deux d'entre eux, qui le pressent de circuler, comme s'il était un vagabond.

Au bout d'une heure, il prend le risque de s'asseoir sur un tabouret devant une échoppe de *chai* installée à côté d'un carrefour animé. Un conducteur d'*auto-rickshaw* tout guilleret s'intéresse à lui et cherche à savoir pourquoi il a la figure dans cet état. Lorsque Ajay trouve le courage de lui parler du vol et des raisons qui l'ont amené là, le conducteur de l'*auto-rickshaw* lui offre un *chai* et un *bun makhan*[1] et lui promet de le déposer à l'endroit où il veut se rendre. Ajay repense à la carte de visite. Il cherche dans sa chemise – oui, elle est là ! Dans sa poche de

---

1. Pain au lait grillé et fourré.

poitrine. Il éprouve une bouffée d'espoir et d'orgueil et brandit la carte pour montrer au verso l'adresse gribouillée d'une écriture penchée. Mais le conducteur de l'*auto-rickshaw* n'a d'yeux que pour le nom imprimé au recto.

« Tu sais qui c'est ? s'écrie-t-il en sifflotant entre ses dents.

— Oui, répond Ajay. C'est un homme bien.

— Et c'est là que tu vas bosser ? Veinard. Te bile pas si on t'a dévalisé ! »

Il lui rend la carte.

« Allons-y, décrète-t-il en passant le bras autour de l'épaule d'Ajay. Mais oublie pas tes copains. »

Le crépuscule descend quand ils s'arrêtent dans l'étroite rue envahie de voitures rutilantes, de tas de sable de construction et d'immeubles résidentiels cachés derrière de gigantesques portails. Ajay est affamé et nerveux, il a la figure couverte de bleus et d'entailles, mais son adrénaline grimpe en flèche devant ces portails et la magnificence des bâtisses qu'ils protègent.

« C'est ici », déclare le conducteur de l'*auto-rickshaw* en désignant le portail en face d'eux flanqué de deux gardes armés.

Le bâtiment est un monobloc de cinq étages, solide, sombre et impénétrable, aux façades lisses et musculeuses obscurcies par des plantes grimpantes et des verres miroirs protégeant une foule de secrets.

Lorsque Ajay met pied à terre, les gardes le considèrent d'un air dégoûté, et leurs mains se crispent sur leurs fusils.

« Qu'est-ce que tu veux ? lui crie l'un d'eux. Si tu cherches à mendier de quoi manger, va plutôt au temple.

— Il est venu pour un boulot, braille le conducteur de l'*auto-rickshaw*. Et il faut aussi que quelqu'un me paye.

— Barre-toi, lui lance l'un des gardes en retour.

— Qu'est-ce que tu veux ? demande l'autre à Ajay.

— Je veux voir… »

La voix d'Ajay est si ténue qu'ils l'entendent à peine.

« Hein ? Parle plus fort.

— Je viens voir Tinu », dit Ajay d'une voix plus claire.

Les gardes éclatent de rire.

« Tinu-ji ? Qu'est-ce que tu lui veux, à Tinu ? Qu'est-ce que Tinu peut bien avoir à faire d'une pauvre cloche comme toi ? »

Ajay hésite. Puis il porte la main vers la poche de sa chemise. Ses doigts caressent la carte. Il la sort, avance de quelques pas et la tend, nerveusement, comme si elle risquait de se désagréger.

« Regardez, dit-il en priant le ciel pour que ça marche. C'est Sunny Wadia qui m'a fait venir. »

Après un coup de fil, les vantaux du portail s'ouvrent et, sous la conduite d'un garde, il s'engage dans une allée encombrée de voitures rutilantes, puis entre dans cette demeure monumentale par une petite porte latérale. Il suit un couloir vivement éclairé, aux allures de grotte, puis un autre et encore un autre, il tourne au sein d'un dédale, attend l'ascenseur de service, descend d'un étage, emprunte un nouveau couloir. Il passe devant des dizaines de personnes, devant des cuisines, des chambres et des bureaux, aperçoit des hommes et des femmes en uniforme.

« C'est un hôtel ? demande-t-il au garde.

Mais celui-ci reste muet.

Après plusieurs minutes de tours et de détours, on le fait entrer dans une petite pièce mal aérée ressemblant à une cabine de bateau. Allongé sur un lit, un quinquagénaire râblé, affligé d'une bedaine et d'un visage aplati auquel seule une maman pourrait trouver quelque grâce, regarde la télé. Il est vêtu d'un tricot de peau blanc et d'un pantalon noir. Il remue un peu, rote bouche fermée, fronce les sourcils quand le garde le salue avant de repartir.

« Alors, lance-t-il à Ajay, de quoi s'agit-il ?

— Sir, vous êtes bien Tinu-ji ? »

Le quinquagénaire enfile une chemise, se peigne, puis pointe le doigt sur une plaquette de médicaments.

« Passe-moi ça. »

Ajay s'exécute.

« Acidité, explique le quinquagénaire en enfournant un comprimé. Oui, je suis bien Tinu. »

Ajay lui tend la carte.

« Sunny sir m'a fait venir. »

Tinu attrape une paire de lunettes sur la table de chevet – une fois qu'il les a chaussées sur le bout de son nez, il a tout du bureaucrate d'une petite ville, du chef de bureau, de l'ancien gros bras converti à la gentillesse. Il regarde tour à tour le visage d'Ajay et la carte.

« Qu'est-ce qui t'est arrivé ?

— Sir, des gars m'ont dépouillé.

— Tu les as laissés te dépouiller. Pas grave. »

Il examine la carte, recto verso, la tâte entre ses doigts, puis la pose à côté de lui.

« Où t'as eu ça ?

— C'est Sunny sir qui me l'a donnée.

— Oui, dit Tinu. Où ça ?

— À Manali. Il y a six semaines.

— Bien, marmonne Tinu, apparemment pas impressionné. Et il t'a proposé un job ?

— Oui, sir.

— Pourquoi ? »

La question désarçonne Ajay, qui prend un air désolé. Tinu hausse les sourcils.

« Je t'ai posé une question.

— Sir, je l'ai aidé.

— Tu l'as aidé ?

— Oui, sir.

— Tu bosses dans des cafés, des paillotes ?

— Oui, sir.

— Tu l'as aidé à se procurer de la drogue…

— Non, sir.

— En quoi tu l'as aidé ?

— J'ai fait des courses pour lui, sir.

— Des courses… »

Tinu consulte sa montre.

« Il est tard, dit-il. Mieux vaut t'attribuer une chambre. »

Il appuie sur une sonnette et un domestique, qui n'est pas sans ressembler à Ajay, se présente.

« Donne-lui un lit pour la nuit, et emmène-le manger à la cuisine. »

Il regarde Ajay.

« On s'occupera de toi demain matin. Va.

— Sir ? fait Ajay, qui s'apprête à tourner les talons.

— Qu'est-ce qu'il y a encore ?

— La carte, sir. »

Tinu roule de grands yeux, mais la rend à Ajay qui s'incline un peu et s'éclipse.

Le domestique lui fait parcourir d'autres couloirs encore, ils descendent un escalier et parviennent devant une pièce exiguë dans les entrailles du bâtiment, sorte d'alcôve équipée de deux lits superposés dont les deux couchettes inférieures sont déjà occupées.

« Prends-en une, lui dit-il en pointant le doigt vers une des couchettes du haut. Le placard, c'est pour tes affaires. Elles sont où ?

— J'ai rien.

— Va chercher de quoi manger, ajoute le domestique en tendant vaguement le bras dans la direction d'où ils sont venus, à la cuisine tout au fond. Et puis dors. »

Il ne faut guère de temps à Ajay pour s'endormir. Il a vu des sous-marins au cinéma. Il s'imagine être à bord d'un de ces bateaux, en train de passer sous Delhi. Il écoute les bruits métalliques des tuyauteries et les sons assourdis de la cuisine au bout du couloir. Des hommes entrent et sortent des couchettes qui disposent d'un rideau pour plus d'intimité, comme dans un bus de nuit.

Au matin, la chambre commune est vide. Il s'assied dans son lit, rideau tiré, et habillé de pied en cap, il attend. Un autre boy vient le chercher et l'emmène déjeuner à la cuisine avant de le conduire au local du tailleur au sous-sol où on prend ses mensurations pour son uniforme, puis on lui remet trois maillots de corps blancs, trois chemises bleu pastel, deux pantalons noirs à sa taille, une ceinture et trois paires de chaussettes ainsi qu'une paire de chaussures de la bonne pointure elles aussi. Par la vitrine d'une petite pharmacie jouxtant le local du tailleur, on lui passe du savon et du shampoing, une brosse à dents, un déodorant et un coupe-ongles. Il est prié de se doucher et de se savonner deux fois par jour, d'utiliser le déodorant, de se laver les mains souvent ou bien après toute activité où il serait amené à se salir, de toujours se les laver avant de toucher à la nourriture, après être allé aux toilettes et de toujours avoir des ongles propres et coupés court. Il rapporte toutes ces affaires à la chambre commune, se douche et revêt ses nouveaux vêtements, puis on le conduit au deuxième étage de la bâtisse – ce faisant, il entrevoit brièvement le monde extérieur pour la première fois –, au bureau d'un certain M. Dutta, bonhomme grisonnant et pédant, poil aux oreilles et fine moustache, qui est en train de fumer une cigarette, assis derrière une table de travail sur laquelle s'entasse une tripotée de livres de comptes.

« Qui es-tu ?

— Ajay, sir. »

M. Dutta réfléchit, l'examine de plus près et éteint sa cigarette.

« Tu es le garçon que Sunny a fait venir ?

— Oui, sir.

— Veinard. »

S'ensuit une longue liste de questions.

« Tu bois de l'alcool ?

— Non, sir.

— Tu fumes ?

— Non.

— Tu prends de la drogue ?

— Non, sir.

— Tu vends de la drogue ?

— Non.

— Mais tu sais ce que c'est, pas vrai ?

— Oui, sir.

— Parce que tu bosses dans des pensions de famille et des paillotes.

— Je travaillais dans un café, sir.

— Tu sais conduire ?

— Oui.

— Deux roues, quatre roues ?

— Tout, sir.

— Bus et camions ?

— Non, sir.

— Donc, pas tout.

— Non, sir. Je sais conduire un tracteur, sir.

— Tu as grandi dans les montagnes.

— Oui, sir.

— Tu faisais quoi ?

— Je travaillais dans une ferme. Je faisais du *ghee*.

— Du *ghee* ? Très bien.

— Et après j'ai travaillé dans un café.

— Tu as été à Goa aussi ?

— Oui, sir.

— Et tu ne vendais pas de drogues ?

— Non, sir.

— Tu as dû voir toutes sortes de trucs pas bien ?

— Oui, sir.

— Des dingues.

— Oui, sir.

— Tu connais tous les trucs que font les gens ?

— Oui, sir.

— Et tu es discret.

— Sir ?

— Prudent. Taiseux.

— Oui.

— Tu es capable de garder des secrets ?

— Oui.

— Et tu es loyal ?

— Oui.

— Tu sais qui est Sunny Wadia ?

— Sir, c'est un grand monsieur.

— C'est le fils d'un grand monsieur. Tout ce que tu vois ici, on le doit à son père, Bunty Wadia. Nous lui sommes tous redevables de notre bonheur. C'est un homme remarquable. Il se peut que tu aies à répondre à Sunny aujourd'hui, mais nous on répond tous à Bunty-ji. Bunty-ji, c'est Dieu. N'oublie pas ça.

— Non, sir.

— Tu as été à l'école ?

— J'avais huit ans quand j'ai quitté l'école.

— Mais tu es intelligent ?

— Je sais lire et écrire. Je comprends l'anglais. Et aussi un peu d'hébreu, d'allemand et de japonais, sir.

— Tu es marié ?

— Non, sir.

— Pas d'enfants ? »

Timidement, Ajay fait non de la tête.

« Quel âge as-tu ?

— Sir, je sais pas. Dix-huit ? Dix-neuf ans ?

— Tu aimes les filles ? »

Ajay ne sait pas quoi répondre.

« D'ici peu, tu seras amené à travailler avec des filles. Si tu les touches, on ne te fera pas de cadeau.

— Oui, sir.

— Si tu veux une fille, va à GB Road. »

Ajay ne sait pas où c'est.

« Si tu emmerdes les femmes d'ici, on te coupera les couilles.

— Oui, sir.

— Et si on te prend à voler, on te coupera la main.

— Oui, sir. »

M. Dutta allume une cigarette.

« Bien. Et où es-tu né ?

— En Uttar Pradesh.

— Ta famille est là-bas ?

— Je ne sais pas.

— Pourquoi ?

— J'étais petit quand je suis parti.

— Tu n'y retournes pas ?

— Non. Mon père est mort.

— Donc, pas de vacances pour Diwali. Tu ne vas pas prendre trois jours de congé et revenir trois semaines plus tard ?

— Non, sir.

— Bien. As-tu une *PAN card* ? Un compte en banque ?

— Non, sir.

— De l'argent ?

— On m'a tout volé.

— Comment ça ?

— Hier, en arrivant à Delhi.

— C'est pour ça que tu as le visage esquinté ?

— Oui, sir.

— Combien as-tu perdu ? »

Ajay baisse la tête.

« Trente-deux mille, sir. »

M. Dutta sifflote, hoche la tête, note cette précision, puis referme son registre dont il fixe la couverture un moment.

« *Chalo*[1]. Va te faire couper les cheveux et raser au salon Elite, au marché. Tu n'auras rien à débourser. Ensuite, un médecin

---

1. Va-t'en. Circule. C'est bon.

s'occupera de ta figure. On ouvrira un compte bancaire à ton nom et tu démarreras à cinq mille par mois. Tu recevras un téléphone, ne t'en sépare jamais et veille à ce qu'il soit toujours chargé. Et tiens... »

Il ouvre un tiroir et en tire cinq billets de cent roupies :

« Ton avance.

— Merci, sir.

— Pour le reste, c'est Sunny qui jugera, tu dépendras de lui. C'est lui ton boss maintenant. Fais ce qu'il te dit et tout ira bien.

— Oui, sir.

— Et souris. Tu fais partie du clan des Wadia. Plus jamais on ne te dépouillera. »

Il se fait couper les cheveux et raser au marché et, à son retour, un médecin s'occupe de son visage entaillé, nettoie ses blessures et lui fait prendre un analgésique et un antibiotique. On lui montre les quartiers des domestiques au sous-sol, les endroits où il peut ou ne peut pas aller, puis dans l'après-midi, on l'envoie chez Sunny. Il ne saisit toujours pas les dimensions de cette maison ; elle ne ressemble à rien de ce qu'il a vu jusqu'à présent. Un boy en uniforme le guide à travers des couloirs qu'il croît reconnaître et, lorsqu'il parvient au rez-de-chaussée après avoir gravi quelques degrés, son environnement change du tout au tout, le carrelage fonctionnel et l'éclairage blanc cèdent la place à des tapis et à des meubles tarabiscotés, à des tableaux sur les murs, à un fantastique étalage de richesse. Ils montent les marches d'un escalier central en marbre, chaque palier ouvrant sur différents appartements qu'il entrevoit derrière d'épaisses portes en bois quand des domestiques entrent et sortent. Au troisième étage, ils tournent et poussent une de ces portes, puis s'engagent dans un nouveau dédale de couloirs à la lumière tamisée, au sol en marbre blanc moucheté, décorés de statues de divinités et baignés d'une apaisante musique sacrée. Il y a un ascenseur au bout d'un de ces couloirs. Ils s'y engouffrent, lui et le boy mutique en uniforme, et montent au cinquième étage. Dès que les portes de l'ascenseur s'écartent, ils découvrent une porte capitonnée de cuir rouge et, sur leur droite, un escalier menant à l'étage inférieur. Le garçon presse la sonnette de la porte et un jeune homme joufflu aux yeux vides les fait entrer.

Une explosion de lumière et d'air. L'appartement de Sunny, c'est le penthouse. Ajay pénètre dans un vaste living-room meublé de canapés luxueux et de tables basses couvertes de livres reliés ; au bout à droite, sur une section surélevée, d'autres canapés et une gigantesque télévision ; au mur, des tableaux de couleurs vives, criards ; ici et là, des sculptures et des lampes surprenantes, des plateaux de fruits frais superbement découpés ; après la section surélevée, une petite cuisine d'apparence exiguë tranche avec le reste des lieux. Sur la gauche, un autre espace accueille la table à manger et huit chaises et, au-delà, une batterie de portes vitrées donnent sur ce qui ressemble à une piscine et laissent entrer des flots de chaude lumière. Ajay a l'impression que cet endroit existe dans un univers distinct, détaché des entrailles laborieuses de la vaste demeure, de l'opulence feutrée et austère des autres étages supérieurs. Oui, après l'autorité écrasante de la bâtisse, après le côté oppressant de la chambre commune aveugle, cet appartement lui fait l'effet d'un paradis.

Planté là bêtement, il inhale le tout. Puis, venant du fond de l'appartement, il entend la voix dont il se languit depuis si longtemps.

« Arvind ?

— Oui, sir.

— Qui est là ?

— Sir, répond le domestique joufflu, le nouveau boy est là.

— Quel nouveau boy ?

— Celui des montagnes, sir. »

Il s'écoule quelques secondes de silence.

« Fais-le entrer.

— Vas-y », chuchote Arvind.

Ajay se dirige vers la voix de Sunny, s'arrête sur le seuil.

« Entre donc ! »

Quand il obtempère, il est frappé par le souffle glacé du climatiseur. La pièce est aveugle, peu meublée. Sols en marbre, murs crème et un grand lit bas sur lequel Sunny, assis torse nu, se roule un joint.

« Sir », dit Ajay.

Sunny lève la tête et étudie Ajay sans manifester la moindre émotion.

« Qu'est-ce qu'il est arrivé à ta figure ?

— Sir… », bredouille Ajay.

Juste comme il va recouvrer son sang-froid, une porte s'ouvre derrière le lit, et la fille des montagnes, « l'actrice », apparaît, vêtue d'un court caleçon en soie et d'une chemise d'homme.

« Puppy ! s'exclame-t-elle. Il est venu. Oh, que c'est mignon. Mais qu'est-ce qu'il s'est fait à la figure ? »

Elle se laisse choir sur le lit et Ajay ne sait où poser les yeux.

« Je veux un café, déclare-t-elle négligemment.

— Va faire du café, ordonne Sunny. Il y en a, en grains, dans la cuisine. »

Intimidé par tout ça, Ajay est pétrifié.

« *Chutiya*, crie Sunny. Qu'est-ce que t'attends ? »

9.

Sa journée de travail officielle démarre à six heures du matin. Il se lève tous les jours à quatre heures, passe une bonne heure dans la salle de bains commune à se briquer, à se laver les dents, à se brosser les ongles, à se huiler les cheveux et à se faire une raie impeccable, à s'assurer que ses chaussures sont cirées et ses habits parfaitement repassés, avec un pli comme il faut.

Son travail, c'est de gérer le matin. À son réveil, Sunny ne veut pas voir la pagaille de la veille. En général, Sunny reçoit des amis jusqu'à tard dans la nuit. Quand il arrive, Ajay a parfois l'impression de les avoir manqués de quelques secondes. Une cigarette continue de se consumer dans un cendrier, un CD tourne encore à bas volume. Ajay a sa routine, il commence par ramasser les bouteilles vides avec un soin extrême pour éviter qu'elles ne s'entrechoquent. Puis il s'attaque aux verres vides. Puis aux cendriers. Puis il balaie. Il inspecte les paquets de cigarettes vides au cas où il y aurait du *charas* oublié au fond, glisse ce qu'il peut trouver, *charas* ou toute autre drogue, dans de petits pochons qu'il range dans un tiroir, en sécurité. Puis il vérifie qu'il n'y ait pas un téléphone, de l'argent, une carte de crédit qui auraient glissé dans les canapés, retape les coussins, passe la serpillière.

Il préfère être seul. Mais, deux ou trois fois par semaine, il trouve Sunny en compagnie d'une poignée de copains, volets baissés, lumières tamisées, atmosphère enfumée, occupés à regarder un film à la télé, ou bien un groupe dehors autour de la piscine, en train d'écouter de la musique, allongés sur des transats. Dans ces cas-là, il faut qu'il fasse encore plus attention, qu'il soit plus discret et respecte un équilibre entre le ménage et le dérangement qu'il risque d'occasionner sur le mental des uns et des autres. Il sait prêter une oreille attentive aux désirs des gens. Il sait que ceux qui sont encore debout à cette heure-là ne veulent pas de lumières crues, de questions futiles, ne veulent pas culpabiliser. Il sait être d'une disponibilité invisible. Et il sait aussi apporter des couvertures, les placer à portée de main, préparer un pot de camomille et le laisser sur la table, masser les pieds de Sunny si nécessaire.

Sunny, il l'apprend, est maniaque pour certaines choses. Pour l'hygiène, par exemple. Pour la température aussi. Le climatiseur doit être réglé sur dix-sept degrés jour et nuit.

À sept heures et demie, du moins quand il s'agit d'une journée normale, que l'appartement est à nouveau rangé, il doit apporter une eau chaude citronnée additionnée de curcuma râpé au chevet de Sunny et mettre le Gayatri Mantra avec le volume à quatorze. Suivent, vingt minutes plus tard, une pleine cafetière de café en poudre, une coupe de fruits, un jus d'orange et des croissants frais livrés tous les matins par la boulangerie de l'hôtel Oberoi. Ensuite, il prépare un bain brûlant pour Sunny, remplit la baignoire, ajoute des huiles ou des sels parfumés et parsème de pétales de rose la surface de l'eau. Vers huit heures, il va chercher les journaux et les dernières revues. Vers neuf heures et demie, c'est le moment du petit déjeuner. Ce peut être des sandwiches à base de toasts grillés au fromage et jambon, ou bien des œufs *bhurji*[1] avec pain blanc et ketchup ou encore des *aloo parathas* ou même rien du tout. Après le petit déjeuner, pendant que Sunny réfléchit à ce qu'il va mettre, Ajay, toujours sur le qui-vive, va chercher les différentes options dans le dressing, les soumet à son boss avec leurs accessoires et écoute Sunny lui expliquer comment apparier et assortir, ainsi que les subtilités

---

1. Œufs brouillés à l'indienne, c'est-à-dire avec des épices.

de la confection, qu'il lui dit avoir glanées en Italie. Puis, pendant que Sunny s'habille, Ajay lui prépare son porte-documents, avec son ordinateur portable et son chargeur, ses papiers et dossiers, ses cigarettes – Treasurer London – et son Zippo. Une fois Sunny parti, Ajay fait l'inventaire et reconstitue les stocks du frigidaire et du bar, régulièrement vidés pendant la nuit. Bières, vins et champagne sont rangés dans l'énorme frigo, vodka et gin entrent au congélateur et les placards sont regarnis en whisky, rhum et cognac. Ajay descend chercher ces bouteilles au sous-sol dans une gigantesque réserve sous surveillance vidéo, et dotée d'une porte grillagée équipée d'une combinaison électronique. Elle renferme plus de variétés d'alcool qu'Ajay en a jamais vu, des piles et des piles de cartons et de caisses qui s'accumulent. Ajay passe souvent du temps à essayer de mémoriser chaque marque, à apprendre par cœur les couleurs des bouteilles, leurs étiquettes et leurs noms. Si Sunny est là dans la journée, son repas – *dal*, *roti*, curry de poulet ou de mouton, *sabzi*[1] – lui est servi à treize heures, pendant qu'il consulte ses e-mails ou regarde la télé. Le repas terminé, Ajay offre une cigarette à Sunny, l'allume et va chercher le café. Noir, avec deux sucres.

Il fait une pause entre quatorze et quinze heures, pause durant laquelle il prend son repas (les restes du menu de Sunny). Pour l'après-midi et le soir, rien n'est fixé. Il doit parfois nettoyer la piscine de la terrasse, ou bien aller faire des courses avec un chauffeur ou encore déposer quelque chose dans un hôtel où Sunny est susceptible de se rendre dans l'après-midi. Parfois, il n'a rien à faire, à part attendre.

Dix-huit heures – son service est terminé. À présent, c'est l'heure de l'*aperitivo*, des amandes au safran, des olives rôties au four, des cœurs d'artichaut, des Negroni Sbagliato (saveur du mois), du campari, du Cocchi Storico Vermouth di Torino et du Bisol Cartizze Prosecco Valdobbiadene présentés avec le doseur à côté, les verres à cocktail, le seau à glace et la pince, l'orange et le citron, le couteau d'office, un paquet de cigarettes neuf, papier cellophane enlevé, ouvert, les deux premières cigarettes sorties, l'une un peu plus que l'autre.

Puis il attend.

---

1. Légumes.

Ce sont des moments de grande tension.

Si Sunny a eu une mauvaise journée, Ajay s'en apercevra immédiatement. Sunny rentrera sombre et maussade, critiquera tout ce qu'il verra, s'assiéra et regardera Ajay préparer son verre d'un air réprobateur, l'obligera à le vider et à recommencer.

« T'es pas fichu de faire le moindre truc correctement, pas vrai ? » dira-t-il.

Mais le plus souvent, Sunny reviendra heureux de vivre, s'assiéra, pieds en l'air, souriant, et il se penchera pour préparer sa boisson lui-même en expliquant en détail comment s'y prendre, proposera une petite anecdote, le régalera d'un « Un jour, il y a longtemps sur la piazza San Carlo », puis poussera Ajay à en préparer une à son tour (à jeter après une gorgée, juste pour avoir une idée du goût).

À dix-huit heures trente, Arvind est censé prendre la relève, mais il est fréquemment en retard. Le manque de sérieux de son collègue agace Ajay, mais en même temps il est content de disposer d'un peu plus de temps pour voir arriver les amis de Sunny, voir les premières étincelles de ces nuits dont il ne connaît que les braises.

Libéré de ses obligations, Ajay regagne sa chambre, se douche, se change, enfile des vêtements neufs qu'il a achetés au marché – des chemises et des pantalons qu'il n'aurait jamais portés en montagne. Il prend son dîner à la petite table au fond de la cuisine centrale, mange lentement sans parler à quiconque, se repasse les événements de la journée et après il est libre de se balader dans les rues. De dix-neuf heures trente jusqu'à vingt-deux heures, la plupart du temps, il mémorise les artères voisines, étudie les boutiques, apprend à connaître le quartier. Il passe un moment assis dans une échoppe de *chai* ou sur un banc, observe les gens qui vont et viennent, donne aux chiens errants les restes qu'il a pu grappiller à la cuisine. Il poursuit sa promenade pour se libérer de l'énergie statique accumulée dans la journée et lutte, à ces moments-là, contre sa solitude, sa nostalgie des montagnes, d'un sentier à gravir, d'une forêt où se perdre. Il marche jusqu'au All India Institute of Medical Sciences, AIIMS, s'aventure sur le site de l'hôpital public ; quelque chose dans les foules miséreuses qui cherchent désespérément un remède, des nouvelles d'un être cher, lui donne l'impression – fausse – d'être protégé. Son visage baigne dans le néon verdâtre des chapelets de pharmacies qui s'alignent à la sortie du All India Institute of Medical Sciences. Il rentre chez lui. Oui, c'est chez lui à présent. Il repense au conducteur d'*auto-rickshaw* qui l'a aidé le premier jour. Il s'imagine le revoir, tomber sur lui dans la rue, lui manifester sa gratitude, l'inviter à manger, lui montrer le chemin qu'il a fait. Peut-être que le conducteur de *rickshaw* – comment il s'appelait ? – l'inviterait chez lui en retour, il ferait la connaissance de sa famille, qui l'accueillerait, il s'assiérait dans le parc avec leur fils, peut-être qu'il y aurait une fille, une nièce. Il essaie alors d'imaginer quelque chose de solide à partir de là, mais il ne se souvient plus du visage de cet homme, et encore moins de son nom.

Il travaille depuis trois mois quand M. Dutta le fait venir dans son bureau.

« Maintenant tu feras le soir aussi, lui annonce-t-il. Le soir, tu serviras Sunny quand il recevra ses amis. Tu peux faire ça ? Le jour et la nuit ?

— Oui, sir.

— Pour dormir, tu auras quelques heures supplémentaires dans la journée. N'oublie pas, tu ne vois rien.

— Oui, sir.

— Rien ne transpire de cet appartement.

— Oui, sir.

— Ton salaire passe à quinze mille par mois maintenant.

— Merci, sir.

— Bon, va-t'en.

— Sir ?

— Qu'est-ce qu'il y a ?

— Qu'est-ce qui est arrivé à Arvind ?

— Ce rigolo ? J'ai été obligé de lui couper les couilles. »

Au cours de ces nuits nouvelles et fantastiques, Ajay voit de près la magnificence de ce dont il ne percevait auparavant que des échos : les vives flammes illuminent l'appartement, l'embrasent de musique, de paroles et de hurlements éméchés, qui d'heure en heure paraissent devenir plus fous et plus extraordinaires. Invisible au milieu de ces nuits d'excès, où les gens se disputent, rient, débattent, hurlent, s'embrassent, se battent et s'agitent, il voit se désintégrer certaines des personnes les plus belles qu'il connaît. Les hommes s'insultent et racontent des histoires. Les femmes insultent les hommes et racontent des blagues. Les gens s'arrêtent pour scruter des miroirs, s'abîment dans des foules de potins et de rigolades, plongent dans la piscine.

« Ajay. »

Il est devenu un nom. Qu'on appelle, dont on se sert. Qu'on manipule comme un robinet. Ouvert, fermé.

Son nom retentit, des mains se lèvent, agitent des verres vides.

Ajay se précipite, ressert, apporte des glaçons, éponge les boissons renversées.

C'est un maître en la matière. Il découvre qui est gentil, qui est cruel et note qu'il vaut mieux s'occuper de la cruauté en premier.

Mais Sunny.

Sunny est au-dessus de tous.

Sans Sunny, rien n'existe. Une main invisible repose sur le cœur battant de son maître.

La fête devient tapageuse. Sunny raconte comment Ajay s'est matérialisé. « On l'a trouvé dans les montagnes. » Ce qui suscite beaucoup d'éclats de rire. « Il a tout vu. *Tout.* Pourquoi vous croyez que je l'ai fait venir ? »

En milieu de soirée, ils réclament à manger. Ajay appelle la cuisine. Que peut-on préparer ? Très sérieux à présent. Est-ce qu'on peut faire ça ? C'est possible ? Quand il descend en courant à la cuisine, il est frappé par le calme qui règne, par le sommeil qui prévaut dans l'énorme bâtiment, par la manière dont le personnel évolue dans un silence royal et par le désir qui jaillit comme le sang de la belle vie de Sunny. Il remonte les plats, les organise dans la cuisine, remplit des coupelles, arrange les assiettes, s'assure que tout le monde est servi. Des *rôtis* tout frais badigeonnés de beurre blanc. Du poulet. Des burgers et des frites. Du *mutton biryani*[1].

Et parfois on l'envoie acheter de la nourriture à l'extérieur. Il y va avec un des chauffeurs à bord d'une des nombreuses voitures. Il suffit que quelqu'un lâche : « Je veux des kebabs de

---

1. Riz au mouton.

chez Aap Ki Khatir », « Va chercher du *chicken changezi*[1] à Karol Bagh », et il s'enfonce au côté du chauffeur dans la nuit poissante de Delhi et voit la ville de son siège de pouvoir, sillonne les rues, écoute le chauffeur pérorer sur l'univers, observe les millions de visages comme le sien, visages qui n'ont néanmoins ni son destin ni sa chance. Et il entre à grandes enjambées dans ces lieux pour y récupérer sa commande, qu'il paye en piochant dans la liasse de billets qu'on lui a confiés avec tant d'insouciance. Il apprend à vérifier que la commande est en ordre, que les plats sont frais et chauds, il attend le moment où il sort les billets et fait savoir au restaurant qu'il est au service d'un riche monsieur et, dans les restaurants luxueux, où l'addition dépasse son salaire mensuel, où quelqu'un d'aussi insignifiant que lui est désormais traité avec un prudent respect, il apprend le pouvoir d'un nom. Il assume ce comportement. Il est en train de devenir un homme du clan des Wadia.

Souvent, ils s'en vont sans prévenir. Arrêtent la musique ou le film en plein milieu et sortent à la va-vite. Il se peut qu'il ait été en train de servir à manger, de préparer un verre pour quelqu'un. Mais ils partent et Ajay se retrouve seul, figé dans le silence, et il savoure le bazar, il savoure sa vie avant de se mettre à ranger afin que tout soit impeccable quand Sunny reviendra. Il se peut qu'ils reviennent dans l'heure, ou qu'ils ne reviennent pas du tout. Il ira se coucher avec son téléphone et son beeper à côté de l'oreille en attendant que Sunny l'appelle. Ça ne se passe pas toujours comme ça. Il y a des jours déprimés, des jours au ralenti où Sunny ne sort pas de son lit avant l'après-midi. Où il n'y a qu'eux deux, Ajay qui sert le thé et Sunny triste ou brutal. Des jours où Ajay sait qu'il n'a pas intérêt à se mettre dans les pattes de Sunny. Il y a des jours avec femmes aussi. Certaines qu'il a vues au cours des nuits tapageuses. Elles viennent voir Sunny seules.

---

1. Poulet à la mughlai cuisiné avec de nombreuses épices et de la crème.

10.

Une année passe à ce rythme, il ne désire rien, n'a pas le temps de penser. Il fréquente une des salles de sport du *basti*[1] voisin, salle décrépite et bravache bourrée de testostérone et de camaraderie, avec toit de tôle et appareils de bric et de broc, vétustes, centre de ralliement pour serviteurs migrants et braves du cru. Du fait qu'il appartient au clan des Wadia, on lui témoigne un énorme respect. Personne ne le fait descendre du tapis de course. Personne ne se moque de son développé couché ni de son travail à la barre fixe. Personne ne lui pose de questions. Il prend une heure tous les jours pour se muscler avec les haltères. Le matin, quand il peut, il va courir dans le Deer Park, comme les riches. Face au miroir de la salle de sport, il répète un nom.

Ajay Wadia.

Il commence à prendre conscience de la renommée de Sunny. Il sait que son boss est connu en ville, il en est fier. Pour la première fois de sa vie, il se regarde comme un objet perfectible, il dépense de l'argent pour prendre soin de lui, s'offre une manucure une fois par mois, une pédicure tous les deux mois, un massage de tête chez Dilip à Green Park. Il court les magasins. Il consomme. Il visite les nouveaux centres commerciaux. Il circule avec une liste, écrite à la main, des choses qu'il veut acheter. Il recherche les noms étrangers qu'il a notés dans la salle de bains de Sunny – Davidoff Cool Water, Proraso, Acqua di Parma, Santa Maria Novella, Botot, Marvis –, aussi sacrés qu'un texte ancien. Il consacre son temps libre et son salaire dans les centres commerciaux où il réfléchit à des alternatives. Axe. Old Spice.

Ces fameux centres commerciaux.

Ils ne lui posent plus de problèmes aujourd'hui.

Mais il n'a pas oublié la première fois où il a voulu y entrer, lors de son premier jour de liberté, de son premier mois de travail. Donc, il se réveille avant l'aube. Il n'arrive pas à traîner au lit. Il s'est mis en tête de s'acheter de nouveaux habits. Mais son visage est toujours couvert de bleus ; il a l'air d'un minable, d'un

---

1. Bidonvilles, quartiers pauvres.

moins-que-minable – dans ses vieilles loques de la montagne, il a l'air d'un migrant pauvre. Il prend soudain conscience de sa pauvreté. Il se présente devant le portique de sécurité, et il doit puer la pauvreté, elle doit le trahir. Le vigile, un type dont il se rend compte aujourd'hui qu'il gagne moins que lui, refuse de le laisser entrer. Quelle humiliation que de voir passer des familles aisées, des jeunes hommes bien habillés, des jeunes filles modernes en jupe, bras dessus bras dessous, en train de manger une glace, et aussi l'étranger occasionnel, crasseux, à moitié nu et encore marqué par le voyage, qui bénéficie d'un traitement royal et qu'on va parfois jusqu'à saluer pour sa plus grande joie et son plus grand amusement, alors que ce fichu vigile repousse Ajay Wadia. Lequel en tire de semi-leçons, tandis que, mortifié et honteux comme un mendiant, il ne peut que jeter un bref coup d'œil sur les couloirs en marbre, climatisés, et leurs boutiques resplendissantes.

Comment suis-je censé m'acheter de beaux vêtements si je ne peux pas entrer dans les lieux où on les vend ? Ce casse-tête tourne en boucle dans sa tête. Il consacre une attention accrue à la garde-robe de Sunny, apprend les phrases, les termes – Rubinacci, *con rollino,* Cifonelli, pochette, chaussures oxford à bout fleuri. Il feuillette les revues du living-room quand il est seul, mémorise les modes, les modèles qui illustrent les différences entre faibles et puissants, confie les pages qu'il a arrachées dans de vieux magazines à un tailleur du voisinage et, assis à côté de lui, essaie de lui expliquer ce qu'il aimerait porter. Au bout de quelques jours, ils s'arrêtent sur une idée. Pour Ajay, l'élégant costume bleu qui en résulte, assorti de deux chemises, d'une cravate et d'une paire de chaussures, représente près de deux mois de salaire, mais ça en vaut la peine. Lorsqu'il l'essaie, il est transformé, il est devenu quelqu'un dans cette ville, quelqu'un qui se situe au-dessus du travail qu'il fait, au-dessus de Sunny même, si tant est qu'il puisse rêver d'une chose pareille. Lors de sa journée de liberté suivante, il revêt donc sa tenue d'homme libre et sort en notant les sifflets et les murmures des gardiens, les fous rires des servantes, puis il hèle un *auto-rickshaw* pour aller au centre commercial.

Et, oui, il passe.

Il passe pour quelqu'un qui a des loisirs.

En dépit de ses appréhensions, les vigiles du centre commercial l'ignorent, ne le regardent même pas quand il franchit le portique de sécurité et foule la terre promise.

À présent, il peut faire ce qui lui chante.

C'est pendant qu'il déambule dans les galeries que son humeur change. Maintenant qu'il n'a plus rien en poche, il a l'impression de porter un fardeau qui ne présage rien de bon, éprouve une sensation oppressante de gâchis et de peur. Tout autour de lui semble le juger ; il en vient à se dire que tout le monde sait qu'il est un imposteur. Ça n'est pas lié seulement à ses vêtements, mais à la façon dont il se tient. Il n'a encore jamais éprouvé pareil sentiment, ne s'est jamais soucié de ce qu'on disait de lui. Là, il se ferme comme une huître. Il pense que les vendeurs l'observent, le repèrent. Qu'ils savent qu'il essaie de se faire passer pour ce qu'il n'est pas. Du coup, il n'ose pas entrer dans certains magasins, ne serait-ce que pour regarder. Ouvrir la bouche le trahirait. Il finit par se réfugier aux toilettes et s'assied tout transpirant dans une des cabines. Il baisse les yeux vers ses habits ridicules qui lui paraissent tellement étriqués. Qu'est-ce qu'il croyait ? Il a l'air d'un clown. Lorsqu'il sort, il fixe sa tête de clown stupide dans le miroir et il a envie de l'anéantir. Il décide de fuir au plus vite. Il respire l'air de la rue, inhale les gaz d'échappement avec gratitude, saute dans un bus pour rentrer, car il n'a pas envie de gaspiller de l'argent dans un *auto-rickshaw*, ni de perdre du temps à marcher. Une fois rentré, il se déshabille avec des gestes brusques, se douche et remet son uniforme, sa chemise bleue et son pantalon noir lustré, tellement rassurants, tellement à l'unisson de son âme, puis range soigneusement son coûteux costume au fond de son casier. Il retourne au centre commercial quelques semaines plus tard, en tenue de travail. On le prend pour ce qu'il est, le domestique d'un homme riche venant faire des courses pour son patron. Si quelqu'un lui pose la question, ce qui ne risque pas d'arriver, il pourra dire avec assurance que c'est son boss qui l'a envoyé, et, si nécessaire, exhiber sa pince à billets. Il pourra exhiber sa liste de courses. Davidoff Cool Water, Proraso, Acqua di Parma, Santa Maria Novella, Botot, Marvis. Il pourra arpenter les boutiques tranquillement et s'offrir les articles de prédilection de Sunny en faisant semblant d'acheter pour son patron.

Plus d'un an plus tard, alors que Sunny s'est absenté trois jours, et qu'Ajay n'a pas grand-chose à faire à part attendre dans la chambre commune, balayer l'appartement à l'occasion, donner à manger aux carpes ou apprendre de nouvelles recettes en consultant les livres de cuisine alignés sur l'étagère de Sunny, il est convoqué dans le bureau de M. Dutta qui lui annonce qu'il est promu et affecté au service personnel de Sunny ; de toute façon, c'est un rôle qu'il assume déjà. M. Dutta ajoute que Sunny ne tardera pas à occuper un poste important au sein de l'empire de son père et qu'il aura donc besoin d'une aide supplémentaire. En plus de ses responsabilités actuelles, Ajay accompagnera Sunny quand celui-ci se rendra dans les bureaux de la famille, posera son attaché-case sur le siège passager à côté du conducteur, fera des courses pour lui chaque fois que nécessaire dans la journée, portera ses bagages au cours des voyages, lui servira de bouclier contre le monde, sera à sa disposition nuit et jour, nouera même les lacets de Sunny, s'il le faut ; s'il doit se moucher, tu lui offriras ton mouchoir ou ta manche.

Son salaire passe à vingt-cinq mille roupies par mois et on lui attribue une chambre individuelle au lieu d'un lit dans une chambre commune. On reprend ses mensurations et, une semaine plus tard, il reçoit trois nouveaux costumes safari aux lignes nettes, minimales, tous identiques, en gabardine gris acier.

« C'est M. Sunny lui-même qui les a dessinés », lui confie le tailleur avec un grand sourire.

La sécurité constituant un problème, l'unité de protection se charge de former Ajay. Eli, un jeune Israélien, ancien responsable des Forces de défense israéliennes, le prend sous son aile. Eli vient d'une famille de juifs du Kerala ; il est grand et élancé, a la peau dorée, de longs cheveux bouclés. Tout comme ses copains soldats, il a été routard après son service militaire. Il a passé du temps dans l'Himalaya avec ses compatriotes, à se défoncer, à conduire des Royal Enfield, jusqu'à ce qu'il débarque à Bombay. Là, il s'est lancé dans le mannequinat, mais il avait la mèche courte, il était trop soupe au lait. Il s'est laissé embringuer dans une bagarre de trop, a échappé à l'arrestation et a mis le cap sur Delhi. Un vieil ami d'Israël l'a hébergé, puis l'a présenté à Tinu. On a fait appel à lui pour la sécurité, il a gravi les échelons. À présent, il emmène Ajay au champ de tir des Wadia à côté de la *farmhouse* de Mehrauli, dans le terrain abritant un bois et des vergers. Il présente à Ajay l'arme dont celui-ci ne se séparera pas, un Glock 19. Au cours des six semaines qui suivent, quand il n'est pas tenu par ses obligations habituelles, Ajay passe maître dans l'art de se servir non seulement du Glock, mais aussi du pistolet Jericho 941 et du TAR-21. Il se familiarise avec le AR-15, le AK-47, l'UZI et le Heckler & Koch MP5. Il apprend à les manier, à les démonter pour les nettoyer, puis à les remonter, à prendre soin d'eux, à décider du moment où les utiliser ou pas, à faire en sorte qu'ils fassent partie de son corps. Au tir, Ajay possède une dextérité exemplaire. Au terme de ces six semaines de formation, il se voit remettre son permis de port d'arme et son propre Glock 19, un 9mm semi-automatique, ainsi qu'un holster d'épaule et deux boîtes de munitions à garder soigneusement dans le coffre de sa chambre et à embarquer avec lui quand il accompagne Sunny à l'extérieur.

Eli se met à lui apprendre le Krav Maga.

À raison de quatre fois deux heures par semaine. Mais si Ajay s'entraîne avec sérieux et suit les instructions à la lettre, Eli est néanmoins déçu. Ajay sait manier les armes à feu et tirer le meilleur parti des objets en métal, mais son corps n'est pas assez délié. Ajay sait pratiquer toutes les techniques, il maîtrise séquences et combinaisons, mais l'esprit de la chose lui fait défaut.

« Tu retiens trop beaucoup, lui explique Eli dans son anglais approximatif. Il faut aller à la violence. Là. »

Et il se frappe le cœur.

« Encore. »

Ajay pilote Sunny à travers Delhi, seul – il est son chauffeur, son majordome, tout. Il accumule les heures au volant de l'Audi, du Toyota Land Cruiser. Il se familiarise avec leur maniement, leur vitesse, ces voitures deviennent des extensions de son corps, il s'enorgueillit de la manière dont il parvient à les manœuvrer en ville, il intimide les autres véhicules, se fait l'effet d'être remarquable. On l'envoie en course avec le Land Cruiser. En général, on l'envoie chercher d'autres gens, des amis de Sunny.

En général, ce sont des filles, et en général il les reconnaît pour les avoir vues lors de soirées à l'appartement de Sunny. Il a le don de mémoriser les noms, les visages, les boissons préférées, les humeurs. Il récupère ces filles n'importe où, sur un marché, à un restaurant, à l'entrée d'un parc et les dépose, en général, sans avoir échangé un mot devant l'entrée d'un hôtel cinq étoiles. Il revient les chercher quelques heures plus tard, à moins que Sunny ne lui donne un ordre contraire, et les emmène là où elles veulent aller. De ça, il ne parle à personne. Il entend d'autres chauffeurs se répandre en racontars sur leurs maîtres, leurs maîtresses et leurs faits et gestes, mais lui ne dit jamais rien.

Ils quittent Delhi de plus en plus souvent. Parfois en jet privé. Ajay est au cœur du monde de Sunny. Muet, anonyme, heureux.

11.

Au bout de deux ans, une nouvelle fille entre en scène. Elle apparaît subitement. Débarque un après-midi à l'appartement avec Sunny, ce qui est surprenant – il ne ramène jamais de filles en milieu de journée. Masquant sa surprise, Ajay incline la tête et fait un *namasté*, puis s'éclipse discrètement pour aller chercher à boire à la cuisine.

Cette fille est différente à bien des égards. Elle n'a pas l'aura des riches et n'est pas fascinée par Sunny. Qui plus est, elle s'adresse à lui, Ajay, sans détours, le regarde droit dans les yeux, lui pose des questions. La visibilité que lui donne ce comportement le déconcerte. Il prépare boissons et snacks, puis bat en retraite vers la cuisine où, planté tout près de la porte, il tend l'oreille autant qu'il peut, en essayant de comprendre ce qui se passe. Elle s'en va au bout d'une heure. Il apprend son nom, Neda. Neda Madame. Ajay escorte Neda Madame jusqu'à sa voiture cabossée. Il remarque l'autocollant « Presse » sur la vitre arrière et respire une fois qu'elle est partie.

Quelques semaines plus tard, il attend Sunny devant le Park Hyatt quand il la revoit, qui sort de l'hôtel, distraite, elle ne le remarque pas, elle est préoccupée et tire sur une cigarette, discute au téléphone pendant que le voiturier va lui chercher sa

Maruti. Il reconnaît quelque chose dans l'expression peinte sur son visage.

Elle ne tarde pas à faire partie de la vie d'Ajay. Elle a succombé à Sunny et Ajay la pilote entre divers hôtels et son domicile. De son lieu de travail, près de Connaught Place, CP, à l'hôtel cinq étoiles où l'attend Sunny. Elle a confiance en Ajay. Conspire avec lui. Merci, Ajay, quand, à la fin de la nuit, elle descend par la porte arrière de la voiture.

Six semaines après le début de cette nouvelle phase, Sunny regarde la télé à l'appartement. C'est l'heure des informations, il y a de l'agitation en ville, on est en train de démolir un quartier pauvre. Sunny se redresse sur son siège, se penche en avant, les yeux rivés sur l'écran, les mains jointes. Il éteint la télé et reste assis sur le canapé, muet, le front plissé, perplexe, concentré.

Dans la soirée, Sunny sort seul, mais demande à Ajay d'aller l'attendre à la *farmhouse*, l'endroit où il a appris à tirer, à la périphérie de Delhi, où se construit discrètement une gigantesque résidence.

Sunny déboule quelques heures plus tard en compagnie de Neda, tous deux sont d'humeur sombre. Ajay apporte des glaçons et de la vodka, puis on le prie de s'éloigner.

Il se passe quelque chose de bizarre – il le pressent.

Dans l'obscurité, Ajay, la main sur son téléphone, fait les cent pas entre les arbres et observe le chantier déserté.

Un peu moins d'une heure plus tard, les phares de trois véhicules qui se rapprochent brillent au bout de l'allée.

Les véhicules s'arrêtent à une certaine distance de la villa.

D'instinct, il devine qu'il doit alerter Sunny. Il se précipite dans le noir ; au même moment, de puissants projecteurs s'allument et illuminent le chantier. Ajay jette un coup d'œil en arrière et aperçoit le père de Sunny qui descend d'une des voitures.

C'est une course contre la montre.

Au bord de la piscine.

« Sir, votre père ! »

Neda et Sunny sont dans l'eau.

Pas de temps à perdre. C'est la panique.

Sunny ordonne à Ajay de tirer Neda hors de l'eau, de la cacher. Celui-ci la pousse dans le vestiaire juste à temps. Ajay se réfugie dans la villa, puis en ressort par une porte latérale au moment où Bunty Wadia et ses amis entrent par l'arrière.

Il n'a pas idée de ce qui se passe, mais il sait que Neda n'a pas à être là. Donc, il fait son devoir.

Une fois que la voie est libre, que les nouveaux arrivants bavardent à l'intérieur, il l'exfiltre en douce et la raccompagne chez elle.

Après cette nuit-là, Neda disparaît de la vie de Sunny. Et la vie de Sunny change du tout au tout. Dans les jours qui suivent, tout le monde a conscience qu'il s'est passé quelque chose de terrible, qu'une effroyable confrontation a eu lieu entre Sunny et son père – la nouvelle se répand depuis l'étage du père, des dizaines de domestiques l'entendent et la répercutent en chuchotant. Bientôt, Tinu appelle Ajay, le convoque à son bureau. Là, il lui demande ses cartes SIM, ses téléphones, ses batteries, tout ce que Sunny lui a fourni, il doit le lui remettre. On lui confie un nouveau téléphone, un nouveau numéro. Lorsqu'il remonte, Sunny, assis dans le salon, silencieux, lui tourne le dos et fixe le mur, les poings serrés. Comme s'il s'attendait à recevoir un coup. On frappe à la porte.

« Réponds », dit-il.

Bunty Wadia entre dans cet espace sacré qu'est l'appartement, suivi de sept hommes qu'Ajay n'a encore jamais vus, des brutes qui puent le tabac et l'alcool, des gars des rues. Ils se mettent à démolir l'appartement, cassent tout à coups de battes et de barres de fer ; Sunny, résigné, ne réagit pas ; Ajay, sous le choc, en reste paralysé. Quand les vandales ont terminé leur boulot, il ne reste plus rien. Au milieu des décombres, l'appartement est d'une nudité choquante.

Le lendemain matin, Sunny apparaît de bonne heure, livide, la mine sévère, vêtu d'un costume foncé, triste. Ajay le conduit à l'un des bureaux des Wadia à Noida – le QG de leurs opérations immobilières –, et Sunny y passe la journée. Cette journée-là et les suivantes.

C'en est fini des fêtes. Neda a disparu. Sunny va au bureau tous les jours, rentre le soir à l'appartement où il ressasse seul sa colère. L'éblouissante, l'étincelante vie nocturne n'est plus. Sunny est maintenant taciturne, renfermé.

Les semaines se succèdent et ce rythme de vie devient la norme. L'humeur de Sunny s'assombrit, se durcit. Sunny ne montre rien, mais confie de nouvelles tâches à Ajay, qui ne doit faire confiance à personne à part son boss. Il doit prendre la voiture, s'assurer qu'il n'est pas suivi quand il sort, puis il doit inspecter plusieurs hôtels deux étoiles en ville, pas chers et sordides, dont Sunny lui donne le nom sur des bouts de papier. Il doit vérifier leur sécurité, leur intimité, leur anonymat et fournir ensuite un rapport. Chacun d'eux se voit attribuer un nom de code, A, B, C, D, E, F. Entre eux, Sunny et Ajay ne doivent pas les désigner par leur vrai nom.

Sunny commence à fréquenter ces hôtels bon marché à des heures inhabituelles. Après l'avoir déposé, Ajay attend quelques rues plus loin le coup de fil lui demandant de venir le reprendre. Au début, Ajay présume que Sunny retrouve Neda, puis il se dit qu'il s'agit d'autre chose. Le personnel parle d'une crise dans la famille, d'une sorte d'affreuse querelle. Sunny a fait quelque chose de terrible. Certains domestiques de la maison comptent sur Ajay pour obtenir des informations sur les activités de Sunny. Mais Ajay joue les idiots, dit qu'il ne sait rien. Tinu le convoque pendant que Sunny est occupé et lui demande de relayer des informations sur l'état d'esprit de Sunny, sur ce qu'il fabrique, sur la fille qu'il fréquente depuis quelque temps. Il lui rappelle que Sunny n'est pas son maître, qu'il est au service de Bunty Wadia. À contrecœur, Ajay donne le nom de Neda. Il dit où elle habite et où elle travaille. Mais il ne dit rien des hôtels que Sunny a dénichés.

Ajay a le sentiment d'être piégé dans une guerre civile grotesque, dont Neda – allez savoir pourquoi – est à l'origine. Il imagine toutes sortes de choses vagues et terribles à son sujet : elle est venue dans le but précis de bousiller la vie de Sunny, de bousculer la douce et riche harmonie qui régnait. Peut-être a-t-elle été une espionne tout du long ?

Chaque jour est empreint d'une tension qu'il a du mal à supporter, à interpréter. On croirait qu'ils sont tous sur le pied de guerre. En privé, Sunny est toujours furieux et renfermé. En public, avec son père, avec Tinu, au bureau, il affiche une façade de professionnalisme détaché, d'indifférence de robot.

Un dimanche, Sunny reçoit un coup de fil qui suscite son inquiétude. Il entraîne Ajay à l'écart et lui demande de foncer au bureau de Greater Noida. Sois discret. Fais comme si tu allais ailleurs. Mais vas-y tout de suite et surveille le bâtiment depuis la rue. Garde un œil sur Neda.

« Protège-la, dit Sunny. Je suis sérieux. Protège-la. Veille à ce qu'il ne lui arrive rien. »

Il arrive bel et bien quelque chose. Ajay attend dans la contre-allée, à deux pas de l'immeuble du bureau, dans un coin perdu de la ville-satellite à la périphérie de Delhi, tout en terrains agricoles et en constructions, pas loin de l'autoroute. Il a passé plusieurs heures assis derrière son volant quand il repère la voiture de Neda, qui repart à Delhi dans la nuit. Il garde ses distances, roule à une allure régulière à quelques centaines de mètres d'elle. La Maruti de Neda entre dans la métropole par le pont Kalindi Kunj et se dirige vers Okhla.

Comme il est resté à distance, il ne voit pas l'accident. Il ne voit que les deux véhicules bousillés et à l'arrêt de part et d'autre d'un large carrefour désert, dans une zone industrielle. Il ne voit que deux bonshommes qui tournent autour de la Maruti, tapent contre le capot et les vitres, invectivent la jeune femme à l'intérieur, tandis qu'un troisième se saisit d'une batte de cricket dans l'autre véhicule. Ajay ne prend pas le temps de réfléchir. Il accélère jusqu'à être pratiquement sur eux, éblouit les deux hommes dans le faisceau de ses phares. Puis il bondit et attaque. Attaque avec toute la violence qu'il a accumulée en lui. C'est terminé en quelques secondes. Il ne se rappelle même pas ce qu'il a fait. Il sait juste qu'il tient son arme à la main, que deux des hommes sont à terre, démolis et en sang et que le troisième s'est enfui. Puis il se tourne vers la Maruti où Neda, cramponnée à son volant, le dévisage avec de grands yeux.

Ajay appelle Sunny, qui lui demande d'amener Neda à l'hôtel D. Elle est furieuse, sous le choc. Quand Sunny lui ouvre la porte, elle le gifle. Il la fait entrer sans ménagement et renvoie Ajay. Elle passe plusieurs heures sur place, tandis qu'Ajay retourne sur le lieu de l'accident et dépose la voiture de Neda dans un garage. Après qu'il a confié le véhicule à un mécanicien, il revient à l'hôtel D et attend. Quand Sunny finit par l'appeler pour qu'il raccompagne Neda chez elle, celle-ci est soûle, calmée et terriblement triste, mais elle n'est plus en colère. Ajay ne cesse de l'observer dans le rétroviseur.

Après cet incident, Ajay se met à faire des rêves pénibles, inquiétants. Des rêves de violence. Parfois, il rêve de membres brisés. Parfois de corps en train de brûler. Parfois il rêve de Neda.

12.

Des mois s'écoulent sans Neda. Sunny ne prononce pas son nom. Ne l'appelle pas. Ne voit pas d'autres femmes. Il passe beaucoup de temps avec un nouveau copain, un certain Gautam Rathore, un homme cruel et effrayant qui regarde Ajay avec mépris et un sourire débectant. Sunny est toujours à boire avec lui, à manger avec lui. Il est rare qu'il voie quelqu'un d'autre. Il s'enfonce dans un état morose, une dépression.

Il demande à Ajay :

« Qu'est-ce qui compte le plus dans la vie ?

— Le travail, sir, répond Ajay sans relever la tête.

— La famille », le reprend Sunny, sans conviction.

Sunny boit davantage ces temps-ci. Il boit seul.

Boit avec Gautam Rathore.

Prend de la coke avec Gautam dans le penthouse.

Ajay ne voit rien.

Bientôt, Ajay doit aller rencontrer quelqu'un sur une aire de repos, où il passe une heure à attendre son rendez-vous, un jeune Nigérian sympathique. Il lui achète de la coke pour Gautam Rathore. Sunny insiste, s'assure qu'Ajay ne se méprend pas.

« Ce n'est pas pour moi. »

La semaine d'après, en novembre, Ajay et Sunny prennent un vol pour Gorakhpur. Sans prévenir. Sunny en première classe,

Ajay en économique. Ajay, qui auparavant contemplait avec émerveillement les avions dans le ciel, s'endort avant même le décollage. Lorsqu'ils se posent, l'hôtesse lui touche l'épaule et il se réveille en fronçant les sourcils, sensible à l'âcre odeur de sueur dans la cabine tandis que les passagers se lèvent pour attraper leurs bagages alors que l'avion roule encore sur la piste. Le ciel est terne et lourd de brume de chaleur. L'hiver descend des montagnes au nord.

C'est seulement à ce moment-là que Sunny annonce à Ajay qu'ils sont venus rencontrer son oncle, Vikram « Vicky » Wadia, un homme dont Ajay a beaucoup entendu parler, mais uniquement à voix basse. « Vicky-ji recommence à causer des problèmes. » « C'est Vicky-ji qui gère les choses en Uttar Pradesh. » « Ces temps-ci, il y a des tensions entre Vicky-ji et Bunty-ji. »

Ajay récupère les bagages de Sunny sur le carrousel. Une bande de *goondas*[1] et une escorte de police armée les accueillent dans le hall d'arrivée. Ajay note l'appréhension de son maître. Il essaie de ne pas se laisser contaminer. Il garde la tête haute, puise des forces dans son arme discrètement rangée dans son holster. Mais le hic, le vrai, ce sont les hommes de Vicky : mal dégrossis, menaçants, lestés d'or. Ils lancent des sourires narquois à Ajay avec son costume safari, ses cheveux pommadés. Ils le séparent de Sunny, l'entraînent vers une autre voiture. *Que dirait Eli ?* Ajay oublie tout ce que ce dernier lui a appris. Il obéit docilement.

Ils roulent pendant trois heures à travers ce paysage de cannes à sucre et de poussière, ces villes ravagées, Ajay fixe la vitre avec un sentiment de déjà-vu indiscutable, le sentiment d'un souvenir qu'il ne peut ou n'ose situer.

Finalement, au milieu de nulle part, ils quittent la grand-route, bifurquent sur la gauche, franchissent un portail en métal, passent sous une arche en béton décrépit au milieu de précisément nulle part, suivent une large piste bordée de hautes cannes à sucre, dépassent des camions arrêtés sur le côté, des tentes d'ouvriers, et finissent par arriver à un îlot industriel, rouillé, musculaire, une raffinerie de sucre, à l'ombre de laquelle ils se garent.

---

1. Terme utilisé dans le sous-continent pour désigner un homme de main.

Sans un mot, un flot de gardes bondissent des voitures, dans des cliquètements d'armes. Ils se raclent la gorge, crachent le jus rouge de leur *paan* dans la poussière où il épaissit et perd de son éclat. Quelqu'un retient vaguement Ajay par le biceps, comme s'il risquait de s'enfuir. Ajay se sent anormalement oppressé, écœuré. Le soleil se cache derrière des nuages et dessine un halo. Un des hommes de Vicky urine nonchalamment sur le côté.

Ajay observe la voiture de tête, attend que Sunny en descende. Comme les secondes tournent, il esquisse un pas en direction du véhicule, mais la main le cramponne plus fermement.

« *Chutiya*, bouge pas. »

D'autres hommes surgissent de la raffinerie, tous armés d'un AK-47.

On dirait une cérémonie.

Turbulences d'avant l'orage.

Peu après, Vicky Wadia se manifeste. D'où ? Ajay ne pourrait le dire. Il donne l'impression d'apparaître en pleine enjambée, totalement authentique, géant façonné par la nature sauvage, vêtu d'un pantalon et d'une longue *kurta*[1] noirs, les cheveux longs et noirs partagés par une raie au milieu et coincés derrière les oreilles, le front barré verticalement d'un *tilak*[2] rouge et jaune, les yeux noirs étincelants et bordés de khôl, la moustache épaisse et virile. Il marche à grands pas vers Sunny, on jurerait qu'il a passé sa vie à prendre de la vitesse. Impuissant, pétrifié, Ajay suit la scène. Le soleil réapparaît et scintille sur les nombreuses bagues en or aux doigts de Vicky, lesquels se tendent, comme pour saisir, étouffer et tuer. Mais Vicky se borne à refermer les bras sur son neveu, à l'attirer contre lui et à le tenir gentiment par la nuque, alors que Sunny reste les bras ballants. Vicky recule, l'examine sous toutes les coutures. Puis, il jette un regard vers Ajay.

« Il est à toi, ce garçon ? »

La main sur le biceps desserre son étau, les *goons* lui ouvrent un passage.

---

1. Tunique.

2. Marque sur le front dénotant l'appartenance religieuse hindoue (shivaïte, vishnuite).

« Joli poupon, lâche Vicky avec dédain, bien nippé. »

D'un geste, il ordonne à Ajay de s'approcher, et ce dernier s'engage dans un no man's land.

« Quelle bouille innocente. Il fait ce qu'on lui dit de faire ? » dit Vicky en lorgnant sur Ajay.

Sunny ne répond pas.

Ajay est alors oublié.

« Viens, mon garçon, poursuit Vicky, les doigts serrés sur la nuque de Sunny. Donne-moi des nouvelles de chez toi. »

Il l'entraîne vers une maisonnette voisine de la raffinerie de sucre, où ils disparaissent.

Ajay reste seul sous la cavalcade des nuages avec ces hommes en armes qui traînent dans la poussière. Entre eux et lui, la tension s'amollit à mesure que la présence de Vicky s'estompe. Certains changent de position et s'appuient contre leur véhicule ou vont s'asseoir sur des chaises en plastique, d'autres s'allongent sur des lits de corde à l'ombre d'un auvent en toile goudronnée. Ajay a l'impression d'être à nu, il a la nausée. Il ressent le besoin subit de s'écarter. Feignant le détachement, il se tourne et s'en va, descend la longue piste en terre. Il attend qu'une voix lui ordonne de s'arrêter, mais il ne se passe rien. Il se remet en marche, soulagé à chaque pas du poids qui lui pèse dans la poitrine. Il compte jusqu'à cent avant de jeter un coup d'œil derrière lui.

Les hommes sont plus petits, ils ne sont plus si menaçants à présent. Une légère brise se lève. Ajay déboutonne le haut de son costume, se frotte la nuque pour se débarrasser de la saleté qui lui colle à la peau.

Encore cent pas.

Les hommes se fondent dans le néant.

À présent, il prend le temps de regarder, de sentir.

De regarder la canne de part et d'autre de la piste, les oiseaux qui volettent dans le ciel. De humer la riche odeur de la terre.

Il prend le temps de s'attarder sur ses sentiments.

Une émotion l'agite. Le vent court dans les cannes. Et il se fait la réflexion qu'il connaît cet endroit. Il le connaît. Il est déjà venu ici.

Comment ? Il cherche dans son esprit, découvre de profonds puits noirs d'où il ne peut rien tirer, aperçoit de longs et obscurs égouts à ciel ouvert dans lesquels il refuse de s'engager. Il avance encore un peu, il a la chair de poule. Une envie soudaine, irréfléchie, le pousse à se pencher et à ôter ses chaussures et ses chaussettes.

Il obtempère. Il obtempère et ses pieds nus s'enfoncent dans la terre. Ses pieds ont pâli, ils se sont amollis. Était-ce il y a longtemps qu'il marchait pieds nus sur les aiguilles de pin des forêts himalayennes, en se méfiant des léopards ? Et avant ça… avant ça… un autre genre d'aiguille lui perce le cœur.

Quel chemin a-t-il parcouru ?

Il enfonce les orteils encore davantage. Il les presse dans le sol et de la terre se glisse sous ses ongles pédicurés. Un peu plus loin au bord de la piste, les tentes des ouvriers migrants lui paraissent humbles, précaires. Leur toile bleutée l'attire, il en oublie ses chaussures et ses chaussettes. Peu après, il regarde cet ensemble d'habitations, ce fatras de logements de fortune, il observe les femmes en train de récurer des assiettes en métal avec du sable et des cailloux, de faire cuire une marmite de riz au-dessus d'un feu de petit bois. Il voit les enfants nus aux ventres mal nourris qui pourchassent des poulets, pourchassent des chiots et jouent avec des pneus et des bâtons. Posté à quelques pas du campement, il les dévisage tandis que certains l'observent en retour. Les yeux des enfants, vides et dénués d'expression, les yeux des femmes, remplis de peur. Ceux des hommes, soupçonneux. Du coin de l'œil, Ajay détecte quelque chose à ses pieds : un gros cafard qui détale dans la poussière. Alors, avec une détermination vicieuse, avec au cœur une violence étonnante, il l'écrase. Il l'aplatit de la plante du pied.

Et, dans cet instant de mort, tout lui revient.

Le corps de son père sur le bûcher.

Sa mère en train d'enterrer son cadavre calciné.

Sa sœur cernée par ces hommes.

Sa lâcheté face à Rajdeep et Kuldeep Singh.

Ce soir-là, dans la salle d'embarquement misérablement éclairée du nouvel aéroport, les deux hommes attendent, silencieux et pensifs, le dernier vol pour Delhi. Il a du retard. Sunny se masse le cou et consulte ses messages sur son téléphone, puis flanque un coup de pied dans la jambe d'Ajay.

« *Chutiya*, tu m'as planté aujourd'hui. »

Ajay ne répond rien.

« C'est quoi ton problème, bordel ?

— Rien, sir.

— Foutaises. Tu m'as fait passer pour quoi ? Tu le sais ? »

Ajay baisse les yeux.

« Désolé, sir.

— Qu'est-ce qu'ils t'ont dit ?

— Sir ?

— Qu'est-ce qu'ils ont dit ?

— Qui ça ?

— Les hommes de Vicky. Qui d'autre, connard ? Ils ont parlé de moi ?

— Sir, personne n'a rien dit. »

Sunny plisse les yeux.

« Alors, qu'est-ce qui s'est passé ?

— Rien, sir.

— Tu m'as ridiculisé. »

Ajay baisse la tête.

« Tu ne sais pas comment c'est. Tu ne sais pas comment c'est ici. Avec mon oncle. Ici, il faut être dur. C'est pas comme Delhi. Tout est différent. »

Tout est différent. Les oreilles lui tintent. Il essaie de ne pas y attacher d'importance, mais il ne peut se défaire de ce bruit. Il ne peut chasser l'image. Le cafard, un messager, une porte d'entrée. Et à présent une corde sensible le rattache à l'enfant qu'il a été. Le temps et l'espace se replient, comme pour gommer la vie entre les deux.

13.

Depuis leur voyage, Sunny se montre encore plus pensif. Il boit davantage et jusque tard dans la nuit. Il envoie Ajay acheter de la coke. Parfois la nuit, il renvoie Ajay, mais, quand ce dernier revient, il est toujours à la même place et n'a pas fermé l'œil. Puis il dort jusqu'à seize heures, se réveille et se remet à boire avant d'aller voir Gautam Rathore.

Un brumeux matin de janvier, Sunny se réveille de bonne heure et décide d'aller courir. Il n'a dormi que trois heures, il est en effervescence, ne tient pas en place, peut-être est-il encore ivre. Il a une tête épouvantable, mais demande à Ajay de l'emmener à la forêt urbaine de Sanjay Van. Il est sept heures du matin. Sunny n'a pas l'air à l'aise dans son pantalon de sur-vêtement et son maillot. Il le sait. Il tient vraiment à faire ça ?

« Toi aussi, tu viens », lance-t-il à Ajay.

Ajay enlève sa veste d'uniforme, révèle ainsi son maillot et son corps dessous. Le regard de Sunny court sur les muscles allon-gés d'Ajay, sa jeunesse. Est-ce de la jalousie ?

« Prends ton arme », lui ordonne-t-il.

Ajay se rend compte que Sunny a peur.

« Tu fais de la muscu ? » lui demande Sunny quand il le voit amorcer quelques étirements.

Ajay acquiesce d'un signe de tête.

« Tu prends des stéroïdes ?

— Non, sir. »

Ajay retire ses chaussures et ses chaussettes pour courir pieds nus.

« Garde tes chaussures. Tu vas te couper ! s'écrie Sunny.

— Sir, ça va.

— Non, tu vas marcher sur une aiguille. Tu vas choper le sida, bordel. Je ne veux pas que tu me ramènes le sida. Je serais obligé de te biffer. Remets tes putains de chaussures. »

Ils courent pendant une demi-heure, Sunny en fait trop, il se flagelle même, alors qu'Ajay sur ses talons transpire à peine. Mais il est content d'être à côté de lui, de partager ce moment. Il a le cerveau en ébullition depuis quelque temps. Il a l'impres-sion d'arriver au bout de quelque chose. Il a l'impression qu'ils sont tous les deux sur le point de s'effondrer.

« Sir ?

— Qu'est-ce qu'il y a ? »

Sunny est haletant. Ils sont revenus à la voiture.

Ajay a envie de parler, mais il hésite, alors Sunny passe à l'anglais.

« Quoi ? Tu me tapes sur les nerfs.

— Sir, je voudrais vous demander… »

Il ne peut pas…

« Accouche, bordel !

— Sir, qu'est-ce qui est arrivé à votre mère ? »

La question, son indécence, arrête Sunny tout net. Il se fige.

Pas une fois, il n'a parlé de sa mère devant Ajay, et Ajay ne lui a encore jamais posé une question aussi personnelle, ni sur ce sujet ni sur un autre.

Abasourdi, il s'écrie :

« Qui t'a parlé de ma mère ?

— Personne. »

Sunny s'approche tout près de la figure d'Ajay.

« Connard, lui lance-t-il d'une voix sifflante. Me mens pas.

— C'était personne, sir.

— C'était Vicky, hein ?

— Non, sir.

— Me mens pas.

— Personne, sir », répète-t-il.

Sunny se met à hurler.

« Qui t'a parlé de ma mère, bordel ? À qui crois-tu parler ? »

Il retire le Glock du holster d'Ajay. Le pointe d'un geste maladroit sur le visage d'Ajay.

« Je devrais te flinguer direct. »

Ajay ne bronche pas, se contente de regarder Sunny droit dans les yeux.

« Oublie pas qui tu es, insiste Sunny.

— Qui je suis ? » répond calmement Ajay.

Ces mots déconcertent Sunny plus que la violence de son arme.

Il abaisse le pistolet, le remet entre les mains d'Ajay.

« Monte dans la bagnole. »

Pour le retour, Sunny conduit lui-même, trop vite, trop imprudemment.

Lorsqu'ils franchissent le portail de la propriété et se garent, Ajay s'aperçoit que Sunny a du mal à respirer.

Sans lâcher le volant, ce dernier se tourne vers Ajay.

« Ça va pas chez toi, bordel ? »

Puis il coupe le moteur.

« Pourquoi cette question sur ma mère ? »

Ajay fixe le tableau de bord.

« Personne ne me pose jamais de questions sur ma mère », poursuit Sunny.

Il allume une cigarette.

« Elle est morte, marmonne-t-il en tirant sur sa cigarette.

— Vous pensez à elle ? » demande Ajay.

Sunny résiste à l'instinct qui le pousse à se taire.

« Avant, je pensais beaucoup à elle. Maintenant, plus du tout.

— Moi aussi, j'ai arrêté de penser à ma mère après que j'ai commencé à travailler pour vous. »

Il réfléchit.

« Peut-être même avant. Mais elle est vivante. »

Les deux hommes sont surpris d'entendre la voix d'Ajay si clairement.

« Et maintenant je repense à elle. »

Sunny regarde Ajay comme si, pour la première fois, il voyait la personne en lui.

« Je ne savais même pas que tu avais une mère.

— Tout le monde a une mère.

— Je croyais qu'elle était morte. »

L'émotion s'empare d'Ajay ; on dirait qu'il va craquer.

« J'ai fait quelque chose de mal, explique-t-il.

— Quoi ?

— Quand j'étais petit, poursuit-il en prononçant ces mots avec une grande concentration, on a tué mon père. Pour payer une dette, on m'a confié à un *thekedar* qui m'a emmené à la montagne et vendu. J'étais censé aider ma mère et envoyer de l'argent à la maison. L'homme à qui j'ai été vendu m'avait dit que mon salaire lui serait versé. Il avait dit qu'elle aurait de l'argent et une bonne vie grâce à moi. Mais l'argent n'a pas été envoyé. Je l'ai toujours su, mais j'ai fait semblant de le croire. En grandissant, je me suis mis à croire à ce mensonge. J'ai décrété que ma mère et ma sœur allaient bien. Quand je suis arrivé ici, que j'ai commencé ce travail, j'ai enfin gagné de l'argent, j'aurais pu faire quelque chose pour les aider, mais je les ai abandonnées. J'ai oublié. »

Il se ressaisit.

« Quand on a vu Vicky-ji, j'ai repensé à elles. Maintenant, il faut que je les retrouve. »

Sunny ne supporte pas d'en entendre davantage.

Il ouvre brutalement la porte, descend et Ajay reste seul.

14.

Durant les jours qui suivent, Ajay tourne autour de Sunny. Celui-ci se replie sur lui-même et Ajay accomplit ses tâches avec un professionnalisme sec et froid. Mais à présent c'est à peine s'il peut encore se regarder dans la glace. Il n'arrive pas à dormir la nuit tellement il pense à ce qu'il a fait. Il retourne à la lisière du champ où il a couru se cacher alors que sa sœur l'appelait à grands cris. Il l'entend maintenant tandis qu'on l'entraîne. Il voit le cafard dans la poussière. Ce qu'il est, c'est qu'il est fondamentalement lâche. Le petit fuyard. Il sait pourquoi sa mère l'a fait partir. Son masque commence à craquer. Sunny ne cesse de l'observer. Ajay a peur d'être renvoyé. Chassé de la maison des Wadia.

« Tu tiens vraiment à la retrouver ? » lui sort Sunny un matin où Ajay lui apporte son café dans sa chambre.

Ajay n'a aucune hésitation :

« Oui.

— Comment ? demande Sunny. Comment tu vas faire ?

— Je ne sais pas.

— Est-ce que tu sais même d'où tu es ?

— Je crois que j'ai grandi à côté de l'endroit où on est allés.

— De la raffinerie de sucre ?

— J'ai reconnu les lieux.

— Il y a beaucoup de coins qui ressemblent à ça.

— Mais c'est ce que j'ai senti, sir. »

Sunny réfléchit à ce qu'il vient d'entendre.

« Je ne peux pas te laisser partir. J'ai besoin de toi ici. Il va bientôt se passer des choses. »

Ajay acquiesce d'un signe de tête, se tourne vers la porte.

« Attends. »

Ajay obéit.

« Note tout ce dont tu te souviens, dit Sunny. Noms. Points de repère. Écoles, temples. Les noms des gens. Tous.

— Oui, sir.

— Je verrai ce que je peux trouver.

— Merci, sir.

— Entre-temps, j'ai besoin de toi.

— Oui, sir.

— On prend l'avion pour Goa demain. »

Cette nuit-là, Ajay, assis sur son lit, note tout sur un papier. Il note tout ce qu'il pense savoir, la silhouette des montagnes vues de sa hutte, la découpe des champs, l'école, les terres cultivables et le temple, les noms depuis longtemps oubliés des endroits proches, les noms locaux, le nom du directeur de son établissement scolaire, les noms de son père et de sa mère et finalement, finalement, ceux des deux caïds, Rajdeep et Kuldeep Singh.

Il remet le papier plié à Sunny quand ils montent dans l'avion, qu'Ajay passe devant Sunny en première classe pour aller s'installer sur son siège en économie. Pendant la descente, Ajay ne peut penser à rien d'autre qu'à ces deux hommes, au théâtre de ses cauchemars depuis longtemps oubliés, à toutes ces choses qu'il a passé sa vie à laisser derrière lui.

Ils logent dans un complexe hôtelier cinq étoiles à la limite de Panaji, la capitale, dans une villa sur la plage, disposant d'une chambre pour domestique. Il passe le mercredi et le jeudi auprès de Sunny qui a de multiples réunions en ville. Le soir, après qu'il a assisté aux incontournables dîners d'affaires, Sunny s'assied seul dans le jardin de la villa et fixe la mer derrière le muret. Il parle à peine, ne mange pas, ne boit pas.

Le vendredi, Sunny charge Ajay de louer une petite voiture locale et une moto Enfield, à régler en liquide. Dans l'après-midi, il lui demande de réserver une chambre dans un petit hôtel de la ville, le Windmill. Puis il lui donne un numéro de vol.

« Va à l'aéroport avec la voiture de location. Le vol de Neda Madame atterrit à vingt heures. »

C'est extrêmement réconfortant de voir Neda franchir la porte des arrivées et se frayer laborieusement un chemin au milieu des chauffeurs de taxi. Après avoir attendu un peu à l'écart, il se faufile parmi la mêlée, s'empare du bagage de Neda, qui lui adresse un sourire timide et plein de chaleur. Elle pose la main sur son épaule tandis qu'ils se dirigent sans échanger un mot vers la petite voiture, une Maruti avec des plaques d'immatriculation de l'État de Goa.

Il la prie de s'asseoir à l'avant, afin que la police ne le prenne pas pour un chauffeur de taxi clandestin.

Ça fait drôle d'avoir Neda à côté de lui.

L'espace d'un moment, il peut s'autoriser une idée extravagante – scandaleuse, intenable plus d'une seconde – et s'imaginer qu'il est Sunny en personne, que Neda lui appartient, qu'il mène une existence normale, une existence où il est aux commandes.

À présent que Neda est de retour dans la vie de Sunny, il a le sentiment que les choses s'arrangeront peut-être au mieux.

« C'est la première fois que tu viens à Goa, Ajay ? » lui demande-t-elle.

Ça sort à brûle-pourpoint.

Il aime bien qu'elle l'appelle par son prénom.

« Non, madame. »

Il limite les risques en l'appelant madame.

Ils retombent dans le silence.

« En fait, madame, dit-il un peu plus tard, surpris de s'entendre parler sans qu'on le lui ait demandé. J'ai déjà travaillé ici avant.

— C'est vrai ? s'écrie-t-elle, sincèrement intéressée. Quand ça ? »

Intimidé, il marmonne :

« Avant. »

Elle rit tout doucement.

« Où donc ?

— À Arambol.

— Jolie plage. Dans une paillote ?

— Oui, madame.

— Avec des amis ?

— Oui.
— Tu vas les voir cette fois-ci ?
— Madame, répond-il, je travaille. »
Et ils retombent dans le silence.

Il la dépose à l'hôtel comme prévu et prend congé. Il retourne au complexe cinq étoiles de Sunny, gare la voiture dans une rue résidentielle un peu plus loin, à côté de la Enfield, puis revient à la propriété à pied, franchit le portique de sécurité, pose son pistolet sur le plateau en montrant son permis. Il se rend à la chambre de domestique qu'il occupe dans la villa de Sunny et attend. Assis bien droit sur son lit, les mains sur les cuisses, les paupières fermées, il paraît méditer, il repense à Neda dans la voiture avec lui, au souffle du vent chaud, au silence. Puis il la revoit attaquée alors qu'elle est piégée dans sa Maruti. Il repense à la sensation qu'il a éprouvée quand il a roué de coups ses agresseurs. C'est la première fois qu'il évoque vraiment cette scène. Il serre les dents, les poings. Il ressent chaque coup, encore et encore, l'investissement de violence, dont parlait Eli. Il ouvre les yeux avant de trop perdre pied. Se recroqueville sur le lit. Essaie de dormir. À minuit, il reçoit un message de Sunny. Amène la Enfield à l'hôtel à cinq heures.

Quel plaisir que de rouler tranquillement à travers la ville à l'aube, le visage caressé par l'air chaud, le vrombissement du puissant moteur de la Enfield résonnant dans les rues désertes noyées sous la lueur jaunâtre des lampadaires. Il attend devant la réception alors que le ciel pâlit. Puis ils arrivent. Il leur remet les clés. Il a fait le plein. Le permis de Sunny est rangé dans l'étui à glissière au-dessus du réservoir. Ajay a veillé à tout.
« Ajay, pourquoi tu ne vas pas voir tes amis ? » suggère Neda.
Elle consulte Sunny du regard.
« Tu ne penses pas que ce serait bien ?
— Sois ici demain soir, dit Sunny à Ajay. À dix-neuf heures. »
Et ils s'en vont.

Il attend qu'ils soient hors de vue, se pose en présence solide, stoïque, au cas où ils se retourneraient, au cas où, allez savoir pourquoi, ils auraient besoin de faire demi-tour et revenir. Il attend encore un peu jusqu'à ce qu'il n'entende plus le tapage du moteur. Et, là, il tourne les talons, va régler la note de l'hôtel et, une fois que tout est fait, il parcourt à pied les cinq kilomètres le séparant du cinq étoiles.

Il a trente-six heures devant lui.

Trente-six heures qui lui appartiennent, qu'il doit tuer.

Son humeur s'assombrit.

Que va-t-il faire ? Ira-t-il voir ses vieux amis ?

Il s'assied sur le lit et attend. Il songe à tout boucler et à partir.

Mais est-ce que ce sont vraiment ses amis ?

Assis sur le bord du lit, il a les yeux fermés, le dos bien droit, les paumes sur les cuisses.

Il réfléchit.

Il s'imagine arrivant en voiture.

Avant, il se la repassait, cette scène. Il la visualisait tellement bien.

Il déboulait au volant d'un beau SUV noir, vêtu de son uniforme, mais boutons de col ouverts, pour prouver qu'il n'était pas de service. Détendu, avec un sourire énigmatique qui se transformait en éclat de rire à la seconde où ils le reconnaissaient. L'un d'eux le serrait dans ses bras, devinait la bosse de son arme et, impressionnés, tous demandaient à voir le pistolet. Il le sortait, retirait le chargeur, vérifiait la chambre, puis le leur passait. Il raillait le gamin qu'il avait été, évoquait le bon vieux temps, racontait des histoires sur Delhi et sur la façon dont vivaient les gens riches. Il leur montrait qu'il était un homme maintenant, un homme d'expérience. Et ils s'écriaient : « T'as réussi, mon vieux. »

C'est ainsi qu'il imaginait la scène.

Mais quelles histoires aurait-il à raconter sur lui-même ?

Quelles histoires peut-il raconter alors qu'il sait à peine parler ?

Là. Encore une fois, il revoit le *Tempo*, la cage, sa mère et sa sœur qui le regardent partir. Les autres gamins entassés avec lui dans la nuit, et, lui, tout petit, terrorisé, effrayé, qui s'éloigne de sa hutte misérable, disparaît parmi les hautes montagnes bleues.

Il revoit le cadavre à demi calciné de son père.

Il a de plus en plus de mal à respirer.

À la mi-journée, il sort son arme et enlève son holster, entre dans la villa et s'avise de mettre de l'ordre, veille à ce que la cuisine soit impeccable et les vêtements de Sunny rangés. Il se surprend au beau milieu du salon sous une lumière tamisée à ne penser à rien et sans nulle part où aller. Il pénètre dans la cuisine, ouvre le frigidaire, voit la bière et le vin alignés dans la porte, les restes que Sunny n'a pas touchés. Il le referme. Il n'a même pas faim. Et il ne boit pas. Il n'a rien à faire.

Mais, en fin d'après-midi, alors que le soleil s'enfonce dans l'océan, il traverse le jardin de la villa, sort par le portillon blanc et descend vers la plage privée. Il y a quelques chaises longues sur lesquelles des étrangers sirotent une boisson, un surveillant de baignade en haut d'une tour, deux agents de sécurité qui patrouillent pour chasser les chiens errants ou les petits vendeurs, le sable blanc étant le domaine réservé des riches.

Il a gardé le haut de son uniforme, transpire légèrement dans son maillot de corps. Il défait les quelques boutons du haut, frictionne sa nuque moite, s'approche du rivage. Il éprouve une envie irrépressible de se plonger dans l'eau. Il retire ses chaussures et ses chaussettes, ôte sa veste et la pose à côté de ses chaussures bien alignées. Il marche vers la mer, en pressant les pieds dans le sable mouillé. À la première vague, il ferme les yeux et s'arrête. Puis il entre dans l'eau.

Il progresse péniblement, les yeux fermés, le visage empreint de révérence. Jusqu'à ce que l'eau lui arrive à la taille.

Debout dans les vagues qui déferlent, il soulève les paupières et contemple le soleil couchant.

« Hé, crie une voix. Hé ! »

Il jette un coup d'œil autour de lui – les agents de sécurité sont derrière lui, sur le rivage.

« T'as rien à faire ici. »

Ajay les regarde l'un et l'autre avant de reporter son attention vers l'océan.

« T'as rien à faire ici. La plage est réservée aux clients. »

Il résiste encore quelques secondes, mais son enchantement s'est déjà dissipé. Il se tourne et regagne la plage, passe entre les deux gardes, ramasse sa veste, ses chaussures et ses chaussettes et rentre à la villa.

15.

Il ne revoit pas Neda à Goa. Sunny la dépose à l'aéroport avant de rentrer à l'hôtel. Puis les deux hommes reprennent un vol pour Delhi. Sunny paraît plus calme, résolu. Quelques jours plus tard, quand Ajay lui apporte un café, Sunny, assis sur le canapé avec son ordinateur portable, se penche sur des projets architecturaux.

« Tiens. »

Sunny lui tend une feuille de papier qu'il vient d'arracher de son calepin.

« Sir ?

— C'est là que vivent ta mère et ta sœur. »

Ajay déplie le papier et le regarde fixement.

« Tu peux remercier mon oncle, ajoute Sunny. Vicky les a retrouvées. »

Ajay est sans voix, ne trouve pas ses mots.

« Je te donne quatre jours, poursuit Sunny. Après, j'ai besoin de toi. Après, tout va changer. »

Ajay II

1.

Ajay prend un train de Delhi à Lucknow, puis à Lucknow un autre train pour Gorakhpur, où il saute dans un bus local. Tout lui revient à présent. Toute cette poussière, toute cette fumée, l'odeur du plastique qui brûle dans toutes ces villes, les troupeaux de buffles et les champs de moutarde, de maïs, de blé et de cannes à sucre, toute cette huile de moteur qui tombe goutte à goutte dans la terre couverte d'ordures et de légumes à moitié pourris. Et les fantômes aussi. Bras coupés, gorges tranchées, crânes défoncés. Cadavres jetés au fond d'un puits. Fèces humaines. Hommes calcinés. Mais il est ressuscité. Il a dépassé tout ça. À chaque kilomètre qui défile, il devient un homme nouveau, qui se coule en douce dans son passé, ce passé niché dans le présent, avec son costume safari, son beau visage, son corps élancé, son arme calée contre ses côtes. Et l'argent. Oh, l'argent. Dans le sac à ses pieds, il transporte trois *lakhs*[1] de roupies, comme neuves, enveloppées dans du papier kraft, et dans un tissu. Trois *lakhs* pour sa mère, vous imaginez un peu ce que ça fait comme salaires, à côté d'une boîte de munitions, d'un jeu de vêtements de rechange et d'une brosse à dents.

Elle va le revoir maintenant, et tout ira bien. Elles vont le revoir. Sa mère et sa sœur. Et quoi d'autre ? Sa mère était enceinte quand il a quitté son ancienne vie, mais ce détail lui a

---

1. Un lakh vaut cent mille roupies.

échappé, de même que le souvenir de la douleur. Que diront-elles ? En vérité, il ne s'est pas posé de questions sur ce qu'il trouverait en retrouvant sa famille. En dehors des grandes lignes, il n'a rien imaginé – en ce qui le concerne, c'est simple : elles sont vivantes, elles existent. J'existe. Je rentre chez moi. Je reviens, comme je l'avais dit, comme prédit. Je reviens en grand monsieur, à l'aise, en homme qui a réussi. Il a beau broder sur ce retour, une part de lui sait obscurément que c'est un mensonge.

Dans la soirée, son bus tombe en panne.

Enveloppés dans leurs châles, les passagers endormis gémissent sur leur siège en attendant que les choses s'arrangent. Rien ne s'arrange. Bientôt, tout le monde est prié de descendre. La plupart des gens s'asseyent sur le bord de la route, se recroquevillent pour se protéger du froid insidieux. Ceux qui connaissent le chemin décident de marcher.

Ajay descend avec son sac, décide de marcher lui aussi, hèle un camion.

Il est assis dans la cabine à côté du chauffeur et ils foncent dans la nuit. Ça fait une heure qu'ils roulent maintenant et c'est à peine s'ils ont échangé dix mots. Il scrute la route devant lui dans le faisceau des phares. Il commence, croit-il, à reconnaître des repères, monuments scellés dans les souvenirs de l'exode.

Le chauffeur, un gros barbu d'une cinquantaine d'années, fume *beedie* sur *beedie* et étudie l'attention révérencieuse qui se lit sur le visage du jeune homme.

« Tu es d'où ? demande-t-il.

— De Delhi. »

Un moment passe.

« Mais tu connais ces routes. »

Ajay ne répond pas.

« Qu'est-ce que tu fais ?

— *Kaam.* Je travaille. »

Le chauffeur éclate de rire.

« On travaille tous. »

Il s'interrompt.

« Quel genre de travail ? »

Ajay déboutonne sa veste, laisse la fraîcheur de la nuit balayer son maillot de corps.

« *Accha kaam.* » Un bon travail.

Ils continuent à rouler, cette phrase ambiguë et curieuse en suspens dans l'air.

« Il y a eu de l'agitation ce mois-ci, finit par dire le chauffeur. Des accrochages entre gangs. Beaucoup de vols de bagnoles sous la menace d'une arme. Peut-être que ce n'est pas sûr. »

Ajay se tourne vers lui.

« Pour moi ? »

Le pistolet d'Ajay est rangé dans son holster, sous sa veste.

Le chauffeur évite son regard.

L'espace d'un moment, Ajay oublie pourquoi il est là.

Il se penche en arrière, ferme les yeux, frissonne, savoure son pouvoir.

« Pour qui tu bosses ? » demande le chauffeur.

Il s'exprime d'une voix terne, il ne cherche pas à faire semblant.

Il veut savoir.

« Vicky Wadia. »

Le brusque silence du chauffeur est extrêmement éloquent.

Tard dans la nuit, ils s'arrêtent à une *dhaba*. Lumières fluo et hypnotiques des guirlandes accrochées aux arbres. Ajay s'assied seul à une table dehors dans le coin le plus éloigné, sur un siège en plastique dont les pieds ploient sous son poids. Marmites de nourriture fumante et voix nocturnes et éméchées retentissantes de désirs éméchés.

Il voit le chauffeur assis un peu plus loin, qui l'observe, devine ses échanges avec les autres chauffeurs, avec les employés de la *dhaba*. Ils parlent de lui, se montrent l'homme du clan des Wadia, celui au beau costume, armé d'un *pukka*[1] pistolet.

Ils s'interrogent sur ses intentions.

Il ne peut s'empêcher d'éprouver de la fierté.

Il est craint, respecté.

Inattaquable.

---

1. Authentique, véritable, de bonne qualité, solide, mûr.

Il jette un coup d'œil sur les autres hommes, des routiers pour la plupart. Il y a quelques familles aussi, elles évitent de se mêler de quoi que ce soit. Le regard d'Ajay fait lentement le tour de la *dhaba*. Puis s'arrête.

Un *dhaba boy*, un employé. Grandes oreilles, tignasse noire, affreusement maigre, douze ou treize ans. Il s'occupe du *tandoor*[1], il a le front couvert de sueur, il grimace. Ajay détaille son corps, de la tête aux pieds. Il voit la chaîne. Une cheville osseuse, enchaînée à la base du four. Les reflets des flammes qui tremblotent à l'intérieur du *tandoor* voilent les yeux du gamin.

Un autre souvenir resurgit. La *dhaba* bordée d'ordures, les champs derrière. Le mur de béton dissimulant la fosse des latrines. Comment pourrait-il oublier ? Le garçon qui saute de la cage du *Tempo* où ils étaient tous enfermés, qui court vers les champs noyés dans le brouillard, pourchassé par l'assistant du *thekedar*. Le hurlement à la fin. Le couteau plein de sang. L'espace d'un moment, Ajay a l'impression d'y être. Que ce maintenant est hier. Que le monde tangue.

Est-ce la réalité ? Est-ce le garçon ? L'a-t-on rattrapé ? Est-ce qu'il ne s'est jamais sauvé ?

Il se lève et traverse sans se presser la foule de la *dhaba*, contourne les tables puis s'enfonce à l'intérieur, il sait que tous l'observent. Il franchit le seuil de la cuisine, ignore les protestations des cuisiniers et s'arrête devant le gamin. Ce dernier s'interrompt dans son travail et le regarde, il tremble comme un chien battu. Derrière Ajay, une voix grommelle : « *Behenchod*[2]. »

Il se tourne et découvre un cuisinier bedonnant brandissant un couperet.

« Qu'est-ce que tu fabriques ? »

Il lève le couperet d'un geste théâtral, mais Ajay ne bronche pas, et un autre cuistot accourt pour chuchoter quelque chose à l'oreille de son collègue, puis le tirer en arrière. Le gars rengaine son arme improvisée, baisse les yeux, s'éloigne et laisse Ajay tranquille.

Le gamin se penche à nouveau sur son *tandoor* et Ajay se rend compte qu'il ne le connaît pas. Que ce n'est jamais qu'un autre

---

1. Four en terre cuite en forme de jarre.
2. Putain de ta sœur.

gamin qui n'a pas réussi à fuir. *À quoi bon le libérer ?* pense-t-il. *J'ai mes propres affaires à régler.*

Il revient à sa table avec cette idée en tête et, pour la première fois, il se dit, *Je suis moi.*

On lui apporte un *chai* ainsi qu'une assiette de *rajma chawal*[1] nappé de *desī*[2] *ghee.*

« De la part du patron, explique le serveur en désignant un homme bien habillé confortablement installé à une des tables près de la caisse. C'est offert par la maison. »

Le chauffeur attend patiemment qu'Ajay ait terminé. Quand ce dernier se lève, il se lève aussi, et ils repartent. Avant l'aube, le chauffeur annonce qu'ils approchent de la ville.

« Arrête-toi, lui demande Ajay, je ferai le reste du chemin à pied. »

Il lui faut un moment pour s'orienter tandis que le camion s'éloigne ; puis il s'élance. Il suit l'égout à ciel ouvert jusqu'aux bidonvilles, jusqu'aux colonies anarchiques. Il traverse un pont en tôle et arrive à un méchant terrain de cricket où broutent des chèvres. Le jour commence à poindre. À côté d'un bâtiment en béton, il tombe sur un groupe d'hommes qui se réchauffent, serrés autour d'un feu de petit bois. Il leur montre la feuille de papier qu'il tient à la main. Leur demande où il peut trouver cette colonie. Ils lorgnent ses vêtements, son sac, son visage, lui indiquent le chemin, mais le mettent en garde :

« Mieux vaut pas aller là-bas, on perd son temps avec ces gens-là. »

Il contourne le champ où des gamins jouent au cricket sous les premières lueurs du matin. Un batteur inscrit quatre *runs* en lançant une balle qui roule vers Ajay, puis s'arrête. Les gamins braillent. Ils veulent qu'il la leur renvoie. Il s'aperçoit que ça lui est impossible.

---

1. Riz aux haricots rouges.
2. Propre au sous-continent. Ici ghee local.

2.

La colonie est un endroit misérable. Allées de taudis de brique et de bois aux toits de tôle ondulée et de bâches, construits à même la terre, ceinturés de tas d'ordures. Des femmes préparent à manger sur de petits feux devant leur pitoyable cahute. Au milieu d'elles, il est atterré. Atterré de s'être attendu à mieux. Mais ça va changer désormais. Tout va changer. Il descend une des allées, circule avec précaution parmi les feux, les enfants et les chiens. Des hommes et des femmes lèvent la tête et le dévisagent avec peur, mépris. Ils se referment sur eux-mêmes. Il tente de sourire. Il tente de la localiser. C'est censé être une surprise. Ce n'est pas censé se passer comme ça.

Une femme habillée d'un sari bleu impeccable lui crie :

« Qu'est-ce que tu veux ? »

Ajay s'arrête pour lui répondre.

Il réfléchit aux mots qu'il s'apprête à prononcer.

Comme lorsqu'on cherche à se jeter du haut d'une falaise, et que le corps refuse d'obéir à l'esprit.

Il doit se forcer.

« Ma mère. »

Que les mots paraissent fragiles sur ses lèvres.

Il y a un silence, puis des paroles étouffées, on répète ses paroles, puis une vague de compréhension parcourt l'assistance.

Pas totalement amicale. Pas totalement accueillante.

« Alors, c'est toi », dit un vieil homme allongé sur un *charpoy*[1].

Une autre femme se remet debout, avance de quelques pas et l'examine avec attention, mépris, dérision.

« Ils ont dit que tu la cherchais.

— Elle est là ? »

C'est tout ce qu'il réussit à bredouiller.

« T'as pas honte. »

Il la dévisage avec stupeur.

« Où est-elle ?

— T'aurais mieux fait de pas venir.

— Ma ! hurle-t-il. Où est-elle ? » ajoute-t-il en se tournant vers la foule de plus en plus dense.

---

1. Lit avec un cadre en bois tendu de cordes tressées.

Un groupe de jeunes hommes s'approchent, mais gardent néanmoins leurs distances.

Ce sont les vieilles femmes qui expriment leurs sentiments.

D'un geste hostile, l'une d'elles lui indique, au bout de l'allée, une petite salle en béton, pas très haute, d'où sortent pas mal de gens.

« Elle est là-bas. Mais Mary veut pas te voir.

— Mary ? C'est qui, Mary ? Ma mère s'appelle Rupa.

— Plus maintenant. »

Il se campe au seuil de la salle basse de plafond. Il doit se voûter rien que pour regarder dedans. À l'intérieur, de nombreuses chaises font face au fond de la bâtisse, où derrière une estrade avec un pupitre, des statues de Shiva et de Krishna encadrent un grand tableau représentant Jésus-Christ assis en lotus, les mains en position de rudra mudra.

Une église. C'est une église.

Il scrute la foule, sa respiration s'accélère, son cœur pulse dans ses tempes. Il crie « Ma ! ». Il ne la voit pas. Mais les fidèles se retournent dans un sursaut et chuchotent, l'agitation monte. Presque toutes les têtes l'observent. Toutes les têtes.

Toutes sauf une.

Il voit l'arrière du crâne, les fins cheveux gris, les épaules osseuses, fortes, mais amoindries.

Et la jeune fille à côté d'elle, treize ans, plante son regard dans le sien, plein de chagrin. Dans ses yeux, il reconnaît les siens.

La sœur qu'il n'a jamais vue, née après sa fuite.

« Ma. »

Il crie et s'efforce d'écarter la foule pour passer.

Le prêtre n'est pas encore arrivé. Le service n'a pas encore commencé.

Le service, à présent, c'est lui.

Il arrive enfin à la hauteur de sa mère, visage sévère, mâchoires serrées, yeux rivés sur le portrait du Christ.

« Ma ! »

C'est le branle-bas de combat dans la salle.

Une voix crie :

« Mary, regarde, il est revenu ! »

— Revenu d'entre les morts.

— Ton fils est revenu !

— C'est un miracle, Mary. »

D'autres voix.

« C'est un imposteur.

— Le diable.

— Ma ! dit-il. C'est moi. Ajay. Ton fils. »

3.

Elle est devant lui, âgée, flétrie, érodée par le chagrin, vêtue d'un sari vert citron loqueteux, ce n'est pas la femme lumineuse et terrible qui lui apparaît en rêve.

« Ma », répète-t-il.

La foule s'est tue.

« Ma », fait la douce jeune fille effrayée qui s'accroche au bras de sa mère.

Celle-ci finit par se lever et se tourne en refusant de croiser le regard d'Ajay. Elle se signe, murmure une prière en silence et passe devant lui en boitant.

Il ne peut le tolérer, l'attrape par les bras.

Alors, elle se libère, libère sa furie.

« Me touche pas ! Je te connais pas. »

Il reste sans voix. Sa main devient toute molle.

Elle fend la foule en clopinant et se dirige vers la sortie. Ne se retourne pas.

Quelqu'un, ému par la scène, prend la défense d'Ajay.

« Mary, c'est ton fils.

— Pardonne-lui. »

Elle s'arrête. Fait non de la tête.

« C'est pas mon fils. »

La colère d'Ajay monte. Il poursuit sa mère.

« Je suis là ! Je suis ton fils ! »

Elle se tourne vers lui, renforcée dans sa colère dure comme pierre.

« T'es là, mais t'es pas mon fils. Mon fils est mort. »

Elle se fraie un chemin vers la sortie, émerge dans l'allée aux taudis.

« Je ne suis pas mort », proteste-t-il.

Tandis qu'il essaie de la suivre, un nouveau désordre se lève.

« Père, père, père, répètent des voix. Père Jacob… »

Un homme en tenue de prêtre apparaît, chauve et joufflu, le regard intense et pénétrant. Il se plante sur le chemin d'Ajay, lève la paume en signe de paix.

« Père Jacob… le fils de Mary est là. »

Mais Ajay repousse le père et sort.

Elle n'est pas loin, lui tourne le dos. Elle ne bouge pas.

« Je suis venu te chercher », crie-t-il, le ventre noué par la rage et l'injustice.

Il a à peine prononcé ces mots qu'il entend combien ils sonnent creux.

« Je t'ai cherchée, répète-t-il. Je n'ai jamais oublié. »

La tête lui tourne. Il a de l'argent, de beaux habits, il a réussi ; contre toute attente, il est devenu un grand monsieur. Et il est revenu. Des dizaines d'habitants de la colonie se sont approchés, tendent le cou, chuchotent, se bousculent pour suivre le spectacle.

« Même si tu m'as fait partir, je suis revenu. Je sais que tu n'avais pas le choix. Je sais que tu avais besoin de m'envoyer travailler. J'ai travaillé dur, Ma. Je l'ai fait pour toi. Ils m'ont dit… qu'ils t'envoyaient de l'argent tous les mois… »

Elle se tourne et avance sur lui en boitant.

« Personne a envoyé d'argent », dit-elle avec dédain.

Il baisse les yeux.

« Personne risquait de m'envoyer de l'argent. Je t'ai vendu, un point c'est tout. Je t'ai vendu, mais je t'aurais même donné ! »

Hoquets de surprise dans la foule.

« Mary !

— C'est ton fils.

— C'est pas mon fils ! rugit-elle avant de lancer à Ajay : Il aurait mieux valu que tu meures.

— Mary !

— Ma…

— C'est ta faute, poursuit-elle. Tout est ta faute.

— Non, Ma… tu m'as fait partir. J'ai fait comme tu m'avais dit.

— C'était ta faute.

— Non, Ma…

— Tu avais laissé partir la chèvre ! Tu l'avais laissée aller dans le champ !

— Ma… »

Il est bouleversé. Qu'est-ce qu'elle lui raconte ? Comment peut-il…

« Sans toi, ils seraient pas venus ! »

Des années de chagrin déferlent et lestent ses paroles.

La sœur qu'Ajay n'a jamais connue se précipite au côté de sa mère, la calme, la supplie d'arrêter, mais elle est repoussée, jetée à terre.

« Et puis… quand… après… », ajoute sa mère dont les yeux s'emplissent de larmes.

Et ça lui revient.

Hema.

Où est Hema ?

« Tu t'es sauvé ! »

Sa mère continue :

« Tu t'es sauvé quand ils sont venus !

— Non. Je me suis battu contre eux !

— Tu t'es battu contre eux ? Espèce de lâche. Tu t'es sauvé. »

Sa petite sœur, à terre, sanglote.

« Où est Hema ? insiste Ajay d'une voix sourde.

— Et ils sont venus t'acheter, et t'as été vendu.

— Où est Hema ? répète-t-il en fouillant sa mémoire pour y retrouver le visage de sa sœur.

— Et maintenant…, poursuit sa mère avec rage, maintenant tu reviens. Tu oses revenir, t'as pas honte. Un grand monsieur avec de beaux habits. Et tu travailles pour les salauds qui nous ont fait ça ?

— Qu'est-ce que tu… ?

— Les frères Singh ! Ceux qui ont tué ton père. Ceux qui ont détruit ta sœur. Leurs hommes sont venus me dire que tu allais venir. Tu travailles pour eux à présent. »

Elle se jette sur lui, rugissante et toutes griffes dehors.

« Comment tu peux avoir le toupet de te montrer ici ! »

Des hommes se précipitent pour l'éloigner de son fils.

Et Ajay ?

Il ne fait rien. Il reste planté là.

Muet.

Il est assis par terre devant l'église.

Désespéré.

Inerte.

On a emmené sa mère.

Faute de savoir que faire, faute de savoir comment il va réagir, les hommes ne le quittent pas de l'œil. Ils discutent de son cas, mais il ne les entend pas.

Finalement, sa petite sœur se manifeste. Elle s'agenouille à côté de lui.

« Elle a trop mal », dit-elle.

Une éternité s'écoule avant que ses paroles n'atteignent Ajay. Il tourne la tête vers la jeune fille.

« Comment tu t'appelles ?

— Sarah. »

Il est oppressé, il a des vertiges. Compte tenu de son esprit en effervescence, il a du mal à parler.

« Où elle est… Où est ma sœur ?

— Partie.

— Partie où ?

— Elle est partie à Bénarès quand j'avais sept ans.

— Pourquoi ?

— Et elle est jamais revenue.

— Qu'est-ce qui s'est passé ? Pourquoi elle est partie ?

— Tu devrais t'en aller maintenant », lui conseille Sarah.

Elle se relève, mais il la retient fermement par le bras. Elle grimace de douleur.

« Qu'est-ce qui s'est passé ?

— S'il te plaît, ça fait mal. »

Les hommes et les femmes alentour attendent la suite.

« Qu'est-ce qui s'est passé après mon départ ?

— Je sais pas.

— Qu'est-ce qui s'est passé ?! »

Une autre voix, celle de sa mère, lui parvient.

« Qu'est-ce qui s'est passé ? » répète-t-elle.

Elle est tout près, elle l'observe.

« Qu'est-ce qui est arrivé à Hema ? » insiste-t-il en relâchant Sarah.

Celle-ci court vers sa mère.

« Ce qui arrive à toutes les filles quand les hommes fichent le camp, réplique sa mère.

— Je n'y suis pour rien, proteste-t-il. Je suis revenu te chercher.

— En tant qu'un des leurs.

— Je ne suis pas un des leurs, lance-t-il d'un ton implorant. Je travaille pour les Wadia. Pas pour les frères Singh. »

Sa mère secoue la tête et tourne les talons.

« Et eux, pour qui tu crois qu'ils travaillent ? »

Il la regarde partir.

Il regarde Sarah partir.

Il ne reste plus rien de son enfance.

Tout a volé en éclats.

Il se tourne vers la foule qui continue à l'observer.

« Où sont Rajdeep et Kuldeep Singh ?

— Tu devrais le savoir.

— Demande à tes gens.

— Ils régissent notre vie.

— Ils nous terrorisent. »

Il sort le Glock de son sac. L'examine.

« Où sont-ils ? »

Un jeune homme de son âge s'avance.

« Il y a un hôtel en ville, dit-il. Il leur appartient. Palace Grande. C'est là que tu les trouveras. »

4.

Localisé au-delà du goulet d'étranglement que représente le rond-point marquant la fin de la route d'accès à la ville, le Palace Grande est une monstruosité de quatre étages avec panneaux en verre-miroir, plastique bon marché et vilains matériaux ajustés à la va-comme-je-te-pousse afin d'entretenir une illusion de glamour. Hall d'entrée en marbre, sonore, chande-liers clinquants, palmier triste à l'intérieur. Un couloir mène à une salle de banquet, des ascenseurs conduisent aux chambres. Ligotés à leur téléphone portable, des clients à la prospérité discutable exhibent leurs bijoux sur les canapés en face de la réception.

Et Ajay, qui entre par les portes à tambour.

Des regards le survolent, l'étudient, cherchent à le situer.

Aveuglé par la fureur, le désir de vengeance, il s'approche de la réception. Et lève la tête.

Sur le mur en face de lui, dans un cadre doré, une gigantesque photographie aux couleurs saturées célèbre deux hommes à travers le flou artistique d'une scène de rue montrant une pro-cession. Les hommes en question arborent des guirlandes de fleurs et une foule en adoration les bouscule allègrement.

Rajdeep et Kuldeep Singh.

Ça lui fait l'effet d'un uppercut.

Des lumières blanches explosent sous son crâne.

Le réceptionniste le reluque et lui décoche un grand sourire mielleux de fouine.

« Ils sont impressionnants, hein ? »

Ajay doit se contrôler, surveiller sa voix et s'assurer que ses yeux ne le trahissent pas.

« Je voudrais une chambre, dit-il.

— Pour combien de nuits ? s'enquiert la Fouine.

— Une.

— Pièce d'identité. »

Ajay lui tend son permis de conduire, celui que Tinu lui a fait faire.

« Vous êtes juste de passage ? »

Tout en parlant, la Fouine examine son permis avec beau-coup d'attention, mais Ajay ne l'entend pas, il est perdu dans la contemplation des visages sur le mur.

« Les honorables frères Singh, explique la Fouine en relevant le nez. Rajdeep-ji est le propriétaire de cet hôtel. C'est un VVIP. Un monsieur très bien.

— Et l'autre ? »

La Fouine se tourne pour admirer les deux hommes.

« Kuldeep-ji, c'est notre député. Le héros de notre ville. Il fait de grandes choses. Grâce à lui, nous sommes tous prospères. Demandez à n'importe qui. »

Demandez à n'importe qui.

La Fouine lui rend son permis.

« Vous venez de Delhi ?

— Oui.

— Vous travaillez dans quoi ? »

La vengeance.

« Les services.

— Les services ?

— Oui. J'aimerais une chambre avec vue sur la rue », précise-t-il.

Pourquoi ? Qu'est-ce que tu crois que tu vas faire ?

« Ce sera difficile… »

Ajay sort sa pince à billets, en retire plusieurs coupures de cent roupies qu'il place sur le comptoir.

Le réceptionniste sourit.

« Mais ça peut s'arranger. »

La chambre 302 sent le désinfectant et les fantômes du désir humain. Le climatiseur lâche des bruits de ferraille en rafales. La pièce aux carreaux teintés est noyée dans la pénombre jusqu'à ce que s'allument les lumières fluorescentes, crues. Ajay ferme la porte à clé, met la chaîne en place et s'approche de la fenêtre pour regarder la rue engorgée, qui se perd vers l'horizon.

Une vague de chagrin le traverse. Lui balafre la peau.

Il s'assied sur le bord du lit.

Ajay Wadia.

Gardien de chèvres.

Horrifié, il plaque la main sur sa bouche.

Est-ce lui la cause de tout ça ? Le monde qu'il connaît est-il de son fait ?

Il essaie de repenser au passé, essaie de revoir son enfance telle qu'il l'imagine, essaie de se rappeler, mais seule l'absence tapisse sa mémoire. Il a bâti sa vie sur l'histoire de l'exil. Commode fiction qui l'a nourri, secouru.

Désormais, tout est mensonge.

Sa vie est un mensonge.

C'est une souffrance intolérable.

Il peut mettre en doute les paroles de cette femme qui a été sa mère, mais il ne peut mettre en doute la réalité dans laquelle il évolue. Il est méprisé. Honni.

Que faire pour remédier à ça ?

Il commence à se déshabiller, retire sa veste et son pantalon safari, les pose à plat sur le lit et se retrouve en maillot de corps, caleçon et chaussettes, arme dans le holster. Il éteint la lumière, retourne à la fenêtre, presse la main contre le carreau et perçoit la tiédeur du faible soleil hivernal. Dans la rue principale, un mendiant cul-de-jatte se meut à la force des bras. Trois voitures de police, des Ambassador, poussent leur nez à travers la circulation. Des hommes dorment sur le gazon au milieu du rond-point. D'autres jouent aux cartes. Un jour comme tous les autres.

Il tourne le dos à la fenêtre, sort son Glock, caresse le métal du canon, vise la porte. Il surprend dans le miroir l'image du corps fin et musclé d'un homme qu'il n'a jamais vraiment connu.

Dès son réveil, son rêve d'une indicible violence s'estompe. Il est allongé sur le lit, a oublié où il est. Il se dit qu'il a fait sa nuit, qu'il est à Delhi par un beau matin. Sunny doit l'attendre. Il se redresse. Puis il voit son arme et la mémoire lui revient.

Il se torpille tout seul.

Il est venu effacer la blessure.

Même maintenant, il s'efforce d'imaginer un autre biais. Il pourrait appeler la réception. Boire un Coca-Cola, commander un *dal fry*[1]. S'offrir une balade vespérale. Se soûler. Demander qu'on fasse monter une fille à sa chambre. Au matin, reprendre un bus et rentrer à Delhi. Tout oublier. S'accepter tel qu'il est.

Mais qui est-il ? À quoi lui servirait une fille ?

Que ferait-il avec elle ?

Il est une île. Abandonné.

Sans passé, sans avenir.

Avec, gravés au fer rouge dans son cœur, les noms de deux hommes.

Kuldeep et Rajdeep Singh.

---

1. Plat à base de différentes variétés de lentilles ou même de haricots mungo.

5.

« Oui ? marmonne la Fouine en relevant les yeux.

— Dites-moi, lui lance Ajay. Comment puis-je rencontrer les frères Singh ?

— Ça dépend de ce que vous leur voulez.

— Je veux travailler pour eux.

— Comme beaucoup de gens, fait la Fouine en prenant un air entendu. Mais vous n'êtes pas obligé de les rencontrer pour ça.

— Je veux les saluer. Je veux leur présenter mes hommages.

— Je vois. »

Les yeux plissés, il jauge Ajay, essaie de deviner d'où vient l'argent.

« En général, les frères sont en ville, continue-t-il, et nous avons souvent le plaisir de les accueillir ici même à la réception de cet hôtel. Mais… »

Il se penche :

« En ce moment, la situation est très tendue. Il y a eu des complications. De vous à moi, il y a des tensions en ville. Depuis quelque temps, des ennemis des frères Singh ont lancé certaines actions. Et, là, les frères sont avec leurs hommes et ils réfléchissent à une riposte.

— Quand vont-ils revenir ?

— Impossible à dire. – Un sourire, paumes tendues. – Tous, nous attendons, comme des enfants. »

Debout devant l'ascenseur, Ajay va remonter à sa chambre quand un jeune homme revêtu d'une chemise aux motifs éclatants se plante à côté de lui. Il a l'air sournois. Les portes s'ouvrent. Tous deux entrent dans la cabine.

« Tu veux rencontrer les frères Singh ? demande le jeune homme dès que les portes se referment. J'ai surpris ce que tu disais, se dépêche-t-il de préciser. Ils prétendent tous que c'est impossible, mais on peut y arriver ; simplement, perds pas de temps avec le *chutiya* de la réception. Il la ramène beaucoup, mais c'est un minus, il sait rien.

— Qui es-tu ?

— Vipin Tyagi, dit le jeune homme en joignant les mains pour un *namasté.* J'arrange des choses.

— Je veux les rencontrer, déclare Ajay.

— Je comprends.

— Je veux les voir en personne.

— Difficile. Pas impossible. »

L'ascenseur s'ouvre à l'étage d'Ajay.

« Combien ? demande Ajay.

— Chut ! Les gens bien ne parlent pas comme ça, riposte Vipin en bloquant de son corps la porte de la cabine. Pourquoi ne pas nous rencontrer ce soir pour en discuter ? À neuf heures ? Derrière le Hanuman *Mandir.* Près du vieux terrain de cricket. C'est joli et calme. Viens avec un peu de bonne volonté, on discutera à l'ombre de Dieu. »

6.

La ville se prépare au soir. La pâle lumière du jour se craquelle et sombre dans la nuit glaciale. Derrière des étals fumants, des vendeurs proposent des *aloo tiki*[1], des *kachori*[2], des *shakarkandi chaat*[3], du thé chaud et sucré. Des volutes de fumée montent des feux de bois et se déploient sur fond de crépuscule. Les cloches des temples tintent. Ajay se lave avec un seau d'eau froide.

Il sait qu'il risque fort de tomber dans un piège.

Mais que peut-il faire d'autre ?

À dix-neuf heures, il s'habille, vérifie le renflement de son arme sous son costume, range l'argent dans son sac. Il mange une omelette à la carriole en face de l'hôtel, tue le temps en sillonnant la ville, reste le plus possible dans l'ombre. L'atmosphère est fébrile. Des groupes de jeunes voyous musardent. Des flics gèrent des checkpoints sur les dents. Pour qui travaillent-ils ?

---

1. Croquettes de pommes de terre aux épices.

2. Snack frit, sorte de beignet farci aux haricots mungo, gingembre, coriandre, fenouil.

3. Snack à base de patate douce servi avec beaucoup d'épices, du jus de citron…

Allez savoir. Ajay passe à une certaine distance du Hanuman *Mandir* avant de revenir au marché d'où, caché dans l'ombre, il surveille les alentours. À vingt heures trente, les rues se vident, la réception de l'hôtel est déserte. Il fait demi-tour et s'enfonce dans les ruelles.

Il rejoint le temple fermé quelques minutes avant vingt et une heures. Il devine que quelqu'un l'observe dans l'allée derrière. Il aurait intérêt à tourner les talons et à partir. Il aurait intérêt à prendre son arme. Il aurait intérêt…

« Tu es là, mon vieux. »

Comme lieu de rendez-vous, ce n'est pas l'idéal.

Ajay entame un rétropédalage.

« Où vas-tu, mon vieux ? Tu ne veux pas rencontrer Kuldeep Singh ?

— Je me suis trompé », grommelle Ajay.

Sa voix, fluette, ténue, le surprend.

Il tourne pour s'en aller et découvre une arme braquée sur son visage. Un homme qu'il pense avoir vu dans la rue ? Face au canon d'une arme, on a du mal à identifier le tireur.

« Ici, tu ne passes pas inaperçu, mon vieux, lui lance aimablement Vipin. Tout le monde te repère. Tu es déjà connu. Mieux vaut se mettre en retrait pour bavarder. »

Le *goon* agite son arme en direction de la voix de Vipin et Ajay obtempère.

« J'espère que ça ne te dérangera pas, ajoute Vipin, flanqué d'un autre homme de main. J'ai amené mes copains. Après tout, ce serait stupide d'aller seul pour rencontrer, de nuit, quelqu'un que je ne connais pas, tu ne penses pas ? »

Ajay en reste sans voix. Qu'est-ce qu'il a été bête ! Quelle vanité que de croire qu'il pouvait changer le monde.

Vipin s'avance.

« Il vaut mieux que tu nous files ce sac.

Le *goon* à côté de Vipin brandit une machette, pendant que le porte-flingue presse le canon de son arme contre la nuque d'Ajay.

« Tu ne sais pas qui je suis », dit Ajay.

Vipin Tyagi éclate de rire et les deux *goons* l'imitent.

« Balance-moi le sac. »

Ajay pose le sac par terre à ses pieds.

« Je t'ai dit de me balancer le sac, *behenchod.*

— Je travaille pour Vicky Wadia », dit Ajay.

Vipin s'arrête, plisse les yeux. Puis son rire redouble.

« Ah oui ? Tu bosses pour Vicky-ji ? »

Vipin Tyagi agite son doigt.

« Si tu bossais pour un mec comme lui, t'aurais pas besoin de passer par moi. »

Impatient, lassé, il adresse un signe de tête au porte-flingue.

« Récupère le sac. Puis descends-le. »

La suite est l'affaire de quelques secondes.

Des trois hommes, c'est le porte-flingue qui meurt le premier. C'est lui qui tend la main vers le sac, lui qui quitte sa proie des yeux. La seule chose qui compte pour Ajay, c'est son instinct, l'intuition, l'espace d'une fraction de seconde, que l'arme n'est plus braquée sur sa nuque, mais pointée vers le ciel. Il pivote. Pas une seconde, il ne pense qu'il risque de mourir, que sa cervelle pourrait bien exploser et éclabousser le sol. Il pivote et saisit le poignet du porte-flingue dont l'arme part toute seule pendant qu'ils tombent à terre. Il est le premier à réagir. Merci Eli pour ça, pour toutes ces heures d'entraînement théorique, mécanique. Mais qui remercier pour sa fureur ? Sunny ? Sa mère ? Ajay et le *goon* tombent, et Ajay casse sèchement le bras de son agresseur. Déjà, le gars à la machette lui fonce dessus. Mais quelque chose dans le craquement de l'os le freine un peu et il n'en faut pas davantage pour qu'Ajay bondisse, le terrasse, bloque du genou la main à la machette et assène au gars plusieurs coups de poing en pleine figure. Puis il lui prend la tête à deux mains et la lui cogne contre le sol. Se saisit de la machette et lui tranche la gorge. Se saisit de la machette et l'abat sur le crâne du porte-flingue au bras cassé. Lorsqu'il se tourne, haletant, un film de sang devant les yeux, Vipin, pétrifié, écarquille les yeux et ouvre grand la bouche.

« Je peux te conduire à eux, mon vieux ! » crie-t-il.

Mais Ajay n'en a plus rien à faire. La brume rouge se dissipe. Il marche sur Vipin, brandit la machette, et l'abat sur son visage.

7.

Il est deux heures du matin, et il est dans sa chambre d'hôtel, assis sur le sol froid, dos au mur, son arme pointée sur la porte. Il règne un tumulte formidable dans la ville. Des hommes chantent, hurlent. Ils réclament des têtes.

Toutes les cellules du corps d'Ajay bouillonnent.

Je suis un tueur. J'ai tué.

Il est revenu de la ruelle en chancelant, avec son sac et la machette encore à la main, il a traversé vaille que vaille le terrain de cricket, le visage et la veste de costume éclaboussés de sang, le cœur vibrant comme un marteau-piqueur. Aurait-il dû fuir à ce moment précis ? Foncer tout droit vers la sortie de la ville ? Non, filer aurait été la pire des décisions. Ça aurait signé son arrêt de mort. Trois cadavres, et un inconnu disparu de son hôtel. Un inconnu qui avait posé des questions sur les frères Singh. Ils l'auraient traqué. Ils l'auraient ramené et achevé. Torturé. Ils auraient torturé sa mère et sa petite sœur. Il aurait failli dans les grandes largeurs, et pire.

Il avait donc poursuivi son chemin dans l'obscurité, puis, arrivé à une pompe à eau, il s'était lavé les mains et la figure avant de voler un châle accroché à un fil à linge devant une maison, et s'en était enveloppé pour cacher les taches de sang. Puis il avait continué, toujours à pied, dans la ville endormie, avait sillonné les rues en frissonnant sous le choc de l'adrénaline, en s'efforçant de ne pas se faire remarquer.

Planté sur le trottoir opposé, il avait surveillé l'hôtel.

Avait attendu vingt minutes qu'un grand groupe tapageur émerge de la salle de banquet.

Et s'était faufilé dans le bâtiment pendant que les braillards sortaient de la réception éclairée par de brillantes lumières blanches.

La Fouine n'était pas de service.

Il avait envie de croire que personne ne l'avait remarqué.

Une fois dans sa chambre, il s'était débarrassé de son costume taché de sang qu'il avait caché au fond de son sac. Puis il s'était douché en se frottant bien la peau, les cheveux jusqu'à ce que l'eau soit claire. Mais chaque fois qu'il fermait les yeux, il revoyait la machette frapper, le corps s'effondrer. Chaque fois qu'il fermait les yeux, il voyait le visage de Vipin Tyagi se fendre en deux comme une pastèque.

Il est trois heures du matin et il contemple le gâchis qu'est sa vie.
Vengeance. Il n'est même pas fichu de la mener à bien.
Il entend le tapage dans les rues.
On a dû trouver leurs corps.
Il est bon à quoi en fait ?
Il serre son arme.
Attend qu'ils viennent.
Faut-il qu'il les flingue ? Ou qu'il se flingue ?

Il est quatre heures du matin, les klaxons, les cris et les bruits de moteur commencent à se calmer. Il y a une accalmie dehors, une pâle lueur dans le ciel. Peut-être y a-t-il moyen de fuir à présent ? De régler sa note dans le calme et de lever le pied. Non. Non. Ça éveillerait des soupçons. Et pour aller où ? Pour retourner auprès de Sunny ? Non, ils finiraient par le retrouver. Et comment pourrait-il continuer à travailler pour cette famille ? Impossible. Il va donc disparaître. Se trouver un refuge. Dans la montagne ? À Goa ? Ou bien dans un endroit où il n'a encore jamais mis les pieds. C'est possible. Il faut juste qu'il fuie.
Et puis ça lui vient.
Bénarès.
Il va fuir à Bénarès.
Là-bas, il cherchera sa sœur.
C'est la seule chose à laquelle il puisse encore s'accrocher.
Il s'accroche à cette idée.
Il ferme les yeux. L'obscurité le happe.

Il se réveille et la lumière du jour filtre à travers les carreaux.
Il est assis dos au mur, il a toujours son arme à la main.
Quelle heure est-il ?
Il consulte sa montre.
Presque neuf heures.
Il a mal partout, mais la lumière du jour déclenche chez lui un sentiment d'urgence nouveau. Il se peigne, se rase, essaie de ressembler à l'homme à tout faire, falot et effacé, qu'il est

devenu. Il a une égratignure sur la joue, quelque chose de vide dans le regard. Il n'a pourtant pas le temps de s'appesantir là-dessus. Il faut qu'il descende régler sa note. En espérant malgré tout qu'on ne lui créera pas de problèmes, qu'on ne lui posera pas de questions. Faudrait-il qu'il prenne son arme ? Non. Il attendra d'être en mesure de partir. Il retire le capot du climatiseur bruyant et cache son pistolet à l'intérieur de l'appareil.

Lorsque l'ascenseur le lâche dans la réception, une multitude de bruits l'accueille.

Une télé beugle. Et la Fouine est là, jubilant, qui lui adresse des signes.

« Quel foin, mon ami, hurle-t-il. C'est très tendu, venez voir. »

Rien ne dénote le moindre soupçon.

« Il y a eu du bruit cette nuit, dit Ajay en évitant son regard.

— Comment pouvez-vous dormir à un moment pareil ? s'écrie la Fouine sans noter l'humeur d'Ajay.

— J'aimerais régler ma note, lui annonce Ajay.

— Comment pouvez-vous partir à un moment pareil ? Trois employés de Kuldeep ont été tués juste devant le Hanuman *Mandir*. Vous imaginez un peu ? Je suis sûr que c'est le gang Qadari. »

Il pointe le doigt vers la télé accrochée au mur d'angle devant laquelle une foule d'hommes s'est rassemblée. On voit un reporter sur la scène de crime au grand jour – des draps maculés de sang recouvrent les corps. La chaîne passe ensuite à une bande d'une cinquantaine d'hommes armés de sabres et coiffés de bandeaux orange, manifestant tapageusement à travers la ville.

« Dieu est fâché, déclare un homme dans la réception.

— Si Dieu doit se méfier de quelqu'un, c'est de Kuldeep Singh, s'écrie un autre.

— N'importe quoi ! Les frères Singh ont la pétoche. C'est pour ça qu'ils se planquent. Ça fait des jours et des jours qu'ils se planquent…

— Attention à ce que tu racontes, braille le premier, ou je te flingue sur place. »

Au moment précis où ils semblent près d'en venir aux mains, le reportage passe à Kuldeep Singh.

Vêtu de sa *kurta* blanche et de son écharpe safran, sans les lunettes noires qui masquent d'ordinaire la rancœur de son regard, il est devant sa résidence et parle de la vague de violence qui entache la pureté de leur ville, et de la nécessité d'une prompte vengeance. Il s'adresse à ceux qui le traitent de lâche. Oui, il a entendu ces mensonges. Il va mettre les choses au clair.

« Nous ne nous coucherons pas, s'exclame-t-il. Nous ferons mille fois la preuve de notre force. Et si les membres d'une certaine communauté s'opposent à nous, nous les taillerons en pièces. »

« Quel foin ! répète la Fouine qui se frotte pratiquement les mains. Cet après-midi, les frères Singh vont conduire un cortège à travers la ville. Et vous savez quoi ? C'est vrai. Le rassemblement va se terminer ici. »

Il reporte son attention sur Ajay avec un sourire interrogateur.

« Mais, vous, vous voulez partir, pas vrai ?

— Non, dit Ajay. Je vais rester. »

8.

Il entend le cortège bien avant de le voir. Les coups d'accélérateur des moteurs, les klaxons stridents, les voitures et motos, les haut-parleurs beuglant des slogans à la gloire de Dieu et de Kuldeep Singh. De sa chambre, il voit émerger de MG Road plusieurs centaines d'hommes en safran brandissant machettes, sabres, drapeaux et bannières, de vieux fusils ou des armes de poing pour certains et, autour d'eux, encore plusieurs centaines de citoyens abasourdis, de curieux poussant des cris d'encouragement, vision impressionnante, immense serpent humain qui arrive sur lui en ondulant. Le cortège se rapproche et Ajay distingue les frères Singh au milieu, chacun dans une jeep, Kuldeep debout, le bras levé, absorbe l'adulation de la foule, Rajdeep agite un sabre. De plus en plus proches de l'hôtel. Vacarme assourdissant, voix psalmodiant. *Jai Shri Ram. Jai Kuldeep Singh.*

Il voit parmi la foule de nombreuses bannières arborant le portrait souriant du dévot Vipin Tyagi, cet honorable citoyen. Les frères Singh descendent de leurs jeeps. Empoignent les mains tendues de leurs partisans.

Cinq rangées de chaises en plastique regardent la scène, avec derrière sur une plateforme surélevée, un large et long canapé. Puis, protégeant cette zone réservée aux VIP, un cordon de policiers fait écran à la foule. Un ouvrier vient tapoter le microphone, proclame l'honnêteté et la bravoure de Kuldeep Singh.

Kuldeep Singh monte sur la scène.

Léonin, Rajdeep Singh s'installe sur le canapé pour VIP.

Ils sont là, juste sous les yeux d'Ajay.

Et, à travers leurs visages, il voit le visage de son père.

Et, là, toutes ses idées de fuite partent en fumée.

Jamais plus pareille occasion ne se présentera. Il sait ce que ça signifie. Il peut enfin trouver un but à sa vie.

Il retire le Glock du climatiseur et le glisse dans sa ceinture.

Enroule le châle volé autour de son torse.

Sous le châle, sa main est posée sur la détente.

Il quitte la chambre, laisse son sac derrière lui.

Prend le couloir jusqu'à l'ascenseur.

Appuie sur le bouton du rez-de-chaussée.

Lorsqu'il émerge dans la réception noire de monde, il se surprend à réfléchir à Kuldeep Singh et visualise tout de même sa mort. Une fois qu'il aura dégainé son pistolet, il aura quoi ? Deux secondes pour tirer ? Moins ? Va-t-il s'élancer sur lui ? Avancer sans se presser ? L'appellera-t-il par son nom ? Lui logera-t-il une balle dans la tête ? Son pouls s'emballe, ses paumes deviennent moites. Cinq secondes ? Trois secondes ? Et une milliseconde pour que ça fasse mouche. Et après ? Rajdeep Singh. Rajdeep aura largement le temps de voir son frère s'effondrer. Et s'il garde son calme, Ajay pourra abattre Rajdeep depuis la scène. Vider son chargeur.

Ou bien se gardera-t-il une balle pour lui ?

Cela sera-t-il seulement nécessaire ?

Leurs hommes se chargeront sûrement eux-mêmes du boulot.

Il va donc y aller.

C'est sa vie.

Il se faufile à travers la réception noire de monde et se place au premier rang. Une porte latérale donne sur un jardin où la scène a été érigée. Des ouvriers s'affairent alentour.

Ajay repère la Fouine debout près de la porte.

Il va se poster à côté de lui.

« Ah, vous êtes là, mon ami, fait la Fouine.

— Je vous cherchais, réplique Ajay.

— C'est votre jour de chance ! »

Est-ce qu'il sait quelque chose ? Est-ce qu'il soupçonne quelque chose ?

« J'ai envie de m'approcher, poursuit Ajay en glissant un paquet de roupies dans la paume de la Fouine. J'ai envie de me mettre sur le côté de la scène pour mieux voir Kuldeep.

— Venez avec moi », lui dit la Fouine.

De leur place, ils voient Kuldeep se préparer à prendre la parole, le canapé aux allures de trône accueillant Rajdeep Singh et, derrière tout ça, la foule en ébullition.

« Tellement formidable, vous ne trouvez pas ? glapit la Fouine au-dessus du vacarme. Je vous l'ai dit, il n'y a personne ici de plus puissant que... »

Mais comme il prononce ces mots...

9.

Vicky Wadia arrive. Le géant terrible. Il fend les masses d'individus, le cordon de policiers, s'approche du canapé pour VIP. Il porte son ensemble *kurta-pyjama*[1] noir, un châle en *shahtoosh*[2], ses cheveux noirs sont toujours aussi longs, son corps est massif et longiligne à la fois, les bagues étincellent à ses doigts, et, en le voyant surgir devant lui, le visage arrogant de Rajdeep se tord de peur, Rajdeep qui saute sur ses pieds, incline la tête, joint les mains, fait de la place et se case dans un coin du canapé pour

1. Tunique et pantalon.
2. Antilope tibétaine fournissant une laine très prisée, aujourd'hui interdite à la vente.

que Vicky s'asseye bien au milieu, jambes croisées, bras déployés sur le haut du dossier.

À présent, Kuldeep avance sur le devant de la scène, vers le micro. Il défend son pouvoir, sa position, sa bravade.

« Notre culture est menacée, déclare-t-il. Notre mode de vie. Ils veulent nous tuer en pleine nuit. Ils veulent nous faire vivre dans la peur. Tous ces maux qui nous affectent, ces criminels qui cherchent à profiter de notre bienveillance. Voilà ce qui se passe à l'heure actuelle. Le trafic et l'exploitation de nos enfants, le viol de nos femmes, le meurtre de nos frères. Tout cela est le fait d'une menace extérieure que nous ne connaissons que trop bien. Nous devons résister et préserver notre mode de vie. Nous devons maintenir l'ordre, par la force, si nécessaire. Nous nous sommes tus trop longtemps. Aujourd'hui, nous devons faire bloc et nous élever contre un ennemi commun. »

Jai Shri Ram. Jai Kuldeep Singh.

C'est le moment que j'attendais, se dit Ajay.

Mains levées, Kuldeep Singh capte l'adulation et la colère de l'assistance.

C'est le moment.

Sous le châle, il dégage le pistolet coincé sous sa ceinture.

Il y a déjà une balle dans la chambre.

Il sait.

C'est le moment.

Il peut sauter sur la scène.

Tirer.

« *Chutiya.* » Une voix au-dessus de lui, très calme.

Une voix de baryton, laconique et teintée d'un humour malicieux.

Ajay lève la tête et découvre Vicky Wadia, qui le regarde en souriant.

Et la Fouine, détournant les yeux, recule, effrayé.

Vicky passe le bras autour de l'épaule d'Ajay.

« J'ai appris que tu étais en ville. »

Il se place à côté de lui comme un vieil ami, se colle une cigarette dans la bouche, presse encore davantage son bras droit ondoyant autour du cou d'Ajay pendant qu'il allume sa cigarette.

« Je t'avais à l'œil. »

Et Ajay, pétrifié. *Il n'était pas là-bas ?* Il jette un coup d'œil vers la zone VIP, convaincu qu'il va voir Vicky assis sur le trône canapé. Convaincu qu'il est victime d'une illusion. Mais non.

Non.

Vicky est bel et bien là.

« Tu n'as pas chômé, poursuit Vicky avec un ronronnement approbateur. Tu as fini par retrouver ta mère. Tu as même eu le temps de te faire de nouveaux amis… »

Il est si proche du visage d'Ajay que sa moustache rebique contre la peau douce de ce dernier ; puis il lâche un petit rire, rejette sa fumée :

« … et après tu les as tués. »

D'instinct, Ajay tente de s'écarter, de trouver un moyen de fuir, mais, pareil à un constrictor, l'énorme bras l'empêche de bouger. Inquiet, Ajay lance de furtifs regards autour de lui. Il se sent disparaître, disparaître, happé par le géant qu'est Vicky. Seule sa main, sous le châle, a la liberté de cramponner son arme.

« Allez, allez, fait Vicky, apaisant. N'aie pas peur. »

Il desserre son emprise, flanque une bourrade bonhomme sur l'épaule d'Ajay.

« Je sais garder les secrets. »

Il jette sa cigarette par terre, l'écrase sous son pied.

Il inhale. Respire.

La main d'Ajay dégage lentement le Glock de sa ceinture. Lentement, lentement, le doigt s'efforçant de ne pas trembler sur la détente.

« Que comptes-tu faire au juste avec cette arme ? » lui demande Vicky.

Ajay essaie désespérément de ne pas s'étouffer avec la boule qui lui noue la gorge, de ne pas craquer.

« Si tu fais pas gaffe, poursuit Vicky, ça va te péter dans les couilles. »

Il sourit par-devers lui.

« Et, là, imagine un peu les explications que je serais obligé de fournir. »

Piégé.

Tu es piégé.

« Regarde ça, ajoute Vicky avec un soupir en balayant l'horizon de sa main libre, comme s'il admirait un coucher de soleil, tandis que la foule déchaînée acclame Kuldeep Singh et brandit ses armes pour réclamer du sang. Tous ces hommes. Prêts à mettre leurs ennemis en charpie. Ils ne sont pas beaux ? »

Il inspire : colère et violence sont pour lui de splendides effluves.

« Il faut toujours avoir cinq cents hommes à disposition pour tout saccager. Mais, le plus important, ce sont les dix mille hommes derrière eux, tous des lâches. »

Il éclate de rire et referme la main sur la tête d'Ajay.

« Tu ne sais pas de quoi je parle, hein, mon garçon ? »

Il glisse les doigts dans les cheveux d'Ajay.

« Mais je suis fier de toi. Tuer trois hommes, ce n'est pas rien. J'avais douze ans la première fois où j'ai vu le regard d'un gamin en train de mourir. Je n'oublierai jamais l'expression de son visage. »

Il s'accorde un instant pour revivre ce souvenir.

« Surpris. Il était surpris. Et ces hommes, quel air avaient-ils ? Au terme de leur vie. Est-ce qu'ils ont été surpris de se voir mourir ? Est-ce qu'ils ont eu le temps de l'être ? Ils méritaient ce qui leur arrivait, c'est certain. »

Il agite la tête d'Ajay d'avant en arrière, comme si le jeune homme était un jouet.

« T'inquiète, en dépit des apparences, personne ne les regrettera. Ça, tout ça, c'est pour la galerie. À dire vrai, tu m'as rendu service. Ça, tout ce chambard, c'est bon pour le business. Mais qu'est-ce que tu essayais de faire au juste ? »

Il a un geste en direction de Kuldeep Singh.

« Tu voulais t'en prendre à ce chien ? À ce con ? Et le tuer ? Et tuer son frère ? Et après quoi ? Tu mourais et fin de l'histoire ? »

Il laisse sa question en suspens et ils regardent la scène dans un silence terrible ; Ajay a la sensation qu'on lui arrache les tripes, qu'on les jette par terre.

« Je vais te confier un petit secret, continue Vicky. Ces hommes, ces deux hommes, Kuldeep et Rajdeep Singh, ils ne représentent rien. Ce sont des zéros. Si tu les tuais maintenant, tu perdrais ta vie pour rien. Et, en plus, j'ai encore besoin d'eux. Alors, je vais te dire ce que tu vas faire. Tu vas faire demi-tour, récupérer ton sac et rentrer à Delhi. Retourne auprès de Sunny et oublie tout ça, continue à jouer les bonnes d'enfant encore un moment. »

Le doigt d'Ajay tremble extrêmement fort sur la détente. Des larmes se massent dans ses yeux.

Il a l'impression de partir en vrille, en vrille.

De tomber dans un profond puits noir.

« Puis, le moment venu, je te les donnerai. Rajdeep et Kuldeep Singh. Tu pourras les tuer comme ça te chantera. Tu pourras leur couper la langue, leur arracher les dents, les yeux, le cœur. Je t'en fais la promesse. Et après, je te donnerai quelque chose en plus. Ta sœur. Tu as peut-être perdu ta mère, mais tu as toujours ta sœur. Oui, elle est vivante. À Bénarès. Je l'ai vue. Elle pense souvent à toi. Je te mènerai à elle. Mais uniquement si tu fais ce qu'on te demande. »

10.

Ajay prend le train de nuit et arrive à Delhi tôt le lendemain matin. Il ignore les plaisanteries salaces des gardes, va tout droit à sa chambre et s'y enferme. Même dans le silence qui y règne, il a l'impression de ne pas être en sécurité, il a l'impression que Vicky le surveille. En sortant son arme de son bagage, il entend à nouveau les mots d'adieu de Vicky : « Tu es comme tu es, le passé est passé. C'est du présent que tu dois être maître. » Il retire l'argent de son sac, le met sous clé. Récupère tout au fond son costume froissé et taché de sang séché.

Il se dit qu'il a eu la possibilité dans sa vie d'être un homme simple. Un homme bien.

Aujourd'hui, il appartient au clan des Wadia.

À midi, il se présente devant Sunny.

« Tu es en retard, remarque Sunny, déjà en train de se boire un whisky.

— Désolé, sir.

— Je t'avais dit que j'avais besoin de toi.

— Oui, sir. »

Il débarrasse les verres vides, les emporte à la cuisine.

« Alors ? » dit Sunny.

Ajay s'interrompt.

« Sir ?

— Tu as retrouvé ta mère ? »

Cet après-midi-là, il essaie de faire une sieste, mais n'y parvient pas. À la place, il se rend à la salle de sport du coin pour soulever des poids. Il apprécie les efforts, l'épuisement qui vont de pair avec le soulevé de terre. Mais quand il lâche la barre, qu'il n'a plus la force de tenir, et qu'une main s'abat sur son épaule, il réagit violemment, se tourne et saisit son agresseur à la gorge. Ce n'est que Pankaj, un copain de la gym.

« Mon vieux, c'est moi, s'écrie Pankaj, affolé, avant de regarder le visage égratigné d'Ajay. Qu'est-ce qu'il t'est arrivé ? »

Il reprend son service à dix-huit heures, prépare un Old Fashioned pour Sunny. Ce dernier se retire dans sa chambre avec son verre et la bouteille de whisky, et claque sa porte. Gautam Rathore débarque à vingt heures, passe comme une flèche devant Ajay, se colle sur le canapé où il attrape une revue et réclame une bouteille de whisky.

Il indique la chambre de Sunny d'un mouvement de tête.

« Il est avec sa pétasse ? »

Ajay apporte sa bouteille à Gautam ainsi que des glaçons et de l'eau gazeuse.

« Il est seul.

— Alors, dis-lui de sortir de là ! Et fissa. »

Ajay tape une fois, discrètement, et attend. Rien.

« Qu'est-ce qu'il fout là-dedans ? » grommelle Gautam d'une voix traînante.

Toujours rien.

« Sir, dit Ajay, Gautam est là. »

Sunny émerge, l'esprit au ralenti.

« Laisse-nous seuls un moment, dit-il. Je t'appellerai quand j'aurai besoin de toi. »

Ajay retourne à sa chambre.

Deux heures plus tard, Sunny l'appelle. Ajay doit préparer une voiture. Pas de chauffeurs. Juste lui.

Il se lève de son lit, s'habille, glisse son Glock sous sa veste et va récupérer les clés de la Toyota Highlander au garage. Il signe le reçu sans prononcer un mot, grimpe dans la voiture, lance le moteur. Puis il s'arrête au-delà du portail et attend à côté de la Mercedes de Gautam Rathore.

RAJASTHAN

L'infâme Gautam Rathore

(Seize heures plus tard)

1.

Gautam ouvre l'œil.

Il n'a aucune idée de l'endroit où il est, aucune idée de la manière dont il a atterri là.

Allongé sur le dos, il fixe d'un œil absent les particules de poussière en suspens dans un rayon de soleil.

Il bat des paupières, façon lézard.

Le voile de la conscience se déchire.

Puis la douleur se réveille.

Sous ce crâne royal, ce crâne altier, son cerveau enflé le lance.

Ces épisodes n'ont rien de rare.

Chez lui, c'est plutôt la norme.

Mais aujourd'hui il y a quelque chose de différent, aujourd'hui, quelque chose déconne sérieusement dans le tableau.

Il vient d'un milieu fortuné.

Mais pas comme Sunny Wadia.

Lui, il appartient à une vieille et illustre famille.

Beaucoup d'actifs, peu de liquidités.

La plupart des gens ne s'en rendraient pas compte ; les apparences sont trompeuses et le fils des Rathore de Bastragarh, célèbres pour leurs chaussures incrustées de bijoux et leurs chasses au tigre, est un magicien de naissance. Les Rathore qui règnent, d'une manière ou d'une autre, sur une vaste partie du Madhya Pradesh.

Mais lui se détruit.
Se bousille.
Se honnit.

Il méprise Sunny Wadia.
N'empêche qu'il était avec lui la nuit dernière.
Pas vrai ?
Alors, que fait-il ici ?

Il essaie de percer le brouillard, le trou noir de son esprit.
Dans ces profondeurs, il n'y a rien.
Non, attendez, un éclat blanc.
Un visage apparaît.
Oh, Seigneur, une fille en guenilles.
Implorante.
Les yeux grands ouverts.
Écarquillés.
La main tendue.
Quelle vulgarité, ce n'est pas possible.
Il frissonne, il a un mouvement de recul.
Une lumière aveuglante enveloppe la fille.
Silence dans la pièce.
Quelle sérénité magistrale partout.
Effluves du luxe.
Ça va.
Ça va.

Il était avec Sunny la nuit dernière.
À le casser menu menu, pfffft.
Et après ?
Réfléchis, mon ciboulot.
Il y a eu autre chose encore. Sunny avait une grande annonce
à faire.
Il repense à son arrivée au club.
À son entrée fanfaronnante.
Derrière le rideau de velours.
C'était du velours, littéralement. Il a débarqué dans la salle
des VIP avec son sourire perpétuellement suffisant. Et après ?

Le regard de Gautam tombe sur les murs de latérite à nu, l'antique paravent rajasthani. Quel calme ici. Et que la lumière est vive dehors.

Il perd le fil de ses idées.

Où es-tu ? se redemande-t-il.

Et pourquoi es-tu là ?

Tu connais cette chambre ?

En général, les mecs comme lui la connaissent.

Il s'aperçoit que oui.

C'est la villa Jasmine du palace de Mahuagarh Fort.

Oui, c'est ça.

La propriété de ce vieil Adiraj.

À deux cents bornes de Delhi dans le désert du Rajasthan.

Qu'est-ce tu fiches là ?

En principe, tu n'as pas le droit de mettre le pied dans cette propriété. Depuis l'incident de la tyrolienne et du loulou de Poméranie de l'Émirati.

La pièce ne lui fournit aucune réponse. Rien n'est plus révélateur de la méga-biture qu'une chambre où pas un cheveu n'a été déplacé. Pas de traces d'un autre client. Pas de fringues balancées sur un dossier de chaise. Pas de brûlures de cigarettes, pas de cendriers remplis à ras bord, pas de verres brisés ni de bouteilles vides par terre. Pas de sang. Il ne s'est rien passé ici.

Ce dont il se souvient, c'est qu'il était avec Sunny.

Ça a dû être une sacrée nuit !

Il s'assure qu'il ne s'est pas pissé dessus ou pire ; par ce genre de matins, c'est un coup de dés.

Mais non ! il est propre comme une jeannette.

Ouf, c'est heureux, pas vrai ?

Cela étant, il porte un pyjama qui ne lui appartient pas : à rayures rouges, un poil trop petit.

Et, au fond de la gorge, il a ce robinet foireux du goutte-à-goutte post-coke.

Mais ça n'a rien d'inhabituel.

Il scrute la pièce dans l'espoir de localiser son portefeuille et ses clés.

De localiser tout et n'importe quoi.

Rien.

Ça se corse.

Pfffft.

Il repousse les draps, balance les jambes pour poser les pieds sur les dalles en terre cuite.

Ô merde ! Quelle douleur !

On dirait qu'il s'est cassé la gueule, et qu'un canasson l'a botté pour faire bonne mesure.

Secoué par un accès de toux, il entre en trébuchant dans la salle de bains, se plie en deux, s'éclaircit la gorge, crache un jus rouge sombre sur la porcelaine.

Et se redresse vers le miroir.

Dieu du ciel.

Il n'ose bouger.

En face de lui, une bête sauvage le fixe.

Un dictateur, arraché aux décombres, prêt à monter à l'échafaud.

Deux yeux noirs hideux, un nez chevalin enrobé d'un gros pansement.

Il lève la main pour se toucher le nez.

Ça a dû être une sacrée nuit.

« Du vin », demande-t-il d'une voix rauque au bout du fil.

La main serrée sur le combiné, il rajuste le peignoir en éponge sur son torse, se racle dédaigneusement la gorge.

« Oui, sir ?

— C'est urgent.

— Vous avez besoin d'un médecin ?

— Non, j'ai besoin de vin.

— De vin, sir ?

— Vous tenez à ce que je me répète jusqu'à la fin des temps ? »

Silence.

« Quel genre de vin ?

— Le genre liquide. »

Une voix de femme, plus raffinée, prend le relais.

« Sir, nous ne pouvons malheureusement pas faire monter du vin à votre chambre à cette heure-ci. »

Scandaleux.

« Pourquoi donc ? Je ne vois aucune bonne raison.

— Il est trop tôt, sir.

— Foutaises. Le soleil est parfaitement perpendiculaire. En vertu de tout système métrique civilisé, on peut raisonnablement espérer se voir servir du vin.

— Sir, je suis vraiment désolée, mais c'est…

— Quoi ? Un jour sans alcool ? Le saint anniversaire de Gandhi-ji ? Abstinence ! Quelle façon de fêter l'événement ! Je présume que vous avez lu comment il fricotait avec ses nièces. Faut-il que nous vivions tous un calvaire à cause de l'austérité effroyable de cet homme et de son abominable manque de maîtrise de soi ?

— Sir ?

— Faites-moi porter un bloody mary alors ! Une honnête boisson de petit déjeuner. Arrosez mon porridge de whisky, si nécessaire.

— Sir, il est plus de midi.

— Êtes-vous en train de me dire que si c'était le matin vous accéderiez à ma requête ?

— Sir…

— Adiraj est-il ici ?

— Sir Adiraj ?

— Oui ! Adiraj. Le gentleman qui pilote ce navire statique. Passez-le-moi.

— Sir Adiraj est indisposé, sir.

— Indisposé ? Disposez de lui alors, passez-le-moi, ou ayez du moins la décence de l'appeler avant que je ne descende en personne ! Tâchons de faire toute la clarté sur cette histoire ! »

Il est sérieux ?

Qu'est-ce qu'il va trouver en bas ?

Plus de merde.

Toujours plus.

Il raccroche, s'arrache du lit, gagne la fenêtre de devant en boitillant, colle un œil parano contre les persiennes et regarde à travers les lattes.

« Qu'est-ce que je fiche ici ? Et que s'est-il passé la nuit dernière, bon sang ? »

Il voit la terrasse, déserte.

Il ouvre la porte à la volée, sort.

Il est bien plus de midi. Quatorze heures, quinze peut-être.

142

Le désert se dissout dans un vaste horizon vide et surexposé.

Quelques pas hésitants.

Pierres chaudes sous le pied.

Il passe devant sa piscine privée, se traîne jusqu'à l'épais muret, grimpe dessus.

Les mains sur les hanches.

Il est perché sur l'enceinte du fort, domine l'à-pic rocheux. Le vent caresse son peignoir. Nausées.

La voix de son guide : *En général, la villa Jasmine est à la discrétion de la noblesse.*

Et à la noblesse de la discrétion.

Il se retourne vers le fort, si loin.

Profonde impression de malaise.

Il n'y a personne dehors. Pas âme qui vive sous la douce lumière hivernale.

Tout le monde a dû aller faire une balade à dos d'éléphant.

Bob et Peggy de Kansas City.

Histoire de s'offrir le Grand Jeu Indien.

Combien le fusil de précision ?

Il mime le tir.

Et de nouveau cet éclat blanc.

Pas un canon de fusil, mais une fille, et ses yeux.

Sa main.

Sa bouche.

Putain, il me faut un verre.

Un truc pour retrouver un équilibre.

« Il faut vraiment que j'insiste, dit-il au téléphone.

— Sir ?

— Pour avoir quelque chose à boire. Sinon, je descendrai personnellement. Je ferai une scène, j'en suis certain. Ça vous plairait ? À mon avis, non. Pour commencer, je porte des vêtements qui ne sont pas à moi.

— Sir, une seconde, je vous prie… »

Une demi-minute glaciale.

« Allô ! Bonjour, cher Gautam. »

Voix connue.

« Adiraj ! s'écrie Gautam en tressaillant. Il semble que je me réveille par erreur dans ton hôtel.

— Alors, là…

— Je sais qu'en principe je n'ai pas le droit d'être là, mais je t'assure que ce n'est pas de mon fait.

— Ne dis rien, c'est inutile », répond Adiraj.

Gautam penche la tête, plisse les yeux.

« Je me tais ?

— Oui, mon cher Gautam. L'eau a coulé sous les ponts. »

Il y a un lézard.

Jamais Adiraj ne s'est montré aussi conciliant.

« Est-ce que par hasard tu saurais, risque Gautam, comment je… euh… suis arrivé à ta propriété ?

— En taxi, bien sûr, la nuit dernière, oui, tard la nuit dernière, vers minuit, en fait. Minuit, c'est ça.

— Minuit ?

— Eh bien, oui.

— En taxi, dis-tu ?

— Oui.

— Tu avais été prévenu ?

— Alors, là. Ça a été une sacrée surprise. Tu étais en grande forme !

— Et tu m'as juste… laissé entrer ?

— Le passé est le passé, cher Gautam. »

Gautam plisse les yeux.

« J'étais… seul ?

— Oh oui, tout à fait. »

Il ment.

« Tu dis donc que j'ai pris un taxi de Delhi…

— Tout seul.

— … pour venir à ton hôtel.

— Seul, vraiment seul.

— Seul. »

Il ment.

« Absolument.

— Pourquoi est-ce que j'aurais fait ça ?

— Je suis mal placé pour te répondre. (Brusque fraîcheur dans la voix d'Adiraj.) Je ne peux pas lire dans ton âme. »

Désemparé, Gautam se masse le crâne.

« Je porte des vêtements qui ne m'appartiennent pas.

— Comment veux-tu que je le sache ?

— Et mes propres vêtements ont disparu. Mon portefeuille et mes clés aussi, et je n'ai pas la moindre idée de l'endroit où j'ai laissé ma voiture. Je dois dire que tout ça me paraît très curieux et que tes réponses ne m'aident guère !

— Aimerais-tu boire un verre ?

— Oui, s'il te plaît. »

Soupir imperceptible.

« Je t'envoie quelque chose immédiatement. »

Rassemble tes forces, mon vieux Gautam, mais fais gaffe !

Tu es en terrain inconnu.

Qu'est-ce que tu sais ?

Kesseketusé ?

Tu méprises Sunny Wadia, mais tu te cramponnes à lui comme à une bouée de sauvetage.

Comme à un saint-bernard avec son petit tonneau de cognac, qui viendrait te porter secours dans la neige.

Sunny, qui s'était ramené à ton appartement un après-midi en brandissant une bouteille d'un alcool rare japonais !

« Ah ! avais-tu lancé, toujours facétieux, tu causes la langue du pays ? *Zenchin massāji wa ikagadesu ka ? Waribiki shimasu !* »

Sunny, feignant de ne rien voir du désordre, du carnage, de la dégringolade, des histoires scabreuses. Sunny, le tout dernier Prince de Delhi, le jeune tombeur, la coqueluche de la capitale, se pointant sans crier gare et offrant du whisky à un mec qui... n'en avait tout bonnement... rien à cirer.

À quoi tu joues ?

Gautam avait accepté le whisky. S'en était servi un verre qu'il avait vidé d'un trait.

C'était quand ? Il y a sept à huit mois ? Huit mois pleins. Août 2003 à peu près ? Merde, t'as grillé ta carte mémoire.

Ça fait huit ou sept mois que Sunny s'est insinué dans ta vie ?

En t'offrant du cash, du whisky et quoi d'autre ? Tu sais bien quoi.

Avec quoi en contrepartie ?

Des conseils ? De l'amitié ?

Des honoraires de consultant.

« Des honoraires de consultant ?

— Oui », avait répondu Sunny.

Il voulait construire des hôtels. C'était son pitch. Or, Gautam avait bossé dans l'hôtellerie à un moment de sa vie, durant la brève et splendide fenêtre temporelle où il n'avait pas cédé à ses vices ni épuisé la marge de crédit de son père. Quels jours glorieux ! Crinière épaisse, moue virile, mollets de chasseur de bécassines et cuisses d'amateur de polo. Plus l'addiction à l'alcool, standard, des classes supérieures. Les clés du royaume ! Comment diable les choses avaient-elles si mal tourné ?

Eh bien, les appétences, mon biquet.

Il en avait une brochette.

À peine né, il avait pompé le lait de ses nourrices jusqu'à la dernière goutte. Il n'en avait jamais assez. Une chance que sa mère ne l'ait pas allaité. Sinon il aurait poussé aux White Russians. Et son père ? Prasad Singh Rathore. Un rusé, sa seule addiction, un vice caché.

Le pouvoir.

Il appartenait à la deuxième génération de l'Inde moderne, le papa à Gautam. En 1948, son propre père – le grand-père de Gautam –, le vénérable maharaja Sukhir Singh Rathore (adoré des Britanniques, résolument indifférent à la cause de l'Indépendance), avait vu son royaume se dissoudre dans la République nouvellement formée. Comment compenser cette perte royale ? Une « pension », voyons, allocation destinée aux frais d'entretien, laquelle entérina le troc du pouvoir féodal.

Faste période. Malheureusement suivie des années soixante-dix, cette époque de soviets. La dictatrice Indira avait aboli la fameuse concession, et les Rathore s'étaient retrouvés avec une sébile ou à peine plus et une poignée de forteresses entre lesquelles étendre les hardes qui leur restaient.

Beaucoup d'actifs, peu de liquidités.

Ils étaient tous morts de trouille.

Seul Prasad, le fils aîné, le père de Gautam, s'était révélé suffisamment malin pour se transformer.

Comprenant que les politiciens seraient les futurs rois, Prasad Singh Rathore s'était lancé dans la bataille avec un noble mépris pour le dégoût de sa famille à l'endroit de sujets aussi sordides et matériels et, comme de juste, il avait été élu député sanctifié. Peu après, il avait persuadé trois de ses cousins de se présenter à l'Assemblée législative. Il n'avait pas fallu beaucoup de temps pour que Sunil, le cousin issu de germain de Prasad, devienne *Chief Minister*, chef du gouvernement de l'État. On aurait pu avoir pire, lui, on le connaissait, n'est-ce pas ? Et toc, la Famille avait recouvré la place qui était la sienne. Tel était le monde dans lequel était né Gautam Rathore, l'unique fils de Prasad.

2.

Il s'allonge sur sa chaise longue à côté de sa piscine privée, à l'ombre d'un parasol de la terrasse, et attend son verre avec impatience. Il essaie toujours de se rappeler ce qui s'est passé. Il est arrivé ici à minuit.

C'est vrai ?

Impossible que cet agenda tienne la route.

À minuit, il était avec Sunny. Ça, il en est sûr.

Pourquoi est-il infichu de se rappeler pourquoi ? Pourquoi, lorsqu'il essaie de creuser ce merdier, ne voit-il que la bouille de cette demeurée ?

Pourtant, elle lui rappelle quelqu'un.

Il n'a aucune envie de s'appesantir là-dessus.

À la place, il se fixe sur Sunny.

En réalité, leurs chemins s'étaient déjà croisés avant leur « sommet au whisky ». Ils avaient été ensemble, très brièvement, dans le même établissement scolaire, au début des années quatre-vingt-dix. Gautam avait deux ans d'avance sur Sunny. C'était le roi du village, une vieille fortune du temps où les vieilles fortunes faisaient la loi, et il bénéficiait un peu du prestige politique de son père. Et Sunny Wadia, qui était-il alors ? Juste un rien du tout, un fils de petit gangster d'Uttar Pradesh, dont l'anglais était aussi grossier que les manières, quelqu'un qu'on rabaissait, dénigrait, un parvenu qui avait payé pour entrer dans cette école et profitait, comme un banal voleur, de la bonne réputation de l'établissement.

« Mais tu n'y as pas fait de vieux os, pas vrai ? » lui avait lancé Gautam, moqueur, son Nikka à la main.

Il parlait de l'expulsion de Sunny.

Sunny : sourire pincé.

Gautam s'était resservi.

« Le vieux Malhotra n'avait rien vu venir ! Après ton départ, il n'a plus jamais été vraiment le même. À peine apercevait-il le fion d'un joueur de hockey, façon de parler, qu'il avait les chocottes. Dommage que tu n'aies pas eu l'occasion de voir les fruits de ton boulot, ça ne t'aurait pas déplu, mais je présume qu'une telle violence ne peut pas rester impunie. C'était quoi déjà, ce qu'il t'avait fait ? »

Sunny avait croisé les bras, mais il avait gardé le silence.

Gautam s'était rendu compte qu'il le poussait à bout.

« Ah, oui, je me rappelle maintenant…

— Ça m'intéresse pas de parler du passé, avait dit Sunny. Je suis là pour discuter de l'avenir. »

Après l'école (Sunny disparu, oublié), Gautam avait été envoyé étudier la finance à Oxford (Brookes). Ses bouquins de cours ne le passionnaient pas du tout, vu qu'il avait développé un féroce appétit pour les péchés de la chair. À l'adolescence, il avait sauté plusieurs servantes dans le parc familial, des prostituées locales pas loin du pensionnat et même une des amies de sa mère, séduite par son style louche et percutant sur le terrain de polo. En Angleterre, il avait couché avec une fille liée – de loin – à la famille royale – la nièce d'un comte, la fille d'un baron, et cetera –, tout en s'adonnant à une autre activité, à savoir des transactions de coke sadomasochiste par le biais de *tart cards*, ces annonces que les prostituées collaient dans les cabines téléphoniques rouges. Il aimait bien celle de la maîtresse d'école. Le week-end, ses virées étaient de pures bacchanales. « Le Fouet », sa carte préférée. Malheureusement, sa jeunesse insouciante n'alla pas sans soucis et ses mauvais résultats universitaires lui valurent d'être rappelé au sein de sa famille, où on organisa son mariage avec la docile fifille d'un raja d'Himachal devenu politicien. Désireux d'échapper aux cauchemars de la vie conjugale, il négocia deux ans de sursis, durant lesquels il se rendit utile en transformant une des forteresses délabrées de la famille en hôtel de charme pour l'élite sourcilleuse du monde entier.

Ce fut un triomphe. Au début du moins.

Il se révéla être un hôte sensationnel, montant des rencontres avec la presse, durant lesquelles il servait à ses chers invités, hommes et femmes, des vins millésimés et des repas exquis, proposait des dîners raffinés, habillé en maharaja. Gautam, le conteur, posant pour des photographes avec les crânes du gros gibier abattu par son grand-père, régalant les journalistes d'anecdotes tirées du répertoire tactique d'Indiana Jones, avec massacres au fond de cours intérieures, mangeurs d'homme, belles princesses embijoutées se précipitant au fond d'un puits plutôt que de se voir déshonorées par des hordes déchaînées. C'était un micmac d'histoires vraies venues d'ailleurs et de légendes nées de son imagination. S'ensuivaient des visites au village afin d'admirer les danseuses, leurs fins voiles roses, leurs sourires timides.

Il savourait véritablement sa réussite. Accrut sa couverture médiatique dans les revues idoines.

Il était Gautam, le Prince fêtard.

Le maharaja.

Le Rathore dynamique et haut en couleur.

Le remarquable représentant d'une famille royale, qui transformait le Madhya Pradesh, une forteresse après l'autre.

Il participa à une séance de photos clinquantes pour une bible de la mode, posa pour un célèbre photographe arménien devant le portrait de feu son grand-père, coiffé d'un turban assorti à son blazer adoré en soie imprimée Cornici Versace, une peau de tigre stratégiquement drapée autour des reins.

Le portrait fit le tour du monde.

C'était l'époque du slogan « *India Shining* », du boom économique.

Mais, entre-temps, les histoires avaient commencé à se multiplier, non seulement sur les incroyables quantités de coke qu'il servait avec le porto Tawny, les précieuses voitures de collection qu'il bousillait sur les routes truffées de nids-de-poule, l'antique pétard dont il s'était servi pour blesser un journaliste à l'occasion d'un duel d'ivrognes, la fois où il avait grimpé sur la table en plein milieu d'un banquet et s'était soulagé dans le ragoût de cervelle d'agneau, mais aussi sur le personnel – des jeunes filles qui puisaient de l'eau dans les puits voisins s'étaient retrouvées avec le gros ventre. Une nuit, l'une d'elles se jeta par-dessus le mur du fort.

Elle était enceinte de trois mois.

Elle avait laissé un mot.

La nouvelle se propagea.

Des foules se rassemblèrent. Elles incendièrent des voitures.

Les clients étrangers furent exfiltrés en pleine nuit.

Un obscur litige local servit de prétexte.

On acheta le silence de la famille.

La police fit taire les contestataires.

Les médias furent sévèrement mis en garde.

Tout se calma et s'apaisa.

Mais le père de Gautam prit une mesure décisive.

Il expédia son fils à Delhi, dans un de leurs appartements situé dans un grand immeuble d'Aurangzeb Road. Il y vivrait une discrète disgrâce et se calmerait avec une modeste allocation – un *lakh* de roupies par mois.

On aurait pu croire qu'il avait compris la leçon.

Mais non. Quelque chose s'empara de lui.

Il avait toujours été têtu, mais, à Delhi, il doubla la mise. S'enfonça dans un désespoir brut qu'il n'avait encore jamais connu.

Un flux.

Dans la ville, il s'éclata à fond. Donna libre cours à ses vices sans personne pour lui servir de garde-fou.

Se rua sur les options les plus crades, les plus moches, s'en trouva d'autant plus gratifié.

Putes de GB Road. Gamins de Connaught Place. Inséra des plugs anaux dans le rectum des épouses de ses anciens copains de classe. Bonjour le club.

Young Royals en folie : la comédie musicale.

Se délectant de la réputation qu'il se taillait.

Gautam Rathore le Grotesque.

Brûlant tous ses vaisseaux.

Il continuait à boire avec ses vieux copains de classe, du polo, et forçait la dose, histoire de se montrer le plus fort. Il avait la langue déliée. Insultes, remarques blessantes volaient allégrement. Ça lui valait des ennemis. Des scènes scandaleuses se déroulaient dans les réceptions des hôtels. Débordaient dans les rues. Il cavalait après les femmes, les reluquait, les pelotait, se foutait d'elles, ricanait et se pissait dessus jusqu'au jour où ses vieux copains ne prenaient plus ses appels. Ça lui allait très bien.

Et maintenant où en était-on ?

Il avait bouffé son allocation vers le milieu du mois et passait les deux semaines restantes dans une pénurie désespérée. Ses servantes.

Pas payées.

Molestées.

Elles avaient pris le large.

Seul son chauffeur était resté.

Gautam regardait la TV en compagnie de Shivam.

Hilare.

Et tard dans la nuit il sortait pour revenir encore plus chargé.

C'est durant ces jours terribles à Delhi que Sunny Wadia avait fait son entrée en scène. Le parvenu, transformé. Dans ses costumes à façon, avec sa peau lumineuse, ses soirées, sa vision. Mais qu'est-ce que Gautam en avait à foutre ?

« Je vais te mettre sous contrat, avait déclaré Sunny. Trois *lakhs* par mois.

— Disons cinq, avait répliqué Gautam.

— Cinq, avait répété Sunny.

— Puisque c'est réglé, avait susurré Gautam, consommons. »

Il avait sorti de sa poche intérieure un pochon de cocaïne d'une blancheur ahurissante.

L'avait balancé sur la table basse.

« Elle est d'origine douteuse. Une part de talc, une part d'aspirine, une part de laxatif et une part de coke. Et une part et demie de speed par-dessus le marché. Mais, putain, elle décoiffe ! »

Gautam avait arraché avec les dents la partie supérieure du pochon, balayé les débris tombés sur le plateau en verre, puis il avait vidé tout le gramme dessus.

« Vas-y, je t'en prie, avait-il dit.

— Ça va, merci.

— Oh, non, malheureusement, ce n'est pas la question. Tu veux mes conseils ? En matière d'hôtellerie ? En ce cas, il faut que tu te défonces avec ma mauvaise coke. »

Il avait tiré un billet tout neuf de son portefeuille et l'avait tendu à Sunny.

« Tu sais t'y prendre ?

— Bien sûr. »

Muni d'une carte de crédit, Gautam avait entrepris de préparer quatre grands rails.

« Montre-moi comment tu encaisses. »

Sunny avait ignoré la pique, mais s'était mis à rouler le billet serré.

« Tu sais, avait repris Gautam. J'ai vu ta pub. Sur double page. Très touchant. De nos jours, les meilleurs hommes d'affaires blanchissent leur réputation. »

Sans relever, Sunny lui avait lancé :

« Alors, et le job, qu'en dis-tu ? »

Gautam avait interrompu ses préparatifs, balancé la carte sur la table et empoigné le billet de banque.

« Le job ? » avait-il répété, légèrement émerveillé, en faisant rouler ce terme exotique dans sa bouche.

Il s'était penché en avant, avait inspiré une ligne, incliné la tête, reniflé encore un bon coup, gonflé les joues, découvert les dents, agrippé la table, fermé les yeux un long moment, puis il s'était figé. Après, il avait cherché une cigarette.

« C'est presque trop bon pour être vrai. Mais, excuse-moi, il faut que j'aille caguer. »

Il s'était levé et avait tendu le billet à Sunny, puis il s'était éloigné.

À son retour, cinq minutes plus tard, Sunny n'avait pas touché une ligne.

« Quoi ? s'était écrié Gautam, moqueur, la cigarette collée à la lèvre, dépravé. T'as déjà bouffé ?

— C'est pas ça.

— C'est quoi alors ?

— C'est ta coke.

— Oh, va te faire foutre. Sois pas chiant. C'est le prix à payer. »

Il avait perçu une vague pointe de regret chez Sunny lorsque celui-ci s'était résolu à prendre le billet et qu'il s'était penché pour inhaler la mauvaise coke. En matière de regret, il s'y connaissait.

Il avait bien vu que Sunny n'avait aucune envie d'être là. Alors, à quoi jouait-il ?

3.

Un homme apparaît sur les marches menant à la terrasse, il porte un plateau, une bouteille de vin.

Il est grand, basané et a de longs cheveux bouclés. Il vient peut-être du Kerala.

Ce n'est certainement pas un Rajasthani. Pas de moustache naissante, pas d'insistance abrutie, juste des lunettes de soleil panoramiques, une chemise blanche impeccable, un pantalon noir.

Un air de… d'agent de sécurité ?

Il domine Gautam de toute sa hauteur, baisse la tête vers lui.

« Et à qui ai-je l'honneur, jeune homme ? »

Il est toujours bon d'afficher une façade d'indifférence.

Mais le « jeune homme » ne répond pas. Il se borne à poser le plateau sur la table et commence à ouvrir le vin.

« Tu es nouveau ? »

Il voit le jeune homme serrer les mâchoires.

« Tu es vraiment très crispé. »

Le vin s'ouvre dans un *pop*. L'homme repose la bouteille, place le bouchon à côté, puis brandit le tire-bouchon d'un geste donnant à penser qu'il pourrait s'en servir comme d'une arme à vous arracher les yeux.

« Mais vas-y, s'écrie Gautam, sers-moi donc ce putain de vin. »

L'homme pose le tire-bouchon sur la table, se saisit de la bouteille et du verre, et verse le vin. Il le verse lentement, et le verre se remplit lentement, se remplit à ras bord.

« Doucement ! »

Continue à se remplir, déborde et éclabousse la pierre chaude.

« Qu'est-ce qui te prend ? »

Gautam se redresse de sa chaise longue dans un mouvement brusque et se jette vers la bouteille.

« Bon sang. »

Mais l'homme continue. La bouteille est maintenant à moitié vide.

« T'es cinglé ?

— Un peu. »

Il a un fort accent israélien. Il offre le verre à Gautam, qui tend la main et s'en saisit.

L'instant d'après, il remonte respirer à la surface.

« C'est quoi ce bordel ? hurle Gautam. Tu m'as balancé dans la piscine ! »

Il patauge, agrippe le bord du bassin de ses bras endoloris. L'Israélien s'accroupit, remonte ses lunettes de soleil sur le sommet de son crâne. Il a des yeux noisette, un air dur. D'un mouvement de tête, il signale à Gautam un paquet enveloppé de papier et serré par une ficelle.

« C'est vêtements vous. Vous allez rentrer pour habiller.

— Sinon quoi ? »

L'Israélien porte son regard vers l'enceinte du fort.

« Sinon, on verra si vous savez voler.

— Toi et moi, on sait très bien que je ne sais pas voler », riposte Gautam.

4.

Une demi-heure plus tard, l'Israélien entraîne un Gautam irritable à travers les jardins du fort, emprunte un sentier marqué privé qui fait le tour de la colline, franchit une porte en bois et descend quelques marches accédant à une terrasse cachée surplombant les plaines.

La terrasse d'Adiraj.

Mais Adiraj n'est pas là.

À la place, il y a un homme plus âgé, alerte néanmoins, très raffiné, vêtu d'un ensemble en coton d'une élégance aussi discrète que coûteuse, les yeux protégés par d'étroites lunettes de soleil. Assis à une table en fer forgé, au centre de la terrasse, il étudie une feuille de papier. Une carafe remplie de whisky, une cruche à eau et deux grands verres trônent au milieu du plateau et une enveloppe marron est posée à côté de sa main gauche.

Une autre chaise, vide, attend, toute proche.

L'Israélien s'arrête au pied des marches, tend la main pour inviter Gautam à avancer.

« Continue, Johnnie », dit-il, histoire de faire son petit effet.

Gautam, à présent revêtu de son costume rose saumon, riposte :

« C'est pas vraiment toi qui décides, si ? »

Il a renoué avec ses fanfaronnades.

C'est les fringues.

Et aussi le fait qu'il a compris qu'il s'agissait d'un jeu.

L'homme raffiné se lève à point nommé, note l'heure sur sa montre de poche, désigne d'une main la chaise vide et dit :

« Je vous en prie. »

Puis, à l'adresse de l'Israélien, il ajoute :

« Merci, Eli, ce sera tout. »

Gautam s'avance, passe les mains sur sa veste.

« Vous avez choisi une des plus belles de ma garde-robe.

— Je vous l'assure que je n'y suis pour rien, répond l'homme raffiné. Mais votre chauffeur s'est montré extrêmement serviable. Il semble connaître vos goûts. »

Sa façon de parler, saccadée, impossible à situer, dénote vaguement l'école prestigieuse.

« Je vous en prie, poursuit-il, asseyez-vous. Nous avons à discuter de beaucoup de choses, et le temps nous est compté.

— Comment êtes-vous entré dans mon appartement ? » réplique Gautam.

Sourire affable.

« Voyons, monsieur Rathore, avec vos clés.

— Ah, oui. Je me demandais où elles étaient passées. J'aimerais beaucoup les récupérer.

— Chaque chose en son temps. »

Gautam observe les cicatrices d'une tuberculose cutanée qui grêlent le visage de son interlocuteur.

« Et qui êtes-vous précisément ?

— Je m'appelle Chandra. Inutile que vous en sachiez plus. »

Recourant à une jovialité forcée, Gautam postillonne :

« Il me serait utile d'en savoir bien plus ! »

Chandra sourit, s'installe sur son siège.

« Aimeriez-vous un whisky, monsieur Rathore ?

— En fait, oui, répond Gautam d'une voix ruisselante de dédain. J'étais tout près, il y a peu, de me boire un vin médiocre, mais votre sinistre Néandertal a jugé préférable de me jeter dans la piscine. Vous avez de la chance que j'aie une gueule de bois particulièrement méchante, sinon je serais encore plus en colère. »

Chandra prend la carafe, sert à Gautam une dose généreuse à laquelle il ajoute une mini-goutte d'eau, pousse prudemment le verre en direction de son vis-à-vis.

Gautam s'en saisit, l'approche de son nez.

Sourit.

Fronce les sourcils.

« Je le connais, celui-là.

— J'en suis sûr. Vous êtes un connaisseur, il n'y a aucun doute là-dessus. »

Gautam porte le verre à ses lèvres, laisse le whisky jouer un instant sur sa langue.

« Oui. Je le reconnaîtrais entre mille. C'est un Japonais.

— Excellent. »

Gautam avale sa boisson d'un trait.

« Un autre.

— Je vous propose un jeu. Un whisky contre des réponses. C'est une merveilleuse dynamique. »

Gautam choque son verre contre la table.

« Resservez-moi.

— Vous êtes vraiment impatient.

— Resservez-moi. »

Chandra s'exécute. Il se montre un peu moins généreux cette fois-ci.

Gautam n'attend pas l'eau. Il descend son whisky avec fébrilité.

« Vous n'êtes pas vraiment du genre à cacher votre jeu, n'est-ce pas ? fait Chandra.

— Que veut Sunny ? réplique Gautam d'un ton sec.

— C'est moi qui poserai les questions, monsieur Rathore.

— N'empêche, c'est bien lui qui vous a envoyé, non ? Ou du moins vous êtes ici en son nom. »

Il essaie de se resservir, mais Chandra éloigne la carafe.

« Comment qualifieriez-vous votre relation avec Sunny Wadia ?

— Purement transactionnelle, répond Gautam.

— En quel sens ?

— Je fais du consulting pour lui.

— Dans quel domaine ?

— Différents trucs.

— Pourriez-vous être plus précis ?

— L'échec. Je lui apporte mon savoir-faire en matière d'échec. C'est ma spécialité. Je suis bon dans ce domaine. Et je constate qu'il l'est aussi. »

Chandra déguste son verre.

« Vous faites du consulting en matière d'hôtellerie.

— Oui. Cette discussion devient barbante.

— Est-ce que vous aimez bien sortir avec lui ?

— On baise pas ensemble, si c'est ce à quoi vous pensez.

— Cette idée ne m'avait pas traversé l'esprit. »

Gautam ricane.

« Maintenant c'est fait. »

Chandra, pâle sourire.

« Exact.

— Bon sang, mec, filez-moi à boire. Une dose correcte. Un *Patiala peg*[1] au moins.

— Combien de cocaïne avez-vous pris ces derniers mois, monsieur Rathore ?

— Tout ce que papa a bien voulu me fournir.

— Papa ?

— Le papa universel, là-haut dans le ciel.

— Votre relation avec votre père est... »

---

1. À en croire la légende, le maharaja de Patiala invita l'équipe de polo irlandaise à jouer sur ses terres. La veille, il organisa une fête au cours de laquelle il servit aux joueurs de généreuses doses de whisky. Le lendemain, ceux-ci se réveillèrent la tête bien lourde et perdirent le match ; depuis, on parle du *Patiala peg*. Plus simplement, le *Patiala peg* correspond au double d'une dose standard et à la distance entre l'index et le petit doigt.

Gautam s'esclaffe, joint les mains.

« Vous êtes psychologue, vous !

— Seulement juriste.

— Croyez-vous que je serais arrivé là où j'en suis aujourd'hui, si j'étais idiot ? dit Gautam.

— Votre père vous a plus ou moins renié, n'est-ce pas ?

— J'oserais dire que c'est le contraire.

— Et vous êtes très satisfait de votre situation présente ?

— Est-ce que je n'ai pas l'air satisfait ? réplique Gautam en tapotant son verre. À boire.

— Dites-moi quelque chose sur Sunny.

— Il déteste son père.

— Dites-moi plutôt quelque chose que nous ignorons. »

Gautam hésite.

« Il envisageait de le quitter. C'est pas une nouvelle, ça ? »

Chandra le sert.

« Et vous l'y avez encouragé ? »

Rire amer.

« J'ai écouté ses récriminations, en bon et loyal ami.

— Et la cocaïne ?

— Quoi, la cocaïne ?

— D'où venait-elle ?

— On ne demande jamais ça à une dame.

— C'était la sienne ?

— Pffft. Pas du tout. J'ai mon réseau.

— Mais c'était Sunny qui payait ?

— Naturellement.

— Et il en prenait aussi.

— Naturellement. Pourquoi toutes ces questions ?

— N'avez-vous pas envie de savoir pourquoi vous êtes ici, monsieur Rathore ? De savoir pourquoi je suis ici avec vous ? »

Une ombre passe sur le visage de Gautam. Un moment de gravité. Il avale son whisky, avance son verre vers son interlocuteur.

« Un autre.

— Quels souvenirs précis avez-vous de la nuit dernière ?

— Un autre.

— J'ai besoin que vous soyez relativement sobre, Gautam.

— Il m'en faudrait bien plus pour être soûl. »

Chandra lui sert une autre mesurette.

« Et une cigarette. »

Chandra lui offre le paquet.

« Gardez-le.

— Ça ne me gêne pas du tout de parler, reprend Gautam qui s'empare du briquet en or de Chandra pour allumer sa cigarette, puis l'empoche. Je vous l'ai dit, je ne suis pas idiot.

— J'aimerais que vous me rendiez mon briquet. »

Gautam manifeste une certaine perplexité, mais obtempère et pousse le briquet vers son propriétaire.

« Avez-vous l'habitude de faire main basse sur tout ce que vous voulez ?

— On en revient à la psychologie ?

— Pensez-vous que le monde vous appartienne ?

— Ça ne me gêne pas du tout de parler.

— La nuit dernière…

— Qu'est-ce qu'il a fait, Sunny ?

— La nuit dernière… »

Subitement, Gautam se redresse sur son siège.

« Il n'est pas mort, hein ? »

Il fronce les sourcils.

« Il n'a pas…

— Quoi ?

— Qu'est-ce qu'il a fait ?

— Que pensez-vous qu'il ait fait ?

— Je ne sais pas.

— Vous étiez ensemble au club, vous vous en souvenez ? »

De nouveau, ce trou noir.

Gautam frissonne.

« Écoutez… Sunny s'est pointé à ma porte un beau jour. Il n'était pas obligé. Il s'est pointé, a ouvert sa bouteille de whisky et m'a posé des questions sur l'hôtellerie. L'hôtellerie ? Je ne suis pas stupide. Il n'avait pas besoin de me consulter là-dessus. Je connais la réputation que je trimballe, je sais très bien ce que les gens pensent de moi. Franchement, je m'en fiche. Et ne croyez pas que je ne lui ai pas demandé ce qui l'amenait.

— Et, selon vous, qu'est-ce qui l'amenait ?

— Je ne sais pas. »

Gautam secoue les cendres de sa cigarette sur la table.

« À votre avis, qu'attendait-il de vous ?

— Je ne sais pas. Mais… »

Il baisse la voix et prend des accents de conspirateur.

« Il était faible. Seul.

— Vous avez noté ça ?

— Oui.

— Et alors ?

— Rien.

— Vous avez profité de lui ?

— On a profité l'un de l'autre. Il avait besoin d'une épaule pour pleurer. Quelqu'un qui comprenne sa souffrance extra-ordinaire. Et moi, j'avais besoin de quelqu'un pour m'acheter ma coke. Tout le monde était content.

— Et Sunny prenait de la cocaïne, lui aussi.

— *Bien sûr ! Naturellement*[1].

— Combien en prenait-il ?

— Oh, c'était un mordu.

— Et de quoi discutiez-vous tous les deux, en général ?

— De ce dont discutent tous les jeunes mecs. Que ce serait mieux pour nous si nos pères étaient morts.

— Ce serait mieux pour vous ?

— Ça ne me concernait pas vraiment. »

Il balance sa cigarette par-dessus le bord de la terrasse.

« Il est mort ?

— Votre père ?

— Sunny.

— Non.

— Oh.

— On dirait que vous êtes déçu.

— Je présume que oui.

— Vous n'avez pas une once de loyauté.

— Ç'aurait été un sacré événement. Loyauté ? Envers Sunny ? Non. Je n'ai aucune loyauté envers qui que ce soit. »

Il siphonne son whisky, puis tapote son verre.

« À boire.

— Non. »

---

1. En français dans le texte.

Gautam regarde le verre vide, le soleil tamisé, la terrasse, le désert plus loin.

« Je suis fatigué.

— Nous le sommes tous.

— Mais personne n'est aussi fatigué que moi.

— Que savez-vous du père de Sunny ?

— Alors ça, c'est une méga question. »

Le vent souffle doucement dans les cheveux soyeux de Chandra. Il sort son portable de sa poche de veste. Il compose un numéro, porte le téléphone à son oreille. Attend un moment.

« Oui, dit-il, il est là. »

Il place le téléphone sur la table entre eux, le met sur haut-parleur.

Sur son siège, Gautam fixe l'appareil et attend.

Aucune voix ne s'en élève.

Chandra se saisit alors de l'enveloppe en papier kraft à côté de lui, l'ouvre, en extrait cinq grands tirages photo. Les place face contre la table. Garde le doigt dessus un moment. Puis il les fait glisser vers Gautam.

« Qu'est-ce que c'est ? »

Gautam jette un coup d'œil inquiet vers le téléphone, écoute le silence à l'autre bout du fil.

« Regardez vous-même.

— Non, réagit Gautam puérilement. Je ne veux pas. »

Personne ne parle. Personne ne bouge.

Jusqu'à ce qu'une voix calme, hypnotique, monte du téléphone. Elle dit : « Retourne-les. »

Gautam en a l'estomac retourné.

« Je ne veux pas. »

Il passe les mains dans ses cheveux.

« Donnez-moi un verre.

— Retourne-les.

— Ça ne prendrait vraiment qu'une seconde, lui dit aimablement Chandra, pour qu'Eli vous jette par-dessus le muret de la terrasse. Je crois qu'il y a déjà pensé. Et honnêtement personne ne mettrait votre suicide en doute. Pas avec le taux d'alcool que vous avez dans le sang à présent. Pas avec la vie que vous avez menée. Pas avec ce que vous avez fait la nuit dernière.

— Donnez-moi un verre.

— Et, aussitôt après, tout sortirait dans la presse. »

Gautam frissonne.

« Je n'ai rien fait.

— Retourne-les, insiste la voix. Et tu auras tous les verres que tu veux. »

Gautam ferme les paupières.

Place les mains sur les tirages.

Saisit les bords.

Retourne les tirages.

Des corps. Des cadavres. Des cadavres mutilés et éparpillés sur la route. Membres brisés et tordus, yeux grands ouverts, lèvres retroussées en d'horribles rictus, dents découvertes, globes oculaires blancs, taches de sang sous l'éclat des flashes. Images forensiques. Cadavres sur le trottoir, cadavres en guenilles et une voiture, la sienne, sa Mercedes, sa plaque d'immatriculation. Des cadavres. Une adolescente en guenilles, le bas-ventre ruisselant de sang. Des cadavres. À présent alignés dans la morgue d'un hôpital. Au nombre de cinq. Brisés et lacérés. Des cadavres. Et finalement Chandra lui remet une photo polaroïd. Et là, c'est lui, Gautam Rathore, au volant, le visage aplati contre un airbag.

Il les retourne toutes une fois de plus, les repousse si violemment qu'elles tombent et s'éparpillent par terre.

« C'est pas vrai. »

Chandra lui sert le verre tant attendu.

Gautam le saisit avec des mains tremblantes.

Puis Chandra attrape le téléphone, coupe le haut-parleur, plaque l'appareil contre son oreille, écoute un moment, raccroche.

« C'était pas moi », murmure Gautam.

Il vide son verre jusqu'à la dernière goutte, prend une cigarette, essaie de se relever, la tête lui tourne. Il se rassied, cale sa cigarette entre ses lèvres. Chandra se penche en avant, la lui allume, puis récupère les photos par terre.

« Votre voiture. Vos empreintes. Votre visage. Des témoins qui vous situent sur la scène de crime.

— C'était pas moi.

— Ça doit sûrement vous revenir à présent. »

Cet éclair de lumière.

Cette bonniche qui tend le bras.

Le corps de Gautam s'avachit.

Puis sa poitrine se contracte, il a un haut-le-cœur.

Chandra fixe l'une des photos un long moment. La place sur la table.

« La fille était enceinte », annonce-t-il.

Gautam, vidé.

« C'était pas moi. »

Chandra s'allume une cigarette.

« Si. C'était vous. Mais… ce n'est pas obligé que ce le soit. »

Il faut un moment pour que ses paroles fassent sens.

Gautam relève la tête.

« Hein ?

— Monsieur Rathore. Et si, par miracle, ce n'était pas vous ? »

Gautam bat des paupières bêtement.

« Hein ?

— Vous n'allez pas tarder à être arrêté. Disons, si vous ne mettez pas les voiles. La police vous bouclera, je peux vous le garantir. Vous irez en prison. Vous pourrez protester autant qu'il vous plaira, concocter de drôles d'histoires, essayer d'impliquer d'autres gens, mais ça ne fera qu'aggraver les choses. Vous êtes déjà allé en prison ? Je ne suis pas sûr que vous soyez fait pour. Du moins, pas sans argent. Votre famille ne vous aidera pas. Vous n'avez plus de marge de crédit avec Sunny. Certes, vous avez un statut, lequel vous protégera jusqu'à un certain point. Mais vous avez aussi des ennemis. Aimeriez-vous devenir un ennemi de mon employeur ? Savez-vous ce que ça signifie ? Nous avons les moyens de vous mener la vie dure. »

Il s'interrompt.

« Mais si ce n'était pas vrai ? Si vous pouviez remonter le cours du temps ? »

Chandra range les tirages photo dans l'enveloppe marron.

« À l'heure qu'il est, un jeune homme est en garde à vue et attend d'être déféré devant le juge. Il s'est proposé d'assumer la responsabilité de l'accident, ce qui va lui coûter très cher. Il pourrait facilement modifier sa déclaration, et le Polaroid sur lequel vous apparaissez être tout aussi facilement transmis à la presse et à la police. »

Gautam ferme les yeux.

« Qu'attendez-vous de moi ?

— Voilà, on y vient.

— Dites-le-moi, et c'est tout.

— Nous voulons que… vous vous rétablissiez. »

Gautam lève la tête, il grimace.

« Hein ?

— Une voiture vous attend en bas. Eli vous y mènera. À l'intérieur, vous trouverez une valise, votre passeport, quelques affaires, une certaine somme d'argent pour votre trajet, vous n'en aurez pas besoin, mais c'est psychologique. Vous irez à Jaipur. De là, vous prendrez un jet privé pour Bombay. De Bombay, vous continuerez sur Genève. Votre visa est prêt.

— Ah oui ?

— Une fois arrivé, vous serez conduit à une clinique. Un joli endroit dans les montagnes, propice à la guérison.

— La guérison ?

— De vos vices, monsieur Rathore.

— Vous m'envoyez en cure de désintoxication ?

— Et vous resterez là-bas aussi longtemps que nécessaire. Vous ferez de gros efforts pour guérir avec, gravé dans votre esprit, le souvenir de la nuit dernière et votre liberté en ligne de mire. Et lorsque vous serez totalement remis, dans trois, six ou huit mois, voire deux ans si nécessaire, vous reviendrez au domicile familial. Vous vous marierez. Vous agirez dans l'honneur et le respect des convenances. Vous prendrez la place d'héritier qui vous revient de droit.

— Je ne comprends pas.

— Un jour, il vous sera demandé une faveur. Rien de contraignant. De fait, cette faveur vous permettra de gagner en pouvoir et aussi de devenir très riche. Cette richesse fera boule de neige, et votre pouvoir pareil. La seule chose qu'il vous faudra faire, ce sera de prouver à votre famille que vous êtes guéri de vos mauvaises habitudes. Que vous êtes digne du nom que vous portez. »

Chandra se lève, reboutonne son ensemble et, d'un geste, il invite Eli à venir les rejoindre.

« Je ne comprends pas.

— Vous n'avez pas besoin de comprendre, monsieur Rathore. Vous n'avez besoin que d'une chose, faire confiance. Allez, courage. Vous êtes à présent entre les mains de Bunty. »

Ajay III

Tihar Jail

1.

Il est conduit du bureau du directeur à une nouvelle cellule, dans une autre aile. En chemin, il passe devant une foule de cellules surpeuplées : ici, des prisonniers crient et hurlent, beuglent et crachent, là, d'autres se cramponnent aux barreaux, les yeux vides, plus loin, d'autres ont l'air impavide, morose, d'autres encore dorment, cuisinent, sanglotent dans un coin. Toutes les cellules sont bondées, douze, quinze hommes entassés dans une pièce, mais celle devant laquelle ils s'arrêtent ne compte que deux occupants. La scène à l'intérieur : calme, agréable, familiale même. Sur une table contre le mur, une télé diffuse une émission humoristique ; sur une autre table basse et ronde trônent une bouteille de Black Label, deux verres, un pichet d'eau, un jeu de cartes étalé, une grosse liasse de roupies. Des posters de montagnes diaphanes et hyper colorées, d'autres d'actrices de Bollywood ornent les murs. Il y a deux lits équipés d'épais matelas, un troisième matelas par terre. Les deux hommes, détendus, regardent la télé, mangent du chicken changezi *dans une barquette en carton.*

L'un d'eux est un ogre. Grand, puissant, sale, vêtu d'un maillot de corps trop étriqué pour sa panse distendue ; malgré le froid, il ne porte que ça. Il a de petits yeux de cochon, un visage mastoc, avec un crâne aux contours bizarres, des cheveux rêches et indisciplinés. L'autre a une allure de chacal, un mutisme ricaneur.

Le gardien fait coulisser la porte qui n'est pas verrouillée.

« Qu'est-ce qu'il y a encore ? rugit l'ogre.

— Votre ami est là », explique le gardien en poussant Ajay à l'intérieur.

L'ogre s'arrache à la contemplation de la télé, examine Ajay des pieds à la tête.

« *Alors, c'est toi !* »

Il éructe, ricane.

« *T'es plus mignon que je pensais.* »

Il colle une tape sur le matelas, reporte son attention vers l'écran.

« *Approche, assieds-toi, mange, t'inquiète, on est entre amis.* »

Il désigne le chacal d'un signe de tête.

« *Ce* chutiya, *c'est Bablu.* »

Il attrape une assiette en carton par terre, la remplit de poulet en sauce et ajoute un naan[1].

« *Et, moi, je suis Sikandar le Grand.* »

Il flanque une autre tape sur le matelas.

« *Je sais pas ce que t'as fait, mais t'es un caïd maintenant. Tu peux te détendre. Tu peux te prendre du bon temps.* »

Se détendre. Se prendre du bon temps. La violence résonne encore dans les oreilles d'Ajay. Les rasoirs, les coups et le froid lui brûlent la peau.

« *C'est sûr que tu leur as donné une leçon à ces enculés ! poursuit Sikandar. C'était des Gupta, tu piges ? Ils ont cru qu'ils allaient te bizuter ! Un joli garçon comme toi. Ils ont cru qu'ils allaient se taper de la chair fraîche ! Ils savaient pas ! Mais tu leur as montré, hein ? T'en as presque buté un. Tu leur as tellement foutu les chocottes qu'ils ont pris la tangente fissa. Et ils savaient même pas qui t'étais. Maintenant tout le monde est au courant ! Oui, mon pote, ça se sait ! Du coup, ils ont tous les chocottes. Tu leur as montré qui était le boss. Mais oublie pas, ajoute-t-il en agitant son doigt graisseux, ici, il y a qu'un boss, et c'est moi.* »

En prison, Sikandar est le boss du gang Acharya. Il représente les intérêts de Satya Acharya. Acharya vient de Lucknow, il a commencé dans le racket, et à présent il chapeaute le trafic de Mandrax. Son gang gère plusieurs labos dispersés dans la nature, qui produisent des centaines de milliers de pilules ; leur chimiste, Subhash Bose, est un génie. Son travail s'est propagé en Afrique du Sud, au Kenya, en Mozambique. Ils l'expédient sous l'étiquette paracétamol. Ils en envoient ici aussi, avec la complicité des médecins et des gardiens. Tout le monde veut y goûter.

---

1. Pain oblong et plat cuit dans un four *tandoor*.

Pour planer facile, on peut s'avaler un comprimé. Pour un résultat encore meilleur, on se prend une bouteille de bière, on la casse par terre... et plutôt que de taillader la gueule du premier zèbre qui passe, on chope le col de ladite bouteille, on met un carton troué au fond, on ajoute du tabac et de l'Idukki Gold, l'herbe topissime du Kerala, on saupoudre de Mandrax écrasé, on allume le tout, on inhale par le goulot, puis on se prépare à l'euphorie et aux ténèbres d'encre de la matrice.

Avant d'être en cabane, Sikandar était un coconut-walla, *un vendeur de noix de coco vertes. Il tenait un stand à la périphérie de Lucknow, un abri avec une table et une lumière blafarde, et alentour quelques chèvres attachées et des poulets en liberté. Son oncle avait un étal de fruits à côté. Sikandar racontait à tout le monde qu'il avait une plantation dans le Karnataka, qu'il fallait plusieurs jours pour la traverser à pied tellement il avait de terres, et tout le monde se gondolait, personne n'y croyait. Mais ses cocos étaient les meilleures, et souvent elles étaient gratuites. Si vous en achetiez quatre, il vous en donnait deux de plus. « Bakchich. » Il faisait ça systématiquement. Vous en vouliez une, il vous en filait deux. « Bakchich. » Vous en vouliez dix, il vous en mettait quinze. « Bakchich. » Les yeux fermés, il lançait une coco verte en l'air, la rattrapait de la main gauche, la décalottait juste comme elle atterrissait et collait une paille dedans. Hop, hop, hop. Et il riait, jouait de la machette. Il blaguait avec tous ses clients. Les flics venaient se faire chambrer. Les* goons *venaient se faire chambrer. Il était au courant de tout ce qui se passait dans la rue. En douce, il faisait office de tueur pour Satya Acharya. « Une tête, c'est une sorte de coco humaine », affirme-t-il. Il est d'humeur pensive. Il agite sa machette imaginaire et voit le cerveau à nu tandis que le corps s'effondre. Son arme préférée lui manque. Et sa seconde femme. Elle est morte. Nous, on était ici à Delhi, explique-t-il à Ajay. La ville lui est montée à la tête. Elle a flirté avec un vendeur de glace ; Sikandar l'a vu de ses propres yeux. Comment accepter ça ? Il l'a tuée devant India Gate. Il y avait foule autour de lui, des gamins en train de manger une glace, des couples allongés sur l'herbe, et il l'a battue à mort pour le sourire donné. C'est pour ça qu'il est en taule. Mais c'est pas grave. Ici, il représente Satya Acharya. Il a des mobiles, une télé, le chauffage, la clim, des larbins, ça va très bien. Il ne lui manque que sa machette, ses noix de coco et sa seconde femme.*

Il est les yeux, les oreilles, les dents, les poings, le marteau, la matraque et le surin de Satya Acharya. Il mobilise ses troupes avec du sang, de la sueur et de la trouille. Leur gang compte plus de quatre-vingts mecs dans la prison. Et ils sont en guerre avec d'autres détenus, les Gupta par exemple. Avec d'autres, comme les Sissodia, ils ont des alliances fugaces. À l'heure d'aller dans la cour, ils sortent ensemble, les gangs alliés, pour échanger infos et marchandises. Les Acharya forment toute une bande, avec, au centre, Sikandar, affalé sur un siège en rotin, les yeux levés vers le soleil d'hiver, le cœur en joie.

« C'est vrai ? s'enquiert un des détenus. C'est vrai que tu bosses pour lui ? »

La question ne s'adresse pas à Sikandar. Le « lui » ne désigne pas Acharya.

Le petit groupe se tait et attend qu'Ajay prenne la parole.

Ajay, fantôme en costume safari.

« Ta gueule, enfoiré, dit Sikandar. Tu veux que je te fende le crâne ?

— Comment t'as fait pour les esquinter autant, ces chutiyas *? demande un autre. Où t'as appris ça ?*

— Ta gueule, hurle Sikandar. N'importe quel enfoiré peut faire ça. Je vais vous fendre le crâne à tous et tout de suite.

— Mais regarde-le, crie un des mecs, il fait la moitié de ta taille. Il a vraiment filé une bonne leçon à ces enfoirés. Si ça se trouve, il serait même capable de te tuer.

— Personne me tue ! décrète Sikandar en se soulevant de son trône en rotin. À part Dieu.

— Gautam Rathore, lâche Ajay d'une voix caverneuse. Je bosse pour Gautam Rathore. »

Un silence s'abat. Regards perplexes.

Sikandar éclate de rire.

« Vous entendez ? Il bosse pour Gautam Rathore.

— C'est qui ? »

Sikandar se penche en arrière sur son siège.

« Un enfoiré quelque part dehors. »

Les choses reprennent leur cours normal. Tout le monde sait qu'Ajay est l'homme de Bunty Wadia. Le bouche-à-oreille marche à la vitesse grand V. Ajay a donné une leçon aux Gupta, et c'est un homme de Bunty Wadia. Voilà ce qui se raconte. On murmure son nom dans le noir. *Ajay peut t'entendre. C'est ce que disent les gens. Il voit tout. Il entend tout. Il est au-dessus de tout ça. Sikandar a reçu des consignes de Satya par téléphone. Satya l'a prévenu : « On accueille un VIP. Occupe-toi bien de lui. » « C'est qui, ce* chutiya *? » a répliqué Sikandar. « Un homme de Bunty Wadia. »*

Sikandar sifflote entre ses dents. Un homme de Bunty Wadia. Un enfant de Dieu. Sauf que l'enfant a été abandonné par Dieu, la vie, le destin. Par le fils surtout. Les derniers mots que Sunny lui a adressés : « Je t'aiderai. » Avant que le métal de son arme ne s'abatte sur sa figure.

À présent, on lui demande de ne pas broncher, de ne pas s'énerver. T'es exempté de corvées. Alors, dors, regarde la télé. Branle-toi. Soulève des poids. Intègre l'équipe de cricket. Médite. Fume du Mandrax si ça te tente. Baise. On peut t'arranger ça. Il y a toujours de la chair fraîche pas loin. Si un des jeunes chikna[1] *retient ton attention, débrouille-toi pour t'en faire un ami. Amuse-toi, tu l'as bien mérité. Le seul truc que tu peux pas faire, c'est te barrer.*

Il passe ses journées en immersion. Il mange à peine. Dort à peine. Parle à peine. Certains affirment qu'il a perdu la tête. Ils ont peur de lui. Ils spéculent sur ce qu'il a vraiment fait. C'est un tueur, ils le savent, c'est sûr. Mais il y a de la folie chez lui. Non. La folie, c'est de la comédie. Il est là pour tuer encore une fois.

Il n'entend pas. Tout lui parvient de très loin. Les mots parcourent de grandes distances pour l'atteindre. C'est toute une vie qui lui revient à travers la lune et le brouillard. Son enfance inonde son paysage mental. Au milieu du brouillard, elle émerge, son père se consume, sa sœur hurle dans sa tête et lui s'en va au cœur de la nuit. Le soleil se lève et brûle. Il s'éveille, ne se rappelle pas qui il est, pourquoi il est là. Il s'éveille et il est dans un Tempo et les montagnes le dominent de toute leur hauteur. Il s'éveille et les cadavres sont éparpillés sur la route. Il s'éveille à sa douleur et n'a nulle part où se cacher. De vieilles pensées lui fondent dessus, pareilles à des démons affamés. Des hommes morts dans des ruelles. Le

---

1. Jeune homme glabre. Terme insultant à l'égard des transgenres, mais pouvant avoir une connotation moins agressive envers une personne considérée comme attirante.

craquement du crâne de Vipin Tyagi. Cheveux poissés de sang dans sa main, craquement d'un os du nez, bruit de succion, cheveux poissés de cervelle dans la main. Dans son sommeil, il retourne l'homme à terre, émerge du cauchemar avant d'avoir pu voir son visage. Dans l'obscurité de la cellule, il voit Neda et Sunny, éternellement ensemble à l'arrière d'une voiture. Le temps est élastique. Sa mère a disparu. La fameuse Mary a pris sa place. Et sa sœur. Est-elle encore vivante ? Il est dans le Tempo et regarde. A-t-il fait un signe d'adieu ?

« Qu'est-ce qui lui est arrivé ?

— Ce qui arrive à toutes les filles quand les hommes fichent le camp. »

Dire qu'il a passé toutes ces années dans la montagne à faire comme si tout allait s'arranger. Allongé sur le lit de maman, il pleure. À son réveil, il se surprend à cogner les murs. Sikandar est obligé de le maîtriser, de le maîtriser en une large étreinte puante. Enfoiré de mes deux. Sors. Va courir dans la cour. Bats-toi avec quelqu'un. Regarde si quelqu'un cherche pas à te tuer. Butte-le aussi. Va baiser quelqu'un. Casse-toi.

Cinq cents pompes par jour. Cinq cents abdos. Son regard attentif. Son corps coquille vide, sens de la vie sapé. À qui appartient-il ? À qui obéit-il ? Qu'est-il arrivé au gamin ? Qu'arrive-t-il à tous ces gamins dont la famille fiche le camp ? La nuit, les yeux ouverts pendant que Sikandar ronfle, il remonte le cours du temps.

Il pense aux boys népalais.

Au Purple Haze.

À la première fois de sa vie où il a été libre.

À la première fois où il a renoncé à sa liberté.

Quelque chose est en train de durcir. De durcir en lui.

Il enterre tout son passé.

Enterre sa gentillesse.

Découvre une nouvelle façon de vivre le quotidien.

2.

L'atmosphère se réchauffe, les jours commencent à miroiter, à cuire. Certains détenus s'en vont. Des prévenus arrivent. De la chair fraîche. Ils sont triés, évalués, menacés, forcés. Les forts se choisiront un gang.

Les friqués s'achèteront une protection. Les super-friqués, eux, peuvent s'acheter n'importe quoi. Les fauchés font des proies rêvées. Ils peuvent faire office de domestiques, ils peuvent faire office d'esclaves. Briquer les toilettes, laver le linge. Un jeune de dix-neuf ans apparaît, très mince, peau laiteuse, pommettes hautes, yeux largement écartés, bouche pareille à un bourgeon rose. Splendide. Terrifié. Épinglé pour avoir piqué un mobile. Tout le monde le remarque. Une fleur, un joli lot. Sikandar se pourlèche. On jurerait un petit veau, dit-il. Dans la cour, trois hommes des Sissodia tournent autour du jeune, lâchent des commentaires obscènes, le rudoient. Le jeune se fait tout petit pendant qu'ils le caressent, qu'ils le pelotent, murmurent à son oreille, le prennent par le poignet et l'entraînent. Au dernier moment, Sikandar intervient. Écarte les Sissodia, en colle un par terre d'un méchant revers, passe le bras autour du jeune et l'éloigne.

Tendre Sikandar. Il dit au jeune de ne pas pleurer, le ramène de leur côté. Il a un ami maintenant, on prendra soin de lui. Comment tu t'appelles ? Prem, répond le jeune. Prem. Sikandar joue avec ce prénom. Il offre une cigarette au jeune, quelque chose de bon à manger, du savon pour se laver, un petit quelque chose pour apaiser la douleur. Se débrouille pour que Prem soit transféré dans leur cellule. L'accueille à bras ouverts. Sans amis, sans argent et si jeune, c'est difficile ici. Il y a tellement de loups, mais tout le monde n'est pas méchant, il y a des gens qui pensent aux autres quand même. On ne t'attaquera plus maintenant. Je suis un grand manitou ici, t'as vu ce que j'ai fait. Ils ont peur de moi. Mange quelque chose. Prends-toi une couverture. Regarde la télé. Prem s'assied sur le matelas et noue étroitement les bras autour de son corps. Sers-toi un whisky. Je te présente Bablu, c'est ton ami. Et voici Ajay. C'est un tueur, mais t'inquiète. T'éloigne pas de moi, c'est tout.

Dehors, dans la cour, Sikandar garde Prem à son côté. Huées, cris de plaisir, provocations, moqueries fusent. Sikandar fait des clins d'œil, sourit, hoche la tête, joue au clown. À Prem, il dit, Les écoute pas. Ils sont jaloux. Ils veulent quelque chose de toi. Prem fait de gros efforts pour ne pas pleurer. Qu'est-ce qui ne va pas ? demande Sikandar. T'as peur ? Non, non. T'as pas à avoir peur. Regarde là-bas, regarde les mecs qui allaient te faire du mal. Ils nous regardent. Tu les vois. Ils peuvent pas te faire de mal. Ils n'osent pas. Attends, je vais te le

171

prouver. Va là-bas. Va te planter juste devant eux. Prem fait non de la tête. Allez, insiste Sikandar en saisissant Prem par le bras. N'aie pas peur. Viens, on y va. On va y aller ensemble, toi et moi. Il oblige Prem à traverser la cour avec lui. Les Sissodia ne bronchent pas d'un iota à mesure qu'ils s'approchent, Prem dans le rôle du gamin, Sikandar dans celui de la mégère venue gronder les garçons du quartier. Mate-les, glousse Sikandar. Mate-les, ces lâches. Les mecs se rembrunissent et se hérissent en entendant Sikandar. Mais ils ne font rien. Mate-les. Sikandar attrape la tête de Prem et, d'un coup sec, il l'oblige à relever le cou. Regarde. Une pointe de méchanceté dans sa voix. Tu vois. Ils te feront rien. Il relâche son emprise et recule d'un pas. Il affiche un grand sourire et part d'un rire muet face aux trois méchants.

Tu vois. Ils ont peur. Mets-toi là, regarde-les dans les yeux, ces enfoirés.

Reste là où tu es. Reste là où tu es et regarde-les dans les yeux. Continue.

Sikandar recule sans rien dire, traverse la cour.

Continue à les regarder, ne leur tourne pas le dos, regarde ces enfoirés dans les yeux. Ils te feront pas de mal. Tu vois.

Sikandar a du mal à contenir sa jubilation. Il se tape sur les cuisses, se mord le poing.

Tu vois, crie-t-il de l'autre bout de la cour. Il y a rien à craindre.

Prem se retrouve seul, face aux trois Sissodia.

Maintenant, cogne-les, crie Sikandar. Cogne-les le plus fort possible.

Prem tremble.

Argggh.

L'un d'eux se rue sur lui.

Prem retraverse la cour à toutes jambes pour revenir se réfugier à côté de Sikandar, qui le crochète par le bras. Et tout le monde comprend que Prem est le mignon de Sikandar.

Sikandar se soûle et file aussi de l'alcool à Prem. Le force à boire et à lui masser les pieds ; Prem sanglote. Pleure pas, dit Sikandar. T'es en sécurité. Personne te fera du mal. Il faut juste que tu piges un truc. Ici, les choses marchent d'une certaine façon. Tout le monde a sa place. Si tu veux survivre, il faut que tu saches quelle est ta place. Sikandar, plus soûl que jamais, raconte à Prem l'histoire de sa seconde épouse. Il l'aimait plus que tout. Mais elle l'a trahi. Elle s'appelait Khusboo[1],

---

1. *Khusboo* désigne une odeur plaisante, agréable.

ajoute-t-il. Lorsque Prem, bien soûl, se lève pour aller pisser, Sikandar lui ordonne de s'accroupir. « Fais comme une fille », dit-il. Et lorsque Prem revient, Sikandar déboutonne la chemise du jeune pour exposer son torse lisse, puis noue les pans de sa chemise pour que ça fasse plus féminin.

« Comment tu t'appelles ? demande Sikandar.

— Prem, répond le jeune en luttant contre les larmes.

— Non, murmure Sikandar, c'est pas ça. »

Il oblige Prem à se mettre à la hauteur de son sexe, lui tient l'épaule de sa poigne redoutable.

« Kushboo, roucoule-t-il. Tu t'appelles Kushboo. Ça te dirait de rester ici, Khusboo ? Ou tu veux que je te renvoie chez les loups ? »

Prem tourne la tête vers Ajay.

« Le regarde pas, lui lance Sikandar d'une voix sifflante. Comment tu t'appelles ?

— Khusboo », murmure Prem.

Quand ce prénom sort d'entre les lèvres de Prem, Sikandar a la chair de poule, des frissons de plaisir.

« Je vais te faire la vie facile, Khusboo », roucoule-t-il encore en caressant les cheveux de Prem.

Il s'extrait de son pantalon de jogging et abaisse de force la bouche de Prem.

Quand c'est terminé, il prépare un Mandrax pour Prem en larmes.

« Tiens, ta récompense. »

Au petit matin, il n'y a plus de bruit. Prem divague dans une brume de Mandrax, Sikandar et Bablu, complètement pétés, ronflent. Seul Ajay ne dort pas, il a la mort en tête.

Sikandar fait apporter des vêtements de femme. Un salwar kameez[1] *bleu et rose, un* chunni[2], *des bracelets, des anneaux de cheville. Il les offre à Prem avec beaucoup de tralalas, lui demande de les mettre. Prem muet n'oppose aucune résistance. Il fait ce qu'on lui dit de faire. Sikandar exhibe un rouge à lèvres et du kajal, qu'il applique avec un quasi-respect sur le visage de Prem, et cette transformation l'enchante.*

« Maintenant, Khusboo, dit-il, écoute quelles sont les règles. »

Prem se chargera de toutes les tâches ménagères de la cellule : il balaiera, il lavera la vaisselle et le linge, il fera la cuisine et le ménage,

---

1. Ensemble composé d'un pantalon bouffant et d'une tunique.
2. Longue écharpe.

et il veillera à tous les besoins de Sikandar. Il ne parlera pas à moins qu'on lui ait adressé la parole, il ne pissera pas tant qu'il n'aura pas eu l'aval de Sikandar. Il s'exprimera comme une fille. Marchera de même. Il sera la femme de Sikandar en prison. S'il fait ça correctement, s'il paye de retour l'amour de Sikandar, il sera une reine, comblé de belles choses. Sinon, il sera jeté aux loups, ou pire.

« Maintenant, dis-moi. Comment tu t'appelles ? »

Prem fixe le sol de la cellule. Retient ses larmes.

« Prem. »

Sikandar, enragé, l'attrape à la gorge.

« Khusboo ! » crie Prem.

Sikandar relâche son emprise, sourit.

« Recommence.

— Khusboo. »

Sikandar inhale les effluves du nom.

Il étreint Prem, ferme les paupières, caresse le tissu du salwar kameez et murmure :

« Khusboo… Khusboo. Me mens plus jamais. »

La chaleur se fait insinuante, soleil brûlant dans la journée, moustiques la nuit. Sueur viciée. Prem est la femme de Sikandar en prison, son esclave, il travaille, il sert, il est violé. Jour et nuit. Jours et nuits. Jusqu'au mois de mai. Violé par Sikandar, puis par Bablu aussi, avec l'orgueilleux assentiment de Sikandar.

« Une bonne épouse doit satisfaire les besoins des amis de son mari. »

Sikandar propose même à Ajay d'essayer. Mais Ajay ne tombe pas dans le panneau.

« Tu changeras d'avis, dit Sikandar en riant, bien assez tôt, pas vrai, Khusboo ! »

Prem, tous les jours sous le coup de telles douleurs spirituelles et physiques, toutes les nuits jusqu'à sa dose de Mandrax. Tellement de Mandrax que la triste euphorie de la drogue s'installe.

Jusqu'au mois de mai. Chaleur intenable. Sikandar soupçonne un membre de leur gang de transmettre des secrets à la police et à d'autres gangs – dehors, plusieurs hommes de Satya, du menu fretin, se sont fait descendre. Sikandar ayant demandé à Bablu de mener son enquête, il pense avoir tout pigé. Ils décident de torturer le suspect, Shakti Lal. Sikandar se débrouille pour faire livrer un bloc de glace, ridiculement grand, six pieds de long, dans leur cellule. Il est à peine arrivé qu'il commence à fondre. Sikandar annonce au gang qu'il va y avoir une fête dans sa cellule, qu'ils auront à manger, du whisky, des boissons fraîches et énormément de glace. Il y a un match de cricket à la télé, le volume est monté au maximum. Tout le monde s'émerveille devant le bloc de glace. Prem sert à boire à tous les gens présents. C'est une nuit tapageuse. Mais, sur un signal convenu, Sikandar et Bablu tombent sur Shakti Lal, lui collent une pâtée sous les yeux des autres, lui fourrent un chiffon dans la bouche, le bâillonnent, le foutent à poil, l'allongent sur le bloc de glace où ils l'attachent jusqu'à ce que le froid lui ait brûlé la peau. Mais il n'avoue pas. Donc, Sikandar ordonne à Bablu de traîner Shakti Lal à la salle de douches pour le pendre, puis la fête continue. Ils préparent leurs boissons avec la glace sur laquelle ils ont torturé Shakti Lal, jusqu'à ce qu'elle fonde, détrempe les matelas, et ils passent une bonne nuit au frais.

Ajay rêve d'un bûcher allumé, réfléchit à son nom. La nuit parfois, il se réveille en sursaut du fond d'une cage, d'une pièce isolée, des phares éclairent la route et, serré contre la chair de Sikandar, Prem le regarde à travers la brume du Mandrax, et lui regarde Prem en retour, et ils s'observent, Prem de ses yeux implorants, désespérés, où se lit la fêlure et Ajay de ses sombres et durs réservoirs de souffrance.

« Pourquoi tu le fais pas avec moi ? Comme eux ? » demande Prem.

Ajay surveille Sikandar pour s'assurer que le ronfleur ne risque pas de se réveiller, mais il est complètement soûl.

« Je suis pas comme eux.

— Tu as des cauchemars, poursuit Prem. Je te vois crier dans tes rêves. »

Ajay roule sur le dos, détourne le regard.

« Tu es un tueur. »

Rien.

« Est-ce que tu me tuerais ? »

Rien.

« Si je te le demandais ?

— T'aurais dû te battre contre les Sissodia, finit par dire Ajay. Tu aurais dû te battre, même s'il y avait un risque qu'ils soient plus forts que toi. Tu aurais dû te battre de toutes tes forces, au lieu de te sauver. Tu serais pas dans cet état.

— Depuis toujours, je suis dans cet état. »

Il s'avère que la balance, c'était Bablu. Satya Acharya fait passer l'info. Bablu est égorgé dans le couloir quand ils rentrent de la promenade. Sikandar s'en charge personnellement.

Maintenant, Sikandar a un problème. Qui va s'occuper du Mandrax ? C'était le boulot de Bablu. Le premier cercle se réunit. Sikandar vocifère. Il ne peut compter sur aucun d'entre eux. Il ne peut pas compter qu'ils fassent quoi que ce soit de bien. Si ça se trouve, pour Bablu, ils étaient au courant tout du long. Si ça se trouve, ce sont des balances, eux aussi. Il va devoir s'y coller lui-même. Ajay, de sa place contre le mur, intervient. Je m'en charge.

Comment Sikandar pourrait-il dire non à un VIP ? C'est pas compliqué comme boulot. Il faut qu'Ajay aille trouver le médecin de la prison. Ce dernier prescrit certains médicaments légaux, le directeur valide le formulaire de demande, Ajay récupère le Mandrax dans les fameuses boîtes de la pharmacie, les rapporte à la cellule en remettant au passage des Gandhis, des biftons de cinq cents roupies, aux gardiens. Après quoi, il fait ses rondes, répartit le Mandrax.

Ajay est heureux ici. Heureux et anesthésié. Heureux d'être à l'abri des attaques.
De toute façon, c'est un tueur. Il n'a rien à perdre.
Mieux vaut être dans sa situation que dans celle de Prem.
Il considère Prem avec…
… dégoût.
Ou autre chose.
De la haine, détournée de lui-même.

Sikandar envoie Prem en « commission » auprès de ses amis. Il envoie Prem à ceux qui payent. Une bonne épouse fait ce que son mari lui dit de faire. À des membres de leur gang. À d'autres gangs. À d'autres Sissodia. Les trois Sissodia de la cour, Pradeep, Ram Chandra, Prakash Singh, paient un bon prix, paient un supplément pour écraser leurs cigarettes sur la peau de Kuhsboo. Prem a l'impression que Prem lui glisse entre les doigts, qu'il se perd entre ces hommes, derrière le Mandrax et la douleur, derrière l'obéissance, la peur et la tension psychologique.

Il fume tout ce qui lui tombe sous la main.

Il ferait n'importe quoi pour une bouffée qui enverra des éclats d'oubli dans son cerveau.

Parfois, à la fin, c'est à peine s'il peut marcher.

Ajay découvre Prem effondré dans le couloir, qui rit tout seul.

Ajay baisse les yeux vers lui.

Pitié, horreur.

Prem tend la main, attrape les jambes d'Ajay.

Ajay essaie de se dégager, mais ne se résout pas à être si cruel.

Il s'accroupit.

« Prem », dit-il.

Prem fixe des yeux larmoyants sur Ajay.

« Prem est mort. »

Lorsque Sikandar boit, Khusboo boit à son côté. Black Label, Sikandar en est à la deuxième bouteille de la soirée.

À présent, poulet et roti.

Et quinze mecs entassés dans la cellule, à regarder la télé.

À l'écran, le film Khal Nayak.

Des membres de l'Acharya, et quelques Sissodia aussi.

Ils suivent la projection avec enthousiasme.

Quinze mecs, plus Ajay, et Prem.

Ils attendent la chanson.

Arrive la chanson.

« Choli Ke Peeche Kya Hai[1] ? »

« Plus fort », rugit Sikandar.

Dès qu'elle entend la chanson, Khusboo se relève miraculeusement. On croirait une marionnette arrachée à sa torpeur alcoolisée. Subjuguée par la chanson. Les yeux trempés de larmes. Se plante devant la télé, endosse le rôle de Madhuri. Sourit comme si elle n'avait pas le moindre souci au monde. Sikandar lui hurle dessus, la bombarde d'os de poulet. Quel supplice pour elle. Mais elle se met à danser. Se métamorphose. Les hommes ravis l'encouragent. Elle tourne avec tant de grâce dans la cellule. Elle danse, danse pour chasser la souffrance. Elle s'approche de Sikandar en dansant et tournoie, tournoie.

Les hommes l'encouragent.

---

1. Qu'y a-t-il sous ce corsage ?

Sikandar savoure son spectacle.

« Vous voyez comment ma femme danse pour moi ?!

— Tu devrais voir comment elle danse pour Karan ! » lui crie en réponse un des Sissodia.

La tête de Sikandar change en une fraction de seconde. Il attrape une bouteille de whisky vide et la balance contre la télé. Elle s'écrase contre l'écran et le fracasse.

« Karan ? » rugit-il.

La chanson continue, Khusboo, en transe, continue à tournoyer et à chantonner en silence.

« Tu danses pour Karan ? »

Karan Metha. Un jeune homme issu d'une riche famille d'entre-preneurs. Une anomalie dans cet univers. Beau, la voix douce. Barbe duveteuse, cheveux aux épaules, yeux expressifs.

Il a laissé tomber ses études pour rejoindre les Sissodia.

Un tireur d'élite.

Il aurait descendu dix-huit personnes.

Sikandar pique une méchante crise de jalousie.

« Foutez-moi le camp, hurle-t-il à l'adresse des gens présents. Foutez-moi le camp. »

Kushboo continue à tournoyer, à rire.

Mais quand Sikandar se met à cogner, c'est Prem qui hurle. Pendant que les membres des gangs prennent le large, Prem reçoit des coups de poing dans le ventre, des coups de pied dans les côtes. Il s'agrippe, repousse, supplie Sikandar de lui laisser la vie sauve. Ce dernier, pris de folie, braille que c'est toujours la même chose, que quoi qu'il fasse, il faut toujours qu'elle le trompe. Il martèle la figure de Prem.

« Je vais te tuer », dit-il.

Le sang jaillit du nez cassé de Prem. Ajay doit intervenir. Il s'em-pare d'un haltère qui traîne par terre et l'abat sur l'arrière du crâne de Sikandar.

Tu l'as tué.

C'est le silence, à part la télé abîmée qui crache toujours sa musique plein pot. Sikandar est vautré sur des éclats de verre. Ajay balance l'hal-tère au sol.

Tu l'as tué.

Il se penche pour le regarder. Non.

Il est toujours vivant.

Il respire.

Demain matin au réveil, il aura la tête bien endolorie.

Il est tombé parce qu'il était bourré.

Il n'y a que ça à dire.

Ajay traîne Sikandar jusqu'à son matelas, le hisse dessus en le faisant rouler. Va lui chercher une couverture, lui fourre une bouteille de whisky vide dans la main. S'interrompt une seconde. Un gardien fait sa ronde. Ajay lève la tête.

« Il a cassé la télé. Il a tellement bu qu'il a perdu connaissance. Il cuve. »

Le gardien pointe le doigt sur Prem, à terre.

« Et celui-là ?

— Je vais le débarbouiller. »

« T'es qui ? »

Prem est à peine conscient. Ajay lave son visage plein de sang.

« Passe les bras autour de moi. »

Ajay prépare le goulot de bouteille.

Offre une taffe à Prem, bien qu'avec ses côtes cassées il ait mal quand il inspire.

« Prends-moi dans tes bras », dit Prem.

Ajay l'allonge sur le matelas.

Lui donne une autre taffe.

« Prends-moi dans tes bras », répète Prem.

Ajay le tient dans ses bras pendant des heures. Et, dans le noir, il parle.

« Je viens d'un village, dit Ajay. De l'est de l'Uttar Pradesh. Je suis un Dalit[1]. Ma famille a été victime de mauvais traitements. Mon père a été tué par un caïd. J'ai été vendu et emmené dans les montagnes où j'ai travaillé dans une ferme. Là, on me demandait de dire que j'étais un Kshatriya. »

Il se revoit.

Allongé avec ses boîtes d'allumettes et son canard mécanique.

Il essaie de se rappeler le visage de sa mère.

Papa est à l'étage, il attise le feu.

Pour survivre, il doit faire plaisir aux gens.

---

1. Hors caste. On parlait auparavant de Harijans (fils de Dieu) et encore avant d'Intouchables.

« *Moi, je me suis sauvé à mes quatorze ans* », *dit Prem comme dans un rêve.*

Il choisit ses mots avec beaucoup de lenteur.

« *J'ai grandi autour de Kanpur. J'avais une sœur et une mère, j'aimais énormément ma mère, mais elle est morte. Mon père s'est remarié. J'arrêtais pas de pleurer. Sa nouvelle femme me détestait. Elle m'a surpris en train de dormir dans les vieux vêtements de ma mère. Elle avait voulu tout jeter, mais j'avais réussi à cacher quelques affaires. Elle m'a battu comme plâtre. J'ai fichu le camp à Delhi où j'ai travaillé dans une pâtisserie. Je faisais des* jalebi[1]. *J'étais doué de mes mains. Mais le propriétaire me forçait à faire des choses pour lui. Il disait que si je refusais, il me dénoncerait comme voleur à la police et ils me boucleraient. Je me suis sauvé. Je dormais dans la rue, à la gare. J'ai trouvé d'autres petits boulots. Il y avait toujours un endroit où bosser. Mais il y avait toujours quelqu'un pour vouloir quelque chose de moi.* »

« *Le jour de mon arrivée à Delhi, dit Ajay, un groupe de bonshommes m'a collé une rousse. Ils m'ont tout pris.* »

Il se tait.

« *Ils t'ont pas tout pris* », *dit Prem.*

Silence.

« *J'avais un endroit où aller. Un endroit où on m'avait promis du travail.*

— *Et ?*

— *J'y suis allé.*

— *Et alors ?*

— *Je suis entré au service de mon maître.* »

Obéir. Servir. Et bénéficier d'une protection, d'un but et même d'amour au bout du compte. « *Je t'aiderai* », *avait dit Sunny. Ç'aurait pu être si simple. Il aurait pu y avoir un monde où ces mots auraient eu des accents de vérité, où ils l'auraient réconforté, nourri et lui auraient permis de croire en quelque chose. Un monde où il n'y aurait eu que le travail, où il n'aurait pas gratté ce besoin démangeant de retrouver sa famille. Que ça aurait été simple. Loyauté, incontestée. Désir de faire*

---

1. Équivalent de *zlabia*. Beignet de couleur orangée trempé dans un sirop.

plaisir. Sunny aurait dit : « *Tu dis que c'est toi. Je t'aiderai.* » Et Ajay aurait dit : « *Oui, oui, oui.* »

Mais il a fallu qu'il aille gratter ce besoin démangeant qui ne l'avait jamais quitté. D'où est-ce que ça lui était venu ? D'observer Neda et Sunny amoureux ? Il se rappelle être entré dans l'eau à Goa, avant qu'on le chasse. Combien de fois a-t-il failli craquer ? Comment a-t-il pu tenir aussi longtemps ?

Qui es-tu ?
Les mots se courent après dans sa tête.
Qui es-tu ?
Ajay Wadia. Le boy de Sunny.
Loyal.
Disposé à servir.
En boucle.
Il préfère ne pas y penser du tout.
Il préfère être ici.
Un tueur VIP.
Cette pensée le surprend.
C'est vraiment possible ?

Où s'est-il perdu en chemin ?
Défait.
Il ne cesse de revenir sur certains lieux. Dans le Palace Grande. Juste après qu'il a tué Vipin Tyagi et ses hommes. À attendre qu'on tape à sa porte. À attendre qu'on défonce sa porte. Arme au poing. À attendre la mort. Et, ne la voyant pas venir, il est allé au-devant d'elle. Convaincu que c'était la fin. Il voulait mourir. Oui. Il vit dans la mort.

Il continue à tenir Prem dans ses bras, longtemps après que ce dernier a glissé dans un sommeil annihilant.

De ses mains autrefois magnifiques, il effleure le beau visage brisé ; sa lèvre fendue aux allures de fleur, sa mâchoire grotesquement enflée. Il plonge les doigts dans les cheveux sombres et poissés de sang, collés au crâne. Il ne se rappelle pas avoir jamais été aussi proche d'un autre être humain, sauf quand il a tenté de tuer ou de ne pas se faire tuer. Il se met à claquer des dents. Il ne veut pas le lâcher.

Il le lâche.

Se lève et vérifie que Sikandar est toujours vivant.
Puis il balaie la pièce.

Il a nettoyé la cellule, repoussé proprement la télé abîmée dans un coin.
Il est en train de préparer du chai, de faire cuire des rotis sur le réchaud.
Sikandar reprend connaissance en sursaut, il a une bulle d'air piégée dans la gorge, se redresse à la façon d'un monstre de conte de fées et fixe la bouteille de whisky dans sa main.
Il voit Prem, meurtri, battu et pelotonné dans un sommeil défoncé.
Et Ajay devant le réchaud.
Ajay lui jette un bref coup d'œil, reporte son attention sur la tâche qui l'occupe.
Attend.
Attend ce qui va suivre.
« Quelle nuit... », gémit Sikandar.
Il masse la bosse sur son crâne.
Regarde les restes de la télé.
Commence à retrouver la mémoire.
Se dresse au-dessus de Prem.
Regarde Ajay.
« Les femmes, dit-il avec tristesse, elles sont toutes pareilles. »

Prem est envoyé à l'infirmerie.
Sikandar reste assis, morose, dans la cellule.
Une télé neuve arrive. Sikandar la regarde toute la journée.
Il ne se rappelle pas tout, mais le nom, oui.

Prem passe une semaine à l'infirmerie.
Sikandar reçoit des rapports – Karan est allé lui rendre visite.
Karan a soudoyé les gardiens à plusieurs reprises.
Pour voir Prem.
Il lui tient la main, assis à son chevet.
Karan.
Sikandar comprend qu'il a été trahi.
Il veut couper ses liens avec le gang des Sissodia.
Mais Satya dit que c'est impossible.

La semaine terminée, Prem revient.

Sans rien dire, il s'installe sur son matelas avec son nez cassé, habillé en mec et pas maquillé.

Sikandar l'ignore, continue à regarder la télé.

Prem met du rouge à lèvres sur sa bouche, du kajal à ses yeux, s'accroupit aux pieds de Sikandar.

Sikandar le repousse.

« Non. Tu n'es pas Kushboo », dit-il, comme s'il découvrait la vérité.

Le lendemain, il annonce qu'il est divorcé. Il n'a pas de femme.

Et Prem est à vendre.

3.

Un député d'Uttar Pradesh, Charanjit Kumar, vient visiter la prison. Il fait une inspection. Kumar est membre du parti au pouvoir de Ram Singh. Il faut donner l'impression d'être occupés. Ajay est affecté à un cours de dessin où il n'a jamais mis les pieds, il est là pour gonfler les effectifs, donner l'impression qu'il fait quelque chose. Le directeur leur a dit : C'est un cours de dessin, dessinez quelque chose de bien, montrez-le à notre visiteur, tout se passera au mieux. Les détenus suivent les consignes de leur professeur. Ils dessinent des natures mortes, des fleurs, des fruits en plastique. Puis ils dessinent de mémoire, comme on le leur a dit, quelque chose qui les rend heureux. Ils dessinent leurs mères, leurs frères, leurs familles. Des arbres, des champs, des rivières. Assis avec son bloc de papier et son crayon, main en l'air, Ajay ne dessine rien.

4.

Le député Kumar est impressionné. La prison est un modèle du genre. Elle répond à des normes auxquelles même certaines prisons occidentales ne répondent pas. Il l'affirme devant les caméras. Il est accompagné d'un photographe, d'un journaliste. À la fin de sa visite, le député demande à s'entretenir seul à seul avec certains prisonniers afin qu'ils lui fournissent une réponse sincère. Ces derniers sont choisis au hasard. Les entretiens se déroulent dans un des bureaux de l'administration.

Ajay fait partie des détenus choisis. Quand vient son tour, Kumar pose à Ajay plusieurs questions banales, auxquelles Ajay répond par monosyllabes. Kumar écarte Ajay et fait venir le détenu suivant. Mais, lorsque Ajay sort, Kumar lui glisse, « Vicky te passe le bonjour ».

5.

Les jambes d'Ajay manquent se dérober sous lui.
Une fois sorti du bureau, l'assistant de Kumar prend Ajay à part.
« Notre ami commun aimerait que tu te charges de quelque chose. »
Il glisse un bout de papier à Ajay. Lui demande de le lire.
Dessus, il est marqué : KARAN – SISSODIA.
L'assistant reprend le papier.
« Tu sais pourquoi tu es ici. »

On n'est jamais à l'abri nulle part.
Il regagne sa cellule.
Il se croyait en sécurité.
Il n'a jamais été en sécurité.
« Tu t'es marré ? » demande Sikandar.
Il est dans le coup ?
Et Prem ?
Et tous les autres ?
Est-ce vraiment une coïncidence ? Il a l'impression qu'ils contrôlent les choses, qu'ils peuvent lire en lui, qu'ils le surveillent constamment. Que Vicky Wadia joue un jeu compliqué.

Ce n'est pas par loyauté qu'il a accepté d'aller en prison. C'était par peur aussi. Peur de ce que Vicky risquait de faire. De ce qu'il risquait de lui faire faire. De lui faire espionner Sunny… et quoi d'autre ? De nuire à sa famille. Il croyait y échapper en allant en prison. Comment a-t-il pu être aussi stupide ?
Faut-il vraiment qu'il fasse ça ?
Ça paraît impossible.
Y a-t-il un autre moyen ? Si je pouvais parler à quelqu'un, se dit-il. Puis il s'arrête. Parler à qui ? À Sunny ? Et lui dire quoi ? Sunny est

aussi éloigné de lui que le soleil, la lune. Sunny, dont il partageait la vie, a disparu.

6.

Karan fait une offre pour Prem. Vingt mille roupies.
Dis-lui, explique Sikandar à Ajay, que c'est pas assez.
Va lui dire. Arrête-toi à sa cellule en faisant tes rondes, et dis-lui.

C'est la première fois qu'il se retrouve en face de Karan. Celui-ci a une présence apaisante, un regard serein, un sourire gentil. Il renvoie ses compagnons de cellule. Il répond à Ajay que vingt mille roupies, c'est un bon prix.

« C'est un bon prix pour n'importe qui d'autre, mais pas pour toi », réplique Ajay.

Il a un rasoir dans sa poche. Il voit le sang qui pulse dans le cou de Karan.

Il le regarde dans les yeux.

Il pourrait le faire sur-le-champ, il pourrait avoir le dessus.

Mais ce serait entamer une guerre.

Ajay y laisserait vraisemblablement la peau.

« Cinquante mille, propose Karan. C'est plus que correct, vu les dégâts infligés. »

Ajay hoche la tête. Il transmettra le message.

Il hésite.

Se demande ce qui fait que Karan soit si calme.

Se demande quels sont ses secrets.

« Quoi ? s'écrie Karan.

— Pourquoi, lance Ajay à la porte de la cellule, tu tiens tellement à avoir Prem ?

— Parce que je l'aime », répond Karan.

Il transmet la proposition. Sikandar ricane.

« T'entends ça, Prem ? Il t'aime ! Il comprendra vite qui tu es. »

Sikandar demande à Ajay de faire lanterner Karan. Lui donne pas tout de suite une réponse.

La réponse traîne. Karan est toujours vivant. Une lettre arrive pour Ajay. Elle lui est remise directement dans sa cellule. Il n'y a même pas de nom dessus, c'est juste une enveloppe vierge. Un gardien lui demande d'approcher des barreaux. Il n'y a pas de mot. Une photo à l'intérieur et c'est tout. Une femme d'environ vingt-cinq ans est allongée sur un lit dans une petite chambre cabine, nette et bien rangée malgré l'ambiance sordide, avec un modeste autel sur la table proche du lit et, accroché au mur, un tableau représentant une cascade. C'est un bordel. La femme porte un sari fleuri, mais elle a la poitrine découverte. Il y a un homme dans le coin de la photo, au pied du lit étroit, il étreint ses jambes en ivrogne. Malgré les années écoulées, Ajay reconnaît la femme.

Hema.
« Aré[1], chutiya, c'est quoi, ça ? »
Hema, sa sœur.
Sikandar lui arrache la photo des mains.
Ça lui suffit pour retrouver son mojo. Il sifflote entre ses vilaines dents et ricane.
« Regarde-moi cette salope. Elle t'attend dehors ? T'es donc pas un eunuque en fin de compte. Mais, tu sais, je pense pas qu'elle continue à t'attendre. Pour ce qui est de la bite, elle a de quoi passer le temps ! »
Ajay se précipite pour récupérer sa photo, mais Sikandar le repousse. Il lâche son rire méchant.
« Laisse-moi la regarder attentivement. »
Sikandar retourne la photo.
« Et c'est quoi, ça ? »
Il lit les mots à haute voix.
« FAIS CE QU'ON TE DEMANDE. »
C'en est trop pour Ajay. Il se rue sur Sikandar, bondit, lui attrape le bras, tord le poignet de Sikandar, essaie de lui arracher la photo des mains. Lui colle brutalement le genou dans le torse. Sikandar, avec sa force prodigieuse, ne cède pas d'un iota. De sa main libre, il attrape Ajay par la gorge. Le balance, se plante au-dessus de lui. Lui jette un regard mauvais.
« T'es protégé, alors, je peux pas te tuer. Mais personne me touche comme ça. Et il faut quand même que tu fasses ce qu'on te demande. »

---

1. Exclamation indienne exprimant l'exaspération, la colère, la surprise.

DEUX

LONDRES, 2006

Elle avait toujours rêvé de vivre à l'étranger.

Elle n'avait jamais voulu faire ce qu'on lui disait de faire.

« Neda », s'écrie son prof.

Encore une fois, elle a débranché.

« On vous ennuie, aujourd'hui ? »

Il est américain, encore jeune, aime aller prendre un verre avec ses étudiants, aime être copain avec eux.

Mais Neda est un vrai mur.

« Non, monsieur. »

C'est le deuxième trimestre de sa deuxième année.

Licence d'anthropologie sociale à la London School of Economics, la LSE.

C'est une excellente élève. Dans l'ensemble.

Il cherche à faire rire la classe.

« Alors, c'est juste moi ? »

Murmures amusés parmi les élèves, mais chez Neda rien.

Il retourne au tableau.

« Peut-être devriez-vous envisager une bonne nuit de sommeil ? Limiter les fêtes avec les garçons ? »

Il lui rappelle Dean.

« Je ne fais pas la fête. »

Maintenant, c'est d'elle que la classe se moque : s'il y en a une qui ne risque pas de faire la fête avec qui que ce soit, c'est bien elle.

Oui, elle avait toujours rêvé de vivre à l'étranger, d'avoir un appartement à elle, une vie intérieure riche et stimulante, des histoires d'amour complexes, de vrais amis auprès de qui se confesser. De découvrir des choses extraordinaires. Et au bout du compte d'avoir un nouvel ancrage.

Pas ça.

Elle sort discrètement du hall, tête baissée, le visage caché derrière ses cheveux, la poitrine barricadée derrière ses bouquins.

Elle ne sait même pas pourquoi elle est encore ici.

Elle présume que, le moment venu, elle laissera tomber.

Qu'elle prendra la porte la veille de ses examens et ne reviendra plus jamais.

Non pas que ce soit important.

Non pas que l'argent soit important.

Tous les jours, à la HSBC, elle consulte son compte pour voir si c'est encore là.

C'est toujours encore là. £100,000.

Quoi qu'elle fasse : £99,878 redevient £100,000 ; £96,300 redevient £100,000.

Quoi qu'elle fasse, quelle que soit la somme qu'elle dépense, c'est réapprovisionné avec une précision implacable.

Comme s'il la provoquait.

Un jour, elle l'a provoqué en retour en faisant une donation de £20,000 à une association caritative pour les sans-abri.

Le lendemain, son solde était revenu à £100,000.

À présent, elle le provoque en ne dépensant quasiment rien.

Elle quitte le campus et remonte Southampton Row jusqu'au bar à vodka polonais derrière Holborn. Il n'y a pas grand-monde à l'heure du déjeuner ; les cadres et autres préfèrent venir se torcher le soir après le boulot. Elle s'assied à sa place habituelle, dos au mur, face à la porte. Commande un *śledź*, une demi-pinte de Żywiec, un shot de Chopin. Son petit plaisir. La même chose tous les jours. Elle mange dans un silence mécanique, boit sa bière à petites gorgées, garde sa vodka pour la fin. Elle ne commande jamais plus. Pour quelqu'un d'extérieur à la scène, c'est une routine de maniaque.

C'est une habitude tellement ancrée que le patron a appris à lui apporter l'addition pendant qu'elle descend sa vodka tranquillement. Aujourd'hui, il ne déroge pas à la règle et la lui remet avec son sourire sympathique, discret.

Mais aujourd'hui elle fait quelque chose d'inattendu.

Elle commande un autre Chopin.

Une légère surprise se lit sur le visage du patron.

« Vous fêtez quelque chose ? s'écrie-t-il.

— Oui, répond-elle. C'est un anniversaire. »

Elle est arrivée à Londres en avril 2004, en droite ligne de la désagrégation de sa vie à Delhi, parachutée dans ce néant doré. L'air sentait le néant. Ç'aurait été cocasse, si ça n'avait reposé sur la mort.

Elle est arrivée en avril 2004, mais c'est aujourd'hui le 24 février – deux ans, jour pour jour, depuis que sa vie a changé irrémédiablement. Durant ces deux ans, elle a plus ou moins réussi à préserver une certaine cohésion, à maintenir un vernis de vie régulière, respectable. Elle y est parvenue grâce à une forme d'abnégation – non seulement financière, mais spirituelle aussi. Aujourd'hui, pourtant, ça passe à l'as. Aujourd'hui, 24 février, c'est le jour de la *nasha*[1], l'oubli dans l'alcool.

Il lui apporte son petit verre. Elle ne l'a pas encore touché qu'elle annonce :

« J'en voudrais deux autres. »

L'alcool coule dans ses veines.

L'hésitation du patron, sa curiosité, son inquiétude même se heurtent à la désolation froide qui se lit dans le regard de Neda.

Et il hoche la tête. Il vient de comprendre quelque chose.

C'est aussi évident que quelqu'un qui crie dans une église.

Lorsqu'on lui apporte les shots, elle les fait cérémonieusement glisser vers les places vides à sa gauche et à sa droite.

---

1. Ivresse.

Elle lève son verre et dit une prière en silence.
Elle communie avec ses fantômes.

Il est treize heure trente. Journée maussade, journée de
parapluies et de phares allumés. Les nuages coiffent le haut des
immeubles. La pluie tourbillonne à la manière d'un milan vol-
tigeur. Elle laisse un billet de cinquante sur la table, sort. Au
distributeur, elle retire encore quatre cents livres.

De là, le Princess Louise est à deux pas. Elle se faufile le long
du mur, s'installe sur un tabouret dans un recoin en bois tara-
biscoté en face du bar, commande une pinte d'Alpine, cale
son épaule contre le carreau peint. Personne ne la regarde.
Personne ne lui parle. Et si c'était le cas, si on lui demandait
ce qu'elle lit, elle leur présenterait un tirage papier du dernier
article de Dean, « Retour sur des oubliés : Les morts solitaires
de cinq sans-abri et les vies qu'ils ont laissées derrière eux », et
la discussion n'irait pas plus loin.
Elle-même ne le lit pas.
Elle fixe plutôt la signature de Dean, son nom, sous l'ours de
l'obscure revue pour laquelle il est maintenant réduit à bosser,
même si jamais il n'admettrait cette subtilité, même si jamais il
n'admettrait qu'il a balancé sa brillante carrière pour un principe, un scrupule, une « boussole morale ».
Il dirait qu'il est attaché à la vérité.
Dans les e-mails auxquels elle ne répond jamais, il soutient
qu'elle pourrait faire de même.
Dans les e-mails auxquels elle ne répond jamais, il écrit « On
dirait que tu as trouvé ta voie ».

Il n'empêche qu'elle est infidèle. Infidèle aussi à l'idée qu'elle
se faisait d'elle-même ; laquelle, après une analyse attentive, est
censée être la cause de ses malheurs. Au cours de ces deux dernières années, elle est donc parvenue à l'équilibre en optant
pour le néant, le vide radical. Elle travaille dur pour préserver
cette carapace dépourvue de charisme. Elle veille à s'en tenir
aux faits et aux seuls faits.

Le chemin a été dur. Les premiers mois ont été les pires. Larguée, à la dérive, endolorie. Enceinte. L'alcool a failli avoir sa peau. Elle n'aime pas repenser à ces mois passés. Elle réussit à les refouler. Mais, quand elle boit, ils lui reviennent. Et aujourd'hui, ce 24 février, elle boit.

Il fait nuit à seize heures. Après quatre pintes de plus, elle quitte le Princess Louise, s'engage au milieu des flaques d'eau et des lampadaires, traverse la rue et s'engouffre dans le British Museum, dépasse les cargaisons de touristes venus en bus, les stands de hot-dogs et de marrons chauds, fend les foules de la Grande Cour, gagne le fond du bâtiment, prend l'escalier après l'ancien Coran et sort du côté de Senate House. À gauche vers Tottenham Court Road, puis elle effectue tout un périple jusque chez Bradley's. Elle descend au sous-sol, où flottent des émanations de bières éventées et d'urine, et écoute le jukebox en se noyant dans une pinte de bière espagnole. Elle va trop loin. Invite au dialogue. Lutte avec elle-même. Pourquoi fait-elle ça ? À peine arrivée, elle a envie de repartir.

Durant ces deux années, marcher lui a permis de préserver un semblant de stabilité. Elle marche, son baladeur à la main. Écoute les CD qu'elle a apportés d'Inde. Björk. Talvin Singh. Nusrat Fateh Ali Khan. Elle marche sans avoir nulle part où aller, pousse vers Hampstead Heath, Golders Green, s'enfonce dans les banlieues jusqu'à ce qu'elle n'en puisse plus. À l'est en direction d'Old Street, Bethnal Green, Hackney, Clapton, Lee Valley, jusqu'à ce qu'elle n'en puisse plus. Si elle n'est pas plongée dans ses bouquins, c'est qu'elle marche. Et tant qu'elle marche, elle ne perd pas pied.

Seigneur, qu'est-ce que Delhi lui manque. Les *rotis*, les pickles, le lait caillé sous le soleil d'hiver lui manquent. Les filles s'affairant autour d'elle dans de minuscules salons de beauté sans fenêtres. Les *golgappas*[1] de Khan Market. Les foules d'Old Delhi. Les épis

---

1. Sorte de chou dans lequel on verse un liquide de différentes saveurs sur un mélange de pommes de terre écrasées, de pois chiches et de chutney.

de maïs vendus sur les trottoirs, accompagnés de *chili*[1], de *chaat masala*[2] et de citron. Son père lui manque tellement qu'elle fond en larmes rien qu'en pensant à lui. Sa mère. Mais ils se parlent rarement. Elle ne répond pas à leurs appels, refuse qu'ils viennent la voir. Quant à aller elle-même en Inde, il n'en est pas question. Elle s'est coupée de sa propre vie. Elle a accepté de s'exiler.

« Je ne comprends pas ce qui t'est arrivé, lui écrit sa mère. Je ne vois pas ce qui a changé. Peut-être que tu as toujours été comme ça. Tu fais tellement souffrir ton père. Tu lui as brisé le cœur, ma chérie. »

Dean est allé chez elle. Il lui a écrit pour le lui dire.

« Je ne vais pas renoncer à ça », a-t-il écrit.

Que leur a-t-il dit ? Que leur a-t-il demandé ? Et l'argent ? D'où ont-ils pensé qu'il venait ?

Peut-être qu'elle va simplement se relever et s'évanouir dans la nature. Aller à pied quelque part. Aller à pied à Édimbourg, pourquoi pas ? Prendre sa carte bancaire, un sac à dos, une bonne paire de chaussures de randonnée et marcher. Aller d'auberge en auberge, comme ça se faisait dans le temps. Pourquoi pas ? Monter vers les Highlands. Trouver une hutte de montagne. Vivre dans une cabane à côté d'un loch. Ne plus jamais parler à quelqu'un. Pourquoi pas ?

Elle tangue légèrement, les yeux fermés. Un mec lui crie dans l'oreille. Bradley's. Le jukebox, la chaleur moite des corps l'hiver dans l'espace fermé. Il lui a demandé d'où elle venait, et elle a fait l'erreur de le lui dire. C'était ce qu'il pensait. Soit ça, soit Israël. Il lui a montré le bracelet en bois de santal qu'il a acheté à Dharamsala. Il était là-bas il y a deux ans. Et à Goa aussi.

« Tu y es allée ? Là-bas, j'ai lu la *Bhagavad-Gita* !

— Félicitations.

— Quand t'es allé en Inde, braille-t-il, après t'es plus pareil. C'est en toi. »

---

1. Piment rouge.
2. Mélange d'épices dont on saupoudre le maïs, une salade de fruits, des pommes de terre, des radis blancs.

Sans blague !

Il hoche la tête.

« Et la philosophie ! C'est tellement plus profond. "La conscience se connaît elle-même." Krishnamurti l'a bien dit, non ?

— Il faudrait que tu le lui demandes.

— Toi, t'es une marrante. »

Elle glisse une cigarette entre ses lèvres.

« Je peux te poser une question ?

— Bien sûr.

— Qu'est-ce que tu connais sur l'arbre de mai ?

— Pardon ?

— L'arbre de mai. »

Il réfléchit un moment, fronce les sourcils, puis finit par dire : « Rien. »

Elle allume sa cigarette.

« Alors, et moi, qu'est-ce que je connais sur Krishnamurti ? »

Dehors dans la rue, elle se repaît de sa méchanceté un bref instant tout en rejetant sa fumée dans le froid et la pluie.

Elle éprouve quelque chose, c'est déjà ça.

Ça vient de loin. Ça ressemble à son vieux moi.

Avant, elle ne mâchait pas ses mots.

Avant, elle était « culottée », à défaut d'un meilleur terme.

C'est dangereux de repenser à ça. À cette exubérance. Insouciante. Qu'est-ce qu'elle pouvait être insouciante ! Ce serait relativement facile de le redevenir. Ce qu'elle craint le plus, c'est la joie.

Elle s'efforce de ne pas penser à lui et aux moments qu'ils ont partagés, de ne pas se demander s'il a jamais été possible de parler d'une quelconque joie dans cette histoire.

Elle a envie de dire : J'espère que tu vas crever.

Que tu vas crever misérablement d'un cancer. Attraper l'Ebola et pisser le sang par les yeux. Que tu seras déchiqueté dans un attentat terroriste. Ou juste que tu vas crever tout seul dans ton coin.

Elle lui a écrit plusieurs e-mails qu'elle n'a jamais envoyés.

Elle a hurlé et beuglé pendant les quatre premiers mois.

Elle consultait ses e-mails tous les jours, elle attendait, effrayée. Elle exigeait quelque chose. Une lettre, un coup de fil. Quelque chose. Elle avait répété ce qu'elle lui dirait, elle avait répété cet échange. Mais qui était-elle pour formaliser ses exigences, pour escompter qu'il y réponde ? Qui était-elle ? Il n'avait jamais écrit. Il n'avait jamais appelé. Il n'y avait que le silence et cet argent sur son compte bancaire, ce compte que le mandataire de son père, l'homme qui disait s'appeler Chandra, avait ouvert pour elle.

Le bar du Dukes Hotel. L'endroit où Chandra l'avait emmenée le soir après leur arrivée de Delhi, alors qu'elle était encore anesthésiée, en état de choc, et que la souffrance ne s'était pas manifestée, qu'elle croyait naïvement qu'elle allait pouvoir redémarrer. Le jovial et avunculaire Chandra. N'était-ce pas ce qu'elle avait demandé ? N'était-ce pas son idée ? Non, non, non !

Elle fond en larmes dans le taxi. C'est tellement confus dans sa tête. Elle ne peut plus regarder ces jours-là en face, elle a renoncé à essayer, elle les a enterrés et, maintenant qu'elle creuse, ces cadavres ont été vandalisés.

« Ça va bien, mon petit ? » s'enquiert le chauffeur de taxi.

Elle acquiesce dans une sorte de grognement, essuie les larmes aux commissures de ses yeux. Affiche un visage fermé. Se ressaisit. Ils s'arrêtent devant le Dukes Hotel. Ça va aller. Elle n'a pas mis de khôl aujourd'hui. Elle a opté pour un joli chemisier, un pantalon noir et des bottes de même couleur ainsi qu'un long manteau noir, parce qu'elle savait qu'elle viendrait ici. Elle entre dans la réception et déclare calmement qu'elle voudrait une chambre, la meilleure chambre disponible, et une table pour une personne, au bar, dans une heure. Elle fait glisser sa carte Amex.

Vomit dans la chambre. Pleure et hurle à genoux, se martèle la paume de son poing fermé, se roule en boule par terre, puis entre dans la douche et se lave énergiquement. Elle se rhabille sans se presser. Sort le khôl de son sac et se maquille. Borde ses yeux de noir. Puis elle prend la coke qu'elle a gardée depuis des mois, va dans la chambre et se prépare une ligne. Si ses copains de classe la voyaient. S'ils savaient la moitié de ce qu'elle est capable de faire.

Une fois au bar, elle s'assied à sa table, commande le martini Dukes.

Allume une cigarette.

Regarde les deux hommes d'affaires dans la cinquantaine qui la regardent.

Le martini est servi frappé.

Ça ne change rien.

Elle quitte l'hôtel à une heure du matin. Elle dit qu'elle a changé ses plans. Pourquoi tu fais ça ? se demande-t-elle dans le taxi qui la ramène chez elle.

Son appartement est situé dans le quartier d'Angel. Un ensemble moderne, luxueux. Tout neuf. Ce n'est pas elle qui l'a choisi. Elle habite au sixième étage. Un espace ouvert avec une chambre, tout en verre et métal, où flotte l'odeur des tissus d'ameublement neufs. Au milieu d'avocats et de banquiers d'affaires débutants, de jeunes professionnels anonymes. Elle les croise parfois dans l'ascenseur. Ils sentent la douche d'après la gym. En rentrant, elle balance ses clés sur le plan de travail de la cuisine, sort une bouteille de vodka du congélateur, se prépare une autre ligne. Dans la nuit, la chambre luit, bleue et solitaire.

Elle entend une portière de voiture s'ouvrir dans la rue en contrebas. C'est tout juste si elle n'entend pas la lumière qui en sort, si elle ne sent pas les rires. Il est deux heures vingt. Il bruine. Des oiseaux chantent dans les lampadaires. La chaussée sent la pluie. Ces voix trouent l'obscurité, ricochent contre les bâtiments. Elle se poste sur le balcon, baisse les yeux. La portière se referme sèchement et la voiture s'éloigne ; ne lui reste encore une fois que le claquement des talons et son propre souffle. Elle revient à la table du salon. Du tiroir, elle sort le Zippo du Vietnam de Sunny. Lit ce qui est gravé dessus. « 35 tués. Et si tu ramasses mon cadavre, va te faire foutre. »

Elle allume sa cigarette avec.

« Sympa. »

Elle se dit parfois qu'ils ont dû planquer une caméra dans l'appartement. Elle l'a cherchée, mais n'a rien trouvé. À présent, elle traite ça avec le même j'm'en-foutisme que celui qu'elle réservait avant aux dieux et à la masturbation. Et même s'ils la voient, ça change quoi ?

Pour ce qui est de son ordinateur portable, en revanche, elle continue à masquer sa webcam avec un bout de scotch. Branche toujours son VPN. Là, elle fixe l'écran. Allume une autre cigarette. Se fait consciencieusement une autre ligne. Ouvre son Gmail, clique sur Nouveau Message.

Très bien, Dean. Tu gagnes.

Puis elle s'arrête.

C'est plus fort qu'elle.

Elle ouvre un nouvel onglet.

Ferme les yeux.

Inspire à fond.

Soulève les paupières.

Et google son nom.

NEW DELHI, 2003

Neda

1.

Sunny Wadia.

Ça fait un moment qu'elle entend ce nom. Sunny par-ci, Sunny par-là. Des histoires invraisemblables circulent à travers les veines et les artères de la ville au point de donner l'impression qu'il est lui-même la ville.

C'était un marchand d'art, un organisateur de soirées, un restaurateur, un provocateur. C'était le fils d'un multimillionnaire américain. Ou bien un millionnaire du net. Personne n'avait l'air de trop savoir. Mais il représentait l'avant-garde, l'architecte, le saint patron, en marge de tout ce qu'il y avait de nouveau, d'excitant ou de bizarre. Et elle débutait au service des infos locales du *Delhi Post* – et même si elle fuyait ses obligations de journaliste, elle s'était mis en tête de le rencontrer.

Mais ce n'était pas pour ça qu'elle était là, avec son vieux copain de classe, Hari, sur un toit décati de South Extension par une chatoyante nuit d'avril.

Elle avait appelé Hari après une année sans se parler – au prétexte que « ça fait vraiment un bail ». Elle avait vu un article sur lui dans le magazine spécial culture d'un autre journal, ne l'avait même pas reconnu au début : sur le mauvais tirage de la photo tout en haut à droite, il y avait ce fac-similé souriant d'un mec qu'elle avait connu par cœur. Le truc, c'est que maintenant il avait un T-shirt délavé à l'acide, les coudes écartés et un ensemble de platines Technics sous ses mains floues. Et un nom de DJ derrière lequel il se planquait.

WhoDini.

Elle avait regardé l'impression encrée d'un peu plus près. Assise dans sa vieille Maruti, elle tirait furieusement sur une cigarette.

« C'est une blague, bordel. »

Hari, le timide genre geek, s'était métamorphosé comme apparemment tout le monde en ville. Tout le monde, sauf elle. Elle lui avait envoyé un texto à son ancien numéro en pensant qu'il devait l'avoir résilié, mais Hari avait répondu illico, fidèle à lui-même, surexcité et courtois, plus que désireux de la revoir, il se proposait même de l'inviter à dîner ce soir (ça, c'était nouveau), mais il fallait d'abord qu'ils aillent récupérer de l'herbe.

« Ça ne prendra que cinq minutes, lui avait-il promis tandis qu'elle s'installait sur le siège passager de son Esteem, juste devant son bureau à elle. Ce mec me doit un paquet. »

Ça remontait à presque deux heures.

À présent, elle, Hari et une bande de mecs bizarres et défoncés étaient là assis en cercle sur ce toit de South Extension.

Alors que la chaleur desséchante de la première saison chaude de Delhi se muait en un bleu astral profond.

Elle était maintenant tellement défoncée qu'elle ferma les yeux et que leurs voix se confondirent pour n'en faire plus qu'une.

Et c'est là qu'il était réapparu.

Sunny.

Ce nom.

« Hé, vous avez entendu parler de la fête à Sunny ? Il a fait venir cinq mille dollars de caviar d'Iran par avion.

— Non, mec. C'était du bœuf Wagyu, du Japon. Par jet privé. Pour vingt mille dollars. C'est dément.

— Tu y étais ?

— T'as quoi pour vingt mille dollars ? Une vache entière ?

— T'étais sur place ?

— Ils ont ramené une vache par avion ?

— Haha, ta gueule, mec.

— Ils l'ont ficelée sous le jet et elle a rôti pendant le trajet.

— Haha, haha.

— Imagine un peu, une vache en jetpack !

— Mince alors, tu y étais ?

— Mon vieux, parle pas trop fort de cette connerie de vache, M. Gupta va t'entendre. »

Elle observe leurs visages.

C'était qui, ces mecs ?

« J'ai entendu dire qu'un jour ils ont pris un hélico privé pour monter à Leh, qu'ils ont atterri à côté d'un monastère et qu'ils y ont organisé une rave. Les moines étaient encore là. Ils avaient tous des masques à oxygène et tout le tremblement.

— Raconte pas de bêtises. On n'a pas besoin de masques à oxygène.

— C'était probablement du protoxyde d'azote !

— Tu sais qu'il a grandi à Dubaï.

— Pas du tout.

— Sa mère est une actrice célèbre.

— Haha.

— Devine qui c'est ?

— Ta mère.

— Non, ta gueule. Mate ses yeux, et tu sauras qui c'est.

— Ta mère, je la connais.

— Ooooh.

— Il garde un tigre dans sa salle de bains.

— Tu sais même pas à quoi il ressemble.

— Ha ! C'est trop bon. Tu fumes quoi, mec ?

— La même chose que toi, connard. »

Le chillum tournait, tachait la gaze, consumait la nuit.

Quand il arriva à Neda, elle se redressa sur son siège et lança : « Mais c'est qui ? »

« Mec, dit une voix, je croyais qu'elle était journaliste. »

Elle sortit une Classic Mild de son sac, tendit la main vers les allumettes au milieu du cercle.

« Elle s'occupe de vraies infos, expliqua Hari. Des crimes et autres merdes.

— Pas de contes de fées ni de mythes. »

Elle plaça lentement la cigarette entre ses lèvres. Frotta l'allumette et la regarda flamber à la chaleur du ciel.

« Moi, je lis pas les infos, dit un autre avec dédain. Les vraies infos, c'est pas ça.

— Amen », fit-elle en éclatant de rire.

Puis elle se rejeta au fond du pouf poire, lança l'allumette en l'air, contempla le bout rougeoyant de sa cigarette et le ciel au-dessus, les milans tournoyant au gré des thermiques, les avions qui ne cessaient d'atterrir au loin, se laissa bercer par le rythme des cloches qui tintaient dans un temple voisin, les appels à la prière des nombreuses mosquées se répondant dans la nuit tombante. Elle adorait sa ville.

« Ce n'est pas de sa faute, entendit-elle ajouter Hari. Un *chutiya* la fait bosser non-stop. Je ne la vois plus jamais.

— C'est qui, ce *chutiya* ?

— Un certain Dean.

— Qui c'est, ce Dean ?

— Son boss.

— C'est pas mon boss, s'entendit-elle protester.

— Pardon, s'écria Hari, sarcastique, son mentor.

— Tu veux dire qu'elle baise avec lui ?

— Mec, elle baise pas avec lui.

— Comment tu le sais ?

— Je baise pas avec lui, dit-elle.

— C'est un *gora*[1] ?

— Nan, il vient de Bombay. Il est de Bandra[2]. »

Les yeux bien fermés, elle laissa tout ça déferler sur elle.

« Je baise pas avec lui, répéta-t-elle. Je baise avec personne. »
Puis elle ajouta :
« Aujourd'hui, en tout cas. »
Pourquoi est-ce qu'elle faisait ça ?

Parce que ça paraissait tellement cool. Elle avait toujours aimé que les hommes la jugent cool.

Elle avait presque baisé avec lui, pas vrai ? En tout cas, elle y avait pensé. Il représentait une sacrée conquête, Dean R. Saldanha. Un chouette mec, intègre, un catholique de Bombay, pur produit de Mount Mary : « Balance une pierre depuis la fenêtre de

---

1. Un Blanc.
2. Un quartier au nord de Bombay.

mon enfance, et tu toucheras soit un cochon, soit un curé, soit un Pereira. » À l'âge de treize ans, il avait été envoyé à New York où il avait vécu avec sa tante dans le Queens, avait ensuite intégré l'école de journalisme de la Columbia et, pour faire court, il était revenu à Bombay en tant que jeune reporter surdoué, un peu trop passionné. Dans son zèle, il avait exposé un scandale de corruption foncière dans son ancienne communauté, au cœur de l'archidiocèse. Cette initiative n'avait pas été du goût de son père : « Pourquoi ne pas écrire sur un sujet important ? » lui avait-il suggéré.

C'est là que Dean avait compris qu'il était temps de prendre du champ.

Il monta à Delhi. Le *Post* l'engagea en octobre 2001. Alors que le monde entier en était encore à se remettre du 11 Septembre, il s'aperçut qu'il se faisait happer par les espaces de Delhi, que la terre et ce qu'il appelait « l'instabilité dynamique de la vie urbaine marginale » l'obsédaient. C'était sa façon de parler. Il dénonçait les tensions entre les classes moyennes et les pauvres des villes, les expulsions et les démolitions de bidonvilles qui avaient lieu ouvertement autour d'eux. Il dénonçait avec mépris le discours néolibéral actuel, où il était question de « ville mondiale ». Il voulait peindre en mots cette capitale instable, en évolution, il voulait immortaliser les luttes quotidiennes de ses habitants. Il avait un bureau à lui, écoutait du classic rock sur ses écouteurs. Sa pièce était complètement enfumée. Grand et dégingandé, les cheveux bruns et frisés, il s'habillait comme un poète à un match de basket. Il ne lui fallut guère de temps pour avoir les noms et numéros de téléphone de tous les flics, *goons* et escrocs qui comptaient. Il mangeait et buvait dans des bouges et des cantines. Il noua des tas de contacts, depuis le flic de base jusqu'au puissant directeur général de la police. Et il écrivait divinement. Il n'était pas très vieux non plus, il avait vingt-sept ans et elle vingt-deux. Bien sûr qu'ils allaient baiser un jour, pas vrai ? Sauf qu'elle eut tôt fait de se barber.

« Écoute pas ces enfoirés », dit Hari.

Ils avaient largué les défoncés. Ils descendaient l'escalier du bâtiment abritant les logements de pieuses classes moyennes, apercevaient au passage les nombreuses portes décorées de divinités.

« Je ne les connais pas vraiment, précisa-t-il.

— C'est pas grave.

— En plus, ils savent pas de quoi ils parlent. »

Ils passèrent devant une porte ouverte. À l'intérieur, les ventilateurs tournaient tellement vite qu'ils paraissaient devoir arracher le plafond. Pour couvrir leur vacarme, un soap beuglait à la télé dans des grésillements et des distorsions. Quelqu'un quelque part faisait frire des oignons.

« Je suis bien défoncée, dit-elle, et j'ai faim. Quelle heure il est ?

— Vingt et une heures.

— Kebab ?

— Allons d'abord chercher de la coke. »

Ils sillonnèrent les rues du Delhi de Lutyens en fumant et en sirotant leurs bouteilles de Coca ; des ronds-points montaient les riches odeurs des plantes en fleurs et de l'herbe humide. Hari mit de nouveaux morceaux sur la stéréo. Les sonorités sourdes des basses semblaient gênées aux entournures derrière le bourdonnement d'un tanpura.

« Je suis content que tu aies appelé, dit Hari.

— Oui, fit-elle en le regardant avec un sourire.

— J'ai pensé à toi l'autre jour.

— Ah oui ? »

Elle ferma les yeux.

S'il pouvait juste continuer à conduire comme ça, tout serait impec.

« T'as disparu de la circulation, poursuivit-il. Au début, j'ai pensé que tu avais peut-être fini par le faire, par partir à l'étranger. »

Elle tira une longue bouffée de sa cigarette et fronça les sourcils.

« Non, j'étais ici. Le boulot est juste… trépidant ces temps-ci.

— Ouais ? Ça te plaît ?

— J'ai pas dit ça.

— Je cherche toujours à repérer ton nom. »

Elle sourit.

« Bien sûr. Que t'es sympa. »

Loyal, elle voulait dire. Un vrai chiot.

« Je le vois toujours à côté du sien, ajouta Hari.

— Mon nom ? Qui ? Tu parles de Dean ?

— Dean H. Saldanha. Reportage additionnel : Neda Kapur. »

Elle haussa les épaules.

« Il me file le boulot ingrat. »

Tout ça était vrai. Mais il arrivait aussi que ce soit une aventure. Comme par exemple les quelques mois formidables durant lesquels elle avait mené une enquête secrète sur la corruption dans une série d'hôtels du ministère du Tourisme, gérés comme des établissements privés, offrant des réceptions somptueuses à des bureaucrates de haut rang, accueillant des familles de ministres auxquelles étaient allouées des ailes entières, sortant et revendant en douce véhicules et mobilier, le tout aux frais du contribuable. Elle avait adoré les racontars et intrigues entourant le tout. Et le fait de travailler incognito, de prétendre être quelqu'un d'autre.

« T'es pas avec lui ?

— Hari, s'écria-t-elle, indignée, en se redressant sur son siège. Tu parles sérieusement ?

— Ouais, admit-il. Peut-être que c'est pas ton type de mec. »

Elle se détendit.

« C'est tout à fait ça.

— Je me rappelle les mecs que tu choisissais à l'école. Des enfoirés avec de grosses bagnoles.

— Tu me connais, Hari. Le plus souvent, c'était juste comme ça. »

Elle termina son Coca.

« Et maintenant, regarde, tout le monde me laisse à la traîne.

— Ta vieille bande ? »

Elle compta sur ses doigts.

« Londres. New York. Boston. Manchester. Durham. Stanford. Genève. Il y en a même une qui est à Tokyo. J'ai envisagé d'y aller aussi pour enseigner l'anglais. Mais… je suis coincée ici.

— T'es vraiment pas heureuse, hein ? »

Elle tapota sa cendre.

« C'est juste qu'il y a des fois où je n'en peux plus.

— De quoi ? »

Elle haussa les épaules, regarda défiler les lumières de la rue.

« Ton père ? demanda-t-il. J'ai entendu parler de son cancer.

— Oui, ce n'est pas un secret.

— Alors ? C'est trop ?

— Non. Il va bien maintenant. Et il est devenu extrêmement relax. Il est tellement gentil que ça me fout presque la trouille.

— Alors ?

— Ma mère me fait chier. »

Elle était injuste et le savait, mais c'était plus fort qu'elle.

« On s'est retrouvés sans un sou au milieu de la chimio de papa. Enfin, on n'en avait presque plus avant ça, quand l'entreprise a capoté, tu sais, mais là il n'y avait vraiment plus rien. Je lui ai dit de vendre la maison. De la vendre, un point c'est tout, mais elle a refusé, non, c'est la maison qui nous unit. Si elle l'avait vendue, il aurait pu avoir une chimio vraiment bien et après j'aurais pu partir à l'étranger. On aurait tous pu avoir une vie à nous, mais non, elle nous empêche tous d'aller de l'avant.

— Je suis désolé.

— Laisse tomber. »

Elle soupira, passa à autre chose dans sa tête et se tourna vers lui avec un grand sourire.

« En tout cas, regarde-toi, tout pimpant avec tes fringues et ton nouveau nom de guerre. WhoDini. Hari WhoDini. Pétard. T'as trouvé ça tout seul ?

— On m'a aidé.

— T'es un as de la dérobade.

— Je me défends.

— Eh bien, ton fameux CD, j'en veux un, dédicacé et tout le tintouin.

— Tu peux en être sûre.

— Et un poster de toi pour le mur de ma chambre.

— Juste à côté de Luke Perry.

— Ha ! »

Elle jeta sa cigarette par la fenêtre, regarda le mégot exploser contre le tarmac brûlant.

« Celui-là, il y a des années que je l'ai retiré. »

La nuit embaumait le jasmin.

« Alors, t'es avec quelqu'un ? »

Elle fit non de la tête.

« Et toi ?

— De temps en temps. Surtout des nanas rencontrées dans des soirées.

— Oh, oh ! s'écria-t-elle en riant. Écoute-toi un peu. Des nanas rencontrées dans des soirées !

— Mais personne de spécial.

— OK, le tombeur, ça ressemble à quoi une personne spéciale ?

— Je sais pas, répondit-il, sous le coup d'une brusque timidité. Quelqu'un pour qui on a envie de rentrer à la maison, quelqu'un avec qui se partager une bouffe chinoise devant la télé.

— J'arrive pas à dire si tu blagues ou pas.

— Non, je suis sérieux.

— Mince alors, qu'est-ce que j'aimerais avoir les mêmes désirs que toi !

— Qu'est-ce que tu veux ?

— Je n'en ai aucune idée.

— Tu n'arrêtes pas de regarder ailleurs, c'est ça ton problème.

— C'est peut-être pour ça que je me sens si vieille. »

Il éclata de rire.

« Qu'est-ce que tu dramatises. T'as vingt-deux ans. Tu sais ce que tu devrais faire ? Quitter la maison de tes parents. Prendre un appart, vivre toute seule.

— Oui, peut-être. Mais, bon, ce serait comme si je m'engageais avec Delhi.

— Et ? Où est le problème ? Tu piges vraiment pas, hein ? Il se passe de grandes choses ici. C'est à Delhi qu'il faut être. »

Hari commença à décrire ce projet artistique dans lequel il avait été embarqué, une sorte de « happening » dans un entrepôt à la périphérie de Delhi. Ce devait être une méga free party de dingue, dans le style de ce qui s'organisait à New York. Pas seulement de la musique… « toutes sortes de trucs de malade, entièrement gratuits, la bouffe, les boissons, les jeux, les lits, de la bouffe préparée par de vrais chefs, des bars à cocktails, des hamacs, des couchettes, des murs à graffer, des laser tags, des autos-tamponneuses, des trucs de ouf vraiment, et secrets. Donc, ce mec est venu me voir dans mon studio, m'a serré la main et m'a parlé d'un morceau que j'avais joué l'année d'avant, dans la fameuse *farmhouse* près de Jaipur. Puis, imagine un peu, il m'a filé un *lakh* de roupies en cash. Il me l'a filé, comme ça. Tu parles d'une marque de confiance. Tellement il voulait que je joue.

— Ça a l'air formidable. »

Il la regarda avec attention.

« Maintenant, devine le nom du gars. »

Elle réfléchit un moment.

« Je ne vois pas.

— Réfléchis. Ça commence par un S.

— Aaaah, s'écria-t-elle. Le mystérieux Sunny Wadia ?

— Lui-même.

— Donc, toi, depuis le début, tu savais qui c'était ?

— Je t'ai bien dit que ces mecs savent pas de quoi ils causent.

— Ha. Comment il est ?

— Il est vraiment cool.

— Mais, c'est quoi son histoire ? Il vient des États-Unis ?

— Non.

— Ce n'est pas un millionnaire du net ?

— Nan.

— Le fils d'un politicien appartenant à une famille riche ?

— Non, non.

— Alors ?

— C'est… Sunny, point.

— Mais il est blindé de fric, pas vrai ?

— Son père est dans les affaires, oui. Mais ce n'est pas un gosse de riches. Il est, il est… différent.

— D'où vient-il ?

— De quelque part en Uttar Pradesh. On ne devinerait jamais. Il est tellement cool.

— Et il fait quoi, son père ?

— Je sais pas, il s'occupe d'agriculture. D'engrais, de volailles et autres merdes.

— Ça fait beaucoup de merdes. »

Elle alluma une autre cigarette.

« J'espérais quelque chose de plus romantique.

— Quelle snob tu fais ! »

Elle haussa les épaules.

« Alors, qu'est-ce qui s'est passé au cours de cette fête ?

— Les flics l'ont stoppée avant même qu'elle ait commencé.

— Après tout ça ?

— Ouais. Ils ont débarqué et nous ont bouclés dès le premier soir. Ils voulaient nous arrêter.

— Mais ?

— Sunny a passé un coup de fil et pfffffft plus rien.

— Il leur a graissé la patte à coups d'engrais ?

— Bon sang, je sais même pas. Ils nous ont pas fouillés ni rien. Il a juste passé un coup de fil et on est tous repartis libres. Ce qui est une bonne chose, vu que… vu qu'on avait un paquet de came sur nous. En tout cas, après on est allés chez lui… putain, c'est cool, chez lui. Donc, on était une dizaine, une dizaine ou une vingtaine peut-être, tu vois, le noyau dur de l'organisation de la teuf. On était dans le trip planant de ceux qui s'en sont sortis et on a teufé trois jours de rang. J'ai joué dans son appart. C'était dingue. Ça crachait à fond les ballons. J'ai perdu la notion des jours. Un truc pareil, ça crée des liens. Il a lancé un label. Il avait dit qu'il le ferait, genre paroles en l'air, genre on dit ça. Mais, une semaine plus tard, le label roulait. Il va sortir mes disques.

— Tu vas bouffer chinois devant la télé avec lui aussi ?

— La ferme. T'es jalouse, c'est tout.

— Bon, quand est-ce que je le rencontre, ce mec ?

— Et où tu crois qu'on va ?

— Sérieusement ? »

Elle se regarda dans la glace.

« Je suis vraiment moche.

— Tu sais bien que c'est pas vrai. »

Elle avait grandi dans son univers d'élites culturelles, ses deux parents venant de milieux cultivés, « appauvris », « fiers. » Familles érudites ayant accédé à une subtile proéminence à l'époque coloniale. Avantageusement placées après l'Indépendance. Il fallait

209

toujours des guillemets pour les décrire. Des termes tels que « à court de liquidités ». À présent, ils vivaient dans un « modeste » logement de cinq pièces à Malcha Marg, quartier verdoyant, fermé et proche du parlement, adresse qui sentait à quinze pas la proximité avec le pouvoir.

Ils avaient gagné de l'argent en exportant des tissus dans les années quatre-vingts, époque du Licence Raj[1]. Leur réussite était liée à leur éducation, à leur raffinement, à leur conscience professionnelle et à l'entregent de leurs amis qui leur avaient ainsi permis de contourner massivement le labyrinthe des permis et d'obtenir des contrats exonérés d'impôts.

Ils s'étaient néanmoins montrés sincèrement radicaux dans leurs idées politiques – ils manifestaient, tenaient les barricades, organisaient des collectes de fonds, étaient très soucieux de justice. Ils voyaient l'argent – pas la fortune, jamais – comme une légère honte dont ils se déchargeaient volontiers.

La vraie richesse, c'était la connaissance. Quand des copains et des copines de classe de Neda venaient à la maison, filles et fils de nouveaux riches, sa mère mettait un point d'honneur à leur demander : « Et alors, qu'est-ce que tu lis ? »

La vraie richesse, c'était l'expérience accumulée. Illustrée par le charme de leur maison avec les figuiers, les palmiers et les perroquets dans le jardin, les tapis persans défraîchis sur le sol en marbre, les œuvres d'art signées offertes par des amis devenus célèbres. Presque tous les murs étaient tapissés d'étagères de bouquins, dont les entrailles en piteux état libéraient de nobles effluves jaunes. Cette maison, une réserve de souvenirs. Une réserve de savoir.

Pour elle, une cage.

« On veut que tu fasses de ton mieux, lui disait sa mère. On veut que tu sois heureuse. »

La clause restrictive – assez rare – aurait dû lui faire plaisir. Mais le bonheur s'interprète diversement. Sa mère aurait été d'accord pour qu'elle ramène à la maison un jeune musulman

---

1. Système de régulations, permis et autorisations administratives indispensables pour gérer une entreprise dans l'Inde d'après l'Indépendance, où l'économie est planifiée de 1947 jusqu'aux libéralisations des années quatre-vingt-dix.

pauvre (pas croyant) de JNU[1]. Mais quelqu'un comme Sunny Wadia à sa table à manger ? Pas question.

Hari s'arrêta sur le parking d'un marché couvert désert.
« Où est-ce qu'on est ?
— À Moti Bagh. »

Subitement, elle reconnut les lieux, elle était passée devant des centaines de fois en voiture. C'était un de ces marchés typiques d'une colonie, d'un lotissement. Dans la journée, les boutiques vendaient des articles en plastique et de la camelote à usage domestique. La nuit, tout était fermé et rien ne bougeait. Une bande sonore où se mêlaient des aboiements de chien, des klaxons de camion au loin sur la route de l'aéroport et le vacarme des avions sortant leur train d'atterrissage remplaça la stéréo de Hari.

Celui-ci la guida vers le marché, un ensemble de magasins, carré et bas en béton brut, avec au milieu un espace vide. Des mauvaises herbes poussaient entre les fissures de la construction. Un escalier, éclairé par une ampoule à nu, menait à tous les magasins en sous-sol.

Hari alluma une cigarette. Un nuage de fumée couronna son épaisse crinière. Neda était encore très défoncée et, devant elle, Hari ouvrait le chemin à la manière d'un garde forestier. Le bien-être qu'elle avait éprouvé à l'intérieur de sa voiture se dissipa dans le ciel. Elle était tendue, nota des voix un peu plus loin. Hari sauta les marches en béton, atterrit en bas, tourna et disparut. Il était dans son univers, elle non. Elle suivit, remarqua toute une série de boutiques abandonnées, dont chacune affichait un chiffre peint au-dessus de sa grille baissée, puis elle vit Hari ouvrir grand les bras tout en lançant un salut tonitruant. D'une boutique ouverte s'échappaient musique et lumière. En approchant, elle découvrit la reconstitution surprenante d'un salon soviétique, présenté sous forme de coupe transversale d'un appartement bombardé. Papier peint fleuri. TV d'Europe de l'Est accrochée haut sur le mur, allumée. Longue table avec nappe en plastique fleuri accueillant des tas d'invités, hommes

---

1. Jawaharlal Nehru University. Illustre université de New Delhi connue pour son positionnement à gauche.

et femmes, occupés à boire, quantités de plateaux en plastique, bouteilles de vodka, petits verres. Grands plats de viande en ragoût, salades de pommes de terre, récipients de bortsch. Et là, tout au bout, penché en avant, les bras agrippés à la table, les yeux flamboyants de toutes les possibilités de la vie, le mystérieux, l'impeccable Sunny Wadia.

« … écoutez, écoutez… je suis allé en Angleterre, je l'ai vue, la "Cool Britannia". Oasis. Tony Blair. *God Save the Queen*, bordel. Mais une fois que t'as gratté la surface, elle tombe en quenouille, elle est en train de clamser, il y a pas d'avenir sur cette île misérable. Pareil pour l'Amérique. Vous pensez que l'Inde est pauvre ? Allez faire un tour en Amérique. Je ne pouvais pas y croire. Pendant ce temps, tel routard se traîne dans Paharganj en pleurnichant sur notre pauvreté, il hoche la tête, nous prend en pitié, fait des photos pour les montrer à son retour au pays. Balaie donc dans ta cour. Penche-toi sur ton histoire, mec. Vous nous avez pillés, vous nous avez tout pris, vous nous avez volé nos trésors. Et maintenant vous nous regardez en disant « Vous êtes des gens d'une grande spiritualité, d'une immense sagesse, vous êtes si sages, vous êtes si… simples ». Ouais, on est simples, connard. On va simplement te détruire. Ils ne veulent pas, ils ne veulent pas qu'on soit forts, qu'on ait du courage, de l'esprit, de la résilience, de l'ingéniosité, des richesses, du pouvoir, mais si, on a tout ça. On a encaissé leurs saloperies trop longtemps, à présent, les rôles sont en train de s'inverser. À présent, notre heure est venue ! »

Il leva son petit verre et tout le monde l'imita.

« Moi, ce que je vous dis, c'est que… Nous allons transformer cette ville, nous allons transformer ce pays, nous allons changer nos vies, nous allons transformer ce monde ! C'est le siècle de l'Inde. Notre siècle ! Ça, personne ne nous l'enlèvera !

— Et rapporte le Koh-i-Noor, cria une voix avinée.

— Je rapporterai le Koh-i-Noor, beugla-t-il. Juste après l'avoir enfoncé dans le cul du prince Charles ! »

Elle suivit ce discours avec un détachement sous-jacent. Sunny portait un costume d'été en lin marron foncé, sport, une chemise blanche impeccable, une cravate noire. Ses cheveux noirs, un rien canailles, lui tombaient sur la figure, ses yeux noirs en amande brillaient d'un éclat fébrile. Son épaisse et courte barbe, soigneusement entretenue, lui donnait un look d'intellectuel, de révolutionnaire. Il ne cessait de passer la main dans ses cheveux pour les rejeter en arrière. Il était grand, longiligne, athlétique. Mais elle n'arrivait pas à le situer. Si son accent semblait appartenir à un nulle part international, il y avait dans sa façon de parler une vigueur rustique et rugueuse que ne pouvaient masquer plusieurs années de développement personnel. Ça lui plut.

Et cette vitalité chez lui !

Elle jeta un coup d'œil sur la tablée et reconnut un certain nombre d'invités : un vidéaste génial, un mannequin devenu photographe, un réalisateur bengali de courts-métrages expérimentaux, un jeune styliste. Elle avait interviewé quelques-uns d'entre eux pour le journal. Ici, ils se pressaient tous autour de l'autel de Sunny. Elle se dit qu'il devait les financer en plus. Dans le cas contraire, seraient-ils aussi empressés autour de lui ? se demanda-t-elle. Mais il les finançait, et ils se pressaient autour de lui, et c'était ainsi que le monde marchait. Néanmoins, au-delà de ça, Seigneur, il était magnétique. Quant à Hari, le groupe l'avait maintenant absorbé. Elle savait qu'elle aurait dû se présenter, mais se sentait réticente, timide.

« Neda », cria Hari.

Elle afficha un sourire vague, salua de la main. On lui trouva une chaise vide à côté de Hari. On lui passa la vodka. Neda échangea des signes de tête et des regards avec certaines des personnes qu'elle avait interviewées. Ils la reconnaissaient et puis quoi ? Ils la condamnaient ? Elle se sentait inférieure à tous. Eux étaient à l'aise, alors qu'elle ne se sentait pas à sa place. Hari lui prépara une assiette de viandes, de salades et de *momos*, et elle se mit à manger, parce qu'elle avait très faim et qu'elle était défoncée, puis elle jeta un coup d'œil à Sunny et détourna le regard quand il lui jeta un coup d'œil en retour.

Elle fit ce qu'elle savait faire. Une astuce d'écolière. Elle alla se poster au seuil du restaurant et alluma une cigarette en fixant l'arcade souterraine désertée, bétonnée et semée de gravillon, tapota sa cigarette à plusieurs reprises, attendit, tordit le bout de sa chaussure.

Attendit...

Elle perçut une présence derrière elle.

Ce n'était pas Hari, elle le comprit.

« J'ai une question », dit-elle.

C'était un pari... mais si, gagné. Sunny tenait une bouteille de vodka et deux petits verres. Il lui en tendit un, le remplit.

« Laquelle ?

— Pourquoi vouloir enfoncer un diamant dans le cul du prince Charles ? »

Il éclata de rire.

« Ça semble un peu excessif, ajouta-t-elle.

— C'est une métaphore.

— Oui, mais est-ce que c'en est vraiment une ? »

Il haussa les épaules avec désinvolture.

« J'amuse la galerie, c'est tout.

— Je te l'accorde. »

Elle jeta un coup d'œil vers la pièce derrière elle, surprit un instant le regard de Hari.

« Ils te mangent dans la main.

— Et toi ?

— Je suis quelqu'un de cynique.

— Ça ne t'a donc pas impressionnée ?

— Je n'ai pas dit ça. Tu parles bien, c'est certain.

— Mais tu veux attendre de voir si je sais faire autre chose que parler. »

Elle lui tendit la main.

« Je m'appelle Neda. »

En retour, il lui tendit le petit doigt de la main qui tenait le petit verre.

« Sunny.

— Oui, je sais qui tu es, dit-elle en le lui serrant entre le pouce et l'index.

— Neda ? »

Il s'interrogeait sur son prénom.

« C'est persan.

— Et, toi, tu es... ? fit-il en se penchant en arrière comme pour l'étudier à nouveau.

— Cent pour cent pendjabi.

— Alors, laisse-moi deviner. »

Il plissa le front, comme un voyant de vaudeville.

« Tes parents sont des intellectuels libéraux de gauche, qui ne croient ni en la religion, ni aux castes ni aux classes sociales.

— Oh, là, là ! Tu es drôlement bon !

— En fait, quand Hari m'a demandé s'il pouvait amener une copine, je l'ai interrogé.

— Ah, c'est comme ça qu'il décrit mes parents ?

— Non, non. Il n'a dit que des choses sympas. Soit dit en passant, il t'aime. Comment se fait-il que je n'aie encore jamais entendu parler de toi ?

— Il me cachait dans sa vie passée. Celle qui n'était pas cool. »

Tous deux se retournèrent vers Hari. Il déconnait, racontait une histoire à la bande.

« S'il était copain avec toi, c'est qu'il était cool.

— Oh, le baratin, marmonna-t-elle avant de changer de sujet. Bon, et ton nom à toi, Wadia. Tu n'es pas parsi, hein ?

— Non.

— Alors ?

— Il y a une histoire derrière. Je te la raconterai un de ces quatre.

— Raconte-la-moi maintenant.

— C'est trop intime. »

Il sortit un paquet de cigarettes de sa poche de veste – Treasurer London – et lui en offrit une.

« C'est un cadre intime, riposta-t-elle en prenant une cigarette. Elles ont l'air chic. »

Elle écrasa sous son pied celle qu'elle était en train de fumer. Il alluma l'autre avec son Zippo. Elle désigna le briquet d'un mouvement de tête.

« Je peux le regarder ? »

Il était en argent, gravé. Elle lut l'inscription sur le devant. « 70-71 ».

« Il vient du Vietnam.

— Oh, pas possible ! T'as fait la guerre ? »

Elle l'avait dit avec tant de feu, et un tel sérieux, qu'il manqua se faire piéger.

« Très drôle. »

Elle retourna l'objet, plissa les yeux et déchiffra l'autre côté.

« 35 tués. Et si tu ramasses mon cadavre, va te faire foutre. »

Elle le lui rendit.

« Sympa. »

Il ouvrit le couvercle pour lui montrer la cheminée inté-rieure, taillée en diagonale.

« T'as vu ça ?

— C'est-à-dire ?

— Il a été conçu comme ça pour allumer les pipes à opium.

— Tu en fumes ?

— Non, non. Je suis juste un étudiant de l'histoire.

— Ah, je vois. »

Elle dut dissimuler son amusement. Sa formulation était bizarre, gauche. Il rebondit.

« Et qu'est-ce tu fais à rester dehors ? demanda-t-il.

— Oh, je ne sais pas. Je me distancie du troupeau.

— Je pige. Tu es une solitaire, comme moi.

— Oui, tout pareil, répondit-elle dans un éclat de rire. Tu es le mec le plus solitaire qui soit dans le coin.

— D'où es-tu ? » ajouta-t-il.

Il avait un regard de mec typique, le regard du traqueur.

« D'ici. De Delhi. J'y ai vécu toute ma vie. J'y mourrai sans doute aussi. Et toi ?

— Moi ? Je suis citoyen du monde.

— Étudiant de l'histoire et citoyen du monde, le taquina-t-elle. Encore un peu, et tu vas me sortir que tu as étudié à l'université de la vie. »

Elle décela une forme de blessure dans son regard – elle l'avait blessé. Elle descendit sa vodka pour masquer son embarras.

Il continuait à l'observer avec attention.

Elle sourit quand il la resservit.

« On dirait que tu veux m'assommer. »

Il ne répondit pas.

« N'empêche que j'ai beaucoup aimé ce que tu as dit, poursuivit-elle. Sérieusement. C'était galvanisant. Même la cynique en moi s'est sentie galvanisée.

— Qu'est-ce que tu fais ? » demanda-t-il.

Elle décida d'arrêter de jouer et le fixa d'un regard ferme, calme.

« Je suis journaliste. Je travaille pour le *Post*. »

Il soutint son regard.

« J'ai intérêt à faire attention à ce que je raconte. »

Elle se rendait compte – elle se rendait compte avec acuité que le reste de la pièce se rendait sans doute compte – qu'ils se dévoraient des yeux.

« Je ne suis pas en train de bosser.

— On ne décroche jamais tout à fait. »

Avant qu'elle ait pu répondre, une des filles à la table appela Sunny.

Neda désigna la pièce d'un mouvement de tête.

« Leur héros leur manque. »

Il détacha son regard du sien, se tourna pour rentrer.

« Tu peux aussi fumer à l'intérieur, tu sais.

— Vas-y, dit-elle. On ne voudrait pas que ça jase. »

D'autres gens arrivèrent. Un séduisant petit acteur de cinéma qui faisait toujours le bonheur des potins mondains débarqua avec une star de la télé qui jouait les gentilles filles dans les soap operas. C'était un vrai *Who's Who* du cucul, pas un appareil photo en vue. Tous prêtant allégeance à Sunny, qui absorbait leur attention et la leur restituait. On approcha d'autres chaises. On ouvrit des bouteilles de vin rouge, on rapporta de la vodka, des plats. Neda avait l'impression d'être dans les coulisses d'un spectacle et de regarder les comédiens ôter leur maquillage, leur masque. Elle voyait les choses de l'autre côté de la barrière. Le mec à côté d'elle lui dit :

« Comment tu connais Sunny ? C'est la star de la soirée. »

Il lui tendit la main.

« Jagdish. Plein d'idées.

— Qui ça ? Toi ou lui ? »

D'autres voix s'élevèrent.

« Ce qu'il faut à cette ville. »

Neda sourit. Ils étaient tous soûls. Jagdish retroussa sa moustache à la Dalí.

« Une main ferme. » « Quoi ? » « Qu'est-ce que tu fais ? » « J'écris. » « Je fais des peintures murales. » « Qu'est-ce qu'il est arrivé à ton nez ? » « Je suis tombé d'un mur. » Tout tournait. Hari lui souriait avec une fierté toute fraternelle. « Des fresques sur un Delhi du futur. » « Quoi ? » « C'est ce que je peins. »

« Ma fondation lui a accordé une bourse », brailla Sunny. Il les avait écoutés en douce.

« La fondation de Sunny m'a accordé une bourse, beugla Jagdish.

— Śūnyatā. T'aimes le nom ? dit Sunny. Ça ne veut rien dire. Littéralement. Rien. Tu comprends ? Tout est lié.

— C'est ce que je me dis, reprit Jagdish, quand je dépense son pognon. »

La pièce était tout en velours rouge et guirlandes électriques de câblage psychédélique. Neda suivit avec beaucoup de sérieux le talk-show à la télé, les hommes fumant des cigarettes dans leurs fauteuils et, dessous, elle vit Sunny brandir un verre :

« Neda va écrire quelque chose sur moi… »

Une bouteille se renversa. Neda attrapa un autre verre de vodka, la pièce était en train de sortir de son orbite, et Neda tournait sur son axe. Elle leva la tête et croisa le regard de Sunny… Elle remarqua l'abat-jour rouge de guingois sur l'horizon…

Elle était dans son lit. Des oiseaux chantaient et c'était le matin. Sa jambe pendait, touchait le sol. Elle tendit la main, arrêta l'alarme du réveil, le fit tomber de la table de chevet. Ses vêtements jonchaient le sol. Elle avait la bouche en carton, du gravier dans la gorge et du plomb dans l'estomac. « Oh, merde. » Elle ne se rappelait pas comment elle était rentrée. Ni ce qu'elle avait fait. Puis elle revit le restaurant. Se revit debout sur une table. Elle alla vomir à la salle de bains.

« Cendrillon, lança son père d'une voix tonitruante. Heureux de te revoir au royaume des vivants. »

Elle se laissa choir sur une des chaises autour de la table à manger, attrapa un toast beurré, le reposa.

« Je crois que je me suis ridiculisée. »

Il la regarda d'un air patient, mais peu étonné.

« Ce ne serait pas la première fois, ma fille. Je suppose que tu as passé une bonne nuit ?

— Comment je suis rentrée ?

— À la maison ? Hari t'a déposée à la porte. Il était de bonne humeur. C'est un adulte maintenant.

— Il t'a réveillé ? »

Il hocha la tête.

« Je regardais la télé.

— Et maman, qu'est-ce qu'elle a dit ?

— Rien. Elle dormait, elle.

— Tant mieux, fit-elle en soupirant. Jamais plus je ne boirai une goutte d'alcool.

— Tiens. »

Il souleva son journal sous lequel étaient cachés le paquet de Treasurer de Sunny et son Zippo.

« Je crois qu'ils sont à toi maintenant.

— Oh, merde, j'ai dû les piquer.

— Sans doute au gars qui conduisait la belle voiture.

— Quelle voiture ?

— Hari n'était pas seul, répondit-il en désignant les cigarettes d'un mouvement de tête pensif. Je ne peux pas dire que je n'ai pas eu la tentation d'en prendre une.

— Papa ? fit-elle en s'asseyant.

— Oui ?

— S'il te plaît, arrête de parler. »

Il lui adressa un petit salut.

« Message reçu. »

Elle ramassa le briquet et les cigarettes, consulta son téléphone.

« Je suis drôlement en retard pour aller bosser !

— Tes facultés de récupération sont à leur zénith. Profites-en, ma petite. Entre-temps, je t'ai appelé un taxi. *Sardar-ji* t'attend devant l'entrée. »

Elle l'embrassa sur le front.

« Merci, papa. »

Toute la matinée au boulot, elle se sentit angoissée, inquiète, tracassée par ce qu'elle avait pu dire et faire, classique trauma de la gueule de bois qui amplifie toutes les peurs sous-jacentes. Elle était terrifiée à l'idée d'avoir été à côté de la plaque, d'avoir été démasquée, larguée. Tous ces gens là-bas, la nuit dernière, ils l'avaient vue. Elle s'était crue cool, mais allez savoir si elle ne s'était pas montrée tout bonnement ridicule ? Et maintenant, ce matin, ils devaient se dire qu'elle était vraiment pitoyable. Et si

Sunny se moquait d'elle lui aussi, s'il se moquait d'elle en ce moment même avec un de ses courtisans ? Elle se rassurait avec les formulations habituelles : *Tout le monde était aussi bourré que toi.* Mais ils ne sont pas comme toi, ripostait-elle. Eux, ils sont riches, puissants ou cool. Qu'est-ce que tu fiches, Neda ? Elle envisagea de texter Hari, mais elle avait trop honte. Mais pourquoi ? Elle n'avait rien fait de mal. Elle avait flirté avec Sunny, mais Sunny, il n'y avait pas de quoi en faire un plat.

Ah oui ?

Elle repensa à ses belles paroles, à ses grandes idées, à ses promesses et déclarations, qui paraissaient tellement pertinentes autour de la table. Mais non, non, tout ça était creux et débile, et ce n'était qu'un mec. Un mec comme n'importe quel autre. Si ça se trouve, il n'existait pas. Tout ce qui touchait à la nuit passée était brumeux, et prenait dans ses souvenirs le reflet que lui aurait renvoyé le miroir déformant d'une attraction foraine. Elle sortit le briquet et l'examina. Elle y vit quelque chose de puéril. Fallait-il être crétin pour se trimballer avec un briquet emblématique d'une guerre lointaine, étrangère, depuis longtemps terminée ? Elle le rangea, décida de continuer à travailler sans plus se poser de questions. C'était une drôle de nuit à reléguer dans la poubelle de sa vie.

Sa gueule de bois ne fit qu'empirer. Envolé le vertige magique du réveil. L'impression d'un scintillement d'atomes. Lui restait un vide aux allures d'étau. Un cerveau sous film plastique.

Au boulot, elle travailla en mode automatique. Tout ça n'était tolérable que si elle se mettait au point mort pour la redescente. Elle modifia quelques phrases d'une histoire de fraude sur laquelle elle bossait depuis un moment, l'envoya, passa quelques coups de téléphone dont elle n'entendit pas un mot, scanna les communiqués de la police, organisa une interview dans l'après-midi avec le responsable d'une association de commerçants.

À quinze heures trente-huit, son téléphone bipa.

Un message de Hari.

Elle sentit son estomac se nouer en le voyant. Mais il n'avait absolument rien d'horrible.

— Hé kelle nuit !

— :)

— Me réveille juste. On a continué jusqu'à 10.

— Sympa.

— T'as fait impression !!

Elle réfléchissait à ce qu'elle allait répondre quand, en relevant les yeux, elle découvrit Dean, qui la dominait de toute sa taille. Elle reposa son téléphone, retourné sur sa table de travail.

« Dean.

— Neda. Ça va ?

— On survit.

— Je me demandais si tu avais eu l'occasion de parcourir les communiqués ?

— Oui. Oui, oui. »

Elle consulta ses notes.

« Enlèvement, enlèvement, enlèvement, *ghee* trafiqué, autre enlèvement, altercation dans une échoppe de *paan*, encore un enlèvement, quelques demandes de rançon, mais dans l'ensemble ils disparaissent sans laisser de traces. »

Elle parcourut ses notes.

« Celle-là était intéressante. Un "gang de voleurs d'autoradios opérant entre États". Ils ciblaient principalement les Maruti. Fais-moi penser à ne pas laisser ma stéréo dans ma bagnole.

— Ne laisse pas ta stéréo dans ta bagnole.

— Merci.

— Tu veux t'en griller une ?

— Bien sûr. »

Une fois dans le couloir, elle piocha une cigarette dans le paquet de Sunny, l'alluma avec son Zippo.

Pointant le briquet, Dean s'écria :

« Tu permets ? »

Elle le lui tendit, il l'examina attentivement, l'ouvrit, le referma, vérifia quelque chose sur la base, émit un grognement approbateur.

« Il a l'air authentique.

— Je ne peux pas dire.

— Il y a un code juste là, lui signala-t-il.

— Je ne peux vraiment, vraiment rien dire. Je le garde pour quelqu'un, c'est tout.

— Il a de la chance, ce quelqu'un. Ça doit probablement avoir une certaine valeur.

— Peut-être que je devrais le vendre ?

— À Manhattan, c'est sûr. Ici, ce n'est que de la ferraille. De toute façon, plus tu t'en serviras, plus il perdra de sa valeur. Dis à ton copain qu'il devrait le mettre sous clé.

— Tu présumes qu'il s'agit d'un copain. »

Il lui lança un regard l'invitant à ne pas insister.

« Bon, dit-il. Quoi de neuf ?

— Rien de neuf. Toi ?

— Je suis allé à Nangla ce matin, lui expliqua-t-il en fronçant les sourcils. Le tribunal de grande instance a encore émis un ordre de démolition. Ils ne vont pas tarder à l'exécuter et à tout détruire, ce n'est qu'une question de temps. Dans leurs documents, ils ne mentionnent même pas le nom du bidonville. Ils l'appellent juste « l'obstruction ». L'Obstruction. On parle de gens, de leurs vies, des foyers. Bon, j'aurai peut-être besoin que tu transcrives certaines interviews plus tard, si tu n'es pas trop occupée.

— Bien sûr.

— Ton hindi est meilleur que le mien.

— Qui n'a pas un hindi meilleur que le tien ?

— Je les laisserai sur ton bureau. Là, je vais à la Pushta[1]. »

Oui, la Pushta. La Yamuna River, ses berges, ses camps de squatteurs « illégaux », des dizaines de milliers de foyers déjà démolis, de vies relogées, déplacées. Tout ça obsédait Dean. Les bidonvilles, les démolitions. Partout en ville, les tribunaux ordonnaient des démolitions, détruisaient les pauvres colonies sauvages qui s'étaient développées et transformées en communautés au fil des décennies, mais l'épicentre, c'étaient les rives du fleuve, la Yamuna Pushta.

Tout au long de la vie de Neda, ç'avait été une part de Delhi qu'elle avait vue sans la voir. Les bidonvilles avaient toujours

---

1. Site au bord de la Yamuna River qui regroupait plusieurs bidonvilles de taille importante.

été là ; chaque fois qu'elle traversait le fleuve, elle baissait les yeux vers les taudis accrochés aux berges. Ils étaient inévitables, ils étaient hideux, ils suscitaient de brefs éclairs de honte et de culpabilité, et pourtant ses habitants étaient ensevelis tout au fond de son esprit. S'il lui arrivait d'y penser, elle se disait que c'était Delhi, une abomination, l'expression de l'échec. Alors que, pour Dean, les bidonvilles, c'étaient des gens et leur destruction une tragédie.

Elle l'écoutait parler, cherchait à lui faire plaisir, essayait de tirer un enseignement de ses réflexions, gardait ses opinions pour elle. Il disait que la Yamuna était considérée comme un « non-lieu », un endroit sans histoire ni culture, qui coulait à vide à travers le cœur du commerce, que c'était un espace perdu aux yeux du capital global, alors que la Yamuna et ses rives n'étaient ni perdues, ni mortes, ni vides, qu'elles étaient vivantes. À partir de là, il avait écrit sur les plaines inondables une série d'enquêtes effectuées parmi les pêcheurs, les petits cultivateurs de subsistance et les habitants des bidonvilles qui constituaient les classes laborieuses, les bonnes, les domestiques et les chauffeurs de la capitale ; il suivait les efforts du gouvernement en matière d'éviction, ses programmes de relogement. Il y avait des plans en préparation pour un Delhi de classe internationale, des plans pour transformer Delhi en une « ville mondiale ». Le « fleuron du pays », pour reprendre les termes des tribunaux. Le bord du fleuve devait être une fenêtre sur le monde, un espace « public », un centre récréatif et culturel. Le futur fleuve suscitait beaucoup d'enthousiasme. Mais Dean ne voyait que les dégâts infligés.

« Alors, raconte, lui dit-il en revenant de leur pause cigarette. Comment va la tête ? Je sais reconnaître une gueule de bois.

— C'est tellement évident ? »

Ils entrèrent dans la salle de rédaction.

« Tu sais quoi ? Ne te tracasse pas pour les interviews. Je vais trouver quelqu'un d'autre pour les transcriptions.

— À propos, murmura-t-elle comme ils arrivaient à sa table de travail, je peux te demander un truc ?

— Vas-y.

— Voilà, il y a un mec.

— Ah...

— Non, pas ça.

— Tant mieux, parce que je suis le dernier à pouvoir donner des conseils en matière de relations amoureuses.

— Je l'ai rencontré par l'intermédiaire de mon ami.

— La nuit dernière ?

— C'est ça. J'ai eu envie de connaître son histoire, professionnellement parlant. Je me suis demandé si tu avais entendu parler de lui. S'il valait la peine qu'on écrive sur lui. Qu'on fasse un portrait peut-être.

— Son nom ?

— Il finance beaucoup de projets artistiques en ville. Il sponsorise des musiciens, des peintres, des designers. Il organise des fêtes, ce genre de trucs. Quelque chose de différent. Quelque chose de marrant. Je me suis dit que je pouvais peut-être faire son portrait.

— Neda, comment il s'appelle ? »

Subitement, elle n'avait plus envie de le dire.

« Sunny.

— Sunny... comment ? »

Elle s'arma de courage. Un peu.

« Wadia.

— Sunny Wadia ? »

Il secoua la tête.

« Ce bouffon ? Franchement, perds pas ton temps. Ce n'est qu'un gosse de riche pas sorti de l'enfance. Totalement creux. Je ne veux pas jouer les rabat-joie – c'est pourtant ce que je fais –, mais il ne mérite pas que tu t'intéresses à lui. Ni toi ni personne d'autre.

— Je ne sais pas, bredouilla-t-elle, troublée. Je dis juste que tout n'est pas catastrophique, ce serait peut-être chouette de temps en temps de sortir un papier positif.

— Tu sais qui est son père ?

— Un genre d'agriculteur, non ? »

Il applaudit des deux mains, ravi.

« Bunty Wadia, un genre d'agriculteur ? C'est tordant. »

Quand il était comme ça, elle le détestait.

Il poursuivit.

« Il fait partie de la clique de Ram Singh.

— Le fameux Ram Singh ?

— Oui, Ram Singh, le *Chief Minister*[1] d'Uttar Pradesh. Soi-même. C'est un de ses potes et, d'après l'opinion générale, un sale type. »

Elle songea à Sunny dans son costume, en train de lui faire du charme, en « citoyen du monde ».

« On ne peut pas faire porter au fils les péchés du père.

— Écoute, je sais que tu penses que je suis vieux jeu. Ou peut-être juste vieux. Mais ces mecs, avec leur argent sale, on les traite comme des dieux aujourd'hui parce que l'argent est roi, mais ça pue. Tu peux travestir ça comme tu voudras, ce sont des gangsters. Et des mecs comme Sunny, qui arrosent les uns et les autres, quoi qu'ils disent, quoi qu'ils fassent, au bout du compte, c'est toujours pareil, ils font toujours plus de mal que de bien. »

Elle fit des recherches en ligne pour dénicher des articles sur Bunty Wadia. Curieusement, ils n'étaient pas nombreux et, pour ce qui était des photos, il n'y en avait aucune. Dans les rares papiers qu'elle trouva, Bunty Wadia était régulièrement décrit comme « le magnat des spiritueux » ou encore « l'homme d'affaires controversé » et une fois comme « l'homme d'affaires qu'on ne voit jamais ». Un autre faisait de lui « le principal bénéficiaire de la victoire électorale surprise du *Chief Minister* d'Uttar Pradesh, Ram Singh ». À en croire les comptes rendus, il avait décroché au cours des années suivantes plusieurs contrats lucratifs dans les transports, l'extraction de sable, les alcools et la construction et avait réussi à racheter à bas prix à l'État deux raffineries de sucre en difficulté censées ne pas être rentables.

Un autre nom ne cessait d'apparaître dans ses recherches. Vikram « Vicky » Wadia. C'était un politicien, un député de l'est de l'Uttar Pradesh, sur lequel pesait une palanquée d'accusations criminelles : six pour enlèvement à des fins d'extorsion, une pour torture, quatre pour émeutes, trois pour tentatives de meurtre. Il n'y avait aucune condamnation, en revanche, les affaires en cours ne cessaient de s'accumuler. Il n'y avait aucun

---

1. Chef de gouvernement d'un État de la fédération indienne.

doute à avoir, Vicky Wadia était un gangster, un *dada*[1], un parrain de campagne mal dégrossi. Plusieurs articles évoquaient « l'incident de Kushinagar », mais pas un seul ne lui apprit de quoi il s'agissait. Elle finit par dénicher, sur un site d'informations en hindi, une photo de lui, pleine de grain, illustrant un reportage épouvantable où il était surnommé « Himmatgiri ». Ahurissant ce qu'il ressemblait à Sunny, en plus brute.

Elle tourna son attention sur Sunny, mais, là, il n'y avait rien. C'était, semblait-il, un parfait inconnu – il n'apparaissait même pas sur les photos des pages mondaines. Et, lorsqu'elle chercha le nom de la fondation – la fondation Sunyata, n'est-ce pas ? –, elle fut déçue de ne trouver qu'une page sans aucun lien et seulement une ligne de texte banale, agrammaticale et vantant le pouvoir transformatif de l'art sur le paysage urbain. Vraiment ? C'était lui ? Elle examina la page plus attentivement dans l'espoir d'y relever un signe, un accès secret, mais c'était muré, muet. Elle imprima tous les articles sur Bunty et Vicky, les rangea dans son tiroir pour les lire ultérieurement et se remit au travail.

Ce soir-là, alors qu'elle était seule dans sa voiture, vitre baissée, devant le stand d'Alkauser de Chanakyapuri à attendre qu'un des serveurs lui apporte son *kakori*[2] enroulé dans un *roomali*[3] et qu'elle regardait le gril à charbon qui rougeoyait dans une débauche d'étincelles, elle ressentit une tendresse vertigineuse pour les complexités touffues de sa ville. Elle prit une photo du stand avec son Nokia et la texta à Hari en disant :

— Devine où c ?

Il répondit presque instantanément.

— Mon autre chez moi :)

Elle laissa passer une minute.

— Hé, dis-moi. Comment ça g fait impression ? Tu voulais dire quoi ?

---

1. Chef brigand. Mafioso.
2. Kebab de mouton.
3. Fine « crêpe » de pain.

On lui apporta son kebab, qu'elle plongea dans le chutney puis garnit d'un peu d'oignon avant de mordre dedans.

— Tu sais ce que je veux dire.

Pour ce qui était de compliquer les choses, on pouvait compter sur Hari.

— Je ne vois vraiment pas ce que tu veux dire par impression. J'ai fait des trucs gênants ?

Elle termina son repas.

Le téléphone finit par biper.

— Pour info, il sort avec Kriti.

Kriti était l'actrice télé de l'autre nuit.

— Oui, je sais.

Elle ne le savait pas. Elle avait cru qu'elle était avec le mec qui faisait du cinéma.

— Ok, cool.

— De toute façon, S. n'est pas mon type.

— C'est ça !

Sunny s'inscrivait dans la longue lignée des garçons avec lesquels elle avait flirté à l'école et couché à l'université, des garçons avec lesquels elle avait passé un moment, dans une voiture garée sur le Ridge[1], dont les papas étaient de riches hommes d'affaires, emblématiques de l'Inde nouvelle et vulgaire, que sa mère vilipendait. Il s'inscrivait dans cette lignée, et il la transcendait. Même si ces garçons l'avaient attirée parce qu'ils étaient très différents d'elle, ils avaient toujours fini par la décevoir. Ils s'étaient révélés conformistes et fondamentalement sans intérêt, ou bien horriblement bêtes ou juste carrément ennuyeux. Ils avaient illustré sa rébellion, mais eux-mêmes ne se rebellaient contre rien de précis, et ça ne menait jamais à rien. Sunny... c'était autre chose. Sa famille venait de la terre. Sa famille était dangereuse, son oncle du moins. Et ce que lui-même représentait était radical. Pourrait-il réussir ? Pourrait-elle le regarder faire ? Même être témoin de son échec serait

---

1. Une zone forestière proche de Delhi, réputée pour être les poumons de la capitale.

électrisant. À mesure que les jours passaient, elle fumait ses cigarettes à la fenêtre de sa chambre en se demandant ce qu'il faisait, quelles aventures il vivait. Pourquoi ne l'appelait-il pas ? Elle avait l'impression d'avoir entrevu un monde fantastique à travers une déchirure des nuages, vision qui lui avait été confisquée dès que ces derniers s'étaient refermés. Elle avait anticipé une nouvelle soirée rapidement, à laquelle elle serait invitée elle aussi, mais n'avait reçu aucune invitation. Quant à Hari, il ne se manifestait plus. Chaque fois que son téléphone bipait ou sonnait, elle retenait son souffle, mais rien ne venait. Alors, que fallait-il qu'elle fasse ? Elle finit par texter Hari, lui proposa de se voir et de fumer ensemble, mais il était déjà à la montagne, à Kasol, où il allait passer les trois semaines suivantes. Elle s'interdit de demander si Sunny s'y trouvait aussi. Puis elle se ressaisit. Oublie ça. S'il voulait la contacter, s'il voulait récupérer son briquet, il trouverait un moyen. Dis-toi que ce qui aurait peut-être pu arriver est fini. Au bout de deux semaines, Sunny la préoccupa moins. Dans la nuit décadente, il aurait peut-être été possible d'entendre résonner son nom, mais dans la lumière crue de la ville où elle évoluait, au milieu des évictions et des communiqués de police, du *ghee* trafiqué et des gangs de voleurs de stéréo, Sunny disparut.

Puis, elle tomba sur lui à Khan Market. Son rédacteur en chef l'avait envoyée faire un micro-trottoir : « Les nouveaux centres commerciaux vont-ils détrôner les marchés traditionnels de Delhi ? » Mais elle était avant tout en train de tuer le temps, d'arpenter les allées, de manger des *chaat*[1], de fumer des cigarettes, de bavarder avec les commerçants qu'elle connaissait depuis toute gamine. À l'occasion, elle stoppait des gens en train de faire leurs courses : deux adolescentes, une mère de famille huppée, un militaire en retraite, le Blanc de service. Au cours d'une de ses rondes, elle jeta un coup d'œil vers une boutique d'électronique de luxe, qui vendait des jouets quand elle était petite. Et il était là. Vêtu d'un ensemble en coton paille, la veste à l'épaule, il donnait des instructions à des jeunes qui escaladaient les étagères sous son regard autoritaire et descendaient d'énormes

---

1. Snacks.

cartons renfermant toutes sortes de gadgets et d'équipements haut de gamme. Elle le détaillait encore quand M. Kohli, le propriétaire, la salua de la main.

« Ma chère Neda ! »

Sunny se retourna et la regarda avec désinvolture. L'avait-il déjà vue ? Il ne semblait pas du tout surpris. Soit. Elle aussi était capable de jouer ce jeu-là.

« Bonjour, *Uncle*[1], dit-elle à M. Kohli. Comment allez-vous ?

— Très bien, mon petit, très bien. Et toi ? Comment va ta maman ?

— Très bien, répondit-elle en entrant. Les affaires marchent fort, à ce que je vois.

— Oui. M. Wadia est un de mes meilleurs clients.

— C'est vrai ? dit-elle en arrivant à la hauteur de Sunny. Bonjour, monsieur Wadia. »

Il lui décocha un coup d'œil, la salua d'un signe de tête très cérémonieux, mais ses yeux souriaient.

« Madame Kapur.

— Je vois, s'exclama M. Kohli, vous vous connaissez.

— Mme Kapur est une célèbre journaliste, déclara Sunny.

— Et M. Wadia est un scandaleux – il se tourna vers elle – charmeur.

— Je pourrais proposer d'autres termes. »

M. Kohli capta le message et se plongea dans ses livres de comptes.

« Tu as l'air en forme », dit Sunny.

Ce n'était pas le cas, sauf s'il aimait le style garçon de bureau – c'était peut-être le cas d'ailleurs –, et elle laissa courir.

« Merci. Toi, tu es toujours aussi élégant. Je n'aurais jamais imaginé te voir comme ça en plein jour.

— Je suis flatté que tu m'aies imaginé. C'est déjà ça. Je te dois des excuses, s'empressa-t-il d'ajouter, pour ne pas m'être manifesté.

— Il est clair que tu étais pris par des trucs très importants », répondit-elle en promenant ses yeux sur les cartons de jouets et de gadgets.

---

1. Adresse affectueuse à l'égard d'un homme plus âgé, respecté, apprécié.

Il éclata de rire.

« C'est juste que j'aime acheter toutes les nouveautés, voir ce qu'il y a par ici. Et en général, je m'en sépare très vite.

— Tu vas souvent rendre visite à des orphelinats, c'est ça ?

— La plupart du temps, je laisse juste les gens qui viennent à mon appart repartir avec des trucs. Ça me va très bien. Je ne m'attache pas.

— Je vois. Fais-moi penser à passer chez toi.

— Je suis impatient de t'y accueillir. »

Elle pouffa de rire.

« Un jour peut-être.

— Pourquoi pas maintenant ?

— Parce que je travaille. Tu sais, cette activité qui s'impose à la majorité d'entre nous. »

Elle se reprit.

« Ce n'est pas que tu ne travailles pas… »

Elle s'interrompit, gênée, confuse. Lui se contenta de la regarder, de l'observer avec une aisance intimidante pour elle.

« C'est juste qu'on n'est pas son propre patron. Certains d'entre nous ont des comptes à rendre. »

Il se borna à sourire.

À attendre.

À sourire.

« Qu'est-ce qu'il y a ? s'écria-t-elle.

— Rien. Tu es mignonne, c'est tout.

— Oh, merde, marmonna-t-elle avec une grimace. S'il y a un truc que je ne veux pas être, c'est bien ça.

— Je ne blague pas, pourquoi ne viens-tu pas chez moi ? C'est une rencontre inespérée. Je suis libre cet après-midi. On n'a pas vraiment eu la possibilité de se parler beaucoup l'autre nuit. Ça a surtout été – il se pencha sur ce souvenir tandis qu'elle se préparait au pire – des braillements.

— Des braillements ?

— Oui, des braillements. Énormément de braillements. De rires aussi. De trucs renversés. »

Il scruta son visage vide d'expression.

« Tu ne te rappelles rien, c'est ça ? »

Elle grimaça.

« Je me rappelle le lendemain matin. »

Ayant préparé la facture, M. Kohli attira l'attention de Sunny, lequel sortit une liasse de billets d'une épaisseur obscène et se mit à compter.

« Excuse-moi, dit-il, je vais juste régler ça.

— Je t'attends dehors. »

Une fois sortie, elle pesa les avantages et les inconvénients de la proposition de Sunny. Le seul inconvénient, c'est qu'elle était censée travailler. Les avantages étaient multiples. Il y avait surtout le fait de satisfaire sa curiosité, de bénéficier d'une audience privée avec ce jeune dieu mystérieux de Delhi. Elle l'observa de dos pendant qu'il payait. Tellement à l'aise, mais aussi tellement composé. Mais n'était-elle pas juste en train de projeter ? Ne transposait-elle pas sur lui les profils de son père, de son oncle ? Une fois encore la question lui vint à l'esprit : Qui était Sunny Wadia ? Impossible de répondre. Il sortit, suivi par quatre jeunes garçons, tous chargés de plusieurs cartons. Deux télévisions, plusieurs consoles de jeux, un cuiseur à riz, un mixer de luxe. Il lui fit signe, pointa le doigt vers le parking.

« Accompagne-moi au moins.

— Bien sûr. »

Elle prit aussitôt conscience des yeux posés sur eux. Ou plutôt sur lui. Ce n'était pas tant que les gens le reconnaissaient, même si certains devaient situer son visage. C'était plutôt lié à la façon dont il se tenait, à sa stature et à son style, qui n'étaient pas sans rappeler, se dit-elle, le maintien d'une vedette de cinéma. Et puis il y avait la cohorte non négligeable de jeunes charriant des objets coûteux à sa remorque, ce qui témoignait de sa fortune. Elle, personne ne la voyait, elle était simplement dans son orbite à lui ; elle eut une seconde l'impression d'être sa quasi-secrétaire, son assistante. Ce n'était pas un sentiment désagréable, mais elle se dit malgré tout qu'il fallait qu'elle s'affirme d'une manière ou d'une autre, qu'elle retourne travailler au moins…

« À quoi penses-tu ? »

Elle se rendit compte qu'il l'avait observée.

« Qu'il faudrait que je retourne au bureau.

— Sur quoi travailles-tu ? »

Dire qu'elle préparait un micro-trottoir lui parut peu intéressant.

« Eh bien… – Elle s'éclaircit la gorge. – Je suis en train d'évaluer l'impact socio-économique de l'évolution du paysage commercial à travers les témoignages oraux des consommateurs. »

Il fit mine de se concentrer, se répéta les mots.

« Tu veux dire que tu es en train de faire un micro-trottoir ?

— Si tu tiens à être plus précis. »

Il éclata de rire.

« Je te soufflerai des déclarations savoureuses. On en bidouillera quelques-unes ensemble. Comme ça, tu n'auras aucune raison de ne pas revenir avec moi. »

Ils quittèrent l'allée commerçante pour s'enfoncer dans le parking.

Elle plissa les yeux pour le voir à contre-jour.

« Je peux te poser une question sérieuse ?

— Bien sûr.

— Pourquoi y tiens-tu tellement ? »

Il s'arrêta, la regarda.

« Ce n'est pas évident ? »

Son sourire disait le reste.

Là-dessus, le chauffeur de Sunny, les voyant arriver, se précipita, gesticula devant les cartons, repartit à la hâte vers le Land Cruiser et ouvrit le hayon : ça la sauva. Sunny avait manifestement acheté trop de choses pour le chauffeur ou le SUV.

« En plus, poursuivit Sunny, il n'y a plus de place dans ma voiture. J'ai besoin que tu me raccompagnes. »

Ça faisait bizarre d'avoir Sunny Wadia coincé sur le siège passager de sa petite Maruti rouge défoncée. Ses genoux butaient contre le tableau de bord en plastique. Devant eux, son chauffeur pilotait le SUV bourré de cartons à travers les rues.

« Ta voiture me plaît », déclara Sunny.

Elle pressa une main tendre sur le klaxon, lui arracha un petit *bip*.

« J'ai bien conscience que tu es un peu sarcastique, mais, moi, je l'adore. Elle est fantasque, elle me conduit d'un endroit à l'autre, que demander de plus ?

— Un peu plus de place pour les jambes, dit-il, souriant, en essayant de repousser son siège en arrière.

— Oh, oui, c'est cassé. »

L'air embarrassé de Sunny l'amusa. Ils étaient sur son domaine à elle maintenant.

« Tu aimes les vieux trucs, non ?

— J'aime les belles choses.

— C'est plus subjectif.

— Tu ne la trouves pas belle, ma bagnole ?

— Disons que, moi, je ne pourrais pas. Pour ça, il faut être en position de pouvoir.

— Dixit le prince héritier de Delhi.

— Non, non. Tu es tellement au-dessus de moi. Je suis très loin d'être à ton niveau.

— Foutaises.

— Je suis sérieux. Tu te sors impunément de pratiquement toutes les situations. Je parie que tu insultes les flics quand ils t'arrêtent, pas vrai ? »

Le silence de Neda confirma son intuition.

« Et tu n'as même pas besoin d'argent. C'est ancré en toi. Regarde cette voiture pourrie.

— Qu'est-ce qu'elle a ?

— Je parie que tu l'amènes devant l'entrée d'un cinq étoiles, que tu en descends et fonces à l'intérieur du palace en question sans que personne bronche.

— Je n'ai jamais vraiment réfléchi à ça.

— Un coup d'œil sur toi au volant de ta voiture pourrie et tout le monde pige. Tu es au sommet. Tu ne connais pas ta chance.

— Non, je sais que j'ai de la chance.

— Ne te méprends pas, poursuivit-il. J'admire ça. C'est tellement facile pour toi. Pour moi, non. J'ai dû me composer un personnage. Et tous les jours, mon miroir me rappelle que sans mon costard, ma voiture, ma montre, je ne suis rien. Sans ces accessoires, c'est à peine si j'existe.

— Puisqu'on parle d'accessoires, dit-elle, as-tu encore tes cigarettes délicieuses ?

— Bien sûr.

— D'ailleurs, j'ai fini toutes les tiennes. »

Il sortit son paquet, lui en offrit une.

« Tu as changé de sujet. »

Elle plaça la cigarette dans sa bouche.

« Je pense que j'étais gênée.

— Tu ne devrais pas. »

Elle fixa la route.

« J'ai du mal à croire, lui confia-t-elle, que tu composes ton personnage et point barre. Je ne pense pas aux gens comme ça.

— Tu n'es pas obligée.

— J'ai l'impression que… que tu te dévalorises délibérément.

— Non, je m'estime.

— On dirait une fausse humilité.

— Je n'ai jamais dit que j'étais humble. »

Elle tenta de suivre cet enchaînement, de trouver une repartie pleine d'esprit. Ils étaient en mode flirt, pas vrai ?

« Alors, finit-elle par dire, quel effet ça te fait d'être à bord de cette voiture merdique ?

— Honnêtement ? répondit-il en souriant. Ça me fiche plutôt la trouille. »

Elle éclata de rire.

« Tu peux descendre quand tu veux. »

Ils se turent.

Les choses avaient pris une autre direction.

Elle se saisit d'un briquet en plastique dans le vide-poche et alluma sa cigarette.

« Oh, merde, s'écria-t-elle en se flanquant une petite tape sur le crâne. Il fallait que je te rende ton briquet. Il est dans mon tiroir, au boulot.

— C'est bon, répliqua-t-il en douceur. Je t'en ai fait cadeau. »

Elle réfléchit à sa remarque, prit une brève inspiration comme pour dire quelque chose, pencha la tête, se retint.

Il le remarqua.

« Quoi ?

— Je voulais juste savoir, fit-elle. Mais tu sors avec Kriti, pas vrai ? »

Il s'alluma une cigarette.

« Où t'as entendu ça ?

— J'ai mes sources.

— Hari.

— Peut-être. »

Sunny sourit.

« Il est jaloux, c'est tout.

— Ah oui ? demanda-t-elle bêtement. Il est amoureux d'elle ?

— Idiote. C'est de toi qu'il est amoureux.

— Oui, c'est ça… je ne marche pas. »

Devant eux, le chauffeur de Sunny accéléra pour passer un feu à l'orange. La signalisation vira au rouge, et Neda s'arrêta tandis que le Land Cruiser se perdait dans la circulation devant eux.

« Crétin, marmonna Sunny. Il aurait dû attendre. »

Il sortit son téléphone.

« On se calme, s'écria-t-elle en l'incitant à ranger son portable. Me dis pas que tu ne connais pas le chemin. »

Ils firent silence jusqu'à ce que le feu repasse au vert. La masse de véhicules et de klaxons rugirent autour d'eux tandis que la Maruti redémarrait avec des grognements. Mais Neda, en as du volant, slaloma au milieu de la circulation sans cesser de tirer sur sa cigarette calée entre ses lèvres.

Sauf que la fumée lui piquait les yeux.

« Je peux ? dit-il en la lui retirant de la bouche pour en secouer les cendres par la fenêtre avant de la lui remettre soigneusement entre les lèvres. Là, un peu plus loin, tourne à droite vers Safdarjung Enclave. »

Elle sourit, mais ne fit aucun commentaire. Quelque chose passait entre eux.

Quinze minutes plus tard, après l'avoir guidée à travers les rues, il pointa du doigt un énorme portail gardant un immeuble monolithique de cinq étages.

Elle avança sa voiture vers le portail. Deux agents de sécurité en uniforme et porteurs de pistolets automatiques s'approchèrent ; l'un d'eux leva la paume pour lui demander de s'arrêter et scruta l'habitacle d'un air soupçonneux jusqu'à ce qu'il voie Sunny et se redresse d'un coup, au garde-à-vous. Un ordre fusa, le portail s'ouvrit. De l'autre côté, deux autres gardes saluèrent au passage de la Maruti.

« Qu'est-ce que vous avez fait, vous autres ? demanda-t-elle. Vous avez braqué une banque ? »

La courte allée au pied de la bâtisse regorgeait de voitures. Deux domestiques se dépêchèrent d'ouvrir les portières de la Maruti.

« Laisse-la tourner, lui conseilla Sunny, ils vont la garer. »

Après qu'il lui eut fait contourner l'imposant bâtiment, ils entrèrent par une petite porte quelconque, puis descendirent un couloir ressemblant à la zone de service d'un hôtel. Ils émergèrent ensuite dans le vestibule d'une réception brillamment éclairée, dallée de marbre et meublée de petites tables modernes ainsi que d'un canapé, et ornée de fleurs fraîches, puis empruntèrent un autre couloir pour gagner un ascenseur. Pas une seconde, Sunny ne se départit d'un comportement courtois et distant, à croire qu'il accompagnait un client chez le « directeur ». Elle nota ce détail dans sa tête ainsi que le grand nombre de caméras de sécurité.

Dans l'ascenseur qui les emmena sans bruit au cinquième étage, il se montra tout aussi cérémonieux. Elle aurait pu rire ; au lieu de quoi, elle attendit sans manifester la moindre émotion et, lorsque les portes s'écartèrent, elle le suivit dans le couloir aveugle et moquetté de rouge jusqu'à une solide porte qui s'ouvrit de l'intérieur à leur approche. Dans la pièce lumineuse à laquelle ils accédèrent, un domestique en uniforme les salua tous les deux, s'inclinant légèrement et joignant les paumes en un *namasté*.

Après leur ascension bizarre, étouffante, l'appartement lui fit l'effet d'un refuge. La pièce principale était lumineuse, minimaliste, et ses murs d'un blanc de galerie d'art s'ornaient comme il fallait d'œuvres importantes (il le lui confia plus tard) de constructivistes et du mouvement De Stijl sur un côté, et d'une large œuvre d'expressionnisme abstrait au fond, où d'habitude il y avait peut-être une télé. Au centre trônait un très grand tapis Boukhara avec, au milieu, fièrement, une vieille porte afghane en bois convertie en table basse, autour de laquelle étaient disposés des fauteuils et des canapés.

Sur la gauche, des portes en verre teinté ouvraient sur une terrasse, supposa-t-elle, et des ouvertures cintrées laissaient deviner d'autres pièces encore.

Il écarta les mains comme pour englober la pièce.

« Alors, qu'en penses-tu ?

— C'est… c'est drôlement spécial.

— Je suis très heureux que ça te plaise. »

Il la conduisit vers le canapé, « Assieds-toi, je t'en prie », posa ses cigarettes sur la table et s'installa près d'elle sur un fauteuil Falcon en cuir.

Tandis qu'elle hésitait au bord du canapé, le domestique, qui leur avait ouvert avant de s'éclipser rapidement par l'une des ouvertures cintrées, revint avec un plateau et des verres d'eau.

« Merci, Ajay, dit Sunny, qui ajouta à l'adresse de Neda : Vas-y, goûte-la. »

Elle examina le verre.

« Qu'est-ce que c'est ?

— Goûte-la. »

Elle obtempéra. Cette eau était délicieuse.

« Tu n'as encore jamais essayé une eau comme celle-là, pas vrai ? »

Elle se dit qu'il valait mieux qu'elle acquiesce.

« Je ne pense pas.

— Devine d'où elle vient ?

— Je ne sais pas, avoua-t-elle en souriant.

— De Belgique.

— Tu vois, je n'aurais jamais trouvé. »

Il se pencha en avant.

« Elle circule à travers des roches préhistoriques. Et elle est purifiée par une source thermale. »

On aurait juré un petit garçon émerveillé, qui avait envie de partager son savoir. Elle trouva son comportement attachant.

« Me lavera-t-elle de mes péchés ?

— Installe-toi. Je reviens tout de suite. »

Il disparut, et elle se retrouva seule. Elle s'assit sur le canapé, nota la fraîcheur de l'air, le cache masquant le climatiseur, comme dans un hôtel de luxe. Oui, c'était l'impression que donnait le lieu, un mélange de galerie d'art et d'hôtel. Elle fit l'inventaire des magazines et des livres disposés avec goût sur la petite table : une collection d'ouvrages de la série *Living In* de chez Taschen, des vieux numéros d'*Architectural Digest*, de *Robb*

Report, de *National Geographic*. *Le Dit du Genji*, *La Chambre claire*, *L'Art de la guerre*.

Elle s'empara d'un Taschen, *Living in Japan*, le feuilleta négligemment.

« Madame ? »

Le domestique, Ajay, se tenait devant elle, tête basse.

« Une boisson, madame ? Un *chai*, du café, un jus de fruits, une boisson fraîche ? »

Sunny s'approcha.

« Quelque chose de plus fort ? »

Il s'était changé, avait passé une chemise blanche, un pantalon en laine.

« Et que dirais-tu d'un spritz ? Ajay fait un spritz formidable.

— Je… ne sais pas ce que c'est. »

Il revint s'asseoir dans le Falcon.

« Sprezzatura, déclara-t-il avec panache.

— D'accord, je ne sais pas ce que c'est non plus. »

Elle regarda Ajay.

« Je prendrai une bière.

— Heineken. Asahi, Peroni…, fit Ajay en égrenant les noms.

— Non, non, intervint Sunny en balayant ces suggestions de la main. Elle va essayer un spritz vénitien avec – il inclina la tête pour réfléchir attentivement – un Americano Mauro Vergano.

— Sir.

— Je ne peux pas me permettre de trop boire, dit-elle.

— Ça n'arrivera pas, puis à l'intention d'Ajay. Et, moi, je prendrai une Asahi. Très fraîche. »

Elle regarda Ajay s'éloigner.

« Il est bien. »

Sunny n'eut pas le temps de répondre que la porte principale s'ouvrit dans un cliquetis sur le chauffeur du marché, qui passa devant eux, suivi par une procession de domestiques chargés des cartons de la boutique de Khan Market.

« Et voici les jouets. »

Ajay émergea de la cuisine pour diriger les opérations en réprimandant d'une voix sourde et calme le chauffeur, qui s'était rendu coupable d'une autre faute encore, puis retourna finir de préparer les boissons.

« Oui, insista-t-elle, c'est vraiment quelqu'un à ne pas lâcher.

— Je l'ai sauvé, déclara Sunny.

— D'où ça ? s'écria-t-elle, perplexe.

— Des montagnes.

— Comment ça, d'une avalanche ?

— Non, fit-il en riant, d'un café de routards.

— Ah… donc, il roule tes joints ?

— En fait, c'est son café qui m'a séduit. Il prépare un café absolument incroyable. Avec la *macchinetta*. C'est un Italien qui le lui a appris.

— Je ne savais pas que c'était si difficile de faire du café.

— Tu devrais y goûter. Il a une façon, il a une, comment dire… »

Il claqua des doigts avec impatience.

« Une sensibilité ?

— Exactement.

— Et, en fin de compte, il roule quand même tes joints, non ? »

Il sourit.

« Si c'était le cas, tu ne le saurais pas.

— Dans ton boulot, la discrétion est fondamentale. »

Il hocha la tête, comme pour valider un principe de base.

« Il est fondamental que je recrute des gens à moi.

— Je dirais que c'est primordial. »

Est-ce qu'il me manipule ? Est-ce qu'il parle comme ça à tout le monde ? se dit-elle.

« Mon père est… il a sa façon de voir les choses.

— Tous les pères sont pareils », répondit-elle en l'encourageant à continuer.

Elle songeait néanmoins à son propre père et à sa façon de voir les choses ou de ne pas les voir et à la chance qu'elle avait.

« Il fait venir des gens des villages, poursuivit Sunny. Les ouvriers. De nos – il choisit prudemment le mot suivant – régions. Ils sont très loyaux, ils ont un réseau de loyautés, mais – il alluma une cigarette, lui en offrit une, qu'elle accepta – c'est à lui qu'ils sont loyaux, et je préfère…

— Quelqu'un qui te soit personnellement loyal.

— C'est mon refuge. Je refuse de mener une double vie ici. »

Elle acquiesça.

« Il y a bien assez d'une double vie à l'extérieur. »

Elle menait constamment une double vie. Même dans son cœur. Presque tout le monde en faisait autant. C'était comme ça. Il y avait toujours quelqu'un pour vous observer, pour noter les choses à utiliser contre vous ultérieurement. Qui ne voudrait pas être libre chez soi ?

« L'Inde…, soupira-t-elle. Ce pays de traîtres et d'agents doubles.

— Dis-moi quelque chose, enchaîna-t-il, honnêtement. »

Elle finit par allumer la cigarette qu'elle avait à la main.

« Peut-être.

— Tu aimes ton job ?

— Quoi ?

— Ton job ? Il te plaît ? »

Ses barrières se relevèrent automatiquement.

« Ce n'est pas une vocation, si c'est ce à quoi tu penses. Mais il y a de bons moments, c'est certain.

— C'est quoi, ta vocation ?

— Je n'en ai pas.

— Tout le monde en a une. Moi, j'y crois.

— Moi, non. Mais je présume que ça t'est égal.

— On a une vocation, j'en suis persuadé. Il faut juste la définir.

— Et la tienne, c'est quoi ? »

Elle avait envie qu'ils parlent de lui.

Il agita le doigt pour la rappeler à l'ordre.

« Chaque chose en son temps, madame Kapur. C'est moi qui pose les questions.

— N'importe quoi. Tu ne peux pas faire ça. Tu prétends que tout le monde a… »

Ajay entra alors avec les boissons et des snacks. Il posa un sous-verre sur la table, plaça le spritz de Neda dessus et annonça :

« Spritz vénitien. »

Neda examina Ajay avec intérêt – il avait une puissante carrure, mais un visage d'enfant, ouvert. Elle lui sourit gentiment, pointa le doigt vers l'un des snacks.

« Et, ça, qu'est-ce que c'est ?

— Madame, répondit-il en anglais avec sérieux, ce sont des anchois salés et frits dans une fleur de courgette. »

Il leva les yeux vers Sunny pour avoir son approbation.

« Merci, Ajay, dit Sunny. Je t'appellerai.

— Il t'adore », déclara-t-elle quand le domestique s'éclipsa.

Elle leva son verra, étudia la couleur de sa boisson.

« Et, ça, c'est superbe.

— Essaie-le. »

Elle en prit une gorgée.

« Ça alors.

— Bon.

— Amer, mais bon.

— Ton palais s'ajustera. Et le snack ?

— Tu adores tout ça, hein ?

— J'aime offrir des expériences nouvelles aux gens autour de moi.

— Tu sais, poursuivit-elle en examinant le plat, en fait, je n'avais encore jamais goûté à un anchois. »

Elle prit une bouchée, mâcha un moment, puis reconnut :

« Oui, c'est stupéfiant. »

Elle tendit le doigt vers l'assiette de Sunny.

« Et toi, qu'est-ce que t'as pris ?

— Oh, fit-il avec un haussement d'épaules, c'est japonais.

— Le Japon, marmonna-t-elle en désignant le livre Taschen. Qu'est-ce que j'aimerais y aller.

— C'est dingue.

— Tu y es allé ? Bien sûr que oui. C'est comment ?

— Dingue. Impossible à décrire. Mais, tu sais, ajouta-t-il en indiquant la boisson qu'elle avait en main, je préfère l'Italie. La nourriture, la culture, la passion, le style. J'y fais faire tous mes costumes. J'ai un tailleur à Milan, un autre à Naples. Tout est… comme je disais…

— Spitza-machin-chose ?

— Sprezzatura.

— C'est ça.

— Ça veut dire « cool sans effort ».

— Tu me certifierais que ça veut dire « ducon », je n'y verrais que du feu.

— Mais tu me croirais ?

— Non », répliqua-t-elle avec conviction.

Il éclata de rire.

« Tu es marrante.

— C'est vrai ?

— Et tu me réponds.

— Oui, euh…

— Personne ne me répond. Plus maintenant.

— Personne ?

— À moi, non.

— Pas même tes amis ?

— Pas même mes amis.

— Pas même les meilleurs de tes meilleurs amis ? »

Il hocha solennellement la tête.

« Eh bien, c'est parce qu'ils ont peur de toi, déclara-t-elle en riant.

— Ils ont peur de mon pognon, riposta-t-il.

— Non. Je suis sûre qu'ils adorent ton pognon. Ce dont ils ont peur, c'est de risquer de ne plus y avoir accès. Ça, ce sont les conneries de base de la cour de récré. T'es le nouveau mec cool. T'as jamais regardé la série *Beverly Hills* ? Enfin, qui n'aurait pas envie de se vautrer dans l'ombre chaude de Sunny Wadia ? »

L'espace d'un moment, il fixa la table.

« Je ne sais pas, dit-il, puis levant la tête : Moi ? »

Elle claqua la langue pour exprimer sa compassion feinte.

« Oh, le pauvre petit garçon riche est triste ? »

Elle n'avait pas mangé depuis le petit déjeuner et l'effet de l'alcool se faisait sentir. Ça lui arrivait parfois, l'alcool lui déliait la langue de telle manière qu'elle se ruait sur des traits de caractère qui l'intriguaient quand elle était sobre. Voyant la tête de Sunny, elle tenta de se réfréner, et afficha un air moins sarcastique.

« Mais je me rappelle maintenant, poursuivit-elle. On en avait discuté au resto l'autre nuit. Tu m'avais confié que tu étais du genre solitaire. Je ne t'avais pas cru. Je t'avais trouvé craquant. Mais c'est peut-être vrai.

— Tu es très perspicace. »

Elle repoussa le compliment.

« J'ai deux yeux et un cerveau.

— C'est une qualité attirante. »

Elle savait qu'il jouait avec elle, mais malgré tout elle se sentit rougir.

« Entendu, et assez bu », décréta-t-elle.

Elle reposa son verre et le repoussa.

« J'ai un boulot à faire, et tu m'avais promis ton aide.

— Moi ?

— Le micro-trottoir.

— Ah, oui.

— À moins que ça n'ait été une ruse pour m'attirer chez toi. »

Il la dévisagea avec un sourire rusé.

« J'ai besoin de réponses, insista-t-elle. Tu m'as éloignée de mon travail, il faut que je présente de la copie. Donc, pas d'excuses qui tiennent. »

Elle fouilla dans son sac.

« Bon, je vais t'enregistrer. »

Elle lut l'hésitation dans ses yeux, mais repêcha quand même son dictaphone.

« Ne t'inquiète pas, lui dit-elle, on va modifier ton nom. »

Elle plaça le dictaphone sur la table.

« D'accord ? »

Il acquiesça, les yeux calmement rivés sur les siens.

« OK.

— Tout d'abord, comment tu t'appelles ?

— Vijay, répondit-il sur-le-champ.

— Ton âge ?

— Vingt-trois ans.

— OK, on démarre. »

Elle appuya sur la touche Enregistrement et une lumière rouge s'alluma.

« Je suis ici en compagnie de Vijay, vingt-trois ans, nous sommes à Khan Market, et la question du jour porte sur les centres commerciaux et les marchés. Vijay, s'il vous plaît, voulez-vous me dire ce que vous faites dans la vie ? »

Il tira une longue bouffée de sa cigarette, fixa la table un instant d'un air renfrogné, puis plaça la cigarette dans le cendrier. Lorsqu'il releva à nouveau la tête, il avait changé non seulement de personnage, mais aussi de langue.

« Je travaille dans un centre d'appels, madame, répondit-il en hindi teinté d'un fort accent de l'ouest de l'Uttar Pradesh.

Cette voix pleine d'assurance, optimiste et sérieuse prit Neda par surprise. Et elle se fit la réflexion que c'était peut-être sa voix, son accent véritables.

« Donc, Vijay, vingt-trois ans, employé dans un centre d'appels, reprit-elle en continuant à s'exprimer en anglais, voici la question : Les nouveaux centres commerciaux de Delhi sonnent-ils le glas des marchés traditionnels de la ville ?

— Madame, dit-il, moi, les centres commerciaux me plaisent énormément.

— Pourquoi donc ?

— Il y a tellement de choses au même endroit, et les meilleures marques. Si on ne porte pas de marque, madame, on n'a pas de style. »

Elle dut retenir le sourire qui lui agaçait les lèvres.

« Madame, s'écria Vijay avec un mouvement de recul, qu'est-ce qui est drôle ?

— *Kuch nahi.* Rien.

— Madame, ajouta-t-il, vous vous moquez de moi, mais vous ne comprenez pas ce que c'est que d'aller par ici, par là, dans tel ou tel marché pour essayer de trouver tout ce qu'on cherche. Et puis, un centre commercial, c'est climatisé. La température est agréable.

— Entendu, entendu, dit-elle, donc les centres commerciaux vont détruire les marchés traditionnels ? C'est ce que vous pensez ?

— Non, madame, déclara-t-il en souriant, il y aura toujours des femmes et des hommes importants comme vous qui aimeront fréquenter les marchés traditionnels, où vous descendez de vos belles voitures avec chauffeurs.

— Je n'ai pas de chauffeur ! » protesta-t-elle.

Il leva la main pour qu'elle le laisse parler.

« Et il y aura toujours l'homme de la rue qui n'a pas les moyens d'aller dans les nouveaux centres commerciaux, et, lui aussi, il fera les marchés. Mais, entre les deux, il y a aujourd'hui des gens comme moi. »

Il passa alors à l'anglais et lâcha un mot qu'il prononça avec un accent très marqué.

« Ambitieux. »

Il l'observa en silence, le visage parfaitement impassible, ne laissant absolument rien paraître.

« Oh, arrête, finit-elle par dire, là, tu me refiles juste ton argumentaire commercial.

— Madame, s'écria-t-il en réprimant un fou rire, qu'est-ce que vous dites ? »

Elle leva les mains en l'air.

« C'est pas grave !

— En plus, lança-t-il en prenant une cigarette pour redevenir Sunny Wadia, est-ce que tu connais seulement les origines de Khan Market ? Bien sûr que non », ajouta-t-il devant la mine ahurie de Neda.

Cette dernière tendit l'oreille pour surprendre de petits indices dans sa belle voix internationale, mais elle était d'un flou impeccable.

« Il s'est ouvert avec les réfugiés de la Partition, qui sont arrivés à Delhi sans rien et ont atterri dans cette colonie. Et ils se sont adaptés, parce qu'ils y étaient obligés. Sinon, ils mouraient. Donc, s'il est des gens qui n'ont pas à être surpris par les changements d'une ville, c'est bien eux. Et s'ils ne parviennent pas à satisfaire leurs clients, pourquoi rester dans le commerce ? Ce n'est pas un droit divin.

— Donc, la morale de l'histoire, c'est on s'adapte ou on meurt, résuma-t-elle. »

Il se rassit au fond de son fauteuil.

« Tout à fait.

— Alors, vas-y, insista-t-elle. Dis-le.

— On s'adapte ou on meurt.

— Vijay, vingt-trois ans, alors…

— Écoute, dit-il en la coupant, pour parler sérieusement, les marchés ont leur place. Mais il y a des milliers, des millions de jeunes Indiens qui ne peuvent pas aller dans un endroit comme Khan Market, qui ne peuvent pas sillonner constamment Old Delhi. Qui n'en ont ni l'envie, ni le temps. Les jeunes partout, de tous les milieux sociaux, ont un boulot, vivent seuls ou avec des amis, ils disposent d'un revenu et ils veulent continuer à faire des choses. Notre étude de marché montre qu'un pourcentage important des entrants sur le marché du travail veulent une expérience de shopping plus pratique, immersive, plus concentrée, partout, dans les villes classées B[1], dans les villes

---

1. Classification indienne en fonction de la densité de population urbaine.

satellites, dans des endroits où des gens comme toi n'envisagent même pas de se rendre.

— C'est ton étude de marché ?

— Oui.

— Tu construis des centres commerciaux, c'est ça ?

— Bien sûr.

— Tu as vingt-trois ans.

— Vingt-quatre.

— Ouah. »

Elle jeta un coup d'œil sur le dictaphone pour voir s'il tournait encore.

« Et moi qui te prenais pour un mécène.

— Les deux choses ne s'excluent pas mutuellement.

— Euh, non, bafouilla-t-elle.

— À ton avis, qui a financé les arts dans l'histoire ? Les Médicis étaient des banquiers.

— Oui, bien sûr.

— En plus, j'ai en tête des plans autrement plus importants que des centres commerciaux. J'ai envie de transformer Delhi en une ville réellement mondiale.

— Toi ?

— Oui, moi.

— Ça, c'est plutôt dingue.

— Tu es contente de vivre ici ?

— Pardon ?

— J'ai entendu dire que non. J'ai entendu dire que tu avais envie de partir. »

Sa remarque la prit au dépourvu. Hari avait dû lui en parler.

« Et je ne te le reproche pas, poursuivit-il. Crois-moi, contrairement à toi, je n'ai pas grandi en absorbant des images de l'Occident à la télé du salon, mais j'ai voyagé et j'ai vu comment les gens vivaient ailleurs dans le monde, j'ai vu ce dont on pouvait disposer, ce qui était ouvert, possible. On est tellement à la traîne. On a tout le potentiel, le capital humain, il faut juste qu'on l'exploite. »

Est-ce qu'il faisait ça avec tout le monde ? Ou était-ce simplement que c'était plus fort que lui ?

« Laisse-moi te poser une question, continua-t-il. Qu'est-ce que Londres, Paris et Singapour ont en commun ?

— Je ne sais pas. Dis-moi.

— Non, c'est moi qui te le demande, qu'est-ce qu'elles ont en commun ? »

Elle haussa les épaules.

« Ce sont des capitales ?

— Elles ont un fleuve.

— D'accord. Et ?

— Et nous, à Delhi, qu'est-ce qu'on a ? »

Elle commençait à se fatiguer de sa rhétorique à deux balles.

« Un fleuve.

— Maintenant, écoute, dit-il en se lançant dans un monologue. Tout au long de l'histoire, les fleuves et les villes ont été liés. Un fleuve, c'est le lien vital d'une ville, son artère. »

Elle comprit qu'il avait déjà pratiqué ce discours, qu'il l'avait préparé.

« Ça commence par le commerce, puis vient l'industrie et ensuite les loisirs. Et toutes les villes les plus agréables du monde ont quelque chose en commun. Elles regardent leurs fleuves, qui deviennent alors leur point focal. »

C'était peut-être même un essai qu'il avait écrit dans le temps.

« Maintenant, qu'est-ce qu'on fait ? Ici à Delhi ? Par rapport à la Yamuna ? »

Sachant qu'elle était censée se contenter d'écouter, elle se borna à hocher la tête.

« On lui tourne le dos. Réfléchis à ça, ajouta-t-il en échappant au texte préparé pour basculer sur le registre évangélique.

« Imagine la ville vue d'en haut, visualise-la, tu la vois ? Tu vois la Yamuna qui la traverse ? Maintenant, pense à toutes les colonies, aux activités de tous au quotidien. Quelqu'un regarde-t-il le fleuve ? Quelqu'un se soucie-t-il de lui ? Non, on le fuit, on l'ignore. Il devrait être sacré, mais il devient profane, souillé par les égouts, bordé de bidonvilles. Et nous on accepte cet état de fait sans broncher, d'accord ?

— D'accord.

— Maintenant, imagine la Yamuna étincelante de propreté. Imagine nager dedans, faire du bateau. Imagine des marinas et des promenades. »

Plus il parlait, plus il s'animait.

« Imagine des réserves naturelles, des zones marécageuses, des opéras ! Imagine un quartier des affaires, des gratte-ciel, des trams, des parcs, des cafés. »

Il dépeignit une perspective avec ses mains.

« Imagine, tu finis de bosser et tu descends au bord du fleuve t'offrir un cocktail, un repas classé au guide Michelin, puis un cinéma, puis une balade le long des berges. »

Elle le regarda, ravi de la vision qu'il avait suscitée dans son imagination.

« On peut faire ça à Londres, ajouta-t-il. Pourquoi pas ici ?

— Je ne sais pas.

— Ce sera possible, dit-il. Parce que je vais le construire. »

Et là-dessus il s'arrêta.

« Eh bien, fit-elle, c'est...

— Ambitieux.

— C'est un qualificatif. Un autre serait "dingue".

— Tu penses que je n'y arriverai pas.

— Ce n'est pas ça. C'est juste, tu sais, que, là, tu parles de Londres, et ici, c'est Delhi. Je veux dire, comment comptes-tu... ?

— C'est moi que ça concerne. »

Quelque chose dans la façon dont Sunny s'exprimait la braqua.

Elle comprit d'instinct qu'il avait tort, que ça allait plus loin que ça, mais elle n'avait pas les munitions pour lutter contre le projet fanfaron qu'il avait exposé à grands traits. Il avait néanmoins commencé à l'irriter et elle se demanda : *Que veut-il de moi ?*

« À quoi penses-tu ? demanda-t-il.

— Pourquoi ?

— Qu'est-ce que tu veux dire par "pourquoi" ?

— Ça n'a pas d'importance.

— Tu penses que je ne peux pas y arriver ?

— Non, c'est juste, quelle importance, ce que je pense ?

— Je te le demande, c'est tout.

— Alors, je pense que c'est une belle idée.

— C'est-à-dire que c'est de la foutaise.

— Non, c'est une belle idée, insista-t-elle.

— Mais ?

— Rien.

— Pourquoi ne viens-tu pas bosser pour moi ? »

Elle éclata de rire bruyamment.

« Quoi ?

— Tu perds ton temps avec ton boulot, c'est clair.

— Oh, je vois.

— Tu pourrais nous rejoindre, aider pour les relations publiques, les médias, peu importe.

— Oui, tu pourrais être ma vocation », s'écria-t-elle, moqueuse.

Le venin fit son boulot. Ils se turent.

Elle n'avait aucune prise sur la situation, ne savait pas s'il était sérieux, sincère, s'il se racontait des histoires, s'il la manipulait, s'il recourait juste à un baratin éculé et tordu pour l'attirer dans son lit (raté !) ou s'il se montrait tout bonnement arrogant avec elle.

Le silence se prolongea ; Sunny avait toutes les cartes en main.

Elle se dit alors : et merde.

« Tu sais, fit-elle, en fait, je me demandais si j'allais faire un portrait de toi. Pour ma non-vocation. Après t'avoir rencontré l'autre nuit. »

Où voulait-elle en venir avec tout ça ?

« J'étais très enthousiaste. Ça allait être quelque chose de léger, de marrant, mais avec un courant sous-jacent sérieux pour les pages culturelles, tu vois, sur les soirées, les restaurants. Sur la manière dont la ville changeait. »

Il l'écoutait, elle le vit.

« Oui. »

Est-ce qu'elle allait vraiment faire ça ?

« Et puis j'ai questionné un collègue sur toi. »

Il plaqua les mains l'une contre l'autre, le bout des doigts pressé contre ses lèvres.

« Oui.

— Tu sais ce qu'il m'a dit ? »

Pourquoi est-ce qu'elle faisait ça ?

Immobile sur son siège, il attendait.

« Il m'a dit : "Sunny Wadia ? Ce bouffon ?" »

Elle sentit l'adrénaline monter le long de sa colonne vertébrale, l'oxygène se raréfier dans ses poumons.

Il ne bronchait toujours pas.

« Juste après, il a ajouté : "Tu sais qui est son père ?" »

À peine eut-elle prononcé ces mots que son estomac se noua brutalement. Une nausée la saisit. Et, du coin de l'œil, elle aperçut la lumière rouge du dictaphone. Il devait bien savoir que l'appareil marchait encore, non ?

« Tu le sais ? » demanda-t-il en se tournant vers elle.

Ils se fixèrent un long moment.

« Ou bien il te l'a dit ?

— Il m'a sorti un truc. »

Il inhala longuement, lentement.

« Tu sais, toute ma vie, j'ai subi ça. »

Il alluma une nouvelle cigarette, se perdit dans une sphère de réflexion privée.

« Toute ma vie. »

Elle n'osait bouger.

« Alors ? Qu'est-ce qu'il a dit ?

— Mon collègue ?

— Oui.

— Il a dit que c'était un… »

Elle ne put terminer.

« Quoi ? »

Elle décida d'être franche avec lui.

« Il a dit que ton père faisait partie de la clique de Ram Singh.

— Ram Singh… »

Il ferma les yeux, sourit à nouveau, remua la tête pour lui-même. Puis il reprit la parole :

« Mon père est un homme d'affaires, c'est simple. Il est venu au monde sans fortune et sans relations ; il n'avait pas d'amis haut placés. Son père était un marchand de grains alcoolique. Papa a quitté l'école pour reprendre l'affaire familiale à l'âge de quinze ans. Son père est mort peu après. Il a donc fait ce qu'il avait à faire pour survivre. Là-bas en Uttar Pradesh. Où personne ne t'aide si tu ne t'aides pas toi-même. Où la chance est contre toi. Il a bossé comme un malade. Il bossait même en dormant. Mais, contrairement à d'autres, il avait une vision. Il était doué pour faire de l'argent. Il savait mettre tout à profit. C'est un crime ?

— Non, admit-elle.

— Il n'est coupable que d'une chose, d'avoir été ambitieux. De s'être élevé au-dessus de sa condition. A-t-il rogné sur les coûts, fait les choses à moitié ? Oui. On est en Inde. Les dés sont pipés, les règles biaisées, c'est vous autres qui définissez les règles au départ. Vous avez déjà tout, et vous ne voulez pas partager. Il faut donc parfois prendre certaines choses. Mais, au bout du compte, il donne aux gens ce qu'ils veulent. Des gens comme toi, comme ton collègue, ils ont toujours parlé de lui derrière son dos. Toute ma scolarité, j'ai entendu ça. Tu sais, il m'avait envoyé dans une bonne école, il voulait que je progresse, que je me mêle à des gens comme toi. J'ai été viré. Mes camarades de classe ne parlaient pas trop fort, mais juste assez pour que je ne rate rien. On allait même jusqu'à me rappeler que nous ne serions jamais comme eux. Le truc, c'est que le monde a changé. Ils ne chuchotent plus. À la place, ils viennent me demander du boulot. À la place, ils viennent à mes soirées. Bien sûr, ton collègue ne changera jamais d'avis, j'en suis sûr. Il peut se le permettre. Je parie qu'il n'a jamais eu à se battre dans la vie, d'accord ?

— Je ne sais pas. Tout le monde se bat pour quelque chose.

— Mais pas comme nous. »

Il éteignit sa cigarette.

« Il faut se battre pour arriver au sommet. Et pour ça, il faut apprendre à être dur. Mais, une fois au sommet, on peut commencer à se montrer bon. Mon père n'a rien à se reprocher.

— Et qu'en est-il de Vicky ? »

Elle éprouva une grande émotion en prononçant ce prénom. Sunny garda un visage impassible.

« Je ne l'ai pas vu depuis des années.

— Il fait partie de ta famille.

— Mais il n'a rien à voir avec notre avenir. »

Il se pencha en avant et arrêta le Dictaphone.

« Ça fait longtemps qu'on s'est libérés de lui.

— Que veux-tu que je fasse de ça ? » demanda-t-elle.

Elle attendit qu'il retire la bande enregistreuse, qu'il la fourre dans sa poche ou qu'il la brûle dans le cendrier, mais il se borna à pousser l'appareil vers elle.

« À toi de voir. »

Il se leva de son siège, lissa sa chemise et son pantalon.

« Si tu veux bien m'excuser, je suis en retard à une réunion. C'était sympa de discuter avec toi, madame Kapur. Ajay va te raccompagner au rez-de-chaussée. »

Allongée sur son lit, dans sa chambre, les écouteurs sur les oreilles, elle écouta l'enregistrement. Elle le rembobina jusqu'à Khan Market. D'abord, les interviews, les bruits de la rue en fond sonore, puis un clic et le silence assourdissant de l'appartement de Sunny. Elle ferma les yeux, revint au canapé, écouta Vijay, vingt-trois ans, employé dans un centre d'appels, elle écouta cette voix sans pouvoir l'associer au visage de Sunny, à sa tenue, à son appartement. Puis, mentalement, elle le débarrassa de ces accessoires, pour ainsi dire, le revêtit d'une chemise et d'un pantalon bon marché, l'installa au bord de la route, sur une moto à côté d'un étal de *chai*, et elle s'y retrouva presque, le vit presque. Et puis l'image se dissipa. Après tout, n'avait-il pas imité tout ça ? Sa voix n'avait-elle pas reproduit celle de tous ces hommes dont il connaissait les difficultés quotidiennes à peu près aussi mal qu'elle-même ? Il n'avait guère fait qu'endosser le rôle d'un de ses clients potentiels, en mettant dans la bouche de son *doppelgänger* les mots qu'il avait envie d'entendre. Elle arrêta l'enregistrement. Elle s'interrogea sur le chemin que Sunny avait vraiment parcouru. Et sur la vitesse à laquelle il l'avait parcouru. Toutes ces histoires sur l'Italie et le Japon. Quelle était la part de réalité là-dedans ? Dépouillé de ses accessoires et ramené à l'essentiel, qui était-il ?

Elle continua à l'écouter parler du fleuve, des opéras, des quartiers d'affaires et des promenades. Chez lui, elle n'avait entendu que son argumentaire, mais à présent elle entendait ses espoirs, son enthousiasme, son énergie. Avec le recul, et maintenant qu'elle était libre de la tentation d'intervenir, de se moquer, de corriger, de provoquer ou d'ajuster, libre d'écouter et de se montrer compréhensive, ça lui parut fascinant. Il y croyait vraiment, se dit-elle. C'était l'envers de la misère, de la destruction, de la pauvreté, du monde que Dean arpentait laborieusement. Et ne voulait-elle pas que Delhi soit comme ça ? Ne serait-ce pas autrement plus facile que la lutte ? La voix froide de Dean – « La lutte ? Tu n'es même pas impliquée dans la lutte » – vint buter contre sa conscience. Elle continua à écouter, s'entendit dire « Et puis j'ai questionné un collègue sur toi ». Elle tressaillit. Les mots tintèrent à ses oreilles. « Sunny Wadia ? Ce bouffon ? » Elle arrêta l'enregistrement un moment, rassembla tout son courage, puis le remit en marche. « Tu sais qui est son père ? »

Elle étudia les réponses de Sunny, son discours sur les difficultés qu'avait connues son père, et se rendit compte qu'il avait éludé les choses, qu'il n'avait pas vraiment répondu à quoi que ce soit. Dans sa frousse, elle l'avait laissé faire. Elle avait eu une occasion quand il lui avait demandé ce que Dean avait dit. Il fait « partie de la clique de Ram Singh », avait-elle répondu. Mais si elle avait été un tant soit peu maligne, elle n'aurait pas parlé de Ram Singh, pas du tout – ce nom était à la fois trop direct et trop vague ; en fait, elle aurait dû le pousser dans ses retranchements. Un criminel. Un gangster. Et observer sa réaction. Elle se maudit d'avoir été trop impulsive, pas assez critique ni objective. Cela étant, elle avait réussi à placer sa question sur son oncle.

« Et qu'en est-il de Vicky ? »

Elle avait prononcé ce prénom de manière si désinvolte, avec tant de familiarité qu'on aurait cru qu'ils évoquaient un ami de la famille. Ça lui parut transgressif. Elle rembobina la bande et s'écouta en essayant d'analyser la seconde de silence qui avait suivi la question. Mais Sunny n'avait rien lâché.

Il l'avait néanmoins fichue à la porte.

Elle s'efforça de comprendre ce qui avait bien pu se jouer entre eux. Ils avaient flirté, c'était certain ; ils étaient attirés l'un par l'autre. Cependant, même s'il avait professé aimer qu'elle lui tienne tête, peut-être avait-il sous-estimé ses capacités ? Il ne s'attendait sûrement pas à ce qu'elle lui parle de son père, de son oncle. Peut-être ne pensait-il pas être « connu » de cette façon ? Peut-être était-il trop occupé à essayer de se faire connaître pour ce qu'il faisait personnellement. Que de questions. Elle se retrouvait avec l'image d'un jeune homme égoïste, emmailloté dans la richesse et le luxe, avide d'avoir de l'importance, mais affligé d'une insécurité fatale. Exactement le genre d'homme dont elle tombait amoureuse.

Elle tendit la main vers le tiroir de sa table de chevet, en tira son Zippo. Alluma une cigarette.

Elle passa le reste de la soirée à mettre au propre les interviews vraies et fausses des micros-trottoirs. Faux noms, fausses citations.

Elle rédigea celle de Sunny en dernier.

Vijay, vingt-trois ans. Elle ajouta une dernière ligne, quand Sunny avait repris sa voix véritable.

« On s'adapte ou on meurt ? lui cria le lendemain son éditeur. Ce mec a vraiment dit ça ? »

Il était à sa table de travail.

« Oui, répondit Neda.

— Bon sang. Cette ville devient plus dure de jour en jour. »

2.

Toute la semaine, elle attendit un message, un signe de Sunny. Elle se demanda s'il fallait qu'elle cherche à le joindre, qu'elle lui présente des excuses. Pourquoi ? Désolée, j'ai insulté ta famille. Plus elle y songeait, plus leur rencontre lui faisait l'effet d'un rendez-vous qui aurait mal tourné. Pourtant Sunny l'attirait. Elle n'arrêtait pas de penser à lui. D'un autre côté, elle était toujours à deux doigts d'entamer un dialogue avec Dean, et de lui dire : Écoute, voilà ce qui s'est passé, je pense qu'il faut que tu le saches. Elle s'imaginait lui remettre l'enregistrement qu'il écouterait dans son bureau, elle assise près de lui, les yeux rivés sur son visage. Serait-il fier d'elle ?

« Bon boulot, s'écriait Dean dans la version noire qu'elle avait en tête. Rapproche-toi de lui. Découvre quels sont ses plans. »

En réalité, Dean risquait de dire : « Ce bouffon ? Perds pas ton temps. »

Un jour, elle interrogea Dean sur les démolitions. (Encore un sujet auquel elle pensait depuis un moment. Pourquoi n'avait-elle pas parlé des démolitions à Sunny ? Pourquoi n'avait-elle pas défendu clairement sa vision d'une ville où le terrain n'a pas à devenir une commodité ?)

« C'est affreux, je sais.

— Mais ?

— Pour me faire l'avocat du diable…

— Vas-y.

— La Yamuna Pushta. Est-ce que ce ne serait pas mieux si ces terrains étaient utilisés ? Par la ville, par exemple ?

— La ville les utilise. Des gens y vivent.

— Mais je parle de la ville comme d'un tout. Comme Londres ou Paris. Là-bas, tout le monde est attiré par les fleuves. Ils représentent le cœur de la ville. Ici, on tourne le dos à la Yamuna. »

Elle se rendit compte qu'elle répétait en perroquet les paroles de Sunny.

Dean lui lança un long regard consterné.

« L'Inde n'est pas l'Europe, et la Yamuna n'est pas la Tamise. »

Environ deux semaines plus tard, son rédacteur en chef lui tapa sur l'épaule.

« Neda, c'est quoi tes projets pour ce soir ?

— Rien, sir.

— Tiens, dit-il en lui remettant un communiqué de presse. Sridhar ne peut pas s'en occuper. Tu iras. »

Elle regarda la feuille en papier brillant : « Dinesh Singh Kumar, Président de la section jeunesse du RDP, vous invite à l'inauguration des Initiatives Touristiques d'Uttar Pradesh : Un tourisme de classe internationale. »

« Un tourisme de classe internationale, répéta-t-elle.

— Les absurdités habituelles. Donc, ne perds pas ton temps. Tu rentres, tu sors, tu écris quelques centaines de mots, tu l'envoies, et tu te bois quelques verres si tu as du pot. »

Dinesh Singh, fils de Ram Singh. Qu'est-ce qu'elle présentait comme possibilités, cette réunion ? Y avait-il une chance que Sunny y assiste ? Qu'il y rôde à l'arrière-plan ? Si leurs pères étaient liés, les fils devaient sûrement l'être aussi, en dépit des dénégations de Sunny.

Ces derniers temps, elle avait vu passer beaucoup de choses sur Dinesh dans la presse, il menait une solide campagne de relations publiques pour essayer de donner un blason progressif au gouvernement ouvertement rétrograde de son père et ne s'en tirait pas si mal que ça. Son image rompait avec celle du fils de politicien franchement stupide qui se croyait en général tout permis. Il avait fait histoire et sciences politiques au Canada, s'était imprégné des leçons sur les qualités que devait avoir un homme d'État et se montrait aussi poli et chic (dans un style rural, enfant du pays, professoral à lunettes cerclées de métal) que son père était un politicien véreux aux mains sales. Il parlait bien et voulait s'appuyer sur une victoire décisive de son père pour moderniser l'État. Il louchait bien entendu sur la fonction de *Chief Minister*. Mais, pour l'instant, sa mission consistait à promouvoir le tourisme d'Uttar Pradesh au-delà du Taj Mahal. Un tourisme de classe internationale.

Neda alla trouver Dean avant de partir. Elle lui montra le communiqué de presse.

« Un tourisme de classe internationale, dit-il distraitement. C'est mignon.

— Tu as des questions ? Je prends des requêtes. »

Il lui rendit la feuille.

« Demande-lui quel est le nombre d'hôtels d'Uttar Pradesh appartenant à des politiciens affiliés à son père et combien d'entre eux se livrent à des activités illégales, telle que la prostitution et le trafic d'êtres humains.

— J'enregistre ?

— Je t'invite à dîner. »

La conférence de presse avait lieu dans une des salles de réception du Park Hyatt. Ils servaient à boire : le bar était on ne peut plus convenable – quatre serveurs en uniforme officiaient derrière une longue table de banquet drapée d'une nappe blanche et installée sur un des côtés de la pièce. Il y avait des verres de vin rouge et blanc, du jus d'orange et du Coca-Cola, ainsi que des bouteilles de gin, de whisky et de vodka que les barmen ne perdaient pas de vue, mais aussi des seaux à glace, des bouteilles de boissons gazeuses pour préparer des cocktails, toute la panoplie, quoi.

« Joli choix », susurra un journaliste chevronné à l'oreille de Neda.

Il sentait le talc et l'Old Spice. Une cinquantaine de chaises étaient disposées sur huit rangées, face à une estrade sur laquelle étaient placées trois chaises et un pupitre un peu en retrait. Un projecteur et un écran connectés à un ordinateur portable attendaient d'entrer en action. Elle prit un verre de vin blanc et se dénicha un siège sur le côté à l'avant-dernier rang. Il n'y avait pas trace de Sunny.

Dinesh Singh apparut à l'heure et commença par une présentation. Debout derrière le pupitre, il offrait l'image d'un jeune homme sérieux, impliqué, doté d'un esprit civique. Il avait un charme marquant, un peu fragile. Il paraissait gauche sur l'estrade, mais pas timide. Il démarra plutôt bien : il reconnut que l'Uttar Pradesh avait un long chemin à parcourir, que toutes sortes de problèmes – éducation, services médicaux, sécurité, emplois, lesquels passaient tous avant le tourisme – accablaient l'État. Cependant, le tourisme représentait une industrie qui, liée à l'éducation, pouvait être promue de concert avec d'autres branches afin de stimuler progrès et croissance. Puis il se dilua dans un long discours ennuyeux et Neda perdit le fil. Le découragement la saisit. Il faisait chaud malgré la climatisation. Le vin lui était monté à la tête. Elle décrocha quand Dinesh Singh montra un diaporama des diverses merveilles architecturales de l'État. Après une éternité, lui sembla-t-il, il passa à la diversité écologique. La salle était sombre. Le bar avait fermé de façon inattendue. Elle se tassa sur son siège et envisagea d'envoyer un texto à Dean. Elle écrivit : « C'est débile ici. » Mais, juste comme elle allait appuyer sur la touche Envoi, les lumières se rallumèrent. Toux polies, bruissements de papier. L'assistance allait pouvoir poser des questions. Elle ne cessait de se dire : pars après la prochaine question, lève-toi, va à la porte et sors. Mais elle s'attarda. Apparemment, les questions avaient toutes été pré-approuvées. Quand espérait-il une réussite ? Quel était son plat préféré ? Neda sentait l'irritation la gagner. Elle leva la main. Il la vit, sourit et tendit le doigt vers elle.

« Oui, la jeune femme là-bas. »

Elle prit le micro que lui tendait un assistant.

« Neda Kapur, *Delhi Post*.

— Je vous en prie, allez-y.

— Avant d'inviter le monde à visiter l'Uttar Pradesh, allez-vous évaluer le nombre d'hôtels impliqués dans des activités criminelles, telles que la prostitution et le trafic d'êtres humains ? »

Dinesh ne broncha pas, ne sourcilla pas.

« C'est une très bonne question, et un problème important. »

Poussée par le besoin de poursuivre, elle ajouta :

« D'autant plus qu'un grand nombre d'entre eux appartiendraient à des associés de votre père. »

Il y eut des Oh et des Ah, des commentaires audibles, mais Dinesh garda son calme.

« Il y aura une évaluation exhaustive des hôtels de l'État, et ceux qui seront jugés dignes d'accueillir des touristes internationaux recevront une certification spéciale. Merci. »

Et il en resta là.

Un groupe de larbins se précipita sur lui, l'arracha à l'estrade, mais Sunny n'était nulle part visible, songea Neda, dont le corps vibrait sous l'effet de l'adrénaline. Elle percevait la curiosité des autres journalistes. Elle s'était montrée trop effrontée, trop irréfléchie. Le journaliste à l'Old Spice se pencha vers elle.

« C'était chaud ! »

Elle rassembla ses affaires et s'éloigna à la hâte. Elle se sentait mal subitement. Elle était presque au bout du couloir quand une voix derrière elle l'interpella.

« Madame Kapur ? »

Elle se tourna et découvrit Dinesh Singh en personne.

« Je cours à un autre rendez-vous, mais je me demandais si nous pouvions échanger quelques mots ?

— Bien sûr. »

Elle se retrouva à l'accompagner vers la réception de l'hôtel.

Convaincue qu'il allait la fustiger, la menacer même.

Mais pas du tout.

« Je vous admire, dit-il. Il faut du courage pour poser une question pareille. Et vous avez raison de la poser. Entre nous, il y a beaucoup à faire pour assainir l'État, et pas mal de choses se passent en effet sous notre responsabilité. Mais vous comprenez la nature de la politique en Uttar Pradesh ? Pour être élu, il faut de l'argent et des gros bras, ce qui implique des compromis. Vous comprenez que cela doit rester entre nous ?

— Oui.

— La vérité, c'est que je veux épurer tout cela, mais je ne peux y parvenir seul. Nous avons besoin d'aide, et vous êtes exactement le genre de personne que nous recherchons. »

Ils entrèrent dans la réception.

« Le gouvernement devrait être transparent. Il devrait être honnête, vigilant, courageux. »

Ses assistants et ses gorilles les poussaient à avancer.

Il sortit sa carte de visite.

« J'aimerais vous inviter à Lucknow. Nous aurons bientôt un sommet de jeunes. Nous avons besoin que des journalistes transmettent notre message.

— Et si votre message et vos pratiques ne sont pas en adéquation ?

— Jugez-moi sur pièces. »

Il nota un numéro de téléphone au dos de la carte.

« Et contactez-moi quand vous voulez. Vous avez là mon numéro personnel. »

Elle prit la carte.

« Que dirait votre père de tout cela ?

— Dans ma vie, c'est toute la question… »

C'est là qu'elle le vit.

Sunny.

Debout dans la réception, guindé dans un costume bleu marine de coupe carrée et cravate grise, le visage figé en une solennité pensive. Il jouait avec son BlackBerry. Elle sentit son pouls battre plus vite et son estomac faire un bond.

« Ah, fit Dinesh, mon compagnon de déjeuner. »

Sunny leva la tête en affichant la même impassibilité que celle qu'il avait montrée à Khan Market, jeta un coup d'œil sur Dinesh, sur elle, baissa à nouveau les yeux vers son téléphone.

Une nausée la saisit, la colère aussi.

« Neda Kapur, déclara Dinesh Singh, je vous présente Sunny Wadia. »

Sunny ne releva pas la tête.

« Neda est journaliste, poursuivit Dinesh.

— Grand bien lui fasse, répliqua Sunny. On y va ?

— Mon ami est timide, expliqua Dinesh en pressant l'épaule de Sunny.

— Sa timidité le rend grossier, c'est regrettable.

— Notre table attend, dit Sunny.

— On dirait qu'il s'est levé du pied gauche. Mais, appelez-moi, je vous en prie. Pensez à ce voyage. Et si vous avez besoin de quoi que ce soit, je dis bien quoi que ce soit, appelez-moi.

— Merci.

— Maintenant, pardonnez-moi, ajouta Dinesh tandis que Sunny leur tournait le dos, mais je dois vous poser la question, qu'allez-vous écrire ?

— Ne vous inquiétez pas, répondit-elle en jetant un coup d'œil sur Sunny, la tarte à la crème standard. »

Elle reporta son regard sur Dinesh et sourit.

« Je n'ai aucune raison de faire de vous un ennemi. Pas encore. »

Il éclata de rire.

« J'attends votre appel avec impatience. »

Et il s'éloigna en entraînant Sunny. Elle les regarda se diriger vers le restaurant japonais de l'hôtel, attendit que l'un ou l'autre se retourne. Peine perdue.

Qu'avait-elle escompté de Sunny ? De la courtoisie au moins ? La façon dont il lui avait parlé lui paraissait cruelle. Pourtant, et une partie d'elle-même y trouvait un certain encouragement, il n'était pas indifférent. Elle franchit les portes d'entrée, passa à côté des portiques de sécurité et s'alluma une cigarette. Elle retrouva son ticket de voiturier, le remit à un employé et attendit sa voiture. Elle avait presque terminé sa cigarette quand la Maruti remonta l'allée en grinçant et en ahanant, et la jeune femme repensa à Sunny affirmant qu'elle pouvait débarquer effrontément n'importe où. Elle se sentit gênée, honteuse.

Elle allait monter dans sa voiture quand une voix s'éleva derrière elle.

« Madame Kapur ?

— Oui ?

— Je me présente, Amit. »

Il lui décocha un sourire mielleux. Sa main tendue serrait un étui porte-carte magnétique de l'hôtel.

« M. Wadia souhaite vous prévenir qu'il sera en retard à votre réunion.

— Notre réunion ?

— Dans sa suite. »

Elle dissimula sa surprise.

« Un retard de quel ordre ?

— Pas plus d'une heure.

— Une heure ? »

Elle fit mine de paraître irritée, alors qu'elle était secrètement ravie.

« Ça va être compliqué, Amit. »

Elle prit l'étui.

« Mais je vais m'arranger. Quel numéro ?

— Suite 800. »

Amit ordonna au voiturier de reprendre la Maruti et entraîna Neda vers la réception.

« Je vous accompagne. »

Il lui fit franchir le portique de sécurité en la dispensant des formalités d'usage.

« M. Wadia vous prie de faire comme chez vous. »

Il la guida à travers la réception et l'amena jusqu'à un ascenseur. Elle tendit le cou pour jeter un coup d'œil dans le restaurant.

« Si vous souhaitez autre chose, je serais plus qu'heureux de vous aider. Voici ma carte, mon numéro personnel. Appelez-moi quand vous voulez.

— Merci, Amit, dit-elle en prenant sa carte avant d'entrer dans la cabine.

— La suite de M. Wadia », lança Amit au garçon d'ascenseur.

Durant le trajet, elle se félicita de sa tenue quelconque et de l'alibi qu'elle lui offrait face au regard accusateur du liftier.

La carte magnétique ouvrit dans un cliquetis la porte de la suite 800, laquelle était aménagée dans le respect du luxe anonyme classique, carrelage mosaïque en marbre, secrétaire en acajou, salon spacieux, coin bureau, chambre sur le côté. Il n'y avait néanmoins rien de la panoplie typique de l'hospitalité, pas de corbeille de fruits, pas de bouteille de vin accompagnée d'une note « personnalisée » ; la suite était habitée et palpitait de la présence de Sunny. Livres, revues. Dans le coin, le secrétaire croulait sous les éléments de travail, ouvrages sur l'aménagement urbain, plans d'architecte, projets de logos. Elle jeta un coup d'œil sur les différents documents : maquette soignée d'un centre commercial à trois étages, sketch au crayon d'un élégant bâtiment de faible hauteur se déployant à flanc de colline. Un autre montrait une vaste galerie d'art moderne, trapue, sur les rives plantées de roseaux d'un large fleuve, version aseptisée, embellie, de la Yamuna. En contrebas, une berge fluviale interprétée par un architecte mettait en scène une foule d'Indiens modernes, souriants, mangeant des glaces, se tenant par la main avec, en arrière-plan, des immeubles de bureaux et des trams. Sur le côté, il y avait un calepin ouvert, un crayon en travers, mais l'écriture, mélange d'hindi et d'anglais, était totalement indéchiffrable.

Dans un renfoncement sous le poste de télévision se déployait une collection de bouteilles d'alcool. Black Label, Woodford Reserve, Wild Turkey, Patron, Hendrick's. À l'intérieur du réfrigérateur, quelques bouteilles d'Asahi, de Schweppes Tonic, de soda, de sa précieuse eau minérale belge, une bouteille de Cocchi Americano, deux veuve-clicquot. Elle prit un verre sur une rangée et se servit une bonne dose de Woodford. Le huma et se dirigea vers la chambre. Juste un coup d'œil.

Le lit était impeccable, aucun signe de vie, de précipitation. Elle ouvrit la penderie. Huit chemises blanches, trois bleues, plusieurs autres de diverses couleurs. Huit vestes de costume, cinq pantalons, plusieurs jeans. Elle passa la main sur les confections, le tissu luxueux, se pencha, inhala l'odeur de Sunny. La vulnérabilité des tenues accrochées, leur passivité l'émurent curieusement. Le fait qu'elles soient vides de son corps. Elle referma. Emporta son whisky à la salle de bains, examina le parfum qu'il mettait : Davidoff Cool Water. Elle s'en vaporisa sur le poignet. Oui, c'était bien lui.

Revenue dans la pièce principale, elle attendit. Elle dénicha un paquet de cigarettes dans un de ses tiroirs, en alluma une, approcha une chaise de la fenêtre et tira le rideau. Il était dix-huit heures trente à présent. Pare-chocs contre pare-chocs, les voitures avançaient au pas, les phares des véhicules dans les rues au loin lançaient des éclairs à intervalles réguliers. C'était toujours de loin que Delhi paraissait à son avantage. Jamais plus belle que ça, ou bien vue d'avion en arrivant de nuit, en suivant la ville cachée du Ridge, cette échine préhistorique où pas une seule lumière ne brillait, les rues tracées au cordeau du Secretariat, la fourmilière qu'était le sud de Delhi. De loin, ou de très près, debout devant un étal de *chai* cerné par le bruit. Pas de juste milieu. Et là, où se situait-on ? Elle but quelques petites gorgées de son whisky et ferma les yeux. Hein, où se situait-on ? L'odeur de Sunny au fond de sa gorge. La clim ne s'était pas mise en marche, seules quelques veilleuses éclairaient la pièce. Il faisait presque nuit dans la chambre. Elle n'avait pas inséré la carte magnétique dans le lecteur. Pour cela, il aurait fallu qu'elle se lève. Mais non, non. Mieux valait juste rester assise dans la pénombre à attendre. Le whisky se laissait boire. Pourquoi était-elle là ? Que voulait-il d'elle ?

Elle remarqua une ombre sous la porte et entendit une carte-clé coulisser dans la serrure. La porte s'ouvrit, une main inséra la carte-clé dans le lecteur et toutes les lumières s'allumèrent, le climatiseur se mit en branle et c'en fut terminé du crépuscule dans la pièce. Sunny entra en trombe et la tira de sa rêverie ; il était agité, lui décocha un coup d'œil surpris, comme s'il avait oublié qu'il lui avait demandé de venir. Sans rien dire, il se prépara un Black Label bien tassé, qu'il avala d'un trait, s'en prépara un autre. Une énergie sombre, pesante, émanait de lui. Elle ne bougea pas.

Il ôta sa veste de costume, la jeta par terre, prit son verre et mit le cap sur la chambre. Sans un mot.

Elle l'entendit s'asseoir sur le lit.

Compta jusqu'à vingt.

Rien.

Elle compta encore jusqu'à dix, puis se dirigea vers la porte d'entrée.

« Où tu vas ? » cria-t-il.

Elle se figea.

« Chez moi.

— Viens ici. »

Il y avait de la cruauté dans sa voix.

« Non. »

Elle l'entendit soupirer.

« S'il te plaît. »

Cette fois-ci, ces paroles ruisselaient de solitude.

Elle revint vers la porte de la chambre, s'arrêta sur le seuil et jeta un coup d'œil à l'intérieur.

Il était assis sur le bord du lit, effondré, les poings serrés sur les genoux.

Il essayait de se dominer.

« Qu'est-ce qui s'est passé ? » demanda-t-elle.

Il semblait incapable de parler.

« Sunny. »

Il releva la tête.

« Qu'est-ce qui s'est passé ?

— Je ne peux pas le sacquer.

— Qui ça ? Dinesh ? »

Il desserra sa cravate, déboutonna sa chemise.

« Il se croit plus malin que n'importe qui.

— C'est l'impression que j'ai eue », dit-elle en s'appuyant contre le chambranle.

Il se frictionna le crâne.

« Gros couillon…

— Allez, ça va.

— Non, ça ne va pas. »

Il se ressaisit, puis doucement, calmement, lui dit :

« Qu'est-ce tu fais ici ?

— C'est toi qui m'as fait venir.

— Non, tout à l'heure avec lui.

— Il a donné une conférence de presse. C'est mon boulot. »

Son téléphone bipa. Il le consulta, le posa, se leva, puis passa devant elle en direction du salon.

« Il me faut un verre, marmonna-t-il en se plantant devant les boissons. Tu n'es pas pressée, n'est-ce pas ?

— Je n'ai pas d'obligations urgentes, non. »

Il prépara deux grandes mesures de Woodford, s'approcha d'elle et lui en tendit une.

« J'ai besoin de me détendre. »

Elle jeta un coup d'œil alentour.

« J'aime bien ton bureau. Ton refuge. »

Il prit une gorgée de whisky.

« J'en ai quelques-uns. »

Il s'installa derrière son secrétaire, sortit les cigarettes du tiroir et en alluma une.

Elle s'approcha, s'assit sur le bord du meuble.

Elle s'empara d'un des dessins au crayon, celui de la maison à flanc de colline.

« C'est quoi, ça ?

— Une maison dans l'Himalaya. »

Sa voix se teinta de fierté.

« C'est moi qui l'ai dessinée. Un projet pour la retraite. Un hôtel peut-être. Je ne sais pas encore. »

Il lui prit le papier des mains, le plaça sur le bureau et attrapa un crayon. Il traça deux parallèles à travers l'arrière de la structure et fit de même sur le devant.

« J'avais envie de construire ça au-dessus d'un cours d'eau afin d'utiliser les énergies hydraulique et solaire. »

À l'arrière-plan, il dessina des montagnes, esquissa des lignes hachurées enneigées sur les sommets.

« Et j'avais envie que ce soit vraiment en altitude. Quelque part près du col de Rohtang. Ou du côté d'Auli peut-être. »

Elle le regarda travailler, touchée par l'attention qu'il consacrait à son travail. Il posa son crayon et repoussa sa feuille de papier.

« Mais c'est difficile de construire dans l'Himachal. Les permis, les objections locales. Les déités du cru s'expriment par la bouche des hommes du cru, et les hommes du cru sont difficiles à satisfaire.

« Ton père ne peut pas t'aider ? »

Il se hérissa devant cette suggestion.

« Ce n'est pas un Dieu. »

Elle étudia son visage.

« Ton projet pour la Yamuna. Il a quelque chose de l'ordre du divin. J'y ai repensé.

— C'est vrai ?

— J'y ai beaucoup repensé. Je travaille avec quelqu'un qui ne voit que l'autre pendant. Les gens expulsés.

— C'est le quelqu'un qui m'a traité de bouffon ?

— Dans la vision que tu en as, poursuivit-elle, où vont ces gens ?

— Dans la vision que j'en ai, ils sont déjà partis.

— C'est commode.

— Parce qu'ils sont déjà relogés. Tu le sais, pas vrai ? Ils ont de nouveaux terrains, des *pukka* maison, de l'électricité, de l'eau courante, de vraies toilettes. Ils ne sont pas obligés de vivre dans un bidonville. S'ils y vivaient, c'était uniquement parce que le gouvernement n'avait pas construit assez de logements, mais c'est réglé maintenant. »

Elle aurait bien aimé le croire.

« Tout le monde y gagne. On présente la pauvreté sous un jour beaucoup trop romantique. L'Inde n'a pas à être comme ça. Nous, on peut aider chacun d'entre nous à s'élever. »

Elle piocha une cigarette dans le paquet de Sunny et l'alluma. Secoua la tête et soupira avec émerveillement :

« Sunny, Sunny, Sunny... »

Il parut surpris par le ton de sa voix, par la tendresse avec laquelle elle avait prononcé son nom.

Elle se laissa glisser du secrétaire et s'approcha de la fenêtre.

« On est tellement jeunes. »

Il la regarda regarder Delhi dans la nuit.

« Et tu me pousses à croire qu'on peut faire tant de choses. »

Il ne répondit pas, mais elle sentit son regard l'envelopper.

« Tu sais, poursuivit-elle, je n'étais pas sûre de te revoir.

— J'attendais, répliqua-t-il au bout d'un moment, la publication d'un article à la con. »

Elle se retourna vers lui.

« Je ne te ferais pas ça. Tu devrais le savoir. Je n'ai fait écouter cet enregistrement à personne. Il est chez moi, dans mon tiroir.

— C'est vrai ?

— Je me le repasse. Je t'écoute parler en hindi.

— Ce n'est pas moi.

— Je t'écoute parler de ton père.

— Tu es belle.

— C'est une sacrée façon de changer de sujet.

— J'ai envie de te sauter. »

Elle lui jeta un coup d'œil méfiant.

« C'est comme ça que ça commence ? »

Il se leva, s'approcha lentement et se plaça derrière elle.

« Si tu le veux. »

Elle entendait sa respiration.

« Et ? »

Elle sentit sa main droite se poser sur sa taille.

Sa gauche.

Son corps se plaquer contre le sien.

Sa bouche sur les cheveux couvrant sa nuque.

« J'aime me soûler, dit-elle en fixant la cité scintillante. J'aime contempler la ville de loin, de très loin. C'est mal ?

— Non.

— J'en ai marre d'être sage. »

Elle ferma les yeux.

« Où tu vas ? »

Elle se levait du lit.

« Me débarrasser de ton jus. »

Il se renfrogna et alluma une cigarette.

« Sois pas si vulgaire. »

Elle éclata de rire, il était sérieux.

Ça ne l'avait pas surprise. Ce qui l'avait surprise, c'était cette intensité. Il l'avait à peine attirée dans la chambre, l'avait à peine déshabillée, lui avait à peine retiré sa culotte qu'il lui avait grimpé dessus par-derrière, en tenant ses poignets dans ses mains, tandis que ses jambes lui faisaient ployer les siennes. Elle était déjà trempée, et lui furieusement raide. Il s'était enfoncé en elle et elle s'était effondrée sur la couette, avait enfoui la tête dans l'oreiller et s'était abandonnée.

« J'ai envie que tu m'attaches. Que tu me bandes les yeux. Que tu me fasses totalement perdre la tête. »

Elle percevait chez Sunny un désir proche d'un métal chauffé à blanc par le soleil.

« Pourquoi tu ne viens pas bosser pour moi ? » dit-il.

Debout dans la salle de bains, elle essayait de réparer les coulures de son kajal.

« Non. Ce n'est pas une bonne idée. »

Elle revint, alluma une cigarette et s'allongea sur le ventre, les jambes en l'air, comme elle avait vu des filles le faire au cinéma.

« Pourquoi pas ?

— Qu'est-ce que je ferais ? Ta secrétaire ?

— Ce que tu veux.

— Ce n'est pas une bonne idée.

— Pourquoi ? insista-t-il en lui caressant le cul, en lui collant une petite tape dessus. Je t'ai déjà sautée. Ce serait déjà un truc dont t'aurais pas à t'inquiéter.

— La ferme. »

Elle se remit sur le dos.

« Et on fait quoi quand t'auras plus envie de me sauter ? »

Il n'eut rien à répondre à ça.

« Faisons simple, ajouta-t-elle.

— Tu y viendras. »

Dans son sac resté au salon, son téléphone se mit à sonner.

Elle tendit l'oreille, roula de grands yeux.

« Sans doute ma mère. »

C'était sans doute Dean.

« Tu ne réponds pas ?

— Ça peut attendre. »

La sonnerie s'arrêta.

Sunny ferma les paupières et elle glissa les doigts dans ses poils pubiens, s'empara tendrement de son sexe mou.

« Il est plus gros que je n'avais espéré », commenta-t-elle en souriant.

Sunny réagit à sa caresse, ou à ses paroles.

« T'es prête à remettre ça ? »

« Qu'est-ce qui s'est passé un peu plus tôt ? » demanda-t-elle.

Ils étaient en train de boire un whisky. Elle bâillait. Ils avaient un peu dormi.

« Qu'est-ce que tu veux dire ?

— Pourquoi étais-tu aussi agité ? »

Il rouvrit les yeux et fixa le plafond un long moment.

Puis il prit la parole.

« Un jour, j'étais tout gamin, mon père m'a emmené à Lala Ka Bazar. Je te parle de l'époque où on vivait à Meerut. Je me souviens d'un trajet en *rickshaw* avec lui, serré contre son corps, jamais encore je n'avais été aussi proche de lui. On est descendus et on a marché à travers les allées. Il ne m'avait encore jamais emmené comme ça avec lui. Il ne m'avait jamais emmené nulle part. J'étais surexcité, tellement heureux, parce qu'il n'avait jamais fait attention à moi. On est arrivés à une boutique de jouets, et les autres clients ont été priés de vider les lieux. On s'est retrouvés tous les trois, lui, le commerçant et moi. Mon père m'a demandé de choisir les jouets qui me plaisaient, autant que je voulais. "Vas-y." J'ai obéi et j'ai fait le tour en courant. J'ai passé beaucoup de temps à farfouiller et j'ai fini par m'arrêter sur trois choses : un camion rouge avec un gyrophare, un petit ballon rond et jaune qui rebondissait vraiment bien contre les murs et un pistolet en plastique qui produisait différents sons quand on pressait la détente. Mon père ne m'a rien dit, mais les a fait mettre de côté et on est repartis. Je n'ai pas trop compris, mais je n'ai pas osé demander pourquoi on ne les avait pas pris. J'ai pensé qu'on allait les envoyer directement à la maison. J'ai attendu, attendu. Des jours. Des semaines. Mais ils ne sont jamais venus. Je n'ai jamais oublié. Je n'ai jamais cessé d'attendre. »

Il s'interrompit, empêtré dans ses souvenirs.

« Ce soir, poursuivit-il et sa voix se fit de plus en plus froide, Disnesh m'a dit : « Dans mon enfance, ton père a été comme un père pour moi. À tous les moments importants de ma vie, il a été là. » Dans son esprit, c'était un compliment. Il croyait me flatter. Puis il m'a décrit un certain anniversaire, la première fois où il a rencontré Bunty *Uncle*. Il m'a confié n'avoir jamais oublié les cadeaux reçus. Un pistolet en plastique, un camion rouge et un ballon jaune.

— C'est affreux. Tu lui as raconté ton histoire ?

— Ça va pas ? Pourquoi est-ce que je m'humilierais comme ça ?

— Je ne sais pas. »

Ils demeurèrent allongés un moment sans rien dire.

« Et ta mère ? »

Il respira avec lenteur.

« Quoi, ma mère ?

— Elle n'a rien fait ? »

Il hocha la tête.

« Elle était déjà morte à ce moment-là.

— Quand est-ce qu'elle est morte ?

— J'avais cinq ans.

— Je suis désolée. »

Il s'assit dans le lit, se leva.

« Le sois pas. Cette salope s'est pendue. »

Le téléphone de Neda se remit à sonner. Elle l'ignora.

« Tu devrais répondre, dit Sunny.

— Je n'ai pas envie. Ce n'est pas important. »

L'appareil s'arrêta et se tut. Dix secondes plus tard, il recommença à sonner.

« Réponds, dit Sunny, ou je le balance par la fenêtre. »

C'était Dean. Debout, nue au bout du fil, elle contempla les lumières jaunâtres et scintillantes de Delhi. Il lui demanda où elle était, dit qu'il avait envie de dîner avec elle à 4S.

« Comment peux-tu résister à l'attrait d'un poulet au *chili* arrosé d'une bière fraîche ? »

S'il y avait un truc dont elle n'avait pas du tout envie à cet instant précis, c'était bien ça ! Elle modula sa voix comme si elle échangeait avec sa mère. Elle dit à Dean qu'elle était en train de boire un verre avec une amie, qu'elle rappellerait dès qu'elle aurait terminé. Elle était encore sous le choc de la confidence de Sunny. De la dureté qu'il cultivait sans parvenir à masquer sa souffrance. Elle voulait en savoir plus.

Mais lorsqu'elle regagna la chambre, Sunny était penché sur son BlackBerry.

« J'ai quelqu'un qui va venir, lui annonça-t-il. Tu devrais t'habiller et partir. »

Ça la blessa.

« OK.

— C'est pour le travail.

— J'ai dit OK. »

Tous deux commencèrent à se rhabiller en silence.

Quand il eut enfilé son pantalon, il s'interrompit pour l'observer.

« Quoi ? dit-elle.

— C'est Dinesh. J'étais censé passer tout l'après-midi et la soirée avec lui. J'ai dégagé quelques heures pour te voir.

— Suis-je censée t'en être reconnaissante ?

— Sois pas jalouse.

— Je ne le suis pas.

— J'ai une vie. »

— Moi aussi.

— Ça baigne alors. »

Elle finit de s'habiller.

« Écoute, à propos de ta mère...

— Je n'ai pas envie de parler de ça.

— Bon, fit-elle avec un sourire faussement jovial, c'était sympa. À un de ces jours. »

Elle se dirigea vers la porte d'entrée, déposa la carte-clé sur le buffet.

Elle allait ouvrir quand il parvint à sa hauteur. L'attrapa, l'obligea à se retourner et la plaqua contre le mur.

« Qu'est-ce qu'il y a ? demanda-t-elle. Qu'est-ce qu'il y a ? Lâche-moi, tu me fais mal. »

Les yeux de Sunny scrutèrent les siens.

Que voulait-il dire ? Ou faire ?

Est-ce qu'il lui faisait vraiment mal ?

Elle n'en savait rien.

« Tu... tu ne ressembles à personne.

— S'il te plaît !

— Je suis sérieux. »

Il essaya de l'embrasser, et elle détourna la tête.

« Je suis sérieux », répéta-t-il.

Puis il l'embrassa, et elle ne résista pas, et, là, il la laissa partir.

Elle croisa le doux regard du garçon d'ascenseur. Inhala les odeurs neutralisantes de jasmin et de citronnelle. Poignets endoloris. Trop de whisky dans les veines. La tête lui tournait. Elle se réjouit d'arriver à la réception. Se réjouit de l'air chaud de l'été. Elle se retrouva au même endroit, avec le voiturier, attendant que sa Maruti remonte l'allée en ahanant, mais à présent tout avait changé. Elle s'éloigna et fonça sans réfléchir à travers les rues jusqu'à ce qu'elle se soit ressaisie et se gara le long du trottoir. Sa main tremblait. Elle s'alluma une cigarette. Partie de rien, la journée avait monté en puissance avant d'exploser. Des manœuvres passèrent à côté d'elle, ils fumaient des *beedis,* lui jetèrent un coup d'œil morne à travers la vitre. Elle appela Dean :

« Hé, oui. J'arrive. Oui, j'ai fini. Je serai là dans une vingtaine de minutes. »

271

Dean était déjà assis à l'étage du 4S, il l'attendait. Il avait pris une des deux tables de devant, à un endroit où le néon de l'enseigne dehors se répercutait à travers la vitrine et baignait son visage. Comme toujours, la salle exiguë, obscure, un peu crasseuse et très douillette à ses yeux, fourmillait d'étudiants. Les serveurs qui connaissaient Neda de vue la saluèrent quand elle entra et grimpa le raidillon en colimaçon.

Dès qu'il la vit émerger de l'escalier, Dean leva la main pour l'accueillir.

Elle sourit en le voyant, grand gamin parmi tous les gamins de l'université, prof sympa.

Il avait déjà commandé deux Old Monks avec Coca et une assiette de rouleaux de printemps. Elle attrapa un des rouleaux de printemps juste comme elle allait s'asseoir et en prit une copieuse bouchée.

« Seigneur, je suis affamée.

— Alors, dit-il, il était comment, le petit génie ? »

Elle enfourna le reste du rouleau de printemps, et répondit, la bouche pleine.

Allez savoir pourquoi, ça lui permettait de mentir plus facilement.

« Oh, tu sais, ville mondiale par-ci, ville mondiale par-là, beaucoup de conneries. »

Il hocha la tête.

« Si j'entends cette expression une fois de plus, je vais hurler. J'étais à une réunion de la RWA[1] à Sarojini Nagar, ils n'ont pas cessé de la sortir, ils n'arrêtaient pas de répéter qu'il fallait que Delhi devienne une ville mondiale. Quelle formule à la con ! Ville globale, mondiale. La vitrine du monde. Bon, ras le bol. J'ai entendu dire que tu avais vraiment posé la question.

— Oui, ça devait être le vin.

— Je suis impressionné. Comment l'a-t-il pris ? »

Le cours de ses pensées la ramena à Sunny. Elle le sentait en elle, percevait l'odeur de son eau de toilette et de sa sueur sur sa peau, le goût de sa langue sur la sienne. Et les bras de Sunny lui pesaient dessus comme des membres fantômes. Elle se dit qu'il

---

1. Resident Welfare Association : association de quartier.

fallait absolument qu'elle achète une pilule du lendemain. Elle ne pensait qu'à lui en train de la pénétrer et à la sensation enivrante d'être emplie et consumée.

« Euh…

— Comment Dinesh l'a-t-il pris ?

— En fait, il m'a proposé de m'emmener à Lucknow. Il a dit que je correspondais au type de journalistes courageux dont le monde avait besoin, ou des foutaises de la même farine. Pas question que j'y aille. Je ne suis pas dupe de ce genre de blabla. »

Elle fit signe au serveur.

« On commande ? »

Quelques jours plus tard, le matin, elle reçut un sms.

— 21H Park Hyatt. Japonais. Dîner.

Elle termina sa journée de travail à dix-neuf heures trente. Elle avait pris une tenue de rechange. Une robe noire. Kajal épais, mais pas de rouge à lèvres. Elle se sentit empruntée dès son entrée. Gauche, visible. Elle consulta timidement le maître d'hôtel du restaurant japonais, expliqua qu'elle devait rejoindre les invités de Sunny Wadia. Le maître d'hôtel, manifestant alors une impressionnante déférence, l'entraîna dans un couloir du restaurant, puis dans un autre, privé, menant à un passage doté de plusieurs portes coulissantes superbement laquées. Il s'arrêta devant l'une d'elles et l'ouvrit. Derrière se déployait une table de vingt couverts, mais seul Sunny était présent dans la pièce.

« Bonne soirée, madame », dit le maître d'hôtel.

Elle entra, et le maître d'hôtel referma derrière elle.

3.

Ainsi commença une brève période enchantée. Deux modes de vie à l'opposé l'un de l'autre. Dans la journée, la ville torride, terrible, et Sunny Wadia la nuit. Des voitures venaient la chercher et l'emmenaient comme une flèche à tel ou tel refuge de Delhi, où il n'était question ni de prix, ni de problèmes ni de souffrance. Elle se coupait en deux. La mousson commença début juillet. Dans la ville, les expulsions se poursuivaient à un rythme soutenu. Neda, déconnectée, les survolait. Dean allait interviewer les gens sur place, enregistrait, collectait des preuves, collectait des témoignages, luttait contre le courant. La ville, évidée, éviscérée, changeait de forme et de caractère sous leurs yeux. Dean suivait chaque démolition, suivait les expulsions, recensait les routes allant des zones purgées aux colonies de relogement. Au bureau, Neda transcrivait les témoignages qu'il avait recueillis, succession d'interviews de citoyens, aux vies brisées, telles des pierres dans une carrière pour être utilisées ailleurs, dans la construction d'immeubles destinés à d'autres vies, plus rentables. À sa table de travail, elle tournoyait dans le vortex de ces mots, ressentait pitié et chagrin, mais lorsqu'elle avait fini, elle rassemblait ses affaires et s'enfonçait dans la nuit au volant de sa voiture pour aller le retrouver. Elle savait que ce n'était pas bien.

Ce premier dîner fut parfait. Plus jamais elle n'aurait ça. Seule dans cette salle de banquet privée, bœuf de Kobe, Barolo Romirasco 1993, frites gourmet, sous le regard de Sunny, qui se délectait de chaque bouchée, de chaque gorgée de vin qu'elle prenait et vivait son plaisir par procuration. Ils passèrent à un saké éblouissant, qu'ils burent dans des récipients en bois, carrés, avant d'enchaîner, les pieds sur la table, sur un cigare cubain, puis sur de petits verres de rhum vénézuélien qu'ils serraient dans leurs paumes, pendant que Sunny la régalait d'histoires sur ses voyages à travers l'Europe, son éveil au sexe et aux drogues, puis aux bonnes choses de la vie. Ils prirent un ascenseur privé pour se retirer dans une autre de ses suites. Ivres, joyeux, ils étaient les rois du monde. Dans la chambre, ils baisèrent et parlèrent à peine.

Elle fut happée par son groupe. « Sunny Wadia est une fête, décréta quelqu'un un soir, comme Paris. » Pourtant, leur liaison restait dans le flou. Elle comprenait. Il était un personnage, il avait une cour, et elle n'avait aucun désir d'en devenir la reine. Elle se contentait de rester en retrait et de regarder, repliée sur son secret. Elle débarquait à ces repas grandioses, parfois dans de petits restaurants, parfois dans la salle de banquet d'un cinq étoiles, toujours un peu timide, un peu réticente, toujours seule, toujours en retard. Hari rentra en ville. Après Kasol, il était allé à Bombay. Lui remarqua le changement. Quand une fête battait son plein dans le penthouse, ils se regardaient parfois d'un bout de la table à l'autre et elle comprit qu'il avait compris, il affichait un visage triste, parce qu'il l'avait perdue encore une fois, mais il était heureux qu'elle se soit ouverte au monde. Ils ne s'appelaient plus, ne se parlaient plus. Elle était quelqu'un d'autre.

Elle finit par se rendre compte que ce n'était pas le menu qui importait quand on dînait avec Sunny. Ni les boissons. Ni l'addition à la fin, addition que personne ne voyait jamais. Ce qui comptait, c'était la performance, c'était attendre de voir ce qui se passerait ensuite dans cette ville qui était la leur, dans ce monde qu'ils avaient fait apparaître. Sunny les sifflait et ils accouraient, commandaient tout ce qu'ils pouvaient et touchaient à peine leurs assiettes, ils buvaient, buvaient, riaient, hurlaient, braillaient et racontaient des histoires, se comportaient de manière scandaleuse, se montraient outrés, imposaient leurs exigences aux établissements qu'ils fréquentaient, les menaçaient dans leurs fondements, puis Sunny réglait l'addition de ses enfants gâtés, et ils s'en allaient.

Assis sur son siège, il la regardait, buvait, riait, l'observait, l'observait. Quelques mecs discutaient immobilier. D'autres relataient les mauvais tours qu'ils avaient joués à l'école. La nourriture ne cessait d'arriver, un plat coûteux après l'autre, une succession de mets exquis ; ça n'en finissait pas. À une heure du matin, la table ressemblait à un champ de bataille.

Parfois, elle débarquait à bord d'un *auto-rickshaw* ou en taxi. Sunny disparaissait après le repas, donnait parfois une raison, payait toujours discrètement, disparaissait parfois sans un mot, et les nouveaux s'inquiétaient de la suite, car le départ de Sunny, qui les avait mis en branle, cassait l'ambiance. Neda attendait le moment propice et prenait congé. Parfois, les autres essayaient de la retenir, de l'embarquer vers leur prochaine destination. Elle prétextait la fatigue ou les tâches du lendemain. Elle savait qu'ils parlaient d'elle une fois qu'elle était partie, surtout depuis que Kriti n'était plus des leurs. Peut-être pressaient-ils Hari de questions. *C'est ton amie, c'est toi qui l'as amenée. Qu'est-ce qu'elle fait avec lui ?*

Parfois, elle mettait un point d'honneur à s'éclipser longtemps avant Sunny. Parfois Sunny passait du temps à la taquiner, éreintait les journalistes en général. L'accusait d'être une espionne. Ne dites rien devant elle ! Elle se contentait de sourire et faisait la conversation avec quelqu'un d'autre. Puis ils étaient partis l'un et l'autre.

Où crois-tu qu'ils soient allés ?

Elle s'en fichait.

Ajay la véhiculait. Si Sunny était déjà parti, Ajay la récupérait dehors et la déposait à l'hôtel où Sunny l'attendait. Si c'était elle qui s'en allait la première, Ajay la déposait à l'hôtel et on lui remettait la carte-clé, de sorte qu'elle pouvait attendre. Silencieux, loyal Ajay, les yeux baissés, jamais un mot. Ils fonçaient à travers la nuit. Ajay n'écoutait jamais de musique sur la stéréo, elle l'avait remarqué. Parfois, elle mettait ses écouteurs et envoyait sa musique à fond, et elle contemplait les rues sans plus se connecter à elles, les tas d'ordures qui se consumaient au bord de la route, les ouvriers endormis. Les mois de juillet et d'août, comme ça. Ils brûlaient la vie par les deux bouts, n'étaient jamais fatigués. Somptueuses gueules de bois. Irisées au champagne.

Elle savait très bien s'ouvrir à lui. Elle le voulait tout au fond d'elle. Elle voulait qu'il l'emplisse totalement. Il n'y avait pas moyen de dire ça autrement. Dans les moments où, après l'amour, ils fumaient au lit, il lui parlait de l'Italie. De l'atelier où on faisait ses costumes, du soleil qui coulait à travers l'atmosphère méditerranéenne, des particules de poussière dans la lumière. Des cafés où il s'asseyait dans la journée, du cliquetis de la cuillère contre la tasse de café et la soucoupe. Il avait dix-huit ans quand il y était allé pour la première fois. Il ne cessait de revenir à ce souvenir. Il y avait la boutique de jouets de Meerut et il y avait l'Italie. Il y avait parfois de l'épuisement chez lui, quand il venait la rejoindre après qu'elle avait attendu, une heure ou deux parfois, en buvant un whisky et en regardant *Star Movies* avec la clim branchée et les vagues de chaleur dehors qui s'écrasaient contre la fenêtre. Il n'avait pas eu le temps de reprendre ses marques. Et les choses étaient différentes maintenant. Elle avait envie de prendre soin de lui. Les gens me fatiguent, disait-il. Ils m'essorent. Tu es trop généreux, répondait-elle. Lui et lui seul l'absorbait. Elle avait envie de son odeur. Elle portait ses chemises au lit.

L'argent est une calamité, disait-il. Ça saborde tout le bon boulot qu'on peut faire. Avant, il fallait que tu sois gentil, marrant ou sympa. Intéressant, intelligent. Il fallait prendre le temps de connaître les gens. Tu avais une solidarité avec eux. Puis tu deviens riche. Ça bousille tout. Tout le monde est sympa avec toi. Tout le monde recherche ta présence. T'es la personne la plus populaire qui soit. C'est tellement facile d'être charmant quand t'es riche. Tout le monde rigole de tes plaisanteries, tout le monde est suspendu à tes lèvres. Tu oublies et tu crois que tu y es pour quelque chose. Puis, des fois, tu vas quelque part et tu ne dépenses rien, et c'est tellement pénible, c'est tellement horrible de revenir à la case départ, et, toi, t'as oublié comment gagner la confiance ou l'amour de quelqu'un, mais tu sais que c'est plus facile avec un raccourci ou deux et, du coup, tu finis par sortir ton cash, la liasse, la pince à billets, la carte et tu prends encore plus ton pied, parce que avant ils ne savaient pas, et que, maintenant, oui. T'es riche. C'est toi le patron. Ils t'aiment. L'argent est une calamité.

« Mon grand-père, dit-il une nuit au lit, était un Walia. C'était son nom. Il l'a changé en Wadia après avoir rencontré un marchand parsi dont les affaires marchaient très bien. C'était il y a longtemps, juste après l'Indépendance. Il pensait que ce changement lui porterait chance. Voilà. C'est le fin mot d'une histoire qui n'en est pas une.
— Est-ce que ça lui a porté chance ?
— Deux générations trop tard.
— C'était un homme pieux ?

— Il est mort avant ma naissance. Je ne sais rien à part cette histoire que m'a racontée Tinu.

— Tinu ?

— Tinu, c'est Tinu. Le bras droit de mon père. »

Elle s'interrompit un instant.

« À quoi il croit, ton père ?

— Hein ?

— À quoi est-ce qu'il croit ? »

Il réfléchit.

« Pourquoi tu me demandes ?

— C'est juste une question.

— À l'argent.

— À Laxmi ?

— Non. Juste à l'argent.

— Et qui prie-t-il ? »

Il réfléchit à nouveau.

« Lui.

— Tu l'aimes ? »

Il réfléchit encore plus longtemps, le temps d'un silence insupportable.

« Et ton oncle Vicky ? » lança-t-elle alors.

Il se crispa. Elle le sentit se replier sur lui-même.

« On ne parle pas de lui.

— Pourquoi ça ? »

Il refusa de répondre.

« C'était quoi l'incident de Kushinagar ?

— Où t'as entendu parler de ça ?

— Apparemment, c'était un truc sérieux. »

Il garda le silence un long moment sans faire un geste, sans la regarder.

« Une affaire de politique locale. C'est pas pareil là-bas.

— Je présume. Ils l'appellent par un autre nom, pas vrai ? Un nom de montagne. C'était quoi ? Himmatgiri ? »

Il détourna les yeux.

« Ne répète plus jamais ce nom. »

Ça ne faisait que six semaines, mais elle avait l'impression que c'était toute une vie. Du moment où elle se réveillait à celui où elle s'endormait, ça la consumait. Ils s'étaient rejoints dans des suites d'hôtel une vingtaine de fois tout au plus. Parfois, il lui apportait des bijoux à mettre. Des vêtements. Elle s'habillait lentement. Sortait comme ça pour la nuit, différente. Disparaissait un instant. Elle redevenait elle-même quand elle le quittait, qu'elle réintégrait son univers. Mais elle ne partait pas sans rien.

Il y avait toujours quelque chose qui la rongeait.

Dehors, la ville s'enfonçait, s'effondrait. La mousson envahissait les égouts et les caniveaux. Les rues croulaient sous les coups de klaxon. Ils ne parlaient jamais de ça. Il y avait des manifestations. Des expulsions. Des démolitions. Ils n'en parlaient jamais. Elle faisait des transcriptions pour Dean. Ils n'en parlaient jamais. Il lui parlait du fond de son lit. Du côté opposé de la table. Il fallait en passer par là. Sunny citait la loi. *Almitra H. Patel contre l'Union indienne.* La cour opinait : Delhi devait être le fleuron de la nation. Au nom de quoi devrait-on récompenser un pickpocket ?

Sa mère lui demanda :
« Tu vois quelqu'un ?
— Oui. »
C'était à la table du petit déjeuner.
« Hari ? »
Elle pouffa de rire dans ses céréales.
« Non, voyons !
— Qu'est-ce qui ne va pas chez Hari ?
— Rien.
— C'est Dean ?
— Ce n'est pas Dean.
— On fera sa connaissance ?
— J'en doute.
— Tu prends des précautions ?
— Bien sûr. »

4.

Même avec toutes les précautions possibles et imaginables, ça devait forcément changer. C'était impossible de tenir cette note. La mousson se calma. Il était quatre heures, un vendredi matin. Ils étaient au lit, à moitié réveillés. Il lui annonça qu'il allait partir à Lucknow le surlendemain, pour du boulot. Dinesh Singh, précisa-t-il. Quand elle était avec lui, elle perdait la notion du temps. Ils s'endormirent et, quand elle se réveilla, il était six heures trente et il était déjà en train de s'habiller.

« Qu'est-ce qui se passe ?

— Changement de programme. Ces connards débarquent à Delhi ce soir.

— Qui ça ?

— Dinesh et son *behenchod* de père. Il faut que je me prépare.

— Comment tu te prépares ?

— Principalement en m'abstenant de parler.

— Qu'est-ce que tu fais avec eux ? Tu ne le dis jamais.

— C'est le deal de mon père.

— Et ton deal à toi ?

— Qu'est-ce que tu veux dire ?

— Tu en es où, avec le fleuve ?

— Me demande pas.

— Justement je te le demande.

— Mon père s'en occupe. »

Il était sur le point de partir.

Ce matin-là, elle quitta l'hôtel juste après sept heures trente.

Elle était au volant de sa voiture et rentrait se changer lorsque Dean l'appela. Elle commença par ne pas répondre, se dit que ça pouvait attendre. Mais il rappela quelques secondes plus tard, haletant.

« T'es où ? »

Elle n'eut pas le temps de répondre qu'il ajouta :

« J'ai besoin que tu descendes à Laxmi Camp immédiatement.

— Maintenant ?

— Il va y avoir une démolition ce matin, les bulldozers sont déjà sur place. L'avis de la Cour suprême vient de tomber.

— OK.

— J'ai besoin que tu couvres ça. Je ne peux pas y aller. Je suis à Meerut.

— Tout de suite ?

— Oui ! Tout de suite ! »

Les manifestations pour Laxmi Camp duraient depuis des mois, les ordonnances de la Cour faisaient des allers-retours, mais maintenant les bulldozers étaient prêts à intervenir. C'était vrai, une équipe de démolition venait d'arriver sur site. Le responsable avait annoncé que les travaux commenceraient dès qu'il aurait fini son thé. Un marché était prévu à cet endroit-là. Quelques résidents se démenaient pour faire quelque chose, tentaient de sauver leurs vies en démantelant leurs logements de fortune par petits bouts, d'autres entassaient leurs possessions dans des sacs et abandonnaient les cahutes aux démolisseurs. Il avait plu un peu dans la nuit, mais à présent il faisait juste chaud et humide. Des tas d'hommes étaient partis chercher du travail au *mandi* des journaliers et avaient laissé leurs cahutes sans surveillance. Ils n'avaient pas pris les menaces au sérieux, ou peut-être ne pouvaient-ils pas se permettre de ne pas travailler. Elle arriva sur place au moment où le responsable faisait son annonce. Des résidents de la colonie voisine l'accostèrent. Un gentleman tout à fait comme il faut, en col blanc, et flanqué de son gros labrador voulait témoigner. Il s'appelait Ashok et appartenait à la Resident Welfare Association. Trente-neuf ans. Notez-le. Ces gens nous empoisonnent, ils représentent une menace, c'est à cause d'eux que la ville est aussi sale, que la criminalité augmente, ils défèquent dans les jardins. Notez-le. Nous construisons un mur, ils percent un trou dedans. Ils passent par là la nuit. Il est grand temps qu'ils déguerpissent. Ils squattent un terrain public et il faudrait qu'on les récompense ? Pourquoi ? Le monde suit ça de près. Notez-le. Il se pressait contre son calepin pour la regarder prendre des notes. Une femme du *jhuggi*[1], rondelette, fatiguée, l'entendit. Je m'appelle Rekha. Notez ça ! Nous, on vous a aidés à construire vos maisons ! On vous a fait à manger ! On a gardé vos logements la nuit ! On a chassé les

---

1. Bidonville.

voleurs quand ils sont venus ! Et voilà ce que vous faites ! Le labrador se mit à aboyer contre elle. Sans prévenir, les bulldozers entrèrent en action. De partout, les hurlements fusèrent. C'est ça que vous nous faites ?! Où est-ce qu'on va aller ? Qui va travailler pour vous à présent ?! Les bulldozers traçaient leur route implacable, aplatissaient tout ce qu'il y avait devant eux. Ils aplatirent des bicoques de bâche, de bambou, de tôle et de briques, des vies, effacèrent sommairement des gagne-pain. Et puis un cri d'une teneur différente déchira l'air. Il était si fort et si insupportable que tout s'arrêta. Les bulldozers coupèrent leurs moteurs et stoppèrent leur progression, policiers et citoyens se ruèrent vers la source du bruit, la dernière cahute à moitié effondrée. Le chien d'Ashok continuait à aboyer. Une jeune femme en guenilles fut arrachée aux décombres, hurlante et bafouillante. Les hommes retournèrent les gravats avec frénésie, mais c'était trop tard. On sortit et on brandit les corps écrasés de deux tout-petits de la même fratrie, entièrement blancs de chaux et de plâtre, morts. Neda vit tout ça de ses propres yeux. Elle entendit les gens se mettre à se lamenter pendant que les jeunes garçons caillassaient le bulldozer.

Cet après-midi-là, elle rédigea un récit à la première personne – la pagaille, l'enchaînement des événements, le choc viscéral. Elle avait même réussi à rassembler des déclarations. La démolition avait été suspendue, une manifestation spontanée avait éclaté – elle avait pris de l'ampleur, avait manqué se transformer en émeute. Mais son papier pour le journal, sec, efficace, donnait l'essentiel de la situation et pas beaucoup plus.

Elle se rendit compte qu'elle passait à la télévision. Une équipe de journalistes avait filmé la démolition. Le moment de la mort des enfants était en boîte. Elle suffoquait, pleurait.

Dean voulut l'inviter à dîner ce soir-là, mais elle déclina. Elle voulait rester seule. Il répondit qu'il prendrait de ses nouvelles plus tard dans la soirée.

Les malheureux parents étaient en train de travailler sur un chantier. On leur avait assuré que la démolition serait repoussée. Ils avaient pris le risque, étaient partis en laissant les petits à la maison. Une voisine devait les surveiller, mais la police avait tabassé la voisine. Et dans le même moment, ils avaient perdu leurs enfants, leurs possessions, leur vie.

La mère de Neda l'observa avec l'attention et la vigilance pointilleuses qu'elle employait d'habitude face au monde. Rien n'échappait à son regard. C'était un aigle qui ne fondait jamais sur sa proie, mais Neda savait qu'elle était là.

« Nous n'avons que toi, dit sa mère en lui prenant la main. Tu le sais, n'est-ce pas ?

— Non », répondit Neda en essayant de retirer sa main.

Sa mère refusa de lâcher.

« Et nous sommes fiers de toi.

— Vous ne devriez pas.

— Tu fais des choses qui comptent. »

Neda ferma les yeux et ses larmes coulèrent.

« Il n'y a plus rien qui compte. »

Elle avait l'esprit embrumé.

« Chutttt.

— Je ne peux pas encaisser ça », dit-elle.

Elle leva la tête et croisa le regard de sa mère, puis sa voix se fit implorante.

« Je peux y aller maintenant ? J'ai envie de dormir. »

Sa mère acquiesça.

« Je te fais porter un thé ?

— Non.

— Un whisky ?

— Non.

— On se fume une cigarette ensemble, avant que tu ailles te reposer ? »

Elle monta à l'étage et s'assit sur le bord du lit, nauséeuse, immobile, puis se déshabilla et entra sous la douche. Plantée sous l'eau chaude, elle poussa son cerveau à se détacher de ce cauchemar qui n'en finissait pas de se répéter – la femme en train de hurler, les tout petits corps, les aboiements frénétiques du chien, le moteur guttural des bulldozers, la lumière aveuglante des caméras de télévision. Elle revivait le moment, se revoyait voir le saccage, et ses souvenirs, greffés sur les images de la caméra de télévision, faisaient de l'événement une expérience extracorporelle, détachée de toute réalité perceptible. L'eau chaude se tarit, la douche devint froide, mais elle resta quand même, laissa l'eau engourdir son corps et aussi son esprit. Elle perdit toute notion des lieux et du temps ; elle aurait pu être dans la jungle, dans la montagne, elle n'était pas à Delhi.

Comment échapper à ça ? elle n'en avait pas idée. Elle entendit un sourd bourdonnement de voix au rez-de-chaussée. Sa mère en train de parler. Une voix d'homme. Ça devait être Dean.

Oui, Dean était là.

Elle enfila un caftan et descendit discrètement l'escalier en marbre, s'arrêta dans la courbe pour regarder furtivement ce qui se passait, comme une enfant.

Ce n'était pas Dean.

C'était Sunny, assis avec sa mère à la table ronde au beau milieu de chez elle, vêtu d'une de ses chemises blanches toutes simples et d'un chino ; il buvait un thé, paraissait fatigué, lessivé. Il écoutait sa mère, répondait à son tour, et sa mère, réceptive, calme, acquiesçait avec lui.

Il avait dû l'entendre, deviner sa présence à moins qu'il ne l'ait aperçue du coin de l'œil. Il leva la tête, croisa son regard et elle se cramponna un peu plus au mur. Puis elle descendit quelques marches pour tenter de faire front.

« Qu'est-ce que tu fais ici ?

— Je t'ai vu aux informations », dit-il.

Ça lui paraissait irréel qu'il soit assis là, qu'il ait franchi cette limite, envahi sa vie.

« Je suis désolée, dit sa mère, ma fille est capable de se montrer très impolie.

— Ce n'est pas grave, répondit Sunny. Elle a eu une mauvaise journée. »

N'en croyant pas ses oreilles, Neda répéta :

« Une mauvaise journée ?

— Je vais me reposer, décréta sa mère avant d'aviser Sunny. Occupez-vous d'elle. »

Sunny se leva, tendit la main.

« J'ai été ravi de faire votre connaissance, madame Kapur.

— Ushi, répondit celle-ci en lui serrant la main. Je m'appelle Ushi. »

Elle jeta un coup d'œil à Neda, mais s'abstint de tout commentaire, tourna les talons et se retira dans sa chambre. Neda la regarda s'éloigner sans faire un geste. Elle attendit qu'elle ait disparu pour s'asseoir à la table. Et c'est seulement à ce moment-là que Sunny se rassit.

« Elle est bien comme je l'avais imaginée.

— Elle t'a demandé qui tu étais ?

— J'ai dit que j'étais un ami.

— Tu n'es pas un ami », répliqua-t-elle d'une voix sourde.

Elle ferma les yeux.

« Qu'est-ce que tu fais ici ? Tu n'es pas censé être avec Dinesh ?

— Il peut attendre. »

Elle se mordit la lèvre.

« Je me sens tellement bête.

— Pourquoi ?

— Il me faut un verre. »

Elle alla chercher une bouteille de Teacher's et deux verres à cognac dans le buffet.

« Qu'est-ce que tu lui as dit ? »

Elle versa deux généreuses mesures dans les verres.

« Rien. »

Elle vida un des verres. Regarda l'autre. Le vida aussi.

« Qu'est-ce qu'elle t'a demandé ?

— Rien. »

Elle remplit son verre derechef.

« Doucement, lui conseilla-t-il.

— Me fais pas la morale.

— Je ne te fais pas la morale. »

Elle remplit le verre de Sunny aussi.

« Ce n'est pas de la bonne camelote, je sais.

— Je peux fumer ? »

Elle eut un geste de la main.

« Bien sûr. »

Il sortit ses cigarettes et son briquet. Lui en offrit une.

« Tu as grandi dans cette maison ? »

Elle en prit une, il l'alluma.

« Tu sais bien que oui.

— Tu as de la chance.

— C'est ce qu'on me dit. »

Il repéra des marques au crayon sur la peinture blanche d'un des piliers. Des lignes avec des dates notées à côté pour suivre la croissance d'un enfant.

« C'est toi ? »

Elle acquiesça.

Il se leva et alla les examiner. La dernière indiquait la date du 26-07-1997. Il passa le doigt dessus.

« Qu'est-ce qu'il y a eu après ?

— J'ai grandi. »

Il revint à la table.

« Je n'ai pas envie de me disputer avec toi. »

Elle se versa encore un whisky.

« Ça va te dézinguer.

— C'est moi qui vais te dézinguer. »

Elle descendit son verre.

« J'ai l'impression d'avoir circulé en somnambule, dit-elle après un long silence. Et de me taper un autre cauchemar.

— Qu'est-ce que tu veux faire ?

— Je veux me tirer d'ici. De cette ville. De ma vie.

— Allons-y alors.

— C'est facile pour toi, pas vrai ? Il n'y a nulle part où aller.

— Laisse-moi t'emmener quelque part.

— Je n'ai pas envie d'aller dans une chambre d'hôtel avec toi.

— Je ne parle pas de ça.

— Ni dans une salle de restaurant privée, ni dans un putain de bar pour VIP.

— Non, ajouta-t-il en se dirigeant vers la porte. Là où je t'emmène, tu n'as même pas besoin de te changer. Tu viens ? »

Elle était allongée sur la banquette arrière de l'Audi, les pieds calés contre une portière, et lui fonçait à travers la nuit. Elle avait besoin de ce cocon. La clim marchait à fond, le cuir de la banquette était frais, la voiture ressemblait à une île. Le moteur vibrait jusque dans ses os. Le froid et l'adrénaline la faisaient claquer des dents. Sunny, une main sur le volant, parlait à mi-voix au téléphone. Elle regardait la ville de nuit se dévider comme un rouleau de ruban encreur tandis qu'il se chargeait de conduire. Elle avait l'impression d'avoir été droguée. Ils roulaient plein sud en direction du Qutb Minar. La voiture traçait des lignes droites à un train d'enfer, le moteur dévorait les tronçons de route entre les feux de signalisation.

Ils franchirent les limites de South Delhi et entrèrent dans Mehrauli. Univers fruste de terres agricoles que des individus mystérieux, veinards, aventureux, bizarres avaient confisquées aux fermiers, labyrinthe de chemins poussiéreux et de fermettes, de propriétés cachées derrière de hauts murs porteurs de colliers de barbelés, de villas en ruine où broutaient des chèvres. Elle était venue là un jour assister à la réception de mariage de la sœur aînée d'une camarade de classe. Ce qui l'avait surprise, c'était l'espace. La terre. Toutes ces terres cachées que colonisaient aujourd'hui les nantis, les super-riches. Elle aurait dû se douter de ce qui allait suivre.

Ils parvinrent devant un portail rutilant gardé par deux vieux Rajasthanis avec moustaches et fusils. Reconnaissant la voiture, ils se mirent au garde-à-vous, se hâtèrent d'ouvrir et saluèrent son passage. Au-delà, le lisse et sombre tarmac d'une voie privée. C'était Delhi et ce n'était pas Delhi – bas-côtés herbeux, paons criaillant dans la pénombre, hommes soignant les parterres de fleurs en silence, pas d'ordures, rien de déglingué. Le moteur ronronnait tandis que l'Audi avançait à une allure majestueuse, tournait à gauche et à droite, comme sur des rails, comme s'ils faisaient une balade dans un parc à thèmes. C'était un dépaysement tel que c'en était grisant. Elle entrouvrit la fenêtre, et s'aperçut que même l'air avait une odeur différente, moite, suave, imprégnée de jasmin de nuit. Elle observa les portails, les dômes imposants, les flèches gothiques, les guérites des gardes baignées de lumière blanche, les gardes occupés à lire des journaux, à écouter la radio, à boire du *chai*, à lever le nez pour suivre la voiture qui passait. Puis, sur la droite, il n'y eut plus ni maisons, ni portails, rien sinon un mur sombre qui n'en finissait pas, presque aussi haut que les arbres derrière. Ils longèrent cette longueur imprenable, puis arrivèrent à un solide portail métallique, d'une largeur tout juste suffisante pour un véhicule, banal après les autres entrées prestigieuses. L'Audi tourna au ralenti durant quelques secondes, puis quelqu'un dans la propriété appuya sur le déclencheur. Le portail s'ouvrit sur l'intérieur. Dans la lumière des phares, Neda distingua un terrain boisé, une piste boueuse qui se perdait au milieu d'une masse d'arbres. Au passage, elle aperçut Ajay qui tenait un vantail et ils s'enfoncèrent dans l'obscurité.

Ils roulèrent au pas sur la piste et traversèrent la zone boisée, pendant qu'Ajay trottinait à côté d'eux. Ils avancèrent ainsi un bon moment. Puis la voie s'élargit, les arbres disparurent et ils émergèrent dans une sorte de clairière envahie par les herbes, où un autre chemin partait dans la direction opposée. Sunny arrêta la voiture au milieu. Coupa le moteur et les lumières. Descendit et ouvrit la portière arrière. Neda descendit à son tour, sentit l'herbe sous ses pieds, sa pureté soyeuse. La lune apparut et la clairière s'éclaira. Elle était propre et déserte. Sunny prit Neda par la main.

« C'est quoi, cet endroit ?

— Attends. »

Après avoir traversé un petit bois, il la conduisit à un vaste espace dégagé où se dressait un chantier de taille monolithique. Ils étaient face aux fondations d'un bâtiment extraordinaire, de l'ordre d'un vaisseau extra-terrestre qui se serait crashé. Tout autour, il y avait des montagnes de sable et de gravier, des amoncellements de briques et des dalles de marbre protégées par des bâches goudronnées. Il y avait plusieurs JCB, un bulldozer, une grosse bétonneuse, un campement pour ouvriers et des foyers. Mais le site était désert.

Une torche à la main, il lui fit traverser un terrain parfaitement entretenu en mettant le cap sur une bâtisse trapue située à une bonne centaine de mètres du site principal ; une fois plus proche, elle distingua, vieux jalon dans la propriété, une villa de plain-pied, des portes vitrées coulissantes et, au sol, des dalles de pierre grossièrement taillées, légèrement usées.

« Aïe », s'écria-t-elle avec une grimace en relevant brusquement le pied.

Elle avait marché sur un truc coupant.

« Qu'est-ce qu'il y a ? »

Il braqua sa torche vers le sol et se rendit compte que le pied de Neda saignait. Elle avait marché sur un bout de verre, dont un éclat était encore fiché dans sa chair. Sunny le lui retira.

« Tu peux marcher ? »

Elle acquiesça.

Ils continuèrent vers la villa. Sunny balayait le chemin avec le faisceau de sa lampe. Il souleva le loquet d'un portillon sur le côté et l'entraîna dans une allée, puis dans une autre. En passant le portillon, il ouvrit un tableau électrique et remit plusieurs disjoncteurs en marche. Des lumières, dissimulées çà et là, s'allumèrent, mais il leur fallut attendre d'avoir passé un coude de l'allée pour découvrir une piscine éclairée. À côté, il y avait un bar, dont les nombreux réfrigérateurs revinrent à la vie quand Sunny activa d'autres disjoncteurs encore. Il la guida vers une des chaises longues et la fit asseoir, jambes en l'air.

« Je vais te trouver quelque chose. »

Il fouilla plusieurs placards en dessous du bar pendant que Neda fixait des feuilles mortes flottant à la surface de l'eau.

« Ici, je n'amène personne », lui confia Sunny en relevant la tête.

Après l'avoir regardé un bref instant, elle reporta son attention vers la piscine. Le long du bassin, du côté peu éclairé, de hauts buissons fleuris et des palmes jetaient des coups d'œil furtifs par-dessus le mur. Une tour de guet s'élevait, inutile, dans la nuit. Sunny se redressa, posa une demi-bouteille de whisky sur le comptoir et se dirigea vers l'un des congélateurs.

« Ces connards ont coupé le courant. »

Il chercha un interrupteur, mais ne le trouvant pas, il grommela :

« Attends, je vais voir à l'intérieur. »

Il s'engagea dans une entrée cachée et disparut à sa vue. Des lumières s'allumèrent dans la villa.

Elle déserta la chaise longue et s'approcha de la piscine en boitillant. Son pied saignait sérieusement. Lorsqu'elle le tourna pour voir ce qu'il y avait, sa blessure l'élança et le sang goutta sur le béton chaud. Elle remonta son caftan, plongea les jambes dans l'eau jusqu'aux genoux. Des chauves-souris voletaient au-dessus de sa tête. Le vague rugissement de Delhi. Elle regarda le sang de son pied blessé se répandre dans l'eau.

« Madame », dit une voix à ses oreilles.

C'était Ajay, porteur d'un grand plateau, recouvert d'un tissu blanc.

« Et sir ? » lui demanda-t-il, l'air très grave.

Elle pointa le doigt vers la villa. Il se précipita à l'intérieur, réapparut dix secondes plus tard, et repartit tout aussi vite. Une minute encore s'écoula, puis Sunny resurgit avec le fameux plateau, à présent chargé d'une bouteille de vodka, d'un seau à glace, de deux gros verres, de quelques rondelles de citron, d'une petite serviette propre.

Il le posa sur le bar, s'approcha avec la bouteille.

« Tu ne devrais pas le mettre dans l'eau. Montre-moi. »

Elle s'exécuta. Il appliqua la serviette propre contre sa peau, et tamponna la zone autour de la coupure pour la sécher.

« C'est très profond. »

Elle le regarda attentivement.

« Je ne sens rien.

— On en reparle dans une seconde. Tu es prête ? »

Il renversa la bouteille et lui arrosa le pied de vodka.

« Stoli, lui annonça-t-il en souriant. La meilleure. »

Elle éclata de rire, puis fondit en larmes.

« C'est quoi notre problème ? »

Il serra la serviette bien fort autour de son pied, qu'il posa ensuite sur son épaule.

« Il faut le surélever », expliqua-t-il.

Mais elle continuait à sangloter.

« Je suis sérieuse. C'est quoi notre problème, bordel ? »

Elle s'écarta de lui. S'allongea au bord de la piscine en fixant les arbres. Sunny retourna au bar avec la bouteille, se lava les mains dans l'évier et se mit à préparer leurs boissons.

« Pourquoi tu fais ça ? » demanda-t-elle.

Il pressa le citron, jeta les pelures, ajouta de nouvelles rondelles, des glaçons, versa une généreuse dose de vodka, puis revint avec les verres.

« Quel genre d'hôte serais-je si je te laissais saigner ? »

Il posa les boissons, ôta ses chaussures et ses chaussettes, roula ses jambes de pantalon pour les remonter, puis s'assit à côté d'elle, les pieds dans la piscine.

« Il y a mon sang là-dedans.

— Je sais. »

Elle regarda la serviette où le rouge commençait à s'étaler.

« Je saigne toujours.

— J'aime bien ta tenue, dit-il.

— Change pas de sujet. »

Elle regarda quand même le caftan.

« Ma mère l'a acheté à Jaipur. Avant, on les exportait. »

Elle pinça grossièrement le tissu entre son pouce gauche et son index, le lâcha.

« Il se vendrait pour trois cents dollars à New York. À ce qu'on m'a dit. »

Elle inclina la tête vers le ciel.

« Il va peut-être pleuvoir. »

Les nuages avaient masqué la lune.

« J'espère qu'il va pleuvoir. »

Elle ferma les yeux et se sentit à nouveau démoralisée. Elle vida son verre.

« Je sens rien. »

Elle fit doucement rouler son verre vers la piscine. Il tomba dedans et sombra.

Sunny n'eut aucune réaction, se borna à sortir ses cigarettes de son pantalon et en alluma une.

« C'est comme ça que la vie est censée être ? s'exclama-t-elle.

— Tu as eu une journée difficile. Tu te sentiras mieux demain, après une bonne nuit.

— Pourquoi tu m'as amenée ici ?

— J'essaie de t'aider.

— On est sacrément irrécupérables. »

Il essaya de lui prendre la main, mais elle se déroba.

« File-moi un autre verre », lui demanda-t-elle.

Dès qu'il se fut levé, elle défit la serviette autour de son pied, la balança de côté, ôta son caftan par la tête et glissa dans l'eau, nue. Elle disparut sous la surface. Les bruits du monde s'atténuèrent et se modifièrent dans la chaleur de la nuit de mousson. Neda retint son souffle le plus longtemps possible.

Debout près du bar, il l'observait.

Elle finit par remonter.

Elle émergea en silence. Se contenta de flotter, visage dans l'eau, membres déployés, continua à retenir sa respiration, à relâcher de petites bulles d'air. Quand elle n'en put plus, elle se redressa et respira à fond.

Il était revenu au bord de la piscine avec une nouvelle boisson pour elle.

Elle reprit son souffle.

« En remontant, je me disais que tu ne serais plus ici.

— Tu aurais des problèmes pour rentrer chez toi.

— Non, ça irait. »

Elle se mit à faire des longueurs en crawl.

« Tu nages bien, dit-il.

— C'est mon père qui m'a appris », lui expliqua-t-elle quand elle arriva au bout.

Elle avait les cheveux largement déployés autour des épaules. Elle gagna le milieu du bassin et se mit à y faire du surplace.

« J'ai vu deux enfants mourir aujourd'hui, dit-elle. Écrasés dans leur misérable baraque. On pourrait caser une cinquantaine de huttes comme la leur dans cette piscine, je te jure. Leurs cadavres étaient recouverts de fine poussière. Il n'y avait pas du tout de sang. Mais, à l'intérieur, ils devaient être broyés. Je me croyais blindée. Je n'avais jamais entendu un truc comme les hurlements de cette femme. Je dirais que ce n'était pas humain, mais ce n'est pas vrai. C'était trop humain. Comment ai-je réagi à ce moment précis ? Je ne me rappelle rien. Mais je me suis vue pleurer à la télé. J'ai honte. Je ne méritais pas de pleurer. Et, maintenant, je suis ici avec toi, comme ça. Je n'ai pas de courage, pas de cœur.

— Tu n'aurais rien pu faire.

— Je n'aurais rien pu faire ! Et c'est toujours pareil. »

Un sanglot de frustration lui échappa. Son sang dérivait dans la piscine.

« C'est quoi, ce qu'on fait, Sunny ? On n'aurait rien pu faire, on aurait pu tout faire. On est tous coupables. On est tous pareils. On a beau y attacher de l'importance, on ne peut pas s'en tirer impunément. Surtout si on y attache de l'importance. Comment dormir la nuit ? Il faut être un saint. Il faut porter un cilice et se flageller, renoncer à tous ses biens, aller pieds nus, dormir dans les rues, rien que pour expier, et ça ne suffira pas, ça ne changera rien. Ou bien il faut continuer, et c'est tout. »

Il retira sa chemise, la jeta par terre, ôta son pantalon et fit le tour du bassin pour aller du côté le plus profond. Il resta là un moment, comme s'il tergiversait encore, puis il plongea, fendit la surface et fit toute une longueur sous l'eau.

Il ressortit à bout de souffle.

Après un petit moment, il dit :

« Il vaut mieux avoir un plan.

— Oh, riposta-t-elle dans un rire sarcastique, un plan ? C'est pour sortir ça que tu as fait ce grandiose plongeon ? »

Il nagea jusqu'à elle.

« On va améliorer le sort de tous. Pour que tous puissent rêver.

— Oh, merde, fais-moi grâce de ces arguments ! C'est ridicule.

— Dans un monde comme ça, tout le monde s'y retrouve.

— Nos rêves font que les gens meurent, répliqua-t-elle en se détournant de lui. Et le lendemain, on passe à autre chose. »

À cet instant précis, un vacarme retentit du côté du chantier. De puissantes lumières s'allumèrent avec un bruit sec et métallique, comme sur un plateau de tournage ou lors d'un raid de police. Ils entendirent des moteurs de voiture, des voix.

Inquiète, Neda se tourna vers Sunny, mais il paraissait plus surpris qu'elle.

« Merde. »

Le portillon latéral s'ouvrit à la volée.

Ajay, paniqué, annonça : « Votre père est ici », puis disparut aussi vite qu'il était apparu.

« Merde », répéta Sunny.

Saisi de peur, il regarda Neda.

« Pas question que tu sois là.

— Pourquoi ?

— Sors, tout de suite ! »

La peur de Sunny était contagieuse.

« Où est-ce que je suis censée aller, bordel ? Je suis à poil. »

Elle nagea vers le bord.

« Sir, cria Ajay qui était revenu. Ils arrivent. »

Sunny tendit le doigt vers le caftan de Neda.

« Son habit. Aide-la. »

Ajay se dépêcha de ramasser le caftan, revint en courant vers Neda, la tira de l'eau en détournant la tête, puis enroula le vêtement autour du corps de la jeune femme. Du doigt, Sunny lui indiqua une sorte de vestiaire encastré dans le mur de la villa.

« Vas-y. »

Ajay entraîna Neda en courant vers le vestiaire. En passant devant le bar, elle attrapa la bouteille de vodka. Puis Ajay la poussa dans la pièce.

Il flottait dans les lieux l'odeur âcre d'un endroit désaffecté, les vapeurs accablantes du vieux chlore et des égouts associées à des déchets organiques. Elle respira profondément, dévissa le bouchon de la vodka et descendit une bonne rasade d'alcool. Des frissons la saisirent. Voyant que le bois des murs avait gauchi et ménagé plusieurs interstices, elle se mit à genoux et profita de ces fentes pour observer l'arrière de la villa et une partie de la piscine.

Sunny était au milieu de la piscine, hébété. Paralysé.

Que se passe-t-il donc ?

Ajay surgit avec un seau d'eau qu'il déversa sur les dalles menant au vestiaire afin de couvrir les traces de sang qu'elle avait laissées.

Tout ça est dingue.

Puis elle entendit des voix.

Sunny les entendit aussi, son corps se raidit, tel un cerf pris dans les phares d'une voiture. Ajay repartit vers les portes vitrées à l'arrière de la villa et se mit comme au garde-à-vous. Des bruits de pas. Nombreux. Des voix. Plusieurs. De l'autre côté de la piscine, arrivant par le portail de derrière, elle distingua trois hommes. À leur tête, Bunty Wadia. Elle le reconnut instantanément, alors qu'elle n'avait jamais vu une claire photo de lui. De prime abord, il paraissait inoffensif, avec même quelque chose du bon tonton, mais la froide autorité qui émanait de lui suscitait la terreur. À côté de lui avançait le fameux *Chief Minister* d'Uttar Pradesh, Ram Singh, et derrière, patient, déférent, Dinesh.

Bunty et Ram bavardaient. Bunty jeta un coup d'œil sur la piscine, poursuivit son chemin en entraînant ses compagnons dans son sillage et passa devant Ajay, raide et figé, comme si Sunny n'était même pas là.

Les trois hommes entrèrent dans la villa sous le regard de Sunny, toujours pétrifié.

Silence.

Neda se demanda si elle ne pouvait pas prendre ses jambes à son cou.

Elle ne parvenait pas à détourner ses yeux de la scène.

Sur ce, Bunty réapparut.

S'approcha du bord du bassin et baissa les yeux.

Elle se rendit compte qu'elle retenait son souffle.

Elle ne pouvait que regarder.

Bunty et Sunny, dans le bassin, s'affrontaient sans dire un mot, sans faire un geste.

C'est Sunny qui réagit le premier.

Il avança lentement.

Arriva au bord.

Il dit quelque chose que Neda ne put saisir.

Sunny plaça les deux mains sur le bord pour sortir de l'eau.

Tout se déroula très vite.

Sunny était à moitié sorti quand Bunty leva le pied et plaqua la semelle de sa chaussure noire contre le torse de Sunny. Le repoussa dans la piscine.

Puis il pivota sur lui-même et repartit.

Elle voulut courir vers Sunny.

À la place, elle se tourna, reprit un peu de vodka et ferma les yeux.

Combien de temps resta-t-elle sur le sol humide et froid ? Des minutes ou une heure ? Elle tremblait, claquait des dents, alors que la nuit était chaude. Elle avait beau boire un maximum de vodka, elle n'arrivait pas à se soûler. Pas un bruit ne venait de la piscine. Ni du dehors. Lorsqu'elle s'autorisa à regarder, elle ne vit rien d'autre que la surface lisse, les lumières chaudes de la villa. Où était donc Sunny ? À l'intérieur ? S'était-il enfui ?

Elle était empêtrée dans ces pensées quand on frappa à la porte.

« Madame », murmura une voix.

C'était Ajay.

Elle se mordit la lèvre et posa lentement la main sur le verrou.

« Madame, habillez-vous, et venez s'il vous plaît. »

Elle entrouvrit la porte.

« Madame, poursuivit-il, dépêchez-vous. »

Elle enfila le caftan et sortit sans lâcher la vodka. Ajay la guida sans bruit autour de la piscine après lui avoir recommandé de se taire. Elle entendit des rires et des conversations dans la villa, vit les lumières et aperçut, derrière une fenêtre sur le côté, Bunty et Ram Singh. Ça ne dura pas, et ils franchirent le portillon pour s'enfoncer dans le silence obscur des pelouses. Sur le sol accidenté, son pied endolori se rappela à elle. Toujours dans l'obscurité, Ajay lui fit traverser la clairière où la voiture de Sunny était garée. Le plafonnier s'alluma, éclaira trop vivement la nuit, lorsqu'elle ouvrit la portière. Muni d'une trousse de premiers secours, Ajay désinfecta la blessure avec beaucoup de respect et d'attention, appliqua un grand sparadrap par-dessus, puis un bandage. Neda l'observa en silence pendant qu'il la soignait. Puis elle s'installa, claqua la portière et s'enfonça profondément dans la fraîcheur du siège en cuir en attendant sans un mot, sans un geste, qu'Ajay démarre le moteur et que l'habitacle replonge dans l'obscurité.

Ils roulèrent en silence vers le portail du fond.

Delhi revint.

Hommes à vélo, nids-de-poule, néons.

Bruit.

Ils roulèrent vers le Qutb, rejoignirent la route principale et se faufilèrent dans la circulation. Une voiture de plus.

Elle s'était assise de façon à ce qu'Ajay ne la voie pas, affalée, le dos contre la portière, les jambes déployées sur la banquette.

« Ajay, finit-elle par dire tandis que la voiture patientait au feu rouge de l'autopont d'IIT.

— Oui, madame.

— Sunny, ça va ? »

Il hésita, puis dit : « Tout va bien. »

Le silence se prolongea jusqu'à ce que le feu passe au vert.

Le redémarrage les soulagea tous les deux.

Ajay alluma la radio tout doucement. La station diffusait de vieilles chansons de film.

Neda lui demanda de monter le volume.

Les gardes à l'entrée de sa colonie ouvrirent le portail sans renâcler – ils avaient reconnu la voiture, Ajay connaissait sa maison. Il se gara devant et attendit qu'elle descende. C'est donc ainsi que ça se termina.

Elle ouvrit sa portière.

« Ajay.

— Oui, madame.

— Merci. »

Elle descendit, la bouteille à la main, referma et se dirigea en clopinant, pieds nus et dépenaillée, vers sa maison, son refuge.

La bouteille de vodka derrière son dos, elle entra avec la clé cachée sous le plant d'aloe vera pendant que l'Audi s'éloignait. Son père ne dormait pas : assis dans son fauteuil préféré, maintes fois rafistolé au fil des années, sous le lampadaire du salon, il regardait un DVD.

« Cendrillon, murmura-t-il en la regardant par-dessus le bord de ses lunettes de lecture.

— Qu'est-ce que tu regardes, papa ?

— *Le Monde d'Apu.* »

Elle s'approcha de lui, l'embrassa sur le front. Il plissa le nez.

« On croirait que tu reviens des Jeux olympiques de Russie, dit-il en glissant la main derrière le dos de Neda pour examiner la bouteille de plus près. C'est quoi ? Une médaille d'or ?

— Le prix de consolation.

— Eh bien, goûtons-la, ma fille. Juste un petit verre avant de nous retirer. On peut aussi se partager une des cigarettes de ta mère et tu me raconteras tous les mensonges qui te chanteront sur tes aventures de la nuit. »

Elle alla chercher deux verres dans l'armoire pendant qu'il ouvrait la bouteille et humait l'alcool.

« Tu veux de la glace ?

— Non, non. Tu la réveillerais. Sans rien, c'est bon. »

Elle prépara deux mesures bien corsées histoire de finir la bouteille, passa un verre à son père et alla chercher les Classic Mild de sa mère, puis approcha un tabouret.

Sur l'écran, Apu en deuil errait à travers les bassins houillers du centre de l'Inde en semant son roman aux quatre vents.

« Alors ? dit son père qui savourait la brûlure de la vodka sur ses lèvres.

— Alors… maman t'a dit ? »

Elle alluma la cigarette.

« Qu'un garçon était venu te chercher ?

— Non, pas ça.

— Ah, oui, l'autre chose. Elle m'a dit, elle m'a dit. Je suis désolé, mon petit. Je suis désolé que tu aies dû être témoin de ça.

— Si je pouvais juste disparaître, je le ferais. »

Il l'examina.

« Tu as des ennuis ? »

Elle hocha la tête.

« Non. »

Puis, se ravisant :

« Peut-être. »

Elle lui passa la cigarette. Il inhala une fois, très profondément, retint la fumée dans ses poumons, pencha la tête en arrière et, les yeux fermés, relâcha des ronds de fumée.

Sous le coup d'un plaisir enfantin, elle éclata de rire.

« Tu sais encore le faire.

— Oui.

— Avant, tu le faisais tout le temps pour moi.

— Comme ça, tu arrêtais de pleurer, dit-il en passant les doigts dans les cheveux de Neda. Maintenant, je ne peux plus te protéger. »

Il termina le reste de sa vodka.

Il n'y avait rien à ajouter.

Il reporta son attention sur le film, et elle emporta les verres à la cuisine, éteignit la cigarette et monta sans bruit à l'étage.

Elle prit une douche brûlante. Elle sombra dans le sommeil dès l'instant qu'elle se mit au lit.

Elle émergea de rêves violents et, en proie à un mal de tête terrible, alla vomir à la salle de bains. Il lui fallut un moment pour reprendre pied avec la réalité, se rappeler où elle était et, lorsque la mémoire lui revint, elle se sentit plus effrayée que jamais, sans personne à qui parler de ce qui s'était passé au cours de la nuit. Le père de Sunny. Ça alors, quel père ! Ce pied contre le torse de Sunny, pour le repousser dans l'eau. Peu après, elle reçut un sms de Dean lui demandant à quelle heure elle serait au bureau. Il y avait beaucoup de boulot.

Dean et elle retournèrent sur le site des démolitions dès le matin. C'était la pagaille sur les lieux à moitié démolis, où grouillaient agents du gouvernement, employés d'ONG, journalistes. Du fait des morts et du tollé médiatique, la démolition avait été stoppée. Mais la plupart des anciens occupants étaient partis. Certains d'entre eux, ceux qui avaient droit à un relogement, avaient été poussés dans des bus et emmenés en dehors de la ville, les autres s'étaient perdus dans la nature ou enfuis. Il en restait quelques-uns qui fouillaient les décombres. Neda eut l'impression d'être très loin d'elle-même. Elle ne cessait d'oublier des trucs et des machins. Dean finit par la coller dans un *auto-rickshaw* et la renvoya au bureau.

Dean écrivit un papier sur les démolitions, la mort des enfants. « Tragédie et réinvention néolibérale de l'espace public ». Tard ce soir-là, avant de rentrer chez elle, elle se mit à parcourir la première édition du journal du lendemain. Là, en page 8, peu après l'article de Dean, il y avait une pleine page d'annonce couleur :

La Fondation caritative Wadia a l'honneur d'offrir une compensation de 10 lakhs de roupies (par enfant) aux parents des enfants morts tragiquement lors des expulsions du Laxmi Camp. Avec nos condoléances les plus sincères.

Le visage pensif de Sunny la regardait avec des yeux brûlants. Il se tenait au niveau de l'épaule de son père qui, assis à un bureau, stylo à la main, levait la tête d'un air affable, comme quelqu'un qu'on aurait surpris en train de signer un décret.

Dean abattit brutalement un exemplaire du même journal sur le bureau de Neda.

« Tu vois un peu cette connerie ? »

Paralysée, elle ne sut que dire.

« C'est dans tous les quotidiens, poursuivit Dean. Le coût des pubs combinées représente plus que la compensation offerte.

— C'est beaucoup d'argent, bredouilla-t-elle.

— C'est beaucoup de foutaises. Regarde-les, ajouta Dean qui ouvrit son exemplaire chiffonné à la même page et planta le doigt dans la figure de Bunty. Pour qui il se prend, ce mec ? »

Elle, de son côté, se disait : *C'est Sunny. C'est Sunny qui a fait ça.*

« S'ils s'imaginent qu'ils vont passer pour des gens bien, ils se trompent. Ça pue. Ça pue la mauvaise conscience. Tu sais quoi ? lança-t-il en reprenant son exemplaire chiffonné, tandis que celui de Neda leur faisait face. Je vais essayer de trouver ce qu'ils bidouillent vraiment. »

Des toilettes, elle envoya un sms à Sunny.

— J'ai vu l'annonce.

Elle attendit pendant quelques minutes, les yeux rivés sur son téléphone.

Rien.

Elle écrivit un nouveau message.

— Je sais que c'est toi.

Elle garda les yeux rivés sur son téléphone. Toujours rien.

Rien.

— Je ne te l'avais pas demandé.

Rien.

— Tu piges toujours pas, pas vrai ?

Rien ne vint.

Neda II

1.

Rien ne vint. Son téléphone resta muet comme une tombe. Les jours passèrent. Elle vit s'amplifier la fureur de Dean à l'égard des Wadia, alors qu'elle-même taisait son désarroi. Elle craignait d'être démasquée à tout moment. Elle travaillait avec Dean à une série d'articles où elle ciblait l'indifférence de la police et les défaillances judiciaires au filtre des expulsions. Mais Dean représentait une voix isolée au journal. Des tribunes libres ne tardèrent pas à paraître, signées par les parties intéressées, pour défendre ou justifier les démolitions. Dean la chargea de retrouver les parents des enfants morts. Entre-temps, elle attendait toujours un appel de Sunny. Elle espéra qu'il se manifeste le lendemain, le surlendemain, elle espéra avoir de ses nouvelles, espéra qu'il lui parle. Mais rien ne vint. Elle finit par l'appeler, mais il n'y avait pas d'abonné à ce numéro. Elle appela Ajay et obtint la même réponse. Elle attendit une semaine sans recevoir ni message, ni signe de vie et, comme il lui était impossible de se confier à quelqu'un, elle commença à avoir l'impression d'avoir rêvé.

Dans sa tête, elle se repassait la nuit à la *farmhouse*, la terrible vision de Bunty Wadia au bord de la piscine ; de son pied féroce plaqué contre le torse de Sunny et le repoussant dans l'eau ; le trajet de retour chez elle avec Ajay, fluide et d'un noir d'encre, comme si elle était sous l'eau, elle aussi.

Elle s'éveilla ce matin-là, fâchée contre elle-même. Il lui manquait. Elle avait rangé dans la boîte à gants de sa voiture un exemplaire du journal où était parue l'annonce de Sunny. Elle se gara au bord de la route, déplia la page en question et, une cigarette à la main, elle contempla le visage de Sunny en s'efforçant d'y relever des indices. Elle était certaine, absolument certaine, que c'était lui qui était derrière cette pub, qu'il l'avait mise pour elle. Était-ce un message ? Des excuses ? Un geste stupide accompli par un homme amoureux ? Et après ? Il avait eu des regrets, des remords, se terrait ? Et son père compliquait les choses. Cette cruauté. Ce pied féroce. Sunny avait-il publié cette annonce pour se rebeller ? Pour tenir tête à son père ? Il manquait tellement de pièces à ce puzzle, il y avait tellement de choses qu'elle ignorait. Elle étudia les deux visages sur la pub. L'expression de Sunny, celle de son père, la lueur dans leurs yeux, le décor, la pièce. Mais il n'y avait rien à en apprendre. Elle ne reconnaissait pas le bureau, ne reconnaissait pas le costume que portait Sunny. « Mais, toi, je te connais », lui dit-elle avant de se tourner vers Bunty. Charmant, généreux en apparence. Elle tira sur sa cigarette jusqu'à ce que le bout rougeoie intensément, puis l'écrasa contre le visage de Bunty.

Trois semaines passèrent. Elle dormait, se réveillait, bossait dans un nuage de fumée. Dean, conformément à ce qu'il avait dit, se penchait de plus près sur Bunty Wadia, son empire commercial, ses spiritueux, ses mines, ses chantiers, son bois d'œuvre en Uttar Pradesh, recherchait des preuves irréfutables, des éléments à relier à ce qui se passait en ville ici et maintenant. Pour ce qui était de Sunny, Neda oscillait entre colère, peur, culpabilité et déchirement. Il lui manquait, elle le détestait. Était-ce tellement difficile de se manifester ? Était-ce si difficile que ça de dire juste qu'il allait bien ? Ou peut-être que non, peut-être qu'il...

Ç'aurait été le moment d'avouer. D'aller trouver Dean, de tout lui raconter. *Dean, j'ai été stupide. Je ne voulais pas...*

Mais que lui dire ? Qu'elle avait eu une histoire avec Sunny ? Ou bien que Sunny avait des projets pour la ville, ça, c'était l'indice dont il avait peut-être besoin. Pouvait-elle lui confier une chose et lui cacher l'autre ? *J'ai découvert un truc... un ami m'a filé de nouvelles infos...*

Et après ? Je balance Sunny ?

Mais pourquoi ? Sunny n'avait aucun lien avec les démolitions, somme toute. Ses projets ne concernaient pas cette colonie. Non, il était innocent !

Elle ne cessait d'osciller entre les deux options.

Et si elle trahissait Sunny et qu'il l'appelle le lendemain même ?

Non.

Elle allait attendre. Après tout, c'est elle qui avait poussé Sunny à placer ces publicités.

C'était à cause d'elle qu'il avait eu des remords de conscience.

C'était elle, le lien.

Elle finit par aller au Park Hyatt, entra dans la réception, prit l'ascenseur. Elle reconnut le liftier. Pendant qu'ils montaient au huitième étage, elle lui lança d'un ton très désinvolte : « Vous avez vu M. Wadia aujourd'hui ? » Mais il la regarda d'un œil vide et ne répondit pas.

Elle descendit le couloir moquetté et se planta devant la suite 800. Il était quatre heures de l'après-midi. Elle colla l'oreille à la porte. Y avait-il du bruit à l'intérieur ? Elle crut entendre la télévision. Et si elle sonnait, si elle frappait ? Et si Sunny ouvrait, le supporterait-elle ? Et si une autre femme ouvrait ? Quelle serait alors la conclusion acceptable ? Elle se prépara. De toute façon, il fallait qu'elle sache. Elle leva le poing et s'apprêtait à frapper quand, de l'autre côté, des voix étouffées et un rire se rapprochèrent. Elle recula, prête à fuir, lorsque la porte s'ouvrit. Un couple d'étrangers la regarda avec stupeur. Des Américains, supposa-t-elle. Ils allaient voir le Taj Mahal. Confuse, elle tourna les talons et s'éloigna. Elle avisa les marches, s'arrêta dans la cage d'escalier et reprit son souffle. Une fois certaine que le couple avait disparu, elle revint sur ses pas et redescendit à la réception par l'ascenseur.

Elle le repéra en sortant.

« Amit, dit-elle.

— Oui, madame, lui répondit la voix tout miel.

— Amit, je suis l'amie de M. Wadia. Vous m'avez aidée à organiser mon interview avec lui il y a environ deux mois.

— Désolé, madame.

— Dans sa suite. Vous m'aviez accompagnée au huitième. Vous m'aviez remise une carte-clé.

— Madame, je suis très occupé.

— Est-ce que vous l'avez vu ?

— Madame, je vous en prie, je dois y aller. »

Il s'éclipsa derrière le comptoir de la réception, puis disparut derrière une porte.

Elle se rendit au restaurant japonais. Elle passa devant le maître d'hôtel, ignora ses attentions polies, suivit le mouvement, passa devant le bar et les serveurs, devant les tables de la salle principale et gagna les espaces privés. Elle poussa chaque porte coulissante, consciente du côté fou de son geste. Malgré les protestations de plus en plus insistantes du personnel, du directeur, du maître d'hôtel et des serveurs, elle mena ses recherches avec pas mal de calme. La plupart des salles étaient vides. Il était trop tôt. Deux d'entre elles accueillaient des réunions d'affaires. Elle jeta un coup d'œil à l'intérieur, referma les portes en se disant tout compte fait qu'elle était stupide et s'éloigna sans un regard en arrière. Elle connaissait le personnel, et pourtant ils l'avaient regardée comme s'ils ne l'avaient jamais vue, d'un œil torve. Elle répéta ce numéro dans d'autres palaces. Dans d'autres suites, dans d'autres restaurants. Chaque fois, ce fut la même chose. Elle retourna même au restaurant empreint de mystique soviétique où ils s'étaient rencontrés, mais il était vide et fermé, comme les autres commerces.

Elle envoya un message à Hari.

— Hé, quoi de neuf ?

Il laissa passer une journée avant de répondre.

— À Bombay. Pas mal occupé.

— Tu reviens quand ? On pourrait se voir ?

Il ne répondit pas.

Comment Sunny pouvait-il disparaître comme ça ? C'était très facile, dans la mesure où elle n'avait aucune emprise ni aucun droit sur lui. Elle l'avait toujours vu quand et où ça l'arrangeait, lui. Elle avait évolué dans les bulles qu'il s'était aménagées au sein de la ville.

Les expulsions se poursuivaient à un rythme soutenu. Les journaux vantaient la transformation de l'espace urbain. Les pauvres n'étaient plus les victimes d'un État incompétent et corrompu. C'étaient des voleurs, des gens qui empiétaient sur les terres publiques. Leur misère était déconnectée de leurs vies de misère et eux abolis en tant qu'êtres humains.

« Qu'est devenu ce garçon ? » lui demanda sa mère un soir tard.

Assise à la table de la salle à manger, Neda était en train de s'occuper d'un morceau de poulet froid.

« Quel garçon ?

— Tu le sais très bien. Celui qui est venu à la maison un soir tard. Celui avec qui tu es partie, sans tes vêtements.

— Sans mes vêtements ?

— Oui, ce garçon-là.

— Ce n'est pas un garçon.

— Fais pas la maligne.

— Il ne fait plus partie du décor.

— Je n'ai pas retenu son nom.

— Ce n'est pas grave, il n'est plus là.

— Je vois. »

Neda se contenta de hausser les épaules et continua à manger.

« Je l'ai trouvé charmant, insista sa mère.

— Ton radar marche pas », dit-elle sans lever le nez de son assiette.

Sa mère était assise en face d'elle.

« Comment ça va au boulot ?

— Je ne suis pas sûre d'avoir envie de continuer à bosser là-bas. J'aimerais reprendre des études. »

Sa mère réfléchit à ce qu'elle venait d'entendre.

« J'en ai marre du job, insista Neda.

— Marre ? »

Neda se tut.

Son père fit son apparition.

« Elle veut lâcher son boulot, hurla sa mère.

— Amour de ma vie, marmonna son père, laisse-moi au moins le temps d'entrer.

— J'ai pas dit ça, fit Neda en se levant de table.

— Tu t'en vas ?

— Oui.

— Elle veut arrêter. »

Ce soir-là, elle passa devant la résidence de Sunny. Tourna, se gara un peu plus loin dans la rue et surveilla l'entrée. Ce n'était pas la première fois qu'elle faisait ça. Elle fuma une cigarette tout en observant les allées et venues des domestiques, des prestataires de services, hommes et femmes, les allées et venues des voitures aux vitres teintées. Elle se fixa une limite : au bout de trois cigarettes, elle s'en irait.

Dean l'envoya visiter les colonies de relogement afin d'obtenir quelques témoignages, de se faire une petite idée de la scène et d'essayer aussi de retrouver les parents des enfants morts. Elle prit le volant au lever du soleil et couvrit une cinquantaine de kilomètres jusqu'à ce que le territoire de Delhi se réduise à un paysage désert, poussiéreux, hérissé de complexes industriels à l'abandon et de laiteries pour bétail émacié. Une série de canaux puants découpaient la terre. Sur le bout de terrain assigné au recasement des habitants des bidonvilles, les nouveaux expulsés se regardaient d'un air perdu. Qu'étaient-ils censés faire là ? Elle commença à les enregistrer.

« Ils nous disent que, dans quinze ans, cette terre aura de la valeur. Qu'on y trouvera tout ce qu'il nous faut. Là où on était, on avait tout ce qu'il nous fallait. On avait tout bâti nous-mêmes. Qui peut attendre quinze ans ?

— À quoi sert une terre s'il y a pas de travail à proximité ?

— Ça me prendra quatre heures pour aller à mon travail en ville. Avant, ça me prenait une demi-heure en tout. Comment est-ce qu'on peut vivre comme ça ? »

Un des hommes lui confia qu'il vendait son titre de propriété à un courtier immobilier.

« On a besoin d'argent, on peut pas habiter ici et mourir de faim ; la terre, ça se mange pas. »

Beaucoup d'autres faisaient pareil. Ils lui expliquèrent que plusieurs courtiers passaient tous les jours, qu'ils rachetaient leurs titres en liquide et leur donnaient de quoi repartir de zéro, ailleurs quelque part, ou retourner à Delhi et s'installer dans un autre bidonville. Du doigt, ils lui indiquèrent, à quelques centaines de mètres de là, à l'autre bout du terrain, un courtier et ses hommes. Elle les remercia et se dirigea vers le groupe en question. Un gros chauve vêtu d'une chemise blanche et d'un pantalon noir se tenait au beau milieu d'un essaim de malfrats. Elle s'approcha en leur faisant signe. Pouvait-elle leur poser quelques questions ? Le chauve se détourna et s'éloigna à pas comptés. Sans peur, mais avec dédain. Elle le suivit. Elle voulait lui poser quelques questions. Pour qui travaillait-il ? Un bras déployé, celui d'un jeune gars avec un œil paresseux, une bouille de grenouille, charnue, des cheveux épais et bouclés, l'empêcha d'avancer davantage. Neda se dit qu'il lui évoquait les mauvais garçons des peintures du Caravage. Elle recula.

« Ne me touchez pas. »

Le courtier s'éloignait déjà, et le *goon* caravagiste lui barrait le chemin.

Elle tenta de le contourner, mais il para son mouvement.

Plusieurs malheureux parmi les expulsés volèrent au secours de Neda et lui proposèrent de la raccompagner à sa voiture. Le *goon* lui opposait un visage hargneux. Elle battit en retraite et interrogea ses sauveurs sur les parents des enfants morts. Il fallait qu'elle pense à autre chose. Quelqu'un les connaissait. C'étaient des migrants, des journaliers, ils n'étaient à Delhi que depuis trois ans. Est-ce qu'ils étaient venus ici ? Non, ils n'avaient pas droit à un relogement. Et qu'en était-il de la compensation financière, la compensation annoncée dans les journaux ? Non, personne ne savait rien là-dessus. Elle nota néanmoins quelques noms. Elle prit aussi le numéro d'un homme parmi eux qui possédait un téléphone portable. Elle promit de revenir.

« Pour quoi faire ? s'écria le gars. Tous les gens ayant un grain de bon sens seront partis.

— Vous allez vendre votre terrain à ces courtiers ?

— Bien sûr.

— Vous avez leurs noms ? Leurs cartes de visite ? Quelque chose ?

— Non. Ils débarquent avec du liquide, nous remettent l'argent et empochent nos titres de propriété. »

Elle transmit ces informations à Dean.

« Intéressant, dit-il. Et les parents ?

— Rien. Ils ont disparu.

— Entendu. J'aimerais que tu fasses quelque chose pour moi. Prends contact avec Sunny Wadia. Tu l'as déjà rencontré. Tu dois avoir son numéro. Ses lignes officielles sont coupées, mais essayons de voir ce qu'il a à dire.

— Je ne le connais pas si bien que ça.

— Demande à ton ami. »

Elle attendit la fin de la journée pour revenir vers Dean.

« Ils disent que son numéro a changé. »

Quelques semaines plus tard, elle réessaya Hari.

Elle lui envoya un message extrêmement désinvolte.

— Hé ! Ça fait un bail. T'es rentré ? On se le prend, ce fameux verre ?

Il répondit une heure plus tard.

— Je suis là. Je pars demain.

— Wow ! Comment ça se fait ?

Il ne réagit pas pendant deux heures encore, puis lui dit :

— Market Café ? Ce soir. 18H.

C'était une réponse éteinte. Il n'y avait plus rien de la chaleur qui était la sienne avant.

Elle le retrouva sur la petite terrasse du Market Café où tout le monde allait fumer de l'herbe. Il était appuyé contre la balustrade, seul. Il avait l'air fatigué, hésita un moment avant de l'embrasser. Il avait plu une heure plus tôt, c'était la fin de la mousson. Les voitures dans le parking dehors luisaient.

Ils restèrent côte à côte, en vieux amis qui s'étaient vite éloignés l'un de l'autre sans rien dire des motifs de leur dissension.

« Il s'est passé quelque chose ? finit-elle par demander.

— J'essaie juste de savoir qui sont mes amis.

— Qu'est-ce que ça veut dire ?

— Rien.

— Tu pars demain ?

— Oui.

— Tu es très demandé.

— J'ai trouvé un appart.

— Où ça ?

— À Bombay.

— Mais tu adores Delhi. Tu avais tellement de projets.

— Les projets changent. On peut cesser d'aimer un endroit. »

Elle alluma une cigarette.

« C'était une nana ? »

Il lui jeta un drôle de coup d'œil.

« Non.

— Alors quoi ?

— Les gens font des promesses qu'ils sont pas fichus de tenir.

— On dirait vraiment que c'est une histoire de fille.

— Et ça aurait un lien avec toi ? »

Il y avait de la hargne dans sa voix.

« Je t'ai blessé ou quoi ? »

Il ferma les yeux.

« Pourquoi tu fais semblant de ne pas savoir ?

— Savoir quoi ? répondit-elle d'un ton calme.

— Dis à ton copain que c'est un connard. »

Sous le choc, elle éclata de rire.

« Mon quoi ?

— Ton copain.

— Je n'ai pas de copain.

— Sunny.

— C'est pas mon copain.

— Oui, bien sûr !

— Je t'assure. Je n'ai rien à voir avec lui. Rien.

— C'est ça !

— Ça fait un siècle que je ne l'ai pas vu.

— Arrête, Neda, tout le monde sait que tu couches avec lui.

— J'ai couché avec lui une fois, Hari, et c'était une erreur.

C'est un connard. Je le déteste.

— C'est vrai ?

— Écoute, raconte-moi juste ce qui s'est passé. »

C'était encore la même histoire, Sunny s'était volatilisé. Il avait monté le label dont il avait parlé. Il avait engagé des douzaines de personnes, et ils avaient dépensé un fric monstre sur ce projet, s'étaient pris du bon temps. Hari était aux manettes ; il avait recruté d'autres DJ et des artistes. Son avenir était tout tracé. Puis, un beau jour, Sunny s'était volatilisé. Il avait cessé de décrocher son téléphone, de répondre aux messages, de payer les salaires et les factures. Son téléphone était coupé, tout était débranché. Des *goons* avaient vidé le bureau, enlevé les équipements et le mobilier, et les lieux avaient été fermés. Hari, persuadé d'avoir fait une grosse boulette, et au désespoir, avait contacté d'autres amis. Mais c'était partout la même histoire. Sunny s'était volatilisé. Et tous les autres projets qu'il avait financés, les restaurants, les galeries, tout l'argent et le soutien, tout avait été sucré du jour au lendemain.

« Il nous a vraiment tous roulés, dit Hari.

— Je ne savais pas.

— C'est un connard. Il s'est lassé de ses jouets.

— Il doit y avoir une autre raison. Quelqu'un l'a vu ?

— Personne l'a vu, personne a eu de ses nouvelles.

— Tu ne trouves pas ça bizarre ?

— Il doit être quelque part. À Singapour, à Londres. Il a toujours été louche. J'aurais dû me douter dès le départ que ce mec nous planterait.

— C'est pour ça que tu pars à Bombay ?

— Oui. Merde pour Delhi. C'est trop pénible en ce moment. »

Merde pour Delhi. Ce soir-là, elle retourna vers la résidence de Sunny, et se gara à une certaine distance du portail. Hésita en allumant sa première cigarette. Abaissa sa vitre et coupa le moteur, rejeta son siège en arrière à la manière du chauffeur lambda qui attend son patron et surveilla les allées et venues du nombreux personnel. Où Sunny avait-il disparu ?

Puis il se mit à réapparaître sur la scène publique, mais pas en chair et en os. C'était une image, une projection. Elle vit ses photos dans la presse : ses cheveux plus courts, plus sobrement coupés, soulignaient la sévérité de son visage, ses pommettes hautes et sa mâchoire puissante. Elle n'arrivait pas à déchiffrer son regard. Elle ouvrait le journal et voilà qu'il apparaissait dans les pages mondaines, à tel événement tape-à-l'œil, à tel mariage fastueux au Rajasthan, à l'inauguration d'un nouvel hôtel, à une réception du Polo Club, à un gala de bienfaisance, où il se montrait chaleureux avec tout le monde. Sourire forcé. C'en était fini du jeune Napolitain raffiné. Il était sanglé et cuirassé dans des costumes de Savile Row.

Une fois encore, elle était dehors, de nuit, devant la résidence de Sunny et fumait dans sa Maruti. Elle terminait sa troisième cigarette. Qu'attendait-elle ? Il n'était jamais sorti de chez lui. Elle ne voyait que des voitures, dont toutes les vitres étaient teintées. Peut-être pouvait-elle en choisir une et la suivre en espérant que ce soit lui. Ça lui donnerait quelque chose à faire. Un jour ou l'autre, elle aurait peut-être de la chance. Et alors quoi ?

Elle était furieuse contre elle, mais ne parvenait pas à lâcher prise. À présent qu'il était confirmé qu'il était sain et sauf, elle avait envie d'aller le trouver et de lui demander pourquoi il avait disparu comme ça. Pourquoi il se comportait en lâche. En même temps, elle n'arrivait pas à oublier la vision de son père et de son pied plaqué contre le torse de Sunny. Quel père fallait-il être pour faire ça à son fils ?

Elle termina sa cinquième cigarette. Ça faisait une heure qu'elle était là. Elle avait dépassé sa limite de trois cigarettes. C'était stupide. Elle perdait son temps. Elle la balança par la fenêtre et manqua toucher un passant, qui lui jeta un regard furibond avant de poursuivre son chemin. L'incident lui glaça le sang. Elle avait instantanément reconnu le passant en question. C'était le *goon* à la bouille de grenouille de la colonie de relogement, le mauvais garçon du Caravage. Il portait un jean serré et un T-shirt. Son corps juvénile affichait une musculature grotesque. Il fit dix ou douze pas, s'arrêta, puis se retourna lentement, les yeux vissés sur le pare-brise de la Maruti. Il faisait nuit. Il ne voyait pas l'intérieur de l'habitacle. Mais il avait les yeux vissés sur Neda. Que faisait-il ? Mémorisait-il sa plaque d'immatriculation ? Essayait-il de la situer ?

Elle n'osa bouger. N'osa redémarrer. Elle tendit la main vers sa clé de contact au cas où. Elle crut distinguer un sourire sur le visage du jeune quand il alluma une cigarette et poursuivit son chemin. Jusqu'à la résidence des Wadia. Les gardiens lui ouvrirent sans lui poser de questions, et il entra. Elle regarda longuement le portail.

Elle commençait à entrevoir ce qu'il en était. Elle en était encore à assembler tous les éléments – le *goon*, les terrains de la colonie de relogement, les Wadia – quand le Caravage réapparut, accompagné de trois autres gars cette fois-ci. Ils marchaient droit sur sa voiture. Paniquée, elle mit le contact et redémarra à toute allure, les laissant en plan au milieu de la rue. Elle tourna à gauche et accéléra, tourna à gauche, à droite et encore à gauche dans le dédale de la colonie, fonça durant quelques minutes avant de s'engager dans une contre-allée où elle se gara. Même là, elle consulta le rétroviseur tout en laissant tourner le moteur. Son cœur battait à tout rompre. Elle alluma une cigarette. C'était bien lui. Cet incident le prouvait. Mais il prouvait quoi ?

2.

Ce dimanche-là, elle reçut un appel sur son portable. Un monsieur à l'accent précieux, digne d'une école privée.

« Bon après-midi, dit-il.

— Qui est à l'appareil ?

— Ai-je affaire à madame Neda Kapur ?

— Oui. »

Assise sur son lit, elle observait la rue.

« Très bien, fit-il d'une voix agréable. J'appelle de la part de M. Wadia. »

Elle avait beau s'être à moitié attendu à quelque chose de cette nature, ça la prit tout de même au dépourvu.

« M. Wadia ?

— Sunny, précisa la voix. Il aimerait vous voir. »

Elle scruta la rue avec une attention redoublée, répondit avec prudence en essayant de ne pas se trahir.

« Il veut me voir ?

— C'est exact.

— Qui êtes-vous ?

— Un employé.

— Pourrais-je avoir votre nom ?

— Monsieur Sengupta.

— Entendu, monsieur Sengupta, pouvez-vous me donner une idée de ce qu'il me veut ?

— C'est personnel. »

Elle hésita. Il aurait fallu qu'elle raccroche à l'instant même.

« Et où veut-il me rencontrer ?

— Il aimerait que vous veniez à son bureau.

— Quel bureau ? »

Il lui donna l'adresse d'un endroit en dehors de Delhi, de l'autre côté de la Yamuna, loin dans l'Ouest de l'Uttar Pradesh, à proximité du Greater Noida Expressway. Dans cette région de terres agricoles désertiques que Ram Singh mettait en valeur.

« De quel bureau s'agit-il ? demanda-t-elle.

— Du siège de notre département immobilier.

— Votre département immobilier ?

— Absolument. Wadia Infra Tech.

— Et c'est là qu'il travaille ?

— C'est exact.

— Pourquoi ne m'appelle-t-il pas lui-même ?

— C'est moi qui gère ses rendez-vous.

— Et quand veut-il me rencontrer ?

— Aujourd'hui.

— On est dimanche.

— En effet. C'est son seul moment de liberté.

— C'est un peu trop loin pour moi, ce bureau.

— Il est tout à fait facile à trouver. Il y a des panneaux tout du long. Puis-je confirmer, disons à seize heures ? »

Elle consulta l'horloge murale. Il était quatorze heures trente. Compte tenu de l'état des routes, il lui faudrait au moins une heure pour arriver sur place. C'était le genre d'endroit où elle n'avait aucune envie de se retrouver seule au volant une fois la nuit tombée.

« J'aimerais vraiment qu'il me parle personnellement. »

Devant la peur et la tristesse qui teintaient sa voix, elle tressaillit.

« Chère madame, s'écria son interlocuteur en riant, c'est quelqu'un d'extrêmement occupé, et il ne dispose que d'un tout petit créneau. Si cela vous est impossible, j'annulerai, voilà tout. Et on en restera là.

— Non. Je viens.

— Parfait. Donnez votre nom à la réception quand vous serez sur place. »

Elle raccrocha et se maudit, elle, puis le maudit, lui.

Elle savait que c'était une mauvaise idée.

« C'est une putain de mauvaise idée », se dit-elle en s'allumant une cigarette comme elle franchissait la Yamuna et entrait dans East Delhi. Parvenue sur la rive opposée, elle tourna vers le sud pour s'engager dans Noida. La ville nouvelle continuait à se développer – il y avait des tours gigantesques et des immeubles d'habitation entrecoupés de champs et de parcelles vacantes. Quand elle arriva à l'autoroute, il était déjà quinze heures quinze et le soleil commençait à décliner. Plus elle avançait sur l'autoroute, plus la chaussée présentait des signes d'usure et, de part et d'autre, la terre se muait en une vaste friche semée de monticules nés de l'impact des bulldozers où s'activaient terrassiers et ouvriers, suivie de longues étendues de rien, de champs et de fermiers transportant leurs marchandises sur des chars à bœufs. Elle était déjà venue dans ce coin à plusieurs reprises, mais pas récemment et jamais seule. En poursuivant sa route vers le sud, elle tomba sur des sections de nids-de-poule en lieu et place du macadam et dut rouler au pas. À certains endroits, des hommes étaient plantés au bord de la voie ou assis derrière des étals, protégés du soleil par des parapluies, et ils brandissaient des brochures de promotion immobilière. Ils la fixaient, seule dans sa voiture : que venait-elle faire par ici ?

Finalement, une trentaine de kilomètres plus loin, le long de l'autoroute, un horrible cube noir émergea de nulle part : le siège de Wadia Infra Tech. Elle s'engagea dans le complexe, passa devant un gardien qui l'orienta d'un geste vers le parking.

La différence avec l'environnement immédiat était frappante – le parking était parfaitement asphalté, et des lignes jaune vif délimitaient les places. Le bâtiment en imposait, dans un style impersonnel. À part les portes vitrées de l'entrée principale, derrière lesquelles elle aperçut un hall d'accueil envahi de plantes tropicales verdoyantes, toutes les vitres étaient teintées, de sorte qu'il était impossible de voir au travers.

Le réceptionniste était un jeune homme avec des poches sous les yeux, un front haut et des cheveux poissés de gel. Il la regarda sans sourire.

« Je viens voir Sunny Wadia, dit-elle.

— Avez-vous rendez-vous, madame ?

— Je suis attendue.

— Si vous n'avez pas de rendez-vous, vous ne pourrez pas le voir.

— J'ai rendez-vous. J'ai parlé avec quelqu'un au téléphone.

— À qui avez-vous parlé ?

— À M. Sengupta. Il m'a dit que Sunny voulait me voir aujourd'hui, expliqua-t-elle en essayant de faire montre d'autorité.

— Je ne connais pas de M. Sengupta. »

Au même moment, le téléphone de la réception se mit à sonner. Le jeune homme décrocha et écouta. Il examina Neda de la tête aux pieds.

« Madame Kapur ?

— Oui. »

Il raccrocha et fit un geste de la main.

« Asseyez-vous, je vous prie. M. Wadia va venir vous chercher dès qu'il sera libre. »

Elle traversa le hall d'accueil en direction de l'espace faisant office de salle d'attente, lequel ressemblait au salon d'un luxueux appartement – elle y décelait l'empreinte de Sunny. Il y avait des fauteuils en cuir crème, un canapé, une table basse en acajou avec un plateau en verre couvert de revues et de brochures. D'étroits conduits d'eau traversaient la totalité du hall, auquel arbres et plantes donnaient une allure de jungle. Neda s'installa dans un des fauteuils. Un jeune garçon surgit de nulle part, chargé d'un plateau avec un verre d'eau. Il lui demanda si elle voulait un thé ou un café. Un snack ? Elle prit l'eau et rien d'autre, et attendit. Il y avait une télévision sur le mur latéral. Elle s'alluma comme par magie. Neda fit pivoter son siège pour la regarder. Elle diffusait une vidéo promotionnelle – Sunny, vêtu d'un costume *power suit* typique des années quatre-vingt, s'adressait à la caméra. Derrière lui se superposaient à intervalles réguliers des images d'appartements luxueux.

La vidéo durait vingt minutes. Elle la regarda deux fois, peu impressionnée par l'apparence banale de Sunny et son discours dénué d'originalité, puis s'approcha du bureau du réceptionniste pour demander combien de temps elle allait devoir attendre. Il était presque dix-sept heures trente ; elle ne pouvait plus trop s'attarder. Le jeune homme passa un coup de fil.

« Il arrive, dit-il quand il eut raccroché. Asseyez-vous, je vous en prie. »

Elle regagna son fauteuil.

Ne ferme pas les yeux, se dit-elle.

Juste une minute, songea-t-elle.

« Madame ? »

Le réceptionniste la dominait de toute sa taille. Elle ouvrit les yeux, se redressa paniquée.

« Je suis réveillée.

— Madame, malheureusement nous fermons les bureaux, il faut que vous partiez.

— Quelle heure est-il ? demanda-t-elle en jetant un coup d'œil alentour.

— Madame, il faut que vous partiez. »

Il faisait nuit dehors.

« Quelle heure est-il ?

— Dix-neuf heures quarante-cinq.

— Vous plaisantez.

— Non, madame.

— Sérieusement ? Où est Sunny ? »

Elle s'énervait.

« Je crains que M. Wadia n'ait eu des affaires à régler.

— Non ! »

Elle se leva de son siège, regarda frénétiquement autour d'elle.

Elle chercha les caméras de sécurité et leur lança :

« C'est n'importe quoi !

— Madame, s'il vous plaît.

— Va te faire foutre ! ajouta-t-elle face aux caméras. Sunny ! Pauvre type !

— Madame, il faut malheureusement que vous partiez. »

D'un signe, il appela deux agents de sécurité à la rescousse.

Campée sur le parking à côté de sa voiture, les yeux levés vers le bâtiment, elle tentait de repérer les lumières allumées, alors que les agents de sécurité attendaient qu'elle parte. Cette affaire n'avait rien d'une plaisanterie. Terrorisée, Neda sortit son téléphone et composa le numéro de l'homme qui l'avait appelée – une voix électronique lui annonça que ledit téléphone était éteint. « Connard ! » s'écria-t-elle en fixant le sien. Puis elle monta dans sa Maruti, lança le moteur et démarra pleins gaz, furieuse. Elle se sentait très seule.

L'autoroute déserte n'était pas éclairée et les hommes aux brochures vendant du rêve étaient partis depuis longtemps. Neda savait qu'elle n'aurait pas dû se trouver là. Les routes n'étaient pas sûres. Il y avait constamment des vols de voiture sous la menace d'une arme. Elle s'en voulait d'avoir été si stupide. Elle roulait en direction de Delhi, les yeux écarquillés, en proie à une belle montée d'adrénaline, effrayée par l'absence d'autres véhicules.

Elle avait parcouru une quinzaine de kilomètres lorsqu'elle s'aperçut qu'un véhicule la suivait à une certaine distance. Il roulait pleins phares, cinq cents mètres derrière elle peut-être. Elle conserva une bonne vitesse sans cesser de consulter son rétroviseur. Elle avait beau accélérer ou ralentir, le véhicule gardait apparemment ses distances, trop loin pour être autre chose que des feux lumineux, trop près pour être ignoré. Cinq kilomètres passèrent.

« Va te faire foutre, Sunny. »

Elle finit par atteindre la section d'autoroute proche de Noida où l'éclairage public marchait. Elle appuya sur le champignon ; plusieurs voitures surgirent des contre-allées et s'engagèrent sur l'autoroute, c'était un retour à la vie normale. Dans son rétroviseur, les lumières se multiplièrent et Neda ne parvint plus à repérer le véhicule qui – elle en était sûre – l'avait suivie. Elle se sentit toute bête. Sunny était un connard, point à la ligne. Non ?

Elle décida de traverser la Yamuna le plus rapidement possible au niveau du pont de Kalindi Kunj. En atteignant l'autre rive, elle eut l'impression d'être délestée d'un poids énorme. Son estomac se dénoua, elle retrouva sa légèreté, sa frivolité. Sous le coup d'une pure nervosité, elle éclata de rire. Elle se promit de tout raconter à Dean, de tout lui exposer du début à la fin, de lui expliquer comment elle avait pu s'égarer à ce point-là et de s'engager à se reprendre. Elle entra dans les rues vides, bordées d'unités industrielles. Elle allait oublier Sunny et ces petits jeux. Elle s'engagea dans un carrefour.

... la voiture tournoyait furieusement et la tête de Neda cognait contre le montant de sa portière. Elle percevait la force de gravité dans son ventre. Les oreilles lui sonnaient. Puis la Maruti s'arrêta et le silence se fit. Il régnait un calme total. Elle essaya de redémarrer, porta la main à sa tête et perçut la tiédeur du sang frais. Où était-elle déjà ? Elle essaya de redémarrer. Le moteur gémit et cliqueta, mais refusa de repartir. Elle leva les yeux, jeta un coup d'œil autour d'elle. Se rendit compte qu'elle avait eu un accident. Elle remarqua vaguement une autre voiture, une Esteem peut-être, une quinzaine de mètres plus loin, l'avant enfoncé. Il n'y avait personne alentour, elle était dans une zone industrielle et on était un dimanche soir. Il fallait qu'elle appelle quelqu'un. Sa mère. Elle s'efforçait de se rappeler comment elle s'était retrouvée là quand elle entendit un crissement métallique et des voix et vit s'ouvrir les portières de l'autre véhicule et les occupants, deux jeunes hommes à l'avant et un homme plus âgé et trapu à l'arrière, en descendre en chancelant. Ils trébuchèrent, étourdis, puis se tournèrent vers elle, se consultèrent du regard.

Ils m'ont percutée, se dit-elle. Ils m'ont percutée.

Les hommes se mirent à traverser le carrefour et à marcher sur elle.

Elle s'aperçut que l'un d'eux avait une barre de fer à la main.

Elle tenta encore une fois de redémarrer, tourna frénétiquement la clé de contact, implorant sa petite Maruti de l'éloigner de là. En vain.

La main en visière pour se protéger de la lumière des phares, les hommes se rapprochaient de plus en plus. De son côté, Neda, le crâne en sang, essayait tant et plus de relancer le moteur. Arrivés à quelques mètres de l'avant de la Maruti, les hommes semblèrent hésiter. Peut-être ne distinguaient-ils pas qui était à l'intérieur.

Elle abaissa la main pour écraser le klaxon.

Elle verrouilla toutes les portes.

Mais apparemment les hommes avaient pris leur décision.

Ils avancèrent sur elle.

Ils étaient autour de la voiture, la cernaient, scrutaient l'habitacle.

« Je suis désolée », dit-elle.

L'homme à la barre de fer la dévisagea.

« Je suis désolée, répéta-t-elle. Je suis désolée. »

L'homme abattit sa barre de fer sur le capot de la Maruti.

« T'as vu ce que t'as fait !

— Je suis désolée. »

Et elle réessaya de relancer le moteur.

Sa réaction parut attiser leur fureur.

« Salope ! Tu crois que tu peux te sauver !

— Je vous en prie. Je suis désolée, dit-elle sans cesser de tourner sa clé de contact. Je n'ai pas d'argent !

— Descends !

— Je suis journaliste ! »

Quelle absurdité !

L'homme à la barre de fer se mit à rire. Un rire contagieux pour ses compagnons. L'un d'eux repartit vers leur voiture.

« Tu nous as percutés, déclara l'homme à la barre de fer. Il faut que tu paies.

— Je vous enverrai de l'argent. Je vous en prie, laissez-moi partir.

— Il faut que tu paies », répéta-t-il.

Il flanqua un coup de barre de fer contre le montant de la portière. Quant au troisième homme, il revenait avec une batte de cricket qu'il avait sortie du coffre de leur voiture. Impuissante, terrifiée, Neda ne cessait d'écraser le klaxon. Le plus vieux des trois passa de l'autre côté de la Maruti. Il était ivre ou peut-être avait-il été blessé dans l'accident. Il secoua la portière, reluqua Neda avec concupiscence. Le jeune avec la barre de fer hurlait, la traitait de salope, de pute, tandis qu'elle les suppliait de la laisser partir. L'homme à la batte était à mi-chemin de la Maruti. Neda fondit en larmes. L'homme à la barre de fer brandit son arme…

Ils furent tous pris de court. Par le faisceau de lumière, le véhicule lancé à pleine vitesse qui s'arrêta dans des crissements assourdissants, la silhouette qui marchait sur eux. L'homme à la barre de fer, pas du tout préparé, sous-estima la vitesse de l'homme qui lui fondait dessus. Il pivota, brandit la barre au-dessus de sa tête et se retrouva à terre l'instant d'après. Quant au plus vieux, il contourna la Maruti par l'avant, les poings levés, mais ça ne fit aucune différence, la silhouette avança, lui décocha une volée de coups de poing et de coups de pied, et, comme son copain, le gars le plus vieux s'écrasa sur le béton avec un bruit sourd. Et, là, dans la lumière des phares, Neda distingua clairement son sauveur.

Ajay.

C'était Ajay.

Restait maintenant l'homme à la batte de cricket. Il était pétrifié.

Ajay sortit un pistolet de la poche intérieure de sa veste et le gars à la batte de cricket prit ses jambes à son cou.

Pistolet au poing, Ajay repoussa la barre d'un coup de pied, puis traîna l'homme devant les phares afin de l'examiner de plus près. Neda s'attendait à moitié à ce que ce soit le voyou du Caravage, mais non ce n'était qu'un homme comme un autre. Ajay lui asséna un grand coup sur la tête avec la crosse de son arme. Il se tourna ensuite vers l'homme le plus âgé, baissa sur lui un regard brûlant d'une fureur contenue. Sous les yeux de

Neda, qui suivait la scène en tremblant, l'homme se releva et battit en retraite. Ajay rangea son pistolet.

« Madame », dit-il.

Il était redevenu l'adorable, le loyal Ajay.

« Ouvrez la porte. »

Elle obtempéra, déverrouilla, ouvrit et il la prit par le bras pour l'aider gentiment à descendre ; elle s'appuya sur lui pendant qu'il la guidait vers le SUV.

Sous le choc, elle patienta sur le siège passager pendant qu'il allait pousser la Maruti sur le côté de la route. Il récupéra ensuite les affaires de Neda, épousseta les sièges, éteignit les phares, ferma à clé. Il revint au SUV, monta et démarra. Neda le regardait sans rien dire. Elle était sans voix. Il avait méchamment blessé ces trois hommes, mais paraissait parfaitement calme.

« Qu'est-ce qui s'est passé ? »

Il ne répondit pas.

« Ajay », insista-t-elle.

Il sembla surpris de l'entendre prononcer son nom.

« Qu'est-ce qui s'est passé ?

— Je ne sais pas.

— Ils allaient me faire du mal.

— Je ne les aurais pas laissés faire.

— J'ai besoin de ma voiture.

— Ne vous inquiétez pas, madame. »

Il parut se ressaisir.

Il composa un numéro. Se mit à parler à voix basse.

« C'est Sunny ? »

Ajay s'exprimait d'une voix sourde.

« C'est Sunny ? cria-t-elle. Passe-moi le téléphone. »

Elle tendit la main vers l'appareil, mais Ajay raccrocha et éteignit.

Il l'emmena pas très loin de là, à Sarita Vihar. Se faufila dans une ruelle étroite où il y avait des agences de voyages et de petits entrepôts, tous fermés. Une seule lumière brillait, derrière une vitrine dotée d'une enseigne à la peinture passée : Hotel Ottoman. Ajay s'arrêta et descendit, puis se précipita vers le siège passager, posa la main sur l'épaule de Neda, contourna le SUV avec elle et la fit entrer dans l'hôtel. La lumière blanche et crue était éblouissante et dure. Il y avait un ascenseur, et Ajay appuya sur le bouton d'appel, tandis que l'employé de la réception demandait d'un ton irrité ce qui se passait. Ajay saisit sa pince à billets, en sortit plusieurs billets, qu'il plaça sur le comptoir pour apaiser l'employé mécontent, marmonna quelque chose d'inaudible et revint auprès de Neda.

Dans l'ascenseur, elle rassembla tout son courage.

« Il est là ?

— Oui. »

Elle ne sut quoi ajouter.

L'ascenseur s'ouvrit sur un couloir aveugle aux murs tapissés d'un papier d'un vert de pierres précieuses et au sol en marbre crasseux. Devant la troisième porte à droite, la 406, Ajay frappa trois coups, à un intervalle identique, codé, chaque fois. Saisie d'un accès de rage, Neda se mit à tambouriner. Une autre porte s'ouvrit alors brutalement sur un homme bedonnant en maillot de corps et pantalon. Il les dévisagea en se grattant l'oreille. Quelques secondes plus tard, la porte de la chambre 406 s'ouvrit à la volée et Sunny apparut, hagard, bouffi, échevelé. Il jeta un coup d'œil sur son voisin de couloir. Sur Ajay. « Occupe-toi de lui. » Puis il attrapa Neda par le poignet, la tira à l'intérieur et referma sèchement.

Elle manqua tomber par terre.

« Hé ! Ça va pas ?! »

La pièce était petite et mal aérée et l'éclairage fluorescent lui donnait un aspect blafard. Il y avait un lit à une place avec des coussins en forme de cœur, un couvre-lit en tissu synthétique bordé de dentelles, une table de chevet sur laquelle étaient posés une bouteille d'eau, un paquet de cigarettes, un gros verre et une bouteille en plastique remplie d'alcool bon marché. Contre le mur, un climatiseur décrépit vibrait dans un bruit de ferraille. Neda se prépara à affronter Sunny, mais elle vit sa tête. Il avait l'air livide, pathétique, diminué.

« Qu'est-ce qui s'est passé ? » s'écria-t-il en la saisissant par les poignets.

Une nouvelle forme de peur s'ajouta à la colère et à l'émotion qu'elle éprouvait.

« Ils cherchaient à me tuer. »

Elle se tenait raide, l'esprit mobilisé par la violence qu'elle venait de vivre.

« Mais Ajay..., poursuivit-elle, il les a tabassés. Oh, là, là, il les a sacrément tabassés. »

Elle fronça les sourcils, puis, comme sonnée, elle leva vers lui des yeux étonnés.

« Qu'est-ce qu'il faisait là ?

— Tu es sérieuse ? »

Son ton incrédule la ramena à la chambre. Elle s'arracha à l'étau de ses mains, se mit à arpenter la pièce.

« Oui, je suis sérieuse. Qu'est-ce qu'il faisait là, qu'est-ce que tu fais ici, et où étais-tu passé, bon sang ? Que se passe-t-il, bon sang ? Moi, j'étais allée te voir. Tu m'as fait venir ! »

Elle se figea, se prit la tête.

« Tu ne m'as pas fait venir. Ce n'était pas toi, c'est ça ? Oh, merde, qu'est-ce que je suis bête !

— Qui t'as appelée ?

— Oh, va te faire voir, Sunny. Tu as disparu. Tu as juste disparu et tu m'as laissée en plan. »

Il s'approcha, essaya de l'obliger à parler.

« C'est très important que tu me répondes. Qui t'a appelée ? »

Elle frissonnait.

« Je veux rentrer chez moi.

— Et alors ?

— Et alors, rien, je veux oublier qu'on s'est rencontrés. Sérieusement !

— Tu ne peux pas rentrer chez toi juste comme ça.

— Je peux aller où je veux !

— Il faut que tu me dises qui t'a appelée.

— Je ne sais pas ! D'accord ? Je-ne-sais-pas. Qu'est-ce que je suis bête, bon sang. Qu'est-ce qui cloche chez moi ? »

Les larmes commencèrent à lui monter aux yeux. L'adrénaline retombait, elle n'allait pas tarder à sentir le contrecoup. Elle attendait quelque chose de Sunny, mais il ne pouvait rien lui donner, pas comme ça.

« Me touche pas », chuchota-t-elle quand elle se faufila devant lui pour aller s'asseoir sur le bord du lit.

Elle prit une de ses cigarettes sur le chevet, l'alluma avec des mains tremblantes. Fumer l'apaisa. Elle examina la bouteille d'alcool, la brandit à la lumière.

« C'est la grande vie, dis donc. »

Immobile à l'autre bout de la pièce, il la regardait.

« Quelqu'un t'a appelée pour te demander d'aller au bureau, reprit-il. Qu'est-ce qu'il t'a dit ? »

Elle dévissa le bouchon de la bouteille pour en prendre une gorgée et eut un mouvement de recul tellement c'était fort, puis ferma les yeux.

« Il a dit que tu voulais me voir.

— Pourquoi ?

— Comment veux-tu que je le sache ? Parce que tu tiens à moi ?

— Non, pourquoi il dirait un truc pareil ? Pourquoi il t'aurait fait venir là-bas ? »

Exaspérée, elle serra des dents.

« Je ne sais pas. Tu n'étais pas là. L'heure a tourné. Je suis revenue. Sunny, c'était qui, ces mecs qui m'ont attaquée ?

— Je ne sais pas, des mecs, c'est tout.

— Tu plaisantes ? Des mecs, c'est tout, et Ajay passait par là, c'est tout, et toi, tu es dans cet hôtel, c'est tout. Oui ? Je suis censée gober ça ? Merde. Ils allaient me tuer. Ou pire.

— Personne n'allait te tuer.

— Va te faire voir.

— Te faire peur, peut-être.

— Peut-être ? Eh bien, tu sais quoi ? J'ai eu peur. »

Elle prit une grande inspiration.

« Bon sang, Ajay a été tellement… »

Elle fronça les sourcils.

« Si tu ne m'as pas fait venir, pourquoi est-ce qu'il me suivait ?

— Parce que tu étais au bureau ! J'ai des gens sur place. Ils m'ont prévenu que tu étais au bureau. J'ai demandé à Ajay de garder un œil sur toi.

— Va te faire voir, Sunny. »

Ils poursuivirent ce dialogue de sourds un moment ; ils revenaient sur les mêmes choses, chacun donnant une version d'une histoire qui n'avait aucun sens, et ils tournaient en rond. Elle était allée là-bas parce qu'on l'avait fait venir. Ajay la suivait parce qu'elle était allée là-bas. Elle ne voulait pas lui dire qu'elle avait épié la résidence, qu'elle avait été repérée par le *goon* sur lequel elle était tombée dans la colonie de relogement. Elle refusait de lui révéler ce détail. Mais, peu à peu, elle commença à y voir plus clair. On la baladait, on lui envoyait un avertissement ou bien on cherchait à se débarrasser d'elle. Carrément. Elle repensa aux *goons* assoiffés de sang en train d'avancer vers sa voiture. Elle se mit à imaginer d'épouvantables scénarios, se vit traînée sur la route, hurlante, impuissante, perdue et comprit qu'elle allait trop loin, que c'était des trucs qu'elle n'avait pas demandés. Et Sunny, dans cette chambre, à quoi ça rimait ? Ça, c'était une autre histoire.

« Sérieusement, Sunny. Où étais-tu passé ? La dernière fois que je t'ai vu, ton père te repoussait d'un coup de pied dans la piscine. C'était un cauchemar. Un cauchemar. Et tu m'as abandonnée. »

Il était assis sur le bord du lit à présent. Elle le voyait de profil.

« Je n'avais pas le choix.

— Tu aurais pu me passer un coup de fil.

— Tu ne comprends pas.

— Je pense que si. Je les comprends, je te comprends.

— Je ne voulais pas te mettre en danger. »

Elle partit d'un rire amer.

« Si je suis en danger, c'est parce que j'ai cherché à te revoir. »

Il se tourna vers elle.

« Tout a merdé.

— Ah oui ? À qui la faute ?

— À moi.

— Punaise, qu'est-ce que t'es tordu !

— Pourquoi ? Je n'aurais jamais dû faire passer cette pub. J'ai été faible.

— Tu as été humain. Mais, oui, peut-être que tu n'aurais pas dû le faire. Peut-être y a-t-il des tas de choses qu'on n'aurait pas dû faire. »

Elle acquiesça.

« Quel gâchis. Moi, je ne veux pas de cette violence. Je n'ai pas envie d'être impliquée là-dedans. Je veux juste…

— Tu me manques, dit-il.

— Oh, va te faire voir.

— C'est vrai. »

Il lui tendit la main. Elle la prit.

« T'as vraiment, vraiment, une sale gueule, déclara-t-elle. Et qu'est-ce que tu fabriques ici ?

— Je ne sais pas. File-moi à boire. »

Elle lui tendit la bouteille, il en prit une rasade et Neda s'allongea sur le lit ; il se cala contre elle et, couchés sur le dos, ils contemplèrent le plafond.

« Sunny, ce qu'il t'a fait à la villa, dans la piscine… ce n'est pas normal. Un père ne devrait pas faire ça à son fils.

— On ne vit pas dans les mêmes univers.

— Peut-être. Cela dit, ce n'est peut-être plus vrai. »

Il sourit d'un sourire vide, pitoyable.

« La piscine, ce n'était que le début. Après la parution de cette annonce, il m'est tombé dessus avec une cruauté pas possible. Il a envoyé ses hommes dans mon appartement, et ils ont tout démoli. Ils ont tout cassé et, lui, il est resté là à les regarder faire. Il m'a confisqué mes téléphones, mes ordis. Il a fermé les boîtes que j'avais montées. M'a retiré mes cartes de crédit. M'a mis en laisse. Il m'a dit, Ne recommence jamais à montrer nos photos et notre nom comme ça.

— À ton avis, pourquoi ? »

Devant le long silence qu'il lui opposait, elle le prit à partie.

« J'ai vu un truc, Sunny. Je suis tombée sur un truc.

— De quoi tu parles ?

— Ces démolitions, ces recasements. On démolit leurs baraques, on leur prend leur terre, on les expédie loin de Delhi vers des terrains désolés, bourrés de moustiques, à côté d'une décharge, ils n'ont rien, pas d'espoir, pas d'avenir. Mais c'est pas tout. Il y a des gens qui les attendent, des *goons*, des mecs terrifiants qui les poussent à vendre leur petite parcelle de terre inutile pour une poignée de roupies. Cette terre qui leur est attribuée après une expulsion forcée, des promoteurs la leur rachètent pour rien.

— Et alors ?

— J'y suis allée. J'ai discuté avec des gens sur l'un des sites. Là-bas, des *goons* m'ont menacée. Un gars que je n'oublierai jamais. Je le surnomme le Caravage. Il a une tête d'ange grotesque. Je l'ai vu là-bas sur le site et je l'ai revu ailleurs. Et il m'a vue.

— Où ça ?

— À ton avis ? »

Il refusa de répondre.

« Il sortait de chez toi. Il bosse pour ta famille. Et il m'a vue, et c'est après que j'ai reçu ce fameux coup de fil me proposant d'aller te voir.

— Non, fit-il, ce n'est pas possible.

— Pourquoi non ? Pourquoi est-ce si difficile à croire ? Ta famille est violente. Ta vie est violente. Vous êtes des violents.

— Non. »

Elle se mit à rire, tellement tout était absurde.

« Et maintenant ils sont après moi. Ils sont après moi parce qu'ils pensent que je suis après eux. Mais, moi, si je suis tombée sur ce truc, c'est uniquement parce que je te cherchais. »

Il n'avait rien à dire. Qu'y avait-il à dire de toute façon ? C'était la vérité et ils le savaient l'un comme l'autre.

Elle ferma les yeux et s'endormit avant même d'avoir le temps de se voir sombrer dans le noir.

Trois grands coups à la porte la tirèrent du sommeil.

Elle crut qu'elle avait décroché une minute.

Elle allait dire quelque chose lorsqu'elle vit Sunny, un revolver à la main, porter le doigt à ses lèvres.

Elle résista à l'envie de hurler tandis qu'il s'approchait de la porte à pas de loup.

« Sir », dit la voix d'Ajay dans le couloir.

Ce fut un soulagement dans la chambre.

Sunny abaissa son arme, entrebâilla la porte.

« Sir, reprit Ajay. Je me suis occupé de la voiture.

— Très bien, répondit Sunny. Attends en bas. »

Tout en rassemblant ses affaires sous le regard d'un Sunny silencieux, Neda se rendit compte qu'elle avait dormi près de trois heures. Quand elle fut prête à partir, Sunny la retint un instant par le bras.

« Qu'est-ce qu'il y a ?

— Tu ne peux parler de ça à personne. »

Elle hésita, réfléchit.

« À qui devrais-je en parler ?

— Au gars avec qui tu bosses.

— Tu penses que j'ai envie qu'il soit au courant de tout ça ? Et par quoi je commencerais ? Mais tu devrais savoir qu'il vous poursuit en tout cas.

— Il ne peut rien faire.

— Oui. Tu as sans doute raison. Mais, toi, tu sais que tu pourrais faire quelque chose, hein ? Tu pourrais te tirer.

— Ce n'est pas réaliste.

— Sunny, quels que soient les rêves que tu puisses avoir, ton père les détruira, et il te détruira par la même occasion. Tu veux transformer Delhi, tu veux rénover la ville, l'embellir, tu veux l'exposer au monde entier. Mais, lui, qu'est-ce qu'il veut ? »

Sunny ne répondit pas.

« Sunny, insista-t-elle, c'est un homme, pas un dieu. Si tu continues dans son orbite, je ne resterai pas avec toi. Tu n'as qu'à te tirer, c'est tout.

— Impossible, répliqua-t-il. Ce serait un suicide. »

Ajay l'attendait au rez-de-chaussée. Il tourna la tête dès qu'elle sortit de l'ascenseur.

« Attendez, dit-il. Je vais chercher la voiture. »

Il conduisait avec une grande sûreté. Elle observa ses mains sur le volant, ses jointures ensanglantées et enflées, se demanda ce qu'il pensait. Puis elle se mit à réfléchir à une version cohérente de son histoire. Sa voiture était tombée en panne. Des amis l'avaient raccompagnée. Ses parents ne lui poseraient sûrement pas de questions. Ils étaient comme ça. Elle sentit néanmoins sa peur grandir à mesure qu'ils se rapprochaient de chez elle.

« Ajay, bredouilla-t-elle.

— Oui, madame.

— Merci.

— Madame, ajouta-t-il, votre voiture sera prête demain. »

Devant chez elle, Ajay se tourna vers elle.

« Madame, dit-il, alors que le moteur tournait au ralenti.

— Oui ?

— C'est quelqu'un de bien. »

Neda en eut le cœur brisé.

« Toi aussi. »

Il évita son regard.

Sur ce, elle descendit de voiture et referma la portière ; de son côté, Ajay attendit qu'elle rentre, puis redémarra.

3.

Comme promis, sa voiture revint le lendemain, quelques heures après qu'elle avait pris le taxi de Sardar-ji pour aller travailler. Toute la tôlerie abîmée avait été redressée et la peinture refaite. On ne voyait plus une égratignure. C'est un mécanicien en salopette bleue, un grand mec jovial et élancé avec, sur le crâne, une petite houppette de brahmane, qui la lui ramena ; un jeune garçon, qui l'avait suivi en scooter, le raccompagna au garage. Comme s'il ne s'était rien passé.

Elle éplucha le journal dans l'espoir de repérer la mention d'un accident autour de Jamia, Shaheen Bagh ou Kalindi Kunj. Rien. Pas de collision entre deux voitures. Pas de blessés. Pas de morts. Tout était gommé. Tout était aplani. Comme s'il ne s'était jamais rien passé.

Elle continuait à attendre la méchante surprise. Qu'est-ce que ce serait ? Elle n'en avait pas idée. Des flics qui se pointeraient. Un *goon*. Un coup de fil comme dans les films : Je sais ce que tu as fait. Je sais ce que tu as fait. Viens me retrouver à tel endroit. Avec le pognon. Dis un mot, un seul, et tu es morte. Elle continuait à attendre des nouvelles de Sunny. À attendre de voir Ajay. Mais rien ne se passa. Le premier jour où elle retourna au bureau, elle évita Dean. Par chance, il était trop occupé pour bavarder avec elle.

Mais elle allait lui parler, pas vrai ?

Il fallait juste qu'elle aille à la porte de Dean, qu'elle tape, qu'elle entre, referme derrière elle, s'asseye et s'explique.

Ça allait se faire, n'est-ce pas ?

Mais que lui dirait-elle ?

C'était bien un accident ?

Avaient-ils cherché à lui faire peur ?

Elle n'en savait toujours rien.

Lorsqu'elle essayait de dormir, elle ne pouvait que se repasser tout le film dans sa tête. Le coup de fil qui l'avait poussée à sortir de Delhi. Le retour tendu. Le brusque choc des carrosseries qui se tamponnent, l'affolement causé par le tête-à-queue, les phares aveuglants, la silhouette des hommes avançant sur la Maruti. Elle ne cessait d'accumuler les prétextes afin d'aller travailler en taxi. Prenait des *auto-rickshaws* ici et là pour accomplir diverses tâches. Elle laissait sa bagnole devant chez elle, à l'ombre du banian dans le parc. Elle n'avait toujours rien raconté à Dean.

« À propos, lui écrivit Dean dans un e-mail quatre jours plus tard. Cette histoire qui finit bien te réchauffera peut-être le cœur. » Ses paroles étaient teintées d'ironie. Il lui envoyait un lien vers un article du *Times*. C'était un reportage en couleurs : « Panser ses blessures et surmonter son deuil. » Quelqu'un avait retrouvé dans leur village natal, pas très loin de Kanpur, les parents des enfants morts. Tristes mais pleins d'espoir, Devi et Rajkumar avaient tiré un trait sur le passé. Devi était à nouveau enceinte. Rajkumar avait utilisé la compensation de la Fondation Wadia pour acheter des terres agricoles. Ils avaient construit une *pukka* maison. À quelque chose malheur est bon, écrivait l'auteur. Rajkumar espérait que son fils étudierait un jour à Delhi, parlerait anglais et vivrait dans une grande maison. Il disait que Delhi était pour les gens modernes, que le progrès était nécessaire et que Dieu veillait sur eux à présent.

« L'énigme est résolue », répondit-elle.

Elle poursuivit son train-train quotidien. La monotonie pas compliquée de ces petites histoires la réjouissait. Elle évitait le sud-est de la ville si elle le pouvait. Elle évitait de circuler seule en voiture, tard le soir. Même quand elle eut fait la paix avec la Maruti, elle continua à angoisser à l'idée de conduire seule à la nuit tombée. Elle avait l'impression d'être suivie. Au début, elle s'imagina que c'était Ajay. Qu'il la suivait partout. Qu'il la protégerait. Ça la rassurait. Ce réconfort ne durait jamais. Les vieilles questions se bousculaient dans son cerveau.

Dans ses rêves, elle revoyait la lueur aveuglante des phares, ressentait la violence d'Ajay. Un matin, elle rassembla tout son courage et repartit à la colonie de relogement où elle s'aperçut que les lieux étaient protégés par une clôture grillagée portant des panneaux marqués : PROPRIÉTÉ PRIVÉE.

L'hiver s'abattit sur Delhi. Les lainages resurgirent des malles métalliques et des armoires. Des matins brumeux, d'un froid mordant, se déployèrent sous le pâle disque du soleil pour céder ensuite la place à des ciels infiniment bleus. Lodhi Garden se vit envahir par des marcheurs énergiques qui avançaient avec détermination, tandis que les sans-abri, à croupeton sur les trottoirs, faisaient du feu dans de vieilles boîtes de conserve. Il y eut une descente matinale à Old Delhi pour un *nihari*[1]. Diwali approcha avec ses guirlandes de lumières dorées. Delhi céda à une frénésie d'achats et de gueuletons. Dean ne se confiait plus. Sunny n'était pas là. Elle passa la fête avec ses parents, alluma des *dias*[2] dans la maison, fit une petite *puja*[3], observa les gamins dans le parc de l'autre côté de la rue avec leurs feux de Bengale, monta sur le toit pour regarder les feux d'artifice à travers la ville. Le lendemain matin, un nuage de fumée pesait sur les toits. Les températures dégringolèrent, le froid s'insinua dans les maisons, s'y installa et refusa de repartir. Elle se mit à envisager de fuir. Son cœur, en deuil et en rage, abritait une véritable

---

1. Sorte de ragoût de mouton cuit avec de nombreuses épices
2. Lampes à huile.
3. Prière.

tempête. Elle réfléchit à la préparation au TEFL[1] du British Council. À enseigner l'anglais au Japon. Une amie avait fait ça et elle n'était jamais revenue.

Noël. Décorations de Pères Noël à Connaught Place. Péans à la consommation. Intérêt de pure forme pour la religion. Elle alla assister à la messe de minuit à l'église Saint-James avec ses parents. C'était une tradition séculaire dans sa famille – ils y assistaient tous les ans. Tous les trois sur les bancs, sans trop comprendre ce qui se passait. Elle ferma les paupières et dit une prière. Elle crut voir Ajay parmi la congrégation assis quelques rangs devant elle, en train de prier lui aussi. Mais, la communion venue, elle s'aperçut que ce n'était pas lui.

La désolation de janvier. La ville suffoquant dans le smog. Certaines nuits, les températures frisant le zéro. Sa première histoire de la nouvelle année : le manque de refuges satisfaisants pour les sans-abri, une mafia des couvertures. Une mafia pour tout. Après le travail, elle suivait les cours du British Council. Elle avait renoncé à Sunny. Et à elle-même aussi. Elle savait que c'était trop tard. Elle n'irait pas trouver Dean. La seule chose qu'elle pouvait faire, c'était préparer son départ et ne jamais revenir.

4.

Le matin du dernier jour du mois de janvier 2004, elle proposa à Dean de déjeuner à China Fare. Elle comptait lui annoncer qu'elle allait remettre sa démission dans l'après-midi. Il accepta, il serait peut-être un peu en retard, il avait une matinée chargée. Elle tua le temps derrière sa table de travail et nota que le bureau de Dean était fermé. Elle fila tôt à Khan Market et fit le tour des boutiques, où tout le monde s'emmitouflait dans des pulls et des châles. Allait-elle enfin parler ? Elle n'en était

---

1. Teaching English as a Foreign Language. Enseigner l'anglais langue étrangère.

pas sûre. Que dirait-elle au juste ? Ça, elle ne le saurait qu'une fois en face de Dean, après qu'il l'aurait aidée. Tout ce qu'elle savait, c'est qu'elle en avait marre. À treize heures, elle prit une table à China Fare et commença à attendre. Mangea des rouleaux de printemps et but du thé vert.

Dès son entrée, elle comprit que quelque chose n'allait pas du tout. Il s'assit à la table en se cramponnant aux bords, comme à un à-pic. Il ne la regardait même pas. Il semblait n'avoir qu'un souci : respirer. Il sait, se dit-elle. Mais quoi ? Que sait-il ? Pas grave. Elle partait. Il lâcha la table, se frotta les yeux derrière ses lunettes cerclées de métal, puis retira lesdites lunettes, les posa sur la table et enfouit son visage dans ses mains. À la fin, il leva la tête, il avait le regard brillant et perdu dans le lointain.

« Je viens de démissionner », annonça-t-il.

S'il y avait un truc auquel elle ne s'attendait pas, c'était bien ça.

« C'est sérieux ?

— Cela dit, ils m'ont peut-être viré, fit-il, les sourcils froncés. Je ne sais pas. – Il parlait tout seul. – Peut-être que j'ai juste pris les devants.

— Dean… »

Il la regarda.

« Viens, on va se prendre une bière. »

Ils allèrent chez Chonas.

« Tu te rappelles comment j'ai commencé à enquêter sur Bunty Wadia ? dit-il alors. La masse de saloperies que j'ai dénichées ! T'imagines pas. Quand j'ai dit qu'il faisait partie de la clique de Ram Singh, je l'ai mésestimé. En fait, c'est tout le contraire. C'est plutôt Ram Singh qui bosse pour lui. »

Sa voix prit des accents songeurs.

« On dirait que tout le monde ou presque bosse pour lui. »

Elle attendit qu'il poursuive.

« J'avais un mentor, reprit-il enfin. Un vieux rédacteur d'un journal de Delhi. Je ne te donnerai pas son nom. Respecté. Un mec honnête et droit. Sur toute la ligne. Je ne le connais pas personnellement depuis très longtemps, mais je lui écrivais, je lisais ses papiers quand il était plus jeune ; c'est lui qui m'a appris les ficelles du métier de journaliste, de reporter et je n'exagérerais pas en ajoutant qu'il m'a appris à être un homme. Dans ma tête, du moins. C'est quoi cette fameuse formule ? "Si vous rencontrez le Bouddha sur votre route, tuez-le" ?

— Dean. Tu divagues.

— J'ai terminé mon enquête explosive la semaine dernière. C'est énorme. Et totalement inutile.

— Pourquoi ?

— La nuit où j'ai terminé, mon mentor m'a passé un coup de fil. À vingt-deux heures. Il m'a invité à venir prendre le petit déjeuner avec lui le lendemain matin au Yellow Brick Road. Rien de curieux là-dedans, on est d'accord ? Juste une coïncidence question timing. Moi, j'étais en ébullition avec mon reportage, comme on l'est quand on a déniché un truc énorme, un truc qui va faire des vagues. J'étais donc super content de le rencontrer. Mais je ne lui ai rien dit au téléphone.

— Qu'est-ce qu'il y avait dans ton reportage ?

— Attends. J'y viens. Je me pointe au petit déjeuner. Il m'attendait en se buvant un jus d'orange, son café à côté de lui, assis à une des tables près de la fenêtre, celle qui donne sur la pelouse et l'allée, et où le soleil entre à flots. Lui regardait la salle. Je me suis installé en face de lui. Il a été malade l'an dernier, mais là il était bien mieux. Il avait l'air soigné, bronzé. C'était inhabituel de le voir bronzé. Je lui ai demandé s'il avait pris des vacances, mais il m'a dit que non, qu'il nageait beaucoup ces temps-ci, dans une piscine en plein air, que c'était ainsi qu'il avait pris des couleurs et qu'il trouvait ça très agréable, même si sa femme ne cessait de l'empoisonner à ce sujet. Plein d'échanges aimables, de banalités. "Alors, m'a-t-il dit, et toi, où en es-tu ?" Et je lui ai confié que j'étais sur le point de soumettre un reportage à mon éditeur, un truc énorme. »

Dean prit une gorgée de bière, porta la main à son front.

« Il a hoché la tête. "Alors, m'a-t-il dit, à ce propos…" J'ai senti mon estomac se nouer.

— Il était au courant.

— Il connaissait tout le truc par cœur ou presque, les paragraphes, les phrases, le raisonnement, la structure.

— Comment ça ?

— Parce qu'il l'avait déjà lu. Je ne l'avais montré à personne, mais il l'avait déjà lu.

— Comment ça ?

— Ils ont piraté mon ordinateur, expliqua-t-il en levant les mains en l'air. Il m'a dit qu'il n'y avait aucun bénéfice à espérer quand on créait des problèmes de ce genre. Aucun bénéfice. Je lui ai répondu qu'il n'était pas question de bénéfice là-dedans. Que ce n'était pas l'objectif. Il s'en souvenait sûrement. "Ça peut l'être", m'a-t-il répondu. Ça pouvait être un objectif. Ce mec, qui était comme un père pour moi, sur lequel je m'étais modelé tant bien que mal, dont les normes éthiques m'avaient servi de modèle, me disait que le profit pouvait être un objectif. Après tout, j'avais fait un travail formidable et je méritais une récompense. À ce titre, la partie concernée me rachetait volontiers mon reportage, dans la mesure où c'était leur propre histoire finalement et où j'avais déployé de gros efforts pour écrire ce papier. Oui, ils me le rachetaient. Il a vu mon écœurement. J'ai cru voir une lueur de honte dans ses yeux, mais tout ce qu'il m'a dit, c'est que le monde avait changé. Le journalisme était un business comme tout le reste. – Dean a secoué la tête. – Impossible de combler le gouffre entre nos deux façons de penser. Il y avait un gouffre abyssal entre l'homme qui m'avait formé et celui qui était assis en face de moi. C'était pourtant la même personne. Il avait la même femme. Le même chien qu'il emmenait faire les mêmes promenades. Le même train-train, les mêmes amis, et il mangeait dans les mêmes restaurants. En fait, il avait toujours été cette personne-là. C'était le monde qui avait changé. Mais ce n'est pas moi. Je me connais. "Que vous est-il arrivé ?" lui ai-je demandé. Il a paru réfléchir sérieusement à la question, comme si personne ne la lui avait jamais posée, mais ne m'a fourni aucune réponse. À la place, il a noté une somme sur une serviette en papier qu'il a poussée vers moi en me disant que c'était l'offre de son client.

— Combien ?

— Je me refuse à lui accorder une valeur qu'elle ne mérite pas en la répétant à voix haute. C'était obscène. J'ai déchiré la serviette, laissé les bouts de papier sur la table et je suis parti. J'ai remis mon reportage à Venkatesh dans la foulée. Il l'a lu. Il a trouvé qu'il tenait debout. Il l'a passé aux juristes. Ils ont manifesté une certaine frilosité. Mais ils ont épluché mes preuves et, oui, ça tenait debout. V. m'a dit qu'ils le publieraient. Mais il m'a conseillé de tendre le dos. Et là-dessus… – Il pointa le doigt vers le plafond. – Dieu. Le mec à l'étage supérieur. Le directeur de la rédaction. Le conseil d'administration. Le propriétaire. Ils l'ont piétiné. Ils ont refusé de publier. Pour aussi tordu que ce soit, je dois reconnaître qu'il avait commencé par m'approcher avec la carotte. C'est seulement après qu'il a recouru au bâton. Quoi qu'il en soit, je me suis retrouvé coincé. Et, depuis ce matin, mon reportage, c'est fini. Ils m'ont mis d'office en congés payés. Donc, je suis parti. Ou bien j'ai été viré. Je n'en sais foutrement rien. Tout ce que je sais, c'est que je suis libre. »

Elle l'observa en essayant de déchiffrer ses pensées.

« Qu'est-ce qu'il y avait de si terrible dans ton papier ? »

Il esquissa un drôle de sourire poli, puis plongea la main dans la sacoche posée par terre à côté de sa jambe droite et balança sur la table un document attaché par un trombone.

« À toi de me dire. »

Elle se mit à feuilleter les pages, à les compter. Elle s'arrêta à quinze, sauta à la fin, revint au début.

Elle lut le titre à haute voix :

« "L'art de se cacher au grand jour" ?

— C'est pas très accrocheur, je sais. C'était provisoire. »

Il engloutit sa bière.

« V. comptait le changer. »

Il devait y avoir cinq mille mots ou plus. Le fil du récit était clair : Bunty Wadia était le plus gros bonnet d'Uttar Pradesh. Même s'il n'en avait pas le titre, c'était lui le *Chief Minister* dans les faits, voire un peu plus. Ses intérêts commerciaux couvraient tout l'État. Il possédait une part significative du commerce des spiritueux de l'État, tant dans les activités de gros que dans celles de détail. Soucieux de ménager les apparences, il gérait ces affaires par l'intermédiaire de mandataires, qui, en public, se posaient parfois en rivaux, mais en fin de compte tout ce petit monde travaillait main dans la main. C'est à lui qu'ils répondaient. Ils s'appelaient « le syndicat ».

« Le syndicat ? lut-elle à voix haute.

— Je sais. Ça sort tout droit d'un roman de gare. Encore que, en toute justice, techniquement c'en soit un. »

Elle poursuivit sa lecture. Il n'y avait pas que les activités de gros et de détail, et Wadia ne se limitait pas seulement à l'intégration verticale – canne à sucre, moulin, distillerie, distribution, gros, détail, tout le zinzin bien ficelé à travers tout l'État, deux cents millions d'habitants, à tout le moins –, c'était un monopole. Bien sûr, il y avait d'autres intervenants en Uttar Pradesh, d'autres producteurs, mais puisque le syndicat Wadia contrôlait les licences des grossistes et celles des détaillants, c'était lui qui choisissait de fait les personnes ayant le droit de vendre aux clients. Celles qui ne s'acquittaient pas d'une somme substantielle en espèces étaient marginalisées, vouées à disparaître. Dans les points de vente, les marques Wadia, produites et importées, étaient mises en avant. Si on voulait avoir la moindre chance de se faire une place – et finalement la plupart des gens y parvenaient –, il fallait payer le prix, en espèces encore une fois. Donc, pour chaque camion d'alcool qui arrivait, une valise de billets de banque allait remplir les coffres Wadia/Singh. Fifty-fifty. Quelle parade ? Aller trouver les flics ? Les services des impôts indirects ? Eux aussi prenaient leur part. Cette industrie générait des milliards de dollars ouvertement et sous le manteau, préservait l'ordre et veillait à arroser tout le monde.

Et ce n'était que le hors-d'œuvre.

Les deux premières pages.

Ça continuait à l'envi.

Dans l'extraction de sable, les transports, les postes de péage et l'infrastructure. Dans le contrôle de la police et du judiciaire.

À chaque étape, les Wadia et les Singh écrémaient le haut, le bas et le milieu.

L'arnaque dans les transports était d'une simplicité diabolique. Le gouvernement de l'État dévalorisait systématiquement les lignes de bus publiques viables et profitables, puis les fermait afin d'accorder des licences à des opérateurs privés qui desservaient ces mêmes lignes à un coût nettement plus élevé pour le passager. Au premier abord, ces opérateurs privés semblaient être des concurrents, mais, en y regardant de plus près, on constatait que huit sur dix d'entre eux étaient des mandataires des Wadia, et que les deux autres appartenaient à la famille élargie de Ram Singh.

Elle survola la suite, reposa le document. Le reprit. Le survola. Il y avait une partie biographique décrivant la manière dont Bunty Wadia, le petit marchand de grains de Meerut, avait prospéré ; dont il avait apporté à Ram Singh son premier soutien politique ; dont il était passé à la production de *daru*[1] avec l'aide de son frère aîné, Vikram ; dont Vikram « Vicky » Wadia s'était métamorphosé en caïd à Maharajganj, dans l'est de l'Uttar Pradesh, puis en député. L'œil de Neda s'arrêta sur un détail connu.

« L'incident de Kushinagar ?

— Oui, lui confirma-t-il en riant, ce truc m'a donné beaucoup de fil à retordre. Finalement, j'ai eu les détails de la bouche du cheval, comme on dit en anglais.

— Du cheval ?

— Vicky Wadia. Il m'a aidé à combler pas mal de lacunes.

— Il t'a parlé ?

— Dans la région d'où il vient, cet article n'est qu'une bonne opération de RP. »

Elle lut lentement le paragraphe.

« Il a vraiment fait ça ?

— Je pense que oui. Les seules personnes qui le sachent avec certitude sont celles qui étaient sur place. J'ai demandé à l'ancien magistrat de district si c'était vrai. Je lui ai rapporté ce que Vicky m'avait confié. Réaction : "Si Vicky le dit, alors c'est vrai." Au final, peu importe que ce soit vrai ou pas, ce qui compte, c'est que les gens y croient ou pas. Or, ils y croient. Là-bas, ils sont persuadés que Vicky est une sorte d'homme-dieu et qu'il pratique une puissante magie noire.

— Il a brûlé vif un mec dans le marché aux légumes ? »

Un jeune gars, surpris à voler la chaîne en or d'une femme mariée, s'était enfui à travers le marché. Vicky se baladait par là avec sa suite. Il a vu arriver le voleur. Il paraît qu'il l'a chopé en pleine course. L'a flanqué à terre, inconscient. Lui a repris la chaîne en or. A arrosé le mec de kérosène. A gratté une allumette. Tout le marché a suivi la scène, le gars hurlant, courant se foutre dans l'étal de tomates.

« Vas-y, lis ce qu'il a dit. »

---

1. Alcool légal.

Elle lut les paroles de Vicky consignées sur la page : « C'était un voleur, et à l'époque les voleurs pullulaient dans le district, il fallait bien que quelqu'un défende les gens, il fallait bien que quelqu'un fasse comprendre aux voleurs que leurs délits avaient des conséquences. » Fin de la citation. Punaise.

« Il a été élu un peu plus tard dans l'année. Là-bas, ils lui donnent un autre nom. Himmatgiri. »

Elle colla le document sur la table, elle avait envie de changer de sujet.

« Rien que de lire ça, je suis épuisée.

— Imagine ce que je ressens. »

Imagine ce que ressent Sunny.

Le pouvoir de ces hommes, la violence de leurs vies. Ça la ravageait depuis des jours, des semaines, des mois. Depuis aussi longtemps qu'elle en avait souvenir, depuis des années, des années et des années, lui semblait-il, sur des centaines de kilomètres de route noire. L'argent qu'elle avait claqué, le vin, le whisky, les bagnoles aux vitres teintées, la semelle noire de la chaussure de Bunty Wadia repoussant Sunny au fond de la piscine.

« Ces hommes, disait Dean, sont les héros des gens qu'ils dépouillent, dont ils détruisent l'existence même. »

Elle percevait ce pied.

Elle voyait son visage.

« Y a-t-il quoi que ce soit sur Delhi ? » demanda-t-elle.

Dean éclata de rire. Il avait le rire du vaincu, de l'homme au bout du rouleau qui n'a rien à perdre, de l'homme que les dieux ont foulé aux pieds.

« Bien sûr. Va à l'avant-dernière page. »

Elle l'observa attentivement tout en cherchant les pages concernées. Était-il au courant ?

Elle se prépara.

Mais il n'y avait rien sur les démolitions, les colonies de relogement et l'accaparement des terres.

C'était sur Sunny.

« Lis tout haut », dit-il.

Elle s'éclaircit la gorge : « Bunty Wadia n'investit pas dans les éléments spécifiques de l'édification d'une marque. Pas de contrat de sponsoring, pas de panneaux publicitaires, pas d'interviews, pas d'événements publics ; aucun profil sur les réseaux. Il ne construit pas tant une marque qu'une toile invisible, muette. Cependant, comme chez nombre de prétendus grands hommes, son point faible semble être son fils. La titillation dynastique aveugle de tels individus quant aux défauts criants qui vont de pair avec l'imparfaite duplication de la nature. »

Elle le regarda et continua à lire, en silence cette fois-ci. Dean poursuivait, discourait, parlait de l'ordre mondial néolibéral, de la clameur assourdissante qui réclamait la transformation de Delhi. Puis il en venait au fait. Il avait en sa possession la copie d'un projet élaboré par Sunny Wadia et un diplômé du MIT, que Sunny avait recruté, pour métamorphoser les berges de la Yamuna, négligées et envahies de bidonvilles, en une « destination d'affaires et de loisirs de classe internationale ». Ce projet brossait le tableau utopique de promenades en béton, en planches, de marinas, de parcs préservant la biodiversité, de centres culturels et de plans d'eau de loisirs, qu'elle avait déjà vus et dont elle avait entendu parler. À travers des images générées par ordinateur, il mettait en scène des familles soignées et heureuses, à la peau légèrement cuivrée, qui profitaient du ciel bleu et des eaux propres d'une Yamuna « dépouillée de son essence même, de sa nature même ». Dean démolissait cette chimère.

« Ces plans, d'après les gens bien informés, ont été tournés en ridicule. Ils sont jugés impossibles au plan politique et contestables au plan écologique. Comme l'a fait remarquer un responsable anonyme, "la Yamuna est un fleuve himalayen non canalisé parcourant une plaine inondable, soumis aux pressions de la mousson et à la merci des caprices de la nature. Imaginer qu'il puisse en être autrement relève du fantasme et d'une grossière folie". »

Assez. Elle en avait assez. Elle feuilleta le paquet de pages jusqu'au bout, secoua la tête, saisit sa bière.

« Tu vois, s'écria-t-il. Je t'avais bien dit que Sunny Wadia était un bouffon. »

5.

Le jour de la Saint-Valentin précisément, elle reçut un appel d'un numéro inconnu.

Elle reconnut aussitôt la voix de Sunny. Elle paraissait tellement distante, tellement affligée.

« Neda. »

Elle attendit qu'il poursuive, mais il se contenta de respirer bruyamment au bout du fil. Ça n'avait rien d'une menace, c'était plutôt l'expression du néant, de l'autodestruction. Elle était chez elle, dans la cuisine, et se préparait un *chai*. Elle alla poursuivre la conversation dans le jardin devant. Les perroquets voletaient, le fond de l'air était frais. Ça pinçait méchamment quand on était à l'ombre ; elle s'installa au soleil.

« Qu'est-ce qu'il y a ?

— J'ai besoin d'aide. »

Ses yeux s'emplirent de larmes.

« Je ne peux pas t'aider.

— Je ne peux plus continuer. »

Il semblait désespéré.

« Tu ne peux plus continuer quoi ?

— Tu sais bien. »

Elle battit des paupières et les larmes roulèrent sur ses joues.

« Je pensais que tu allais arranger ça ?

— Je n'y arrive pas. »

Neda sentit ses épaules s'affaisser.

« Où es-tu ?

— À Goa.

— Pourquoi ?

— Je ne peux plus continuer. J'ai besoin d'aide.

— Allez. Calme-toi.

— Viens me rejoindre.

— Sunny…

— Saute dans un avion aujourd'hui. J'ai besoin de te voir. J'ai besoin de te parler. En face à face.

— Pourquoi ?

— Je peux pas te le dire au téléphone. Viens et c'est tout. Viens et je te promets que je ne te demanderai plus jamais rien.

— Sunny.

— Quoi ?

— Honnêtement ? On dirait un piège.

— Ce n'en est pas un.

— Tu te fiches de moi ?

— Prends un billet. Envoie les références à ce numéro. Ajay t'attendra à l'aéroport. Je t'en prie, viens et c'est tout. Viens maintenant et je ne t'embêterai plus jamais. »

Elle se maudit. Elle laissa passer une heure. Puis elle appela son agent de voyages et lui fit réserver un billet pour le soir même. Elle alla travailler, mais il n'y avait rien d'urgent à faire, elle avait transmis ses reportages et n'avait aucune nouvelle histoire à suivre puisqu'elle avait donné sa démission. Le billet fut déposé à son bureau dans l'après-midi. Elle envoya les références au numéro depuis lequel Sunny l'avait appelée. Elle ne repassa même pas par chez elle pour se changer ou prendre un bagage. Elle laissa sa voiture devant le bureau et prit un taxi jusqu'à l'aéroport. En route, elle appela sa mère.

« Hé, c'est moi. Je descends passer quelques jours à Bombay. J'ai une histoire à suivre, et je vais voir Hari. Je serai de retour dimanche. »

Le vol pour Goa était rempli à seulement vingt-cinq pour cent. Il y avait environ une douzaine d'hommes d'affaires, quelques routards fatigués de voyager qui trichaient avec l'Inde en s'offrant l'avion. Elle se recroquevilla d'emblée sur trois sièges, se couvrit de son manteau et essaya de dormir. Elle n'avait pas envie de réfléchir. Ces derniers temps, elle avait pas mal réussi à ne réfléchir à rien du tout. Elle était terrifiée à l'idée de revoir Sunny. Quand l'avion entama sa descente, elle se mit à espérer à moitié qu'Ajay ne soit pas là. C'était possible. Il y avait une chance. Et alors ? Elle prendrait un taxi jusqu'à Vagator, se louerait une chambre chez Jackie's Day Night, mangerait un crabe au curry au Starlight et rentrerait. Ce serait plié de chez plié.

Elle arriva en début de soirée, la terre avait retenu la chaleur du jour, tempérée par la brise soufflant de la mer d'Arabie. Elle ôta son manteau, le jeta sur son bras, s'éloigna des touristes qui patientaient à côté du tapis à bagages et sortit du côté des arrivées où rabatteurs et chauffeurs de taxi reprenaient vie. En la voyant, ils s'avancèrent comme un seul homme, et entamèrent leur boniment. Taxi, madame. Hôtel, madame. Par ici, madame. Debout devant eux, elle ouvrit son sac, se saisit de son paquet de cigarettes, en sortit une sans se presser, l'alluma, en tira une longue bouffée, puis rejeta la fumée dans la nuit, où elle dansa avec les papillons et les moustiques à la lueur des projecteurs.

« Madame. »

Cette voix connue.

Ce visage.

Il l'entraîna loin de la foule vers une voiture, une Maruti rouge comme la sienne. Plaques d'immatriculation locales. Il lui dit qu'elle ferait mieux de s'asseoir à l'avant avec lui, afin que la police ne le prenne pas pour un taxi clandestin. Ici, il était préférable de respecter les combines.

Ils longèrent une large rivière, passèrent devant des kilomètres de palmiers, des petites chapelles blanchies à la chaux où brillaient des veilleuses, des chiens errants qui aboyaient devant les phares de la voiture, puis s'écartaient et disparaissaient au milieu des arbres. Quelques bars étaient ouverts le long de la route, minuscules repaires de buveurs chichement éclairés, bétonnés et équipés de vieilles portes en bois. Elle abaissa sa vitre et laissa la douceur de l'air envahir ses cheveux et ses poumons. Un vrai calmant ! Ils ne parlaient pas. Elle observa ses mains sur le volant, ses jointures marquées de cicatrices. Au bout d'un moment, ils rejoignirent une route très fréquentée, franchirent un barrage de police. La circulation se fit plus dense, le trajet poussiéreux, truffé de nids-de-poule, lent. Quand ils se retrouvèrent coincés derrière un camion, elle se sentit obligée de parler.

« Ajay ?

— Oui, madame.

— Tout va bien ?

— Oui, madame.

— Sunny va bien ?

— Oui », dit-il, mais il ne paraissait pas en être vraiment sûr.

Elle faillit insister, mais se ravisa et n'en dit pas davantage ;
peu après, il doubla le camion et cette pointe de vitesse sur la
route étroite la stimula.

« On dirait que tu connais ces routes.

— J'ai travaillé ici, madame.

— Ah oui ?

— Oui.

— Où ça ?

— À Arambol.

— Dans une paillote ?

— Oui.

— Avant Sunny ?

— Avant Sunny sir. »

Elle s'alluma une autre cigarette.

« Tu es retourné voir tes amis ? »

Il sourit timidement et fit non de la tête.

« Je travaille, madame. »

Là-dessus, ils firent silence et franchirent un autre pont.

L'image du sourire d'Ajay se grava dans l'esprit de Neda.

Ils entrèrent dans la capitale, Panjim. Petite, coloniale. Elle
lui évoqua un conte de fées. Ajay suivit les berges du fleuve,
puis bifurqua vers l'intérieur et s'engagea dans des ruelles bordées de bâtisses coloniales associant un crépi jaune, des toits à
larges tuiles, d'étroits balcons en bois et des fenêtres décorées
de coquilles d'huître. Grimpa une voie sinueuse à flanc de colline jusqu'à un hôtel appelé le Windmill, un trois étoiles qui
avait connu des jours meilleurs. Il trouva à se garer à proximité,
ferma la voiture et pria Neda de le suivre. Dans la petite réception, un jeune homme acnéique, avec des cheveux crépus et
une moustache rétive accueillit chaleureusement Ajay. Après
s'être tourné vers Neda, il lui lança en anglais :

« Vous devez être notre invitée. Votre ami vous attend. »

Et, le doigt pointé vers l'ascenseur, il ajouta :

« Sur le toit.

— Madame, dit Ajay, je dois y aller. »

Elle n'eut pas le temps de répondre qu'il était déjà discrètement ressorti par la porte principale.

L'ascenseur exigu monta dans des grincements métalliques et ouvrit sur un toit sans la moindre animation. Les chaises étaient empilées, les tables retournées les unes sur les autres, les lampes éteintes. Sous une pauvre lumière, elle aperçut néanmoins un barman debout derrière le bar et, en avançant, elle devina la silhouette de Sunny, assis au clair de lune, les pieds posés sur le rebord en béton, les yeux rivés sur le ciel nuageux.

Elle s'approcha sans bruit. Il portait un vieux T-shirt en coton à l'effigie d'une entreprise pétrolière, du genre de ceux qu'on trouve dans les villes de routards en Thaïlande. Elle aperçut le renflement de son ventre que ses costumes à façon avaient jusqu'alors dissimulé. Il arborait une barbe hirsute et une casquette de base-ball.

Une chaise vide attendait à son côté.

Elle se planta près de lui, alluma une cigarette, mais ne s'assit pas.

Elle porta son regard vers les rues étroites et pavées, les vieilles églises en pierre, les avenues bordées de palmiers. L'air était frais et sentait la mer. Au-delà de la ville, les chalutiers ballottaient sur la large et placide embouchure du fleuve. Sur la rive opposée au loin, une flamboyance de panneaux publicitaires, flamants au néon surplombant un village de pêcheurs, illuminait le ciel.

« Assieds-toi, dit-il.

— Pas tout de suite. J'ai passé la journée assise. »

Il lui tendit la boisson qu'il tenait à la main.

Elle réagit froidement.

« C'est quoi ?

— Un Long Island.

— Tu es en vacances maintenant ? »

Il haussa les épaules.

Elle lui prit la boisson des mains et en but une gorgée.

« Oh, merde, c'est fort.

— Oui.

— On s'en tapait à l'université, à la Happy Hour chez TGI Friday's, avec mes copines, quand j'avais mes copines. On jurerait que c'était dans une autre vie.

— J'en avais encore jamais pris, dit-il.

— C'est vrai ?

— Je suis passé direct des *desi daru* dans les champs de cannes à sucre aux martinis chez Dukes.

— Pourquoi je suis ici ? demanda-t-elle.

— Parce que je suis un bouffon, répondit-il en levant la tête vers elle. Pas vrai ? »

Le reportage que Dean n'avait pas pu publier.

« Tu l'as lu ?

— Oui.

— En entier ? »

Il acquiesça.

« Ton gars avait peut-être raison. »

Elle s'assit.

« Enfin… – elle ne savait pas quoi dire –, je ne pense pas. »

Il lui reprit le verre, le vida d'un trait.

Il n'allait pas tarder à être complètement bourré.

Elle eut envie de l'imiter.

« Au moins, reprit-elle, je sais maintenant ce que ton oncle a fait à Kushinagar. »

Elle haussa les sourcils.

« Des trucs liés à la politique locale, c'est ça ?

— Je l'aimais tellement dans le temps. Il avait toujours de bonnes histoires. »

Il poussa un long soupir, faillit ajouter quelque chose, mais se retint.

« Quoi ?

— Je ne sais pas.

— Non, insista-t-elle gentiment, qu'est-ce que tu allais dire ? »

Mais il refusa de continuer sur cette voie.

« Ce *chutiya* de Dean aurait dû accepter le pognon », déclara-t-il.

Elle afficha un sourire sans joie.

« Il n'aurait jamais fait ça. »

Sunny ne put cacher son irritation.

« Dix *crores*[1] de roupies, c'était plus que suffisant. »

Hein ! Dix crores *de roupies. Avec ça, on a de quoi s'acheter une nouvelle vie.*

---

1. Un *crore* équivaut à dix millions de roupies indiennes.

« Ton père a brisé sa carrière, riposta-t-elle. Tu en as conscience ?

— Ça fait partie du jeu. Il savait qu'il prenait un risque.

— Dis, tu t'entends au moins ? Tu te rends compte que tu t'exprimes comme un vrai connard ? Sans blague, Sunny ! Pourquoi est-ce que je suis ici ? Pourquoi tu m'as fait venir ?

— Pour te dire que j'en ai marre.

— Marre de quoi ?

— De tout ça.

— Sois précis, Sunny. Plus précis.

— Tu m'as dit en substance que je n'étais pas obligé d'encaisser. Que je pouvais me tirer.

— Oui…

— Je me tire.

— Comment ça ?

— Je le plante, lui, son pognon, la pression qu'il me colle sur le crâne, sa violence, la façon dont il mène les trucs. De toute façon, tous mes rêves, c'est des conneries. Tu as vu ce que ton journaliste dit de moi. J'en ai marre. Je suis coincé entre la merde que brasse mon père et les trucs que je ne peux pas faire.

— Et qu'est-ce que tu décides ? »

Il ferma les yeux.

« Je suis fatigué. Je te dirai tout. Demain. J'ai une chambre pour nous deux, ici cette nuit. Il faudra qu'on parte tôt demain matin.

— Pourquoi ?

— On va quelque part. Dans un endroit où je pourrai parler. Où personne ne nous trouvera. Là, je te dirai tout. »

La chambre au quatrième étage, avec son mobilier et ses accessoires portugais démodés, était à la fois défraîchie et pleine de charme. Neda se doucha à la lumière blême de la salle de bains après avoir laissé Sunny se fumer une cigarette sur le balcon. Elle avait des questions. Tant de questions. Elle était impatiente de l'entendre, mais, en revenant, elle le trouva déjà endormi, à plat ventre sur le lit, pas déchaussé. Il devait avoir gardé toute son énergie pour son arrivée, pour ce qu'il avait à lui dire, songea-t-elle, et maintenant qu'elle était là, il s'était effondré. Elle lui retira ses chaussures et ses chaussettes, éteignit les lumières, ôta sa serviette et s'allongea à côté de lui en remontant la couverture. La ville miroitait discrètement à la lumière des lampadaires. Dehors, tout était presque silencieux. Un aboiement de chien à l'occasion, le vrombissement d'un scooter dans la rue. Sunny s'agita, marmonna sans ouvrir les yeux.

« C'est mon anniversaire après-demain, le 16. »

L'instant d'après, il était cinq heures trente et il était debout, faisait bouillir de l'eau dans la petite bouilloire à la lueur de la lampe de chevet, vidait des sachets de Nescafé dans les tasses ébréchées sur la commode.

« Qu'est-ce qui se passe ? »

Elle ne se rappelait pas où elle était, ne comprenait pas ce que Sunny fabriquait dans sa chambre.

« On part dans une demi-heure.

— Non, répliqua-t-elle en remontant sa couverture. Je veux dormir. »

Il versa l'eau chaude, ajouta un sachet de sucre, remua et lui colla un des cafés sous le nez.

« Debout. »

Il avait un Polaroid sur la table et prit une photo d'elle au flash.

« Il fait froid, grommela-t-elle. Je veux dormir. »

Il agita la photo qui venait de sortir.

« Je parie que j'ai l'air hideuse. »

Il rajouta un shot d'Old Monk dans son café.

« Hé ! Moi aussi, j'en veux. »

Elle pouvait presque faire comme si tout était normal. Ils furent en bas à six heures dix. Le jour se levait dans le ciel – traînées ambre au milieu des lueurs lilas, silhouettes de nuages pressés. Sunny rendit les clés au réceptionniste, régla la note.

Ajay les attendait dans la rue, à côté d'une Royal Enfield Bullet 500 ; il tenait le manteau de Neda sous le bras, ainsi qu'un épais châle bleu et un casque. Elle enfila le manteau, s'enveloppa dans le châle. Il tendit le casque à Sunny. La clé était déjà dans le démarreur. Sunny grimpa sur la moto, vérifia l'ampèremètre, démarra au pied.

« Monte. »

Elle s'installa à l'arrière.

Sunny se tourna vers Ajay et lui cria par-dessus le bruit du moteur :

« Deux jours. On sera de retour dans deux jours. Je t'appellerai. Si quelqu'un me cherche, tu sais quoi répondre. »

Ils coupèrent par les ruelles étroites de la ville à l'aube, passèrent devant des maisonnées endormies, croisèrent des chats qui traversaient les rues vides en courant. Au bord du fleuve, une meute de chiens les poursuivit avec des hurlements, puis ils sortirent de la ville et attrapèrent l'autoroute sud en direction de l'aéroport. Ils accélérèrent et la pétarade gutturale du moteur se mua en un crescendo aigu et bien huilé tandis qu'elle serrait les bras autour de la taille de Sunny, appuyait la joue contre son épaule. Puis, il tourna un peu plus la manette des gaz, et, devant la brume qui flottait au-dessus des rizières, elle se dit qu'il n'y avait rien de plus beau que la pétarade de la Enfield sur cette route déserte. Une heure passa. Une heure de rien. Palmeraies, chapelles badigeonnées de chaux, plans d'eau fétide où languissaient des buffles ceints d'un nuage de moustiques, premiers rayons de soleil émergeant de l'horizon, éblouissant Neda, déversant partout leur lumière dorée. Ils avalèrent le plateau de l'aéroport en vrombissant, descendirent vers la ville de Margao. La vie reprenait, les voitures circulaient au compte-gouttes, les cafés ouvraient pour le petit déjeuner, les vieilles gens faisaient leur gymnastique dans les parcs. Ils franchirent les voies ferrées, sortirent de Margao et reprirent la grand-route. Peu après, il bifurqua en direction de la côte, descendit de petites routes bornées d'églises poussiéreuses et de terrains de football, se faufila à travers des villages où des écolières aux cheveux nattés allaient bras dessus bras dessous, tandis que des chats affamés et des ménagères attendaient le klaxon du marchand de poissons. Sunny enleva son casque et le lui tendit lorsqu'ils entrèrent dans un hameau grouillant de palmiers et de corbeaux et tout à coup, avant qu'ils ne piquent vers la jungle et une montée, une plage, splendide, leur apparut l'espace d'une seconde. Durant la demi-heure qui suivit, ils grimpèrent les collines de la côte de Canacona, laborieusement dans les virages, montèrent, descendirent. Elle ôta son châle, son manteau, les posa sur ses cuisses avec le casque, s'imprégnant du vent chaud, fermant les paupières et s'abandonnant au plaisir de rouler. Elle ne savait plus où elle était, et c'était bon. Ils parvinrent au sommet d'une colline. Subitement, il coupa le moteur et le silence se fit. La moto ralentit, puis reprit de la vitesse. Neda ouvrit les yeux. Alentour, la jungle se déployait sur des kilomètres et, devant eux, la mer, semée d'îlots rocheux autour d'un promontoire, scintillait au loin, des vagues s'écrasaient dans les anses foisonnantes, les embruns réfractaient le soleil. La force de la gravité poussait la moto vers le bas de la colline, en roue libre ; privé du couple moteur, le couinement de la suspension paraissait ténu à l'extrême, et, là, Neda perçut le côté illusoire des sources de la puissance.

Ils s'arrêtèrent dans un petit bourg, commandèrent du *poori bhaji*[1] et du *chai* à l'Udipi, mangèrent, puis fumèrent une cigarette sans un mot ou presque. Il régla l'addition, laissa un billet de vingt roupies au serveur, un billet de cinquante à la mendiante qui attendait patiemment près de la moto. À un groupe de gamins, il ne donna rien. Et ils repartirent, le ventre plein.

Une demi-heure encore les séparait de leur destination, qu'ils atteignirent après avoir traversé des hameaux distribués autour d'une unique route avec leurs maisons aux toits pentus, leurs poulets en cavale et leurs autels auréolés de *tulsi*[2], et franchi un étroit pont en fer enjambant une rivière frangée de palmiers dont l'eau affichait une couleur turquoise que Neda n'avait encore jamais vue.

Et puis ce fut la plage, l'océan, la morsure de l'air salé. Des kilomètres de sable lisse où seules quelques barques de pêcheurs et de simples huttes témoignaient de la vie. Il engagea la moto dans un chemin de sable menant à un groupe de huttes aux toits de chaume.

« On est arrivés », dit-il.

---

1. Pommes de terre bouillies avec des épices et légèrement écrasées servies avec un pain à base de pâte sans levain et frit.
2. Basilic indien.

« Santosh ! » cria Sunny en avançant entre les huttes. En le voyant, un gamin, qui jouait au foot avec un ballon dégonflé, poussa un hurlement et sauta en l'air. Quelques instants plus tard, un jeune homme tout joyeux émergea de la pénombre d'une hutte. Petit, musclé, la peau douce et agréable, il ne portait qu'un bermuda et, accroché au cou, un pendant en argent représentant le symbole du Om.

« Sunny, mon ami ! s'écria-t-il en passant le bras autour de l'épaule de Sunny.

— Santosh, répondit Sunny en souriant. Comment tu vas ?

— Très bien, puisque tu es là. Ça fait trop longtemps ! »

Elle vit la timidité de Sunny, son bonheur.

« Tu as grandi. Santosh, je te présente Neda.

— Très heureux », dit ce dernier en tendant la main à Neda avec beaucoup de solennité.

Il les entraîna loin des huttes, vers une dune et un bosquet de pins.

Elle entendit la mer derrière.

« Où sont vos affaires ?

— Tout est là.

— Tout est là ? C'est tout. Bon, très bien. Vous n'avez pas besoin de plus. Combien de temps vous restez ? Une semaine, un mois, une année ?

— Juste une nuit. »

Santosh fit claquer sa langue.

« C'est pas bien. Ça fait combien de temps ? Trois ans depuis ton dernier passage ? Regarde-toi. »

Il s'arrêta, se recula pour examiner Sunny et éclata d'un rire joyeux.

« Tu as l'air prospère à présent, ajouta-t-il en tapotant le ventre de Sunny, puis il se tourna vers Neda. Avant, il mangeait rien. Il était trop faible. »

Une bande de pins malmenés par le vent et aux troncs penchés comme des caractères calligraphiés séparait la hutte de la plage. Au sud, les arbres s'arrêtaient sur une lagune littorale qui reliait la mangrove à la mer. Sous les arbres, une table en plastique rouge, deux chaises, deux hamacs. Le sable de la plage, doux et blond, formait des monticules poudreux. La marée haute léchait le rivage.

« Venez. Asseyez-vous », dit Santosh.

Le gamin au ballon dégonflé s'approcha en charriant un énorme seau en métal rempli de bières et de glace, qu'il déposa à l'ombre, au pied d'un arbre.

« Tu vois, reprit Santosh tandis que le gamin repartait en courant. J'ai bien prévu les choses. »

Sunny pressa le bras de Santosh avec une grande affection.

« Merci.

— Je ferais n'importe quoi pour toi, mon ami. »

Sunny se débarrassa de ses chaussures et de ses chaussettes et se laissa choir dans une des chaises.

Il alluma une cigarette.

« Il travaille toujours trop dur, celui-là, déclara Santosh en agrippant les épaules de Sunny de ses mains puissantes. Maintenant, détends-toi. »

Neda jeta son manteau, son châle et son sac sur l'une des chaises et s'éloigna un peu pour scruter la plage.

« Quelle heure est-il ? demanda Sunny.

— Neuf heures peut-être », répondit Santosh.

Quelques barques de pêcheurs vides dansaient dans la houle.

« Santosh, cet endroit est incroyable, dit Neda en s'étirant.

— C'est là que je suis né », lui confia-t-il.

Il sortit deux King glacées du seau, les décapsula avec une série de clous plantés dans un des troncs d'arbre et en tendit une à Sunny, puis une à Neda.

« Vous avez faim ? s'écria Santosh. Attendez, je vais voir. Peut-être qu'il y a quelque chose de prêt. »

Santosh repartit vers les huttes.

« On vient de manger, lui cria Neda.

— C'est bon, intervint Sunny, même si c'est prêt, Sushma aura besoin d'une heure de plus.

— Sushma ?

— Sa mère. Elle fonctionne sur le rythme de Goa. »

Neda s'assit, posa sa bière sur la table, puis retira ses bottines et ses chaussettes. Elle enfouit ses orteils dans le sable frais et s'alluma une cigarette. Un chien de plage miteux s'approcha et se lova sous son siège.

« Comment tu connais cet endroit ?

— J'y ai passé plusieurs mois il y a quelques années. À l'époque, Santosh n'était encore qu'un gamin. Il rentrait de l'école comme je passais à moto et il m'a arrêté. Du coup, j'ai vécu un moment dans sa famille.

— Des jours heureux », remarqua-t-elle.

Il opina.

« Ils reviendront », dit-elle.

Ils passèrent la matinée en suspens entre lumière et chaleur. Sunny se réfugia dans l'autre hamac et continua à boire bière sur bière. Neda oscillait entre veille et sommeil, tandis que Santosh revenait à l'occasion et, désireux de faire plaisir à Sunny, lui ouvrait une autre bière fraîche. À son tour, Sunny ne tarda pas à s'endormir. Lorsque Neda s'éveilla, Santosh contemplait la mer en souriant.

« À quoi tu penses ? lui demanda-t-elle.

— À la pêche. Plus tard, on ira pêcher. »

Elle s'étira.

« Tu sais nager ?

— Non, répondit-il en pouffant de rire.

— Est-ce qu'on peut se baigner sans danger ?

— Si tu ne sais pas nager, non. »

Elle éclata de rire.

« Je sais nager, mais je n'ai pas de maillot.

— C'est pas grave. Ici, on y va comme ça nous plaît ; personne fait attention. »

Vers midi, il leur apporta des assiettes de grosses crevettes frites avec de la semoule, du curry de requin, du riz, des *papad*[1], des moules avec des *pao*[2] tout frais. Ils dévorèrent le tout avec des citrons et des *chilis* verts crus et reprirent de la bière. C'est lorsqu'ils se mirent à manger qu'elle se rendit compte qu'elle était vraiment affamée. Santosh leur annonça alors qu'il partait et serait de retour dans quelques heures. Sunny ouvrit son portefeuille et compta mille roupies qu'il remit à Santosh.

---

1. Fine galette à base de lentilles noires ou autres, frites ou cuites à la poêle sans matière grasse.
2. Pain d'origine portugaise.

Elle attendait que Sunny reprenne leur conversation de la veille. C'était la seule chose dont elle avait envie de parler, mais elle n'arrivait pas à prendre l'initiative. Était-ce le soleil et l'air marin qui la rendaient léthargique ou bien répugnait-elle juste à rouvrir leurs blessures et à entamer cette parenthèse idyllique qu'il avait tissée autour d'eux, parenthèse qui ressemblait à la fin de quelque chose ? Elle n'en savait rien. Elle percevait la tension de son compagnon. Leur escapade avait produit un résultat contraire à son objectif initial. Sunny paraissait plus crispé que jamais. À peine terminait-il une bière qu'il en prenait une nouvelle.

« Tu veux peut-être ralentir le rythme ? » lui lança-t-elle.

Mais il l'ignora.

Elle grimpa dans le hamac et s'endormit.

À son réveil, Sunny était toujours assis à la table. Il avait mis ses lunettes de soleil. La mer descendait et découvrait une vaste étendue de sable où les vagues roulaient et s'écrasaient furieusement. Elle sortit du hamac.

« Je vais à l'eau, dit-elle. Tu viens ? »

Il hocha à peine la tête, il exsudait quelque chose d'oppressant. Elle se tourna et se déshabilla sans un mot, ne garda que ses sous-vêtements. Elle jeta un coup d'œil sur la plage – il n'y avait toujours personne. Elle traversa le sable en courant, se brûla la plante des pieds, fonça dans les vagues, passa le ressac, plongea sous la lame et émergea au-delà des brisants dans une mer étale. Elle mit le cap sur l'horizon au crawl jusqu'à en avoir les bras douloureux. Elle fit la planche, puis jeta un coup d'œil vers le rivage ; vu d'où elle était, l'endroit paraissait vraiment différent, la plage vaste certes et néanmoins insignifiante à côté de la jungle et des Western Ghats qui se déployaient en vagues vertes et ondulantes, toujours plus hautes, jusqu'aux montagnes à l'intérieur des terres. Elle distinguait Sunny à la table, la chemise ouverte, les yeux protégés par ses lunettes de soleil, il fumait, entouré d'une kyrielle de bières vides. Des traînées de fumée noire montaient de maisons invisibles le long du rivage. Elle se laissa flotter et dériver dans le calme seulement troublé par le doux clapotis de l'eau contre sa peau. Chaque fois que son cerveau tentait de formuler les questions nécessaires, l'océan s'interposait. C'était comme si sa mémoire se voyait effacée. Elle ferma les yeux et tenta de se détacher de son corps, de prendre de la hauteur pour se regarder sans complaisance, de se voir comme une poussière, une insignifiance, un rien du tout. Du firmament de son esprit, elle baissa les yeux vers le littoral. Bombay au nord, le Sri Lanka au loin vers la pointe du pays au sud, plus haut, plus haut et elle s'éleva dans l'espace, la péninsule Arabique, la côte de l'Afrique de l'Est, l'Europe, les Amériques, la courbe de la planète, le vide profond, impénétrable.

Elle sortit de l'eau, revigorée. « Tu devrais y aller. » Elle s'assit à côté de lui, ruisselante, de sorte qu'une petite flaque se forma dans le sable autour de la chaise en plastique. Elle ne voyait pas les yeux de Sunny, cachés derrière les lunettes noires.

« Je vais le faire.

— Ça te nettoie la tête. »

Il ne répondit pas, ne bougea pas. On aurait cru une pierre. Elle passa les doigts dans ses cheveux, en essora l'océan.

« Ça t'aidera.

— Je t'ai dit que j'allais le faire.

— À un moment donné, il faudra qu'on discute.

— Ne…

— Ne quoi ?

— Ne gâche pas ça. »

Ils s'enfermèrent dans le silence, puis il se leva, traversa les arbres sans un mot, descendit vers la plage, foula le sable et piqua vers les vagues, avança d'un pas mal assuré jusqu'à ce que l'eau lui arrive aux chevilles, puis pissa dans le ressac. Quand il eut terminé, il ôta son T-shirt et se plongea dans la mer. Son corps s'était amolli au cours des six derniers mois. Elle éprouvait une énorme tristesse à le voir ainsi bouffi, brisé, en train de barboter juste au-delà des brisants.

La journée leur filait entre les doigts. Elle avait revêtu la seule robe qu'elle avait apportée, tandis que Sunny, qui avait remis son T-shirt et son pantalon sans s'être essuyé, contemplait l'océan, assis sur la plage. Elle s'installa à la table pour lire un vieil exemplaire de *The Rough Guide to Goa*. Il manquait des pages. Il arrivait que les gens s'en servent en guise de papier hygiénique. Il était presque dix-sept heures. Le soleil descendait vers l'océan, prenait des reflets ambrés.

Santosh sortit des huttes et s'approcha d'elle.

« Où est Sunny ? »

Elle tendit le doigt vers la plage.

« Qu'est-ce qui s'est passé ? »

Elle ne répondit pas.

« Il pense trop », commenta Santosh, les mains sur les hanches.

Il attendit qu'elle réagisse. Devant son mutisme, il lui demanda si elle voulait une bière.

« Juste de l'eau.

— Sunny veut une bière.

— Attends le coucher du soleil, murmura-t-elle avec un pâle sourire. S'il te plaît. Ce n'est pas bon pour sa tête. »

Elle alla se promener sur la plage au coucher du soleil, accompagnée par le chien de plage miteux, qui refusait de la quitter, et à son retour elle s'approcha de Sunny avec deux cigarettes allumées et s'accroupit dans le sable à côté de lui.

« La journée a passé comme ça », dit-il.

Elle lui tendit une des cigarettes.

« Tu l'as passée à m'éviter.

— Je ne sais pas ce que j'espérais.

— Pourquoi ne pas me parler simplement ?

— Je ne sais pas. Je ne sais rien. »

Elle repoussa les cheveux qui barraient le visage de Sunny.

« Personne ne sait rien.

— Mon père, si, déclara-t-il avec beaucoup de conviction. Il sait le quand, le quoi, le pourquoi, le où, le comment.

— T'as oublié le qui.

— Ça aussi, il sait.

— Il sait qu'on est ici ?

— Probablement. »

Elle réfléchit à cette remarque.

« Et que veut-il de toi au juste ?

— Me contrôler. »

Il brandit une poignée de sable.

« Le fils parfait, qui pense comme lui, qui agit comme lui. Mais, celui-là, je ne sais pas qui c'est. Je ne sais pas comment être cette personne-là. Celle qu'il veut.

— Tu ne devrais pas être obligé de te couler dans ce moule.

— Je voulais lui plaire. Je voulais le rendre fier. Si je pouvais trouver le code, tout le reste suivrait. Mais je suis infichu de le trouver, ce code.

— Donc, il faut que tu partes. »

Il acquiesça.

« Oui.

— Il te laissera partir ? »

Il rejeta sa poignée de sable sur la plage.

« Je ne sais pas.

— Tu lui as déjà tenu tête ? lui demanda-t-elle en l'observant attentivement.

— J'ai fait passer ces annonces.

— Sunny… tu ne lui as pas tenu tête. Tu as cherché à l'emmerder.

— Je t'ai raconté ce qui s'est passé après, hein ? Il a fait venir ses hommes dans mon appartement, et ils ont tout cassé, sous mes yeux. Meubles, tableaux, sculptures. »

Elle le vit revivre la scène.

« Des choses que j'avais achetées, collectionnées, des choses qui comptaient pour moi, des choses belles. Juste des choses belles. Des choses inestimables. Pas en termes de prix, mais pour moi. Il est resté là à regarder ses hommes les saccager. Pendant tout ce temps, il n'a pas dit un mot, et pourtant il me disait quelque chose, il m'adressait un message, je l'entendais dans ma tête, comme par télépathie. Et c'était qu'il n'y avait pas de place pour la beauté, pas de place pour l'erreur. Il me disait que j'avais oublié qui j'étais. Que j'avais oublié que c'était lui qui m'avait fait.

— Mais il ne t'a pas fait.

— Si, Neda. Si. Lui et Vicky. C'est eux qui m'ont fait. Comment j'échappe à ça ?

— Tu t'en vas.

— J'ai l'impression de passer mon temps à essayer de regagner le rivage à la nage, mais chaque fois le courant me pousse de plus en plus loin. Je suis laminé.

— Je sais. »

Il se tourna vers elle.

« Tu sais, tu es la première à me poser des questions sur Vicky. Personne ne m'a jamais rien demandé.

— Les gens ne sont pas au courant de son existence.

— Si. C'est juste qu'ils ont peur de lui.

— Et toi ? »

Il eut un drôle de sourire.

« Je le voyais beaucoup quand j'étais petit. Je me souviens de lui avant que ma mère… de temps en temps, avant que ma mère… Il était… passionnant, gentil et courageux. Je pense… et après qu'elle… »

Il ne put se résoudre à poursuivre.

« Je l'ai moins vu. Une fois par an. Et après je suis parti en pension, et je ne l'ai plus vu du tout. »

Il traça des formes dans le sable.

« Il est devenu une légende dans ma tête. Un héros… totalement différent de mon père. Quand j'ai quitté l'école, je savais que mon père était un mec important. À Meerut, on avait une maison fermée, protégée par de hauts murs blancs, des agents de sécurité, et des tas d'huiles se relayaient nuit et jour pour le voir. Ram Singh venait aussi. Et j'avais tous les jouets que je voulais. Mais, pour moi, ce n'était pas un héros, pas du tout. Peut-être en avait-il conscience ? Je ne sais pas. En tout cas, il m'a expédié aux champs, dans l'est de l'Uttar Pradesh, là où vivait Vicky. Pour apprendre à être un homme. »

Il s'interrompit une seconde et réfléchit à ce qu'il venait de dire. Lorsqu'il reprit la parole, il parla d'une voix sourde, qui obligea Neda à tendre l'oreille.

« Je logeais à côté d'une raffinerie de sucre qui nous appartenait. Dans une petite maison sur place. Je me faisais à manger, je lavais mon linge, je m'étais laissé pousser une barbichette merdique. J'allais courir tous les matins. Tous les matins. J'étais devenu mince, fort et rapide. Je menais une vie… pure. Tous les matins, j'allais courir à travers champs, je passais devant les ouvriers, je humais leur bouffe sur les feux de bois, je voyais leurs filles. Elles m'observaient. Séduisant. J'étais habité d'un désir… je n'avais encore jamais été avec personne. »

Il sourit.

« Je faisais tout ça. Et ça a continué sur ce mode. J'ai passé des mois sur place, à vivre avec les ouvriers de la raffinerie comme si j'étais un des leurs, j'étais heureux, humble. Je consignais tout dans mon journal. Mes espoirs, mes rêves, mes désirs. Et, en même temps, j'attendais Vicky, mais il n'est jamais venu. Il n'est jamais venu. Personne ne prononçait même son nom. Puis, un soir, il est venu. Il s'est pointé avec ses mecs. Leurs jeeps ont descendu la longue route, se sont arrêtées devant la raffinerie de sucre. »

Il balança sa cigarette dans le sable.

« Il a mis pied à terre. Il était gigantesque. Tous les ouvriers étaient terrifiés. Il les a rassemblés de force. Moi, j'étais juste à l'arrière du groupe, j'attendais. J'attendais qu'il me regarde. Il n'a même pas fait attention à moi. Il s'est éloigné avec ses hommes pour inspecter le campement des ouvriers et, moi, je suis retourné à ma petite baraque. J'ai continué à attendre. Le temps a passé. Il devait être onze heures quand il a débarqué. On aurait dit une montagne. Ses hommes étaient là aussi. C'étaient… des fous furieux. Ils ont envahi ma pièce. Vicky, lui, m'a fait peur. Il a pris ma chaise. M'a tendu une bouteille et ordonné de boire. Il a raconté à ses hommes des histoires sur mon enfance. Sur ma mère. Puis il s'est mis à lire mon journal, à en lire des passages à voix haute, des trucs personnels, des trucs qui m'ont blessé. Mais je pouvais rien faire. Puis – ces souvenirs lui devenaient très douloureux –, on a frappé à la porte. Plusieurs hommes à lui sont entrés avec trois filles. Elles étaient jeunes, elles avaient peut-être quinze ans. Je ne sais pas, mais je les ai reconnues, je les avais vues dans le campement. Elles étaient aussi effrayées que moi. Enfin, deux d'entre elles. La troisième avait une attitude… de défi. Elle avait l'air de nous défier… elle nous a tous regardés dans les yeux, les uns après les autres. Elle a regardé Vicky. Il s'est relevé et a marché sur elle. Il s'est tourné vers moi. Il m'a dit que je pouvais rester si je voulais ou…

— Sunny…, fit-elle en posant la main sur son bras.

— Je me suis sauvé en courant. »

Il passa la main dans ses cheveux.

« Je me suis sauvé en courant, c'est tout. J'ai couru vers les champs et je m'y suis caché pendant des heures. Je ne reconnaissais pas cet homme. J'ai vu leurs jeeps repartir au petit matin et je suis retourné en douce. Ma baraque était explosée, vide. Ça puait l'alcool, la sueur et pire. Je me suis dégagé un espace par terre et je me suis endormi, recroquevillé. À mon réveil, c'était la pagaille dehors. Les ouvriers criaient, hurlaient, ils voulaient bousiller la baraque.

— Oh, merde.

— La police était là. Ils m'ont mis en lieu sûr… puis ils m'ont renvoyé chez mon père. »

Il se tut, fixa l'océan.

« Qu'est-ce qui s'était passé ?

— On avait retrouvé deux des filles pendues à un arbre. La troisième n'a jamais réapparu. »

Neda, sans voix, se surprit à frissonner.

« Après ça, on m'a expédié à Londres. Mon père a décrété que je l'avais "mérité". On m'a donné un billet de première classe. Des cartes de crédit. On m'a envoyé auprès d'un homme qui m'a remis du liquide. On m'a dit de faire tout ce que je voulais. Personne n'a parlé de ce qui s'était passé. J'ai donc essayé d'oublier. J'ai essayé de changer. J'ai fait la fête. Beaucoup. J'ai pris beaucoup de drogues. De l'acide. De la MDMA. J'allais voir des galeries, des musées. J'ai tenté de construire un nouveau moi. Celui aux sculptures et aux peintures. Celui aux grandes idées. Et je me suis pas mal débrouillé. J'ai ramené ce moi à Delhi et j'ai réussi le tour de force de le préserver un bon moment. Je croyais que j'allais pouvoir vivre dans la peau de cet homme-là. Mais regarde-moi. C'est impossible. Je suis infichu de tenir. Je ne peux plus. Non. Tout ça, c'était du bidon… J'adore la beauté. J'ai envie de créer de belles choses. Mais c'est la dernière chose qu'ils comprennent. Ce qu'ils veulent, c'est un mec pourri jusqu'à la moelle, comme eux, derrière une belle façade. »

Les corbeaux tournoyaient autour des pins, le vent fouettait la marée, le soleil plongeait dans la mer d'Arabie. Après un long silence, Sunny décrivit la bioluminescence de l'océan, comme s'il n'avait parlé de rien d'autre auparavant. Il commençait à faire froid. Elle avait la chair de poule. Lui était toujours dans le sable, les bras serrés autour des genoux alors que le ciel s'obscurcissait de seconde en seconde. Elle se leva, puis se pencha vers l'eau, qui se révéla plus chaude que l'air. Elle entra dedans et abandonna vite son corps au flux et reflux de la houle. Lorsqu'elle ressortit, Sunny était toujours là, pareil à un patricien pétrifié sous les cendres d'un volcan.

« Viens, on va faire un feu », lui dit-elle en le tirant par la main.

Santosh creusa le trou. Un panier de bois arriva des huttes. Le chien de plage vint suivre la scène. Il ne fallut guère de temps pour que l'ensemble siffle, crépite et pétarade dans des grondements magnifiques, des jets d'étincelles, et flamboie dans la nuit. Quand ça se fut calmé, on remit des bûches par-dessus et tous trois admirèrent cet ouvrage qui engloutissait le reste de la plage dans le noir.

Santosh fut le premier à s'éloigner et il repartit vers les huttes. Neda grimpa dans un des hamacs et sentit la chaleur rayonner sur une moitié de son corps tandis que l'autre recevait l'air frais. Lorsqu'elle ferma les paupières, elle s'aperçut qu'elle avait encore l'image rémanente des flammes. Santosh revint peu après, accompagné de trois autres hommes ; où les avait-il trouvés ? elle n'en savait rien. Ils approchèrent des coussins et des matelas et les disposèrent autour du feu.

« Ma mère apportera à manger dans une heure. »

Un autre homme leur fournit des couvertures.

« Vous en avez besoin, voyons ! protesta-t-elle.

— On ne va pas dormir.

— Comment ça ? »

Il tendit le doigt vers la mer.

« Cette nuit, on va pêcher. »

Le feu se fit solide, permanent. Sunny et Neda se blottirent douillettement dans leurs hamacs tandis que Santosh et les autres poussaient leurs barques à l'eau. Il ne devait pas être plus de vingt heures. Quand la nuit tombait, elle tombait.

D'un même mouvement, et sans s'être consultés au préalable, ils descendirent de leurs hamacs et s'installèrent sur les matelas à côté du sable à présent bien chaud, les couvertures lâchement jetées par-dessus leurs épaules. Neda, qui s'était amusée à enfoncer les orteils dans le sable froid un peu plus loin, jugea le jeu finalement trop désagréable et ramena ses pieds vers la source de chaleur. En face, le chien de plage s'approcha en douce et se roula en boule pour dormir. Santosh leur avait laissé une bouteille d'eau et une bouteille d'Old Monk. Sunny versa deux grandes mesures de rhum dans deux verres ébréchés, pressa dedans quelques gouttes de *nimbu*[1] dont les pépins tombèrent au fond, jeta les moitiés dont il s'était servi, passa un verre à Neda, puis cala la bouteille dans le sable.

« J'ai de l'herbe, dit-il. On peut fumer. »

Elle gisait immobile, et pourtant, dans sa tête, elle se levait, s'étirait et contemplait la mer.

« Ils sont au large maintenant. Dans le noir. J'ai toujours eu peur de la mer. Pas de sa surface, mais de ce qu'il y a dessous. »

Il lui passa le joint.

Elle se mit en appui sur son coude pour fumer.

« J'ai acheté ces barques, dit-il.

— Hein ?

— Leurs barques. Je les ai achetées.

— C'est toi, le patron ?

— Non. Je les leur ai données. Pour qu'ils puissent gagner leur vie. Lui et ses frères, ils vendent le poisson au marché de Karwar.

— Ses vrais frères ? »

Il partit d'un rire doux.

« Je ne sais pas. »

Elle lui rendit le joint, remonta la couverture autour de ses épaules et tendit les mains vers le feu.

« Aïe, il fait de plus en plus froid.

— T'as jamais pensé à quelque chose comme ça ? lui demanda-t-il.

---

1. Citron vert.

— Comme quoi ?

— À acheter un bout de terrain, à avoir un enfant, à construire une maison, à apprendre à pêcher.

— Pour vendre mon poisson à Karwar ?

— Je ne blague pas.

— En tout cas, je te préviens, je sais pêcher.

— Je ne blague pas. Tu penses à ce genre de trucs ?

— Non. »

Il s'interrompit une seconde, puis ajouta :

« Ce n'est pas une vie désagréable.

— C'est un fantasme.

— Oui. L'alcool finira probablement par avoir ma peau. »

Elle attendit un moment, puis alla pisser dans l'eau. L'espace de quelques minutes, elle se perdit dans les ténèbres de l'océan. Quand elle revint vers lui, elle ôta sa robe, l'accrocha par-dessus le bord du hamac et se planta devant lui, dans sa nudité rougeoyante. Il fumait un autre joint, leva la tête en souriant vers elle, absorba son corps à la lueur du feu.

« Voilà un moment que je n'ai pas vu ça », dit-il.

Il lui tendit le joint, et elle le prit, oscillante au-dessus de lui. Elle se laissa choir et s'enveloppa dans la couverture.

« J'ai éteint mon portable en venant ici. Dieu sait ce qui se passera quand je le rallumerai, remarqua-t-elle en frissonnant. Mais tant pis. »

Elle chassa ces pensées de sa tête d'un geste de la main.

« Ta maman m'a bien plu », lui confia Sunny.

Il fallut un bon moment pour que ses paroles atteignent Neda. Se tournant vers lui, elle lui dit alors :

« Qui qu'ils soient, ils ne sont pas toi. Ils ne sont pas toi. Maintenant, toi, tu es ici avec moi et tu es bien réel. »

Il la regarda, mais se tut une heure durant, du moins, c'est ce qu'elle pensa.

« T'as entendu parler de ce mec qui s'appelle Gautam Rathore ? finit-il par lui demander.

— Oui, comme tout le monde. C'est un dégénéré cocaïnomane. Je t'ai vu avec lui dans le journal.

— Tu sais qu'il appartient à une famille royale du Madhya Pradesh. Ils ont énormément de terres. Genre, la moitié de l'État. Il y aurait des gisements de minerais de fer sur une partie de leurs terres, près de la frontière avec le Chhattisgarh. Mon père en veut un bout. Gautam est l'héritier. Le fils unique. Mon père a pensé que je pouvais influencer Gautam. L'amener à s'aligner sur notre façon de penser. C'était ma punition. Une façon de me tester. Gautam a totalement décroché de son ancien mode de vie sans aucune intention de revenir en arrière. J'étais censé le convaincre. Le pousser à arrêter la drogue. J'étais censé l'appâter avec… je ne sais pas, le pouvoir ? Comme ça, il aurait pu retourner dans sa famille et jouer les intermédiaires pour mon père, qui convoite un bout de ces mines pour se développer en dehors de l'Uttar Pradesh. Mais Gautam ne veut absolument pas retourner auprès de sa famille. Il ne veut rien entendre. Alors, on a parlé.

— Gautam et toi ?

— Oui. On a dit "merde" à nos pères. »

Écœurée, elle fit :

« Et ?

— On va se barrer et monter un business ensemble.

— Avec quoi ?

— Nos cerveaux. Nos économies. Nos contacts.

— Et ?

— Avant, il s'occupait d'un hôtel. On va en construire un dans les montagnes. Un truc spécial. Tu te rappelles le croquis que je t'ai montré un jour, mon projet pour la retraite ? En surplomb à flanc de colline, avec un ruisseau passant au milieu, à travers une cour intérieure, de grands *bukharis*[1] pour chauffer les chambres en hiver, une vue grandiose sur l'Himalaya, un solarium sur une terrasse en hauteur avec piscine, chauffé par des panneaux solaires, des tunnels dans la montagne connectant des saunas souterrains et des hammams, des arbres au cœur de la structure même. »

Elle devina qu'il attendait qu'elle dise quelque chose.

« On croirait un rêve.

— Il deviendra réalité. Et on sera libres. »

---

1. Poêle à bois traditionnel.

Un long silence s'ensuivit avant qu'il reprenne la parole.

« Un jour, j'ai emmené une fille là-bas, tu la connais, Kriti. »

Neda sourit avec gentillesse.

« C'est un personnage.

— Je l'ai emmenée une fois en voiture avec moi dans l'Himachal. Ça a été un désastre. Une chichiteuse pas possible.

— Elle a cru qu'il fallait qu'elle se comporte comme ça.

— Elle a bien vu qu'elle me tapait sur les nerfs.

— Elle essayait de te plaire. »

Il haussa les épaules.

« On a dépassé Simla, il y avait un village où je voulais arriver, Sarahan. Pas le grand Sarahan, l'autre, le petit, plus haut, difficile d'accès. Il y a une cascade et un vieux temple en bois. C'était l'après-midi et on roulait, et on est tombés sur un troupeau de chèvres sur la route en dessous de Hatu Peak. J'ai appelé le berger pour lui acheter une chèvre, l'emmener au village et l'offrir pour une fête. C'est ce qu'il faut faire.

— Vraiment ?

— Bien sûr. Tu sais ce qui se passe quand tu te pointes et que t'as rien ?

— Qu'est-ce qui se passe ?

— Rien. »

Elle éclata de rire.

« Mais quand tu te pointes avec une chèvre, ça change tout ?

— Exactement.

— Alors, qu'est-ce qui s'est passé ?

— J'en ai acheté une. Je l'ai collée sur le siège arrière. Elle a chié partout et Kriti a râlé non-stop, puis elle l'a fermée et s'est mise à bouder. J'ai failli m'arrêter et balancer la chèvre rien que pour que Kriti comprenne. On est arrivés au village en se faisant la gueule. J'ai logé dans la remise d'une maison, dormi dans la paille, bu du whisky et donné la chèvre à égorger. »

Il se mit à rire tout seul.

« J'ai dit à tout le monde qu'elle s'appelait Kriti. Quant à Kriti, elle a fini par dormir dans la voiture. Elle a trouvé quelqu'un pour la redescendre à Kullu le lendemain matin. Elle est restée deux mois sans m'appeler.

— Et pourquoi tu me racontes cette histoire ? demanda-t-elle, amusée. Il y a une raison ?

— La raison, c'est que j'aurais aimé que tu sois là. »

Elle sourit et acquiesça intérieurement.

« J'aurais adoré.

— Je sais. »

Puis il ajouta :

« Viens vivre avec moi. Pars pas à l'étranger. »

Sushma apporta le repas à la lueur d'une lampe. Vêtue d'un sari mauve, c'était un tout petit bout de femme, solide et usé par le labeur. Elle déposa le plateau sur la table un peu à l'écart du feu, puis repartit et revint avec, sous le bras, un seau en métal qu'elle cala dans le sable. Neda, défoncée et inerte, songeait à une vie dans les montagnes, une vie qui serait à la fois la même que celle qu'elle vivait et différente. Sa rêverie était toujours perturbée par l'intrusion de Gautam Rathore. Par le pied plaqué contre le torse de Sunny. Par les gravats des bidonvilles et des empires. Par son propre cœur. Les flammes du feu avaient baissé. Sushma s'esquiva sans un mot. En se levant pour servir leurs assiettes, Neda s'aperçut qu'il y avait une bouteille de champagne dans le seau rempli de glace. Sunny se redressa et remit une bûche dans le feu.

« C'est quoi, ça ? » s'écria-t-elle en s'emparant de la bouteille.

Il sourit.

« J'avais demandé à Santosh d'aller en chercher une au Marriott un peu plus loin sur la route. »

Ils burent le champagne avec solennité dans des tasses en porcelaine craquelées, pour arroser une assiette de maquereau grillé accompagné de riz rouge. Mais il y avait également de grosses crevettes frites avec de la semoule, un énorme bol de crabe au curry très épicé, et ils mangèrent avec leurs doigts les morceaux de crabe qu'ils cassèrent pour en sucer la chair bruyamment. Elle jeta les têtes de poisson au chien, qui les dévora à même le sable. Ils reprirent du champagne, se rincèrent les mains à l'eau et s'installèrent à côté du feu.

Lorsqu'elle s'éveilla, le feu commençait à décliner et Sunny avait les yeux fixés sur les braises. Saisie de crainte, Neda se dit que la nuit était en train de se dissoudre, que le monde n'était plus à distance. Elle se serra dans sa couverture.

« Quelle heure est-il ?

— Plus de trois heures.

— Je suis tombée raide endormie.

— Ce n'est pas grave.

— Il fait froid.

— Il reste du bois. »

Il tendit le bras, alimenta le feu, puis se rallongea.

« Viens ici. »

Elle se glissa dans l'espace libre entre Sunny et le feu. Il noua les bras autour d'elle, et elle frissonna et se pressa contre lui. Il glissa sa main chaude sous la couverture, sous ses vêtements, s'arrêta autour de son nombril, joua avec sa chair toute froide. Elle ferma à nouveau les yeux, le souffle court, et il enfonça les doigts en elle.

« On ne peut pas en rester là, dit-elle.

— Non, répondit-il. Ça peut être mieux.

— Tu promets ? »

Il leva ses doigts vers sa langue et les lécha.

« Tu as le goût de la mer.

— Une huître », fit-elle.

Il posa la main sur sa hanche.

Il ne pouvait rien lui promettre.

Mais elle sentait qu'il bandait.

« J'adore, ajouta-t-il, que tu ne m'aies jamais demandé si je t'aimais.

— J'adore, répliqua-t-elle, que tu n'aies jamais eu besoin que je te le dise. »

Il était cinq heures du matin. Il avait joui en elle et s'était endormi sans la lâcher. Dans les pins, les corbeaux commençaient à croasser.

« Ils reviennent. »

Sunny ouvrit les yeux.

Santosh et ses frères tiraient leurs barques sur la plage.

Sunny la serrait toujours dans ses bras.

Elle roula pour se dégager de son étreinte, puis se tourna vers lui :

« Les chaînes de l'existence doivent être suffisamment fragiles pour pouvoir se rompre. »

Elle l'embrassa.

« Et, au départ, suffisamment solides pour nous porter. »

Elle avisa les étoiles.

« À propos… Bon anniversaire. »

De : NEDA.KAPUR@XXXXXX.COM
À : DEAN.H.SALDANHA@XXXXXX.COM
DATE : 25/02/2006
OBJET :

Dean,

Sais-tu combien de fois je t'ai écrit ce mail ? Un millier de fois dans ma tête, de je ne sais combien de façons en marchant ; marcher est le seul moment où mes pensées coulent toutes seules, pourvu que je marche j'arrive à tout justifier, mais, pour écrire, il faut que je me pose et, face à la page, les mots me manquent. Et c'est encore pire quand je commence à taper sur mon clavier. Chaque jolie phrase qui me vient sous les doigts se transforme en piège. Je suis pas fichue de dire la vérité. Je ne sais plus m'y prendre. Avant, j'étais très forte pour dire la vérité. J'étais si forte que je me suis aperçue que c'était facile de sortir un mensonge. Tu entends ce que je te dis ? Je t'ai balancé pas mal de mensonges. À la fin, je ne les démêlais plus.

Ce que j'essaie de faire maintenant, c'est de te parler de Sunny Wadia.

Je déteste ce nom. Si possible, je l'évite. Quelles syllabes ! Mais aujourd'hui je ne peux pas les éviter. Là, maintenant, aux petites

369

heures de ce 25 février. Deux ans après cette fameuse nuit où tout a été détruit. Et ce soir, les fantômes sont de sortie. Je suis en train de boire de la vodka. De repenser au passé. Quand je le fais, je deviens une loque. Mais oublier est encore pire, l'oubli, c'est l'autre face de la mémoire. J'ai cru que j'allais pouvoir m'en tirer, j'ai effacé des pages et j'en efface encore, mais ça ne marche pas.

Ce que j'essaie de te dire... j'essaie de te dire ce que tu sais déjà. L'Inde est tellement loin. Tellement loin, et pourtant j'y suis tous les jours.

Tu voulais savoir ce qui m'était arrivé, tu voulais savoir pourquoi j'avais disparu, où j'étais. Tu as déjà deviné. Ce que j'essaie de te dire, c'est que j'étais là, à la fin, dans l'accident. J'étais là sur la route. J'étais là avec Sunny. Gautam. Ajay. J'étais là avec la fille. Elle est morte dans mes bras. Je ne connaissais pas son nom. Je l'ai lu plus tard dans la presse. Dans un de tes articles ou dans celui de quelqu'un d'autre, je ne sais pas. Toi, tu mentionnais toujours les noms, pas vrai ? Tous leurs noms. J'ai vu les corps désarticulés. Dean, je ne me rappelle pas tout... me voici revenue à Delhi, je suis ado, et dans ma chambre. Les singes ont déboulé du Ridge et ils sautent dans les arbres du parc. Le matin, quand mon père allait se promener, il ne sortait jamais sans son bâton. J'ai envie d'y retourner. Plus que tout, de retourner là-bas, à cette époque, à ce Delhi et de prendre un autre chemin. Mais je ne peux pas. C'est impossible. En rêver m'est intolérable. Je ne le supporte plus. Je sais que je ne mérite pas ta compassion. J'imagine ton air fermé et froid... Dean, mettons les choses au clair... tu veux comprendre. Au départ, il y a eu Sunny, Bunty, les Wadia, ce que tu as appris, ce qu'ils t'ont fait, et, moi, j'étais là en retrait, puis il y a eu du nouveau. Tu veux tout savoir, tu veux savoir comment je me suis retrouvée impliquée. Ça continue à t'embrouiller. Tu ne trouves toujours rien. On y vient. Voici ce que je peux te confier en premier : je n'aurais pas dû avoir ce boulot. Tu sais que ma mère a fait jouer ses relations pour que je décroche ce poste. Bon vieux népotisme. Ou bien une façon de se prémunir contre l'oisiveté. Mon père était malade depuis un moment, je ne pouvais donc pas partir à l'étranger. Tu as déjà entendu cette histoire. Et j'avais un profil intéressant, sur papier du moins. J'avais fait lettres et sciences sociales et humaines. Mon anglais était irréprochable. J'appartiens à une haute caste et j'ai la peau claire. Tout pour plaire ! Bref, j'ai commencé à bosser et, bien entendu, je n'avais aucune éthique. Je ne savais même pas qu'il fallait avoir une éthique pour être journaliste. Je repérais l'injustice quand j'en étais témoin, dans un roman, aux infos, mais je n'avais jamais compris le mécanisme de sa mise en place. Je n'avais jamais réfléchi à la notion de complicité ni à l'obligation de s'en préserver. Moi, ce qui m'intéressait avant tout, c'était une bonne histoire. Et Dieu sait que tu me tannais. À moins que tu te sois débrouillé pour que je te tanne. Je me dis souvent que tu as raté ta vocation. T'aurais dû bosser avec les lépreux de l'est de Delhi, t'aurais dû faire des sermons à l'église de Tis Hazari. As-tu vu chez moi quelque chose qui méritait d'être sauvé ? Je ne comprends pas comment tu as tenu aussi long-temps. Tu vois, ton problème, c'était ton intégrité, alors que, moi, j'évoluais dans un mélange toxique de curiosité et de passivité. La passivité est normale – la plupart des gens en souffrent. Ils regardent la femme qui se fait tabasser en pleine rue. Ils regardent l'accident, assis derrière la vitre de leur bagnole. Ils sont pétrifiés, attendent que quelqu'un d'autre intervienne. Je suis pareille. Sauf que je vais me planter à côté de la femme qui encaisse la raclée et que je prends des notes. Rappelle-toi ci. Rappelle-toi ça. Note-le. Rappelle-toi la lumière. Oui, moi, je veux juste voir comment l'histoire se déroule, mon privilège à moi, c'est observer la futilité de la vie. Or, la vie n'est pas futile, si on la vit comme il faut. Et j'ai envie de la vivre comme il faut. J'en ai envie, mais j'en suis incapable ! Laisse-moi juste t'avouer autre chose : Sunny m'a intéressée dès le départ. Il était la fumée qui me signalait le feu. J'en avais marre de Delhi, du boulot. De toi. Je ne tenais pas en place. Je voulais plus. J'avais vingt et un ans et il promettait de faire de Delhi le centre du monde. Je l'ai cru. Pourquoi pas ? Je me rappelle que tu l'as traité de bouffon, la première fois, tu l'as rejeté sous prétexte que ce n'était qu'un fils de riches de plus, et ça m'a piquée, ça m'a piquée comme si tu m'avais insultée personnellement. Tu venais des États-Unis. Tu n'avais pas vécu les années quatre-vingt-dix à Delhi. Tu n'avais pas vu à quel point la ville était poussiéreuse, terne et endormie. Tu ne pouvais pas comprendre ce que quelqu'un comme Sunny déclenchait chez moi. En plus, j'émergeais de plusieurs années passées à vivre avec le cancer de mon père, et la déception de ne pas avoir pu m'échapper, alors que tous les amis autour de moi étaient partis. Et, là-dessus, il est apparu avec ses idées, ses belles paroles, sa fortune et son charme, et j'ai eu l'impression d'assister à un tour de magie absolument incroyable. Tu crois que quelqu'un parmi nous s'est demandé d'où venait sa fortune ? Sérieusement ? Nous, on avait grandi en regardant *Beverly Hills*. On traitait nos domestiques avec bienveillance, mais c'était quand même nos domestiques. C'était comme ça. On voulait avant tout vivre comme l'Occident. On ne pensait pas du tout aux conséquences, à la misère sur laquelle nos désirs s'édifiaient dans le contexte indien. Qu'est-ce que tu comptais que je fasse ? Que je porte le cilice ? Que je renonce à tout et que j'aille vivre dans un bidonville ? Non. Ce mec, il te regarde et te dit : « Viens. » Qu'est-ce que tu aurais fait ? Je me suis donc lancée dans une histoire avec lui. Et je n'y ai pas vu de conflit d'intérêts. Je n'avais rien à déclarer. Même quand tu te moquais de lui, que tu t'interrogeais sur son milieu, je me disais juste : Et voilà Dean qui recommence, Dean l'Américain. Comme les étrangers qui débarquaient, découvraient la pauvreté, fondaient en larmes et se mettaient à distribuer de l'argent dans les rues et à donner leurs pompes. Ils pouvaient se le permettre. Mais, moi, je suis indienne. Je pouvais donc m'accommoder de notre boulot dans la journée tout en circulant dans le monde de Sunny la nuit. Et ça a marché sans problème, jusqu'au jour où il y en a eu. J'ai eu tant de vies, et je les ai toutes vécues de manière bien cloisonnée, c'est ce qu'on fait quand on est une femme, une femme dans un Delhi riche. Et ça a marché sans problème, jusqu'au jour où il y en a eu. Donc, oui, j'ai commencé à voir Sunny, ce qui me ménageait une petite parenthèse de bonheur. As-tu une idée de ce que ça fait que d'avoir du pouvoir ? Un vrai pouvoir. D'être subitement assis dans les roues des énergies et de foncer à travers la ville, les yeux grands ouverts, en observant tout, en regardant tout droit dans les yeux – c'était grisant. Traverser la ville à toute vitesse dans un fracas pas possible sans avoir peur et voir, pouvoir voir comme un homme, fixer, pouvoir le faire sans sourciller, bon sang. Je ne sais pas, si ça se trouve, c'est quelque chose que tu ne peux pas comprendre, en tant qu'homme. Nos peurs naissent des trucs qu'on fait, pas des trucs qui nous sont interdits. Mais Sunny m'a offert la ville. Et tiens, voici ce que tu n'as pas compris chez lui. Sunny n'était pas son père. Il voulait se détacher de lui. Il le détestait. Il voulait s'en aller. Il voulait suivre son propre chemin. Moi, je voulais l'aider. Pourquoi je serais venue te raconter quoi que ce soit ? Pourquoi je l'aurais abandonné ? Ma vie, ce n'était pas celle d'une journaliste, mais celle d'une femme amoureuse.

Où est-ce que ça a foiré ? Avec les morts sur le site de démolition ? Les annonces qu'il a fait publier dans la foulée ? Ça nous a tous enfermés dans une spirale mortelle. Tu as été choqué par ce qui t'est apparu comme une hypocrisie. Tu as cru que c'était son père, mais tu as fait une erreur d'appréciation. Tout venait de Sunny. Il essayait de m'apaiser. Il essayait de m'impressionner, d'emmerder son père. J'étais bouleversée, tu l'as bien vu. Je nourrissais pas mal de colère à ce moment-là, une part de toi m'avait gagnée à ta cause. Je répétais tes commentaires. Mais je le faisais avec beaucoup de cynisme, pour blesser Sunny. J'ai commencé à remettre son écosystème en question sans trop y croire. Déjà pour le piquer. Sauf que mon chagrin était bien réel. Cela faisait très longtemps que la ville ne m'affectait plus et voilà que tout à coup elle se plantait devant moi sous la forme des enfants morts. Et pas à la télé, mais sous mes yeux. Ces corps couverts de poussière. J'étais une véritable épave, et il a voulu me protéger. Poussé par le bon sens, il m'a emmenée et m'a fait entrer en douce dans sa *farmhouse*, pour que j'aie la possibilité de fuir la ville, de me cuirasser, de m'isoler un moment et de me détendre dans le luxe. Ça n'a pas marché. Ça n'a fait que me déstabiliser davantage. J'aurais dû partir, j'aurais dû venir te trouver. Je l'aurais peut-être fait s'il ne s'était pas passé quelque chose cette nuit-là, si je n'avais pas vu son père et compris autant de choses...

... je ne parlerai pas de cette nuit-là. Impossible...

Mais, après ça, je l'ai à peine revu. Après cette fameuse nuit, je l'ai vu à trois reprises en l'espace de sept ou huit mois et, après la dernière nuit, je ne l'ai plus jamais revu, même s'il n'a cessé de me hanter...

Et pourquoi suis-je censée te présenter des excuses ? Qu'ai-je à avouer ? Je me suis trouvé des justifications, j'ai essayé de te faire comprendre pourquoi j'ai été avec lui, pourquoi je ne l'ai pas trahi, comment j'en suis arrivée là. Mais, toi, ce que tu veux, c'est que je te dise ce qui s'est réellement passé cette nuit-là.

Demain, peut-être que je te raconterai cette histoire différemment. J'aurai encore changé. Seules les paroles resteront. Quelle part de vérité renferment-elles ? Je n'en sais rien. Je ne me souviens pas. Je ne vois pas quoi dire d'autre. Alors, laisse-moi te raconter.
Au cours des semaines qui avaient précédé, Sunny avait pris une décision – il allait enfin quitter son père. Il allait suivre sa propre voie. Récupérer tout ce qu'il pouvait et prendre un nouveau départ. Il m'avait convaincue que Gautam était son ami. Oh, c'est tellement ridicule... mais voici ce que je comprends : pour le punir, son père, qui avait la haute main sur tous les aspects de sa vie, l'avait chargé d'apprivoiser Gautam, d'obtenir sa loyauté envers eux à des fins ultérieures, quelque chose à propos des terres des Rathore dans le Madhya Pradesh. C'était un des milliers de projets que caressait son

père, et il se servait de son fils pour celui-là, c'est tout. Mais Gautam ne faisait qu'entraîner Sunny par le fond. Aujourd'hui, il est clair pour moi qu'il l'avait rendu accro à la coke. Oh, ces mecs, ces connards de mecs... deux héritiers qui haïssaient leurs pères et se manipulaient mutuellement pour essayer de leur échapper. D'après le tableau que Sunny en brossait, ils allaient s'en sortir. Ce soir-là, il m'a fait venir. Il nous a fait venir, Gautam et moi, au club, et il tanguait. Je m'y suis rendue avec un vague espoir, mais, dès que je suis entrée, j'ai compris que tout ce dont Sunny avait tenté de me convaincre à propos de Gautam était faux. Je l'ai vu dans les yeux de Gautam. J'ai regardé Sunny : qu'il avait l'air pathétique ! J'ai vu ce qui allait se passer, c'était tellement clair, tellement évident. Sunny a commandé une autre bouteille de champagne. Quand elle est arrivée, il a glissé un bras autour des épaules de Gautam, un autre autour des miennes, nous a rapprochés et il a dit : « Eh bien, le moment est venu... »

« Eh bien, le moment est venu, dit-il.

— Sunny...

— On se tire.

— Sunny... »

Elle s'efforce de le stopper, mais le stopper maintenant, c'est le tuer ou tout comme.

Elle essaie quand même.

« Sunny, non. »

Bouffi, laminé. Sur les nerfs.

« Tu sais pas ce que j'ai en tête. On en a parlé de long en large. Demain matin, je passe à l'action. Je lui dis que je dégage. J'ai essayé de faire mes preuves, j'ai essayé de faire ce qu'il attendait de moi, et rien ne marche, il n'est jamais content. Plus rien ne me retient ici. Je n'ai pas à vivre comme ça. »

Il fixe la bouteille dans sa main ; la bouteille dans sa main tremble.

« On peut repartir de zéro, ajoute-t-il. On peut bâtir notre monde à nous. »

Il n'a jamais paru aussi à nu, aussi effrayé, il n'a jamais paru aussi vulnérable, et elle ne l'a jamais autant aimé.

Il fait sauter le bouchon et remplit la coupe de Neda, la coupe de Gautam, la sienne.

Neda se tourne vers Gautam.

Gautam se tourne vers elle.

Et elle comprend.

Juste comme ça.

Sunny remarque son écœurement.

« Qu'est-ce qui ne va pas ? »

Elle a toujours les yeux rivés sur Gautam.

Et Gautam sur elle.

« Allez, dis-le-lui, s'écrie-t-elle.

— Quoi donc ? » fait Sunny en fronçant les sourcils.

Elle n'en est même pas sûre.

Mais Gautam mord à l'hameçon.

« À Neda. »

Il porte un toast, avale son champagne et remplit à nouveau sa coupe.

« La garce la plus smart de la salle. »

Neda a le cœur serré devant l'air perdu de Sunny.

« Me dire quoi ? »

Gautam se met à rire.

« Que t'es un imbécile. »

Sunny rigole lui aussi. Durant une seconde, c'est une blague. Puis il a la sensation d'être à poil.

« Pourquoi je suis un imbécile ? »

Gautam le lui dit. C'est clair. Tu crois vraiment que je vais partir avec toi pour monter un hôtel ? Un hôtel ? Que je vais me crever la paillasse ? Avec toi ? Sunny, mon vieux, tout seul, tu n'es rien. Tu crois que tu pourrais survivre une minute dans ce monde sans ton père ? Avec toi, c'est perdu d'avance. Tu es trop naïf. Il te manque la niaque, comme on dit. Si je suis ici avec toi maintenant, c'est pour une raison et une seule : Ton cher papa. Retire papa, et tu n'es qu'un…

« Mais on a…

— Mais on a, le coupe Gautam. Mais, mais, mais… »

Il saute sur ses pieds.

« Mais tu disais que tu étais mon ami. »

Gautam lève sa coupe, traverse la pièce d'un pas nonchalant et, à la porte, il se retourne :

« C'était bien tant que ça a duré, mon vieux Sunny, tu m'as aidé à me relever, c'est vrai, mais, pour moi, il est temps de passer à de nouvelles aventures. »

Il aurait pu en rester là, mais il continue.

« Tu sais quoi ? Peut-être que je vais aller direct réveiller le cher papa. Lui raconter combien son fils est bête. Tu crois qu'il m'adoptera ? Tu penses qu'il m'accueillera à bras ouverts ? »

Interloqué, Sunny l'a écouté sans bouger de son siège. À présent, il se rend compte que c'est fini. Il n'a plus aucune issue. Une nouvelle pensée : peut-être qu'il le fera. Peut-être qu'il t'accueillera à bras ouverts. Neda l'appelle par son nom, tente de lui prendre la main, mais il se dérobe.

« Qu'est-ce que tu as fait ? »

On croirait qu'il parle tout seul. Il tend le bras vers la bouteille, referme les doigts sur le col.

Elle crie son nom. Il la repousse brutalement pour passer. Elle crie son nom encore et encore, alors qu'il tient la bouteille comme une massue, repousse le rideau et entre dans la salle principale. Elle pense : Il va le tuer. Ou se faire tuer. Elle enfouit la tête dans ses mains. Puis elle entend les hurlements. Pas un, des tas. Le bruit du verre brisé. D'une échauffourée. Un homme bascule contre le rideau et s'effondre, le visage en sang, dans la pièce réservée aux VIP. Neda sort en courant.

Elle déboule en plein chaos. Vingt, trente mecs ivres échangent des coups de poing et de pied, tombent les uns sur les autres, il y a des chemises déchirées. Une douzaine de femmes aussi, en robes moulantes, lancent des coups de pied, tirent tout ce qu'elles peuvent, égratignent. Sang par terre. Comment en sont-ils arrivés là si vite ? Elle est projetée au sol. À travers l'emmêlement de jambes, elle aperçoit Gautam qui dévale l'escalier menant à la rue. Sunny n'est pas loin derrière.

Quand elle rejoint la rue, elle aussi, des hommes sont en train d'attaquer Sunny. Il réussit à en mettre un KO, mais les autres l'envoient mordre la poussière. D'autres bagarres éclatent. Regain de hurlements. Des hommes et des femmes s'enfuient en courant. Des hommes et des femmes grimpent dans leurs voitures. Un coup de feu retentit. Sec dans la nuit. Tout le monde se fige. Tout le monde se disperse, Ajay pointe son Glock sur la foule des mecs. Il fonce sur eux, frappe de son arme le visage du premier qui croise sa route. Le reste fuit. Ajay aide Sunny à se relever. Le traîne vers le SUV.

Gautam monte dans sa Mercedes, flanque une bourrade à son chauffeur et le pousse dehors.

« Stoppe-le », dit Sunny, pourtant en sang.

Il pointe le doigt sur Gautam. Ajay voit son geste. Neda aurait pu laisser Sunny en plan. Elle aurait pu courir à sa Maruti. Elle se précipite vers le SUV de Sunny. S'assied à l'arrière avec Sunny, tandis qu'Ajay s'installe au volant.

Gautam fonce dans les rues, il cherche la sortie de la colonie, négocie les tournants à grande vitesse dans l'espoir de localiser le portail ouvert. Neda, à l'arrière du SUV, supplie Sunny d'arrêter. Arrête-toi, c'est tout. Laisse tomber, c'est tout. Réfléchis. Il la repousse. Passe tant bien que mal de l'arrière au siège passager à l'avant. Elle essaie alors avec Ajay, pose la main sur lui, tire sur son épaule, répète son nom, lui demande d'arrêter, mais il se tourne et la regarde avec une telle soif de sang qu'elle prend peur.

Puis ils sortent de la colonie, les voici sur Ring Road. Elle espère que la police va intervenir. Qu'il y aura un barrage routier. Elle espère que cette folie va cesser, que le bon sens va l'emporter. Mais non. Gautam fonce devant eux et il n'y a personne sur la route, personne dans la nuit, rien à part le vrombissement des moteurs, le visage vide et vengeur de Sunny, le visage vide et vengeur d'Ajay, on dirait des jumeaux de souffrance. L'espace d'un moment, le temps ralentit, vitesse et distance n'ont plus aucun sens, tels ces rêves ou ces cauchemars où on tombe, tombe dans l'infini. Et puis voilà qu'un chien errant traverse la route en courant.

Elle se rappelle son père. Elle avait sept ans, c'était la première fois qu'elle montait dans leur voiture neuve, une Ambassador. Son père l'avait laissée s'asseoir à l'avant. Elle ne s'était encore jamais assise à l'avant avec lui. Ils avaient fait un tour du Delhi de Lutyens. Pendant le trajet, il lui avait dit une chose qu'elle n'avait jamais oubliée : Quoi que tu fasses, quoi qu'il se passe, malgré tout l'amour que tu as pour les chiens, ne t'arrête pas et ne fais pas d'embardée pour éviter un chien au milieu de la route, continue tout droit, il y en a trop et ça n'en vaut pas la peine. Même si ça te brise le cœur.

Une marque de caoutchouc brûlé sur l'asphalte. La traînée rouge d'un feu de freinage. La Mercedes fait une embardée, pique vers le virage, décrit un bond dans la nuit. Les hommes et les femmes dorment un peu plus loin devant. Cette image est fixée dans sa tête. Puis la voiture atterrit.

Si seulement Gautam avait eu autant de compassion pour Sunny que pour ce chien errant. Ma mémoire se brouille après ça. Je n'ai que des images éparses. Je suis à quatre pattes sur la route, je hurle face à la chaussée. Je suis couverte du sang de quelqu'un d'autre. Je berce tendrement cette fille qui est en train de mourir. Je vois bien qu'elle est enceinte. Je sens sa main dans la mienne. Je la sens encore. Parfois, quand je me réveille, j'ai l'impression de la tenir encore. Parfois, quand je me réveille, j'ai l'impression qu'elle est debout à côté de mon lit et qu'elle me regarde, mais ce n'est que ma conscience. Là, au bord de la route, je baisse les yeux et elle est morte. Il est encore possible de sauver le bébé. Sunny, derrière moi, nous regarde de toute sa hauteur. Je me relève. Je m'éloigne de lui en titubant. Je vois Gautam, inconscient dans sa Mercedes. Je pense qu'il est mort lui aussi. Je peux continuer à te dire ce que je vois et ressens, mais quelle différence aujourd'hui ? Et je ne le ressens pas moi-même. Ce n'est pas à moi que ça arrive, mais à quelqu'un d'autre. Je demande à Sunny d'appeler une ambulance. J'essaie d'extraire son téléphone de sa poche. Le mien est resté dans mon sac, dans la voiture, j'ai dû le laisser là-bas.

Sunny me repousse. Je lui crie dessus. Qu'est-ce que tu fous, bordel ?
Appelle une ambulance. Appelle une ambulance. Appelle quelqu'un.
Fais quelque chose. J'ai déjà vécu ça. À la place, il se tourne vers Ajay
et lui demande d'aller chercher un truc dans le SUV, c'est un Polaroid,
celui que j'ai vu à Goa. Sunny prend une photo de Gautam dans sa
Mercedes, puis ordonne à Ajay de le sortir de sa bagnole. Je me dis
qu'ils vont l'allonger au bord de la route. Mais ils le sortent et, à eux
deux, ils l'installent à l'arrière du SUV et je me demande si je ne rêve
pas, si c'est vraiment comme ça. Je me relève et les suis en chancelant. Ajay et Sunny sont face à face sur la route. Sunny a récupéré
une bouteille de whisky dans le coffre du SUV. Il a toujours une bouteille en réserve. Il entraîne Ajay vers la Mercedes. Ils discutent. Ajay
lui remet son arme et prend le whisky à la place. Puis il monte dans
la Mercedes et se met à boire, vide la bouteille. Quand il a terminé,
Sunny le frappe à la figure avec la crosse de son arme. Quand je hurle,
Ajay et Sunny me regardent, tous les deux. Puis Sunny s'avance vers
moi. Dans ses yeux, rien. Il me fait peur. Il ferme le poing, lève le bras.

La séquence suivante, je suis dans une chambre. Une petite chambre
blanche, propre, claire, avec un jardin dehors et des oiseaux qui
chantent. C'est le milieu de la matinée, et je suis dans un lit, face à
un homme que je n'ai jamais vu, Chandra, comme je l'ai appris par la
suite. Il y a une petite télévision montée au mur, une bouilloire électrique, une table de chevet avec un téléphone. Une maison d'hôtes
gouvernementale. C'est l'impression que ça me fait. L'homme est assis
dans un fauteuil. Je crois qu'on se parlait, mais je ne sais pas de quoi,
je réalise que je ne sais pas où je suis, je ne me rappelle pas comment
je suis arrivée là. Je porte un pyjama, j'ai le visage endolori et marbré
de bleus, mais sinon je suis propre. Ça, je m'en souviens. Chandra
était d'une politesse exceptionnelle. Il était apaisant. Il m'expliquait
les choses. Il disait : il n'y a rien que vous auriez pu faire, et il est inutile de s'appesantir là-dessus. C'est fait, ma chère enfant. Dans le feu
de l'action, certaines décisions ont été prises, sans que vous soyez

intervenue d'aucune manière, ce dont vous devriez vous féliciter. Et soyez sûre qu'elles ont été prises dans l'intérêt de tous. Je l'ai fixé d'un œil apathique. J'avais la tête vide. Puis la mémoire m'est revenue. Il a dû s'en apercevoir. Il a dit : Ça a été une mauvaise nuit pour tout le monde. J'avais dû exprimer le désir de rentrer chez moi, parce qu'il m'a dit que ce n'était pas possible pour le moment. Pourquoi pas ? Il m'a expliqué que j'étais à Amritsar. Dans la nuit, saisie d'une lubie, j'avais pris la route pour Amritsar avec des amis. On avait eu envie de voir la frontière à l'aube et de manger des *chole kulcha*[1] au petit déjeuner. Typique de la vie d'un jeune Indien libre d'obligations. Il m'a tendu le téléphone et m'a conseillée, compte tenu du passé médical de mon père, de ne pas compliquer l'existence de mes parents. Quand ma mère a décroché, j'ai constaté avec surprise qu'il m'était incroyablement facile de mentir. Je n'ai manifesté ni peur ni chagrin. Il n'y avait chez moi que la fatigue d'une jeune fille qui a conduit jusqu'à Amritsar sur un coup de tête. Après l'appel à mes parents, il m'a suggéré de prévenir mon bureau que j'étais malade, de faire court. Je me suis exécutée. Puis il m'a offert un verre de *nimbu pani*[2]. J'ai tout bu, il devait y avoir des sédatifs dans ma boisson.

Le soir tombait quand je me suis réveillée. Le soleil se couchait, les oiseaux dehors piaillaient à qui mieux mieux. J'étais sonnée. Une gentille dame m'a apporté un bol de *khichdi*[3]. Je lui ai demandé où j'étais, mais elle ne m'a pas répondu. Quand elle est partie, elle a fermé ma porte à clé de l'extérieur. J'étais donc prisonnière. Je n'ai pas cherché à fuir. Chandra est revenu. Il lui a fallu un moment pour se mettre dans la peau de son personnage. Sans doute a-t-il remarqué quelque chose dans mon regard. Il a croisé les jambes, a lissé son pantalon avec ses paumes et m'a dit : Vous avez envie de tout

---

1. Ragoût de pois chiches aux épices servi avec un pain rond sans levain ni levure.

2. Boisson à base de citron vert pressé et d'eau plate.

3. Mélange de riz et de lentilles avec épices. Plat en principe destiné aux malades.

confesser, je le sais. Vous avez envie d'aller trouver la police et de tout raconter. Je n'ai pas du tout réagi. Mais que leur direz-vous ? Que leur direz-vous au juste ? Et qui vous croira ? On en était déjà à une question de confiance. J'ai demandé où était Sunny. « Sunny ? Il est en voyage d'affaires à Singapour. Ça fait trois jours qu'il est parti. » J'ai vu où tout ça nous menait. Gautam ? « M. Rathore est loin d'ici », m'a-t-il répondu. Ajay ? Il s'est contenté de sourire et a hoché la tête. « Le chauffeur de M. Rathore est en prison. »

Dehors, l'obscurité était presque totale, quelqu'un allumait des lumières dans le jardin, de l'encens. « Et vous repartez d'Amritsar. Vous serez bientôt chez vous. » Il s'est levé à moitié et a allumé la lampe de chevet, qui a projeté une ombre marquée sur son visage. Je lui ai demandé ce qui allait m'arriver. Il a dit : Que voulez-vous qui arrive ? Je n'ai pas su quoi répondre. Je ne savais vraiment pas. Alors, il a dit. Il est temps que vous partiez, Neda. C'est ce que vous avez toujours voulu. Vous vouliez partir étudier et vivre à l'étranger. J'ai dit oui, je vais aller au Japon. Il m'a répondu, Pourquoi ? Vous pouvez aller n'importe où maintenant. Il a ajouté que j'avais été entraînée dans une situation qui n'était pas de mon fait, que je ne comprenais pas très bien, et qui pouvait facilement me détruire, moi et ma famille. Sinon, je pouvais aller n'importe où. Vraiment n'importe où. On me donnerait de l'argent, un appartement, mes frais de scolarité seraient payés, les visas, ils s'en occuperaient. Je pouvais bénéficier d'une vie nouvelle. D'une vie heureuse. Comment je trouvais ça ? Est-ce que ça ne me semblait pas raisonnable ? J'étais tellement vannée. Est-ce que vous pensez que ça vous tenterait ? Il a pêché un mouchoir dans sa poche et me l'a tendu pour que j'essuie mes larmes. Alors ? Neda, ma chère enfant, est-ce que ça ne vous semble pas raisonnable ? Quelle gentillesse ! Il a ajouté que je n'avais qu'une chose à faire, c'était d'oublier cette nuit, d'oublier Sunny, d'oublier la dernière année de ma vie, de ne plus jamais parler de cette nuit-là, de ne plus jamais contacter Sunny. De repartir sur de nouvelles bases. J'étais vannée. J'ai dit oui...

J'ai dit Londres, c'est là que je veux aller. Je ne sais toujours pas pourquoi. Je ne sais plus rien sur rien. Déjà avant, mais au moins je pouvais me mentir, me dire que quelque chose de bien allait se produire. Maintenant. Non. J'ai mal. Cette souffrance me restera. Mais que représente ma souffrance par rapport à ces vies perdues ? Dean, que représente ma souffrance par rapport à la vérité ? Qu'est-ce qu'il a fait, Sunny, et pourquoi ? C'est la question que je me suis posée mille fois. Toutes les nuits avant de m'endormir, sachant que je ne m'endors pas avant l'aube. Pourquoi a-t-il sauvé Gautam ? C'est sur la route qu'il a pris la décision de sauver la vie de Gautam et de nous sacrifier, Ajay et moi, pour protéger Gautam. Pourquoi ? S'il avait abandonné Gautam à son sort, s'il avait appelé la police, une ambulance, s'il était juste reparti, il était libre. Il l'aurait eue, sa solution. Gautam aurait pu brailler tant qu'il aurait voulu, ça n'aurait servi à rien. Sunny aurait résolu l'insoluble problème de son existence. Il aurait pu quitter son père, il aurait pu être avec moi, ou pas. Tout du long, ça a été son père. Avant, je ne le comprenais pas, même quand il en parlait, même quand son père le poussait dans le noir. Depuis le début, ça a été son père. Pour lui, il n'y avait que ça qui comptait. Les indices étaient là. Il l'avait dit à Gautam devant moi : J'ai essayé de faire mes preuves à ses yeux, et rien ne marche. Il n'arrivait pas à trouver le code, la combinaison pour ouvrir le cœur de son père. Et finalement, par hasard, par un coup de chance monstre, l'occasion s'est présentée à lui, sur la route. Sunny a pu afficher la dureté qui lui avait manquée, qu'il n'avait pu exprimer à travers le design. Il a pu bazarder tout ce qu'il aimait afin de sauver la vie de quelqu'un qui ne comptait pas du tout pour lui, sauf qu'il représentait un peu plus d'argent pour son père et, en faisant ça, il a pu obtenir ce qui lui manquait depuis si longtemps. Je ne dirais jamais que c'est de l'amour. Je ne sais pas ce que c'est. Sur l'instant, je n'y ai pas réfléchi. Je ne me souviens pas de ce que j'ai pensé. Je voulais me distancier de la souffrance. Je ne voulais pas rater l'occasion de fuir.

Après, tout est allé très vite. J'avais dit oui, et tout s'est organisé, et je me rappelle à peine les détails. On m'a octroyé une prétendue bourse. J'ai reçu une lettre. Allez savoir, peut-être que cette bourse n'existait même pas. J'ai ouvert la lettre et j'ai pleuré. Mes parents ont cru que c'était de joie. Ils étaient ravis, ils m'ont réconfortée, et je me suis réfugiée dans ma chambre. J'ai fait mes bagages et je suis partie très peu de temps après. À un moment donné, ils ont compris que ça n'allait pas du tout. Il y a tant de choses que je ne me rappelle pas. Ce que je sais, c'est que, le mois d'après, je me suis rendu compte que j'étais enceinte de Sunny. Qu'est-ce que tu dois être écœuré. J'étais à Londres. Chandra venait me voir tous les trois ou quatre jours, m'invitait dans un restaurant de luxe. Il racontait aux serveurs que j'étais sa nièce, c'était sa blague. C'était la septième ou la huitième fois qu'on se retrouvait. J'ai fondu en larmes, j'avais fait le test le matin même. J'avais recommencé à trois reprises, pour être sûre. C'était l'enfant de Sunny, de personne d'autre. Chandra s'est débrouillé pour me tirer les vers du nez. J'ai avoué ; j'aurais aimé le lui cacher, mais comment aurais-je pu, en fin de compte, ils savaient tout. Il n'a pas trouvé ça drôle, il s'est montré extrêmement sérieux. Dites-le à Sunny, lui ai-je demandé. Dites-le-lui. Dites-le-lui au moins, dites-moi ce qu'il répond. S'il le voulait, j'étais d'accord pour le garder. J'étais encore... Il est revenu me voir le lendemain. Il m'a manifesté une grande compassion. Sunny dit que ce n'est pas de lui, m'a-t-il confié. Il ne veut même pas en entendre parler. Et si vous le gardez, c'en sera fini de tout ça...

Il a tout organisé pour moi. Il s'en est occupé à ma place. Je n'ai pas discuté. J'étais démolie. Je buvais comme un trou, j'avais un chagrin fou. Mon cœur s'est endurci parce qu'il le fallait, Dean, mais pas assez quand même. Le remords et l'horreur me consument face à la direction que ma vie a prise, et à la manière dont j'ai laissé faire. On n'est jamais jugé que sur ses actes. Mais, bon sang, il n'y a pas que ça, non ? Je ne sais pas ce qu'il me reste à présent. Je ne sais pas où je suis censée aller, ce que je suis censée faire. En arrivant ici, j'étais totalement perdue. Je n'avais pas la moindre recette pour m'aider à affronter la vie. Pas le moindre réconfort pour m'aider à me débrouiller. Je voyais ma vie partir en lambeaux. Je voyais s'évanouir la vie que j'aurais pu avoir. Pourquoi est-ce que j'avais fait ça ? Et pourtant, je ne suis pas une victime. On se perçoit tous comme une victime, Dean, et non comme un complice consentant. Mais c'était comme ça. Je n'ai plus droit à quoi que ce soit. Il faut que j'encaisse...

Tu sais, je vois Sunny partout. Je le vois à travers des tas de visages dans la rue. À travers tels Pendjabis avec leurs casquettes de base-ball et leurs barbes, leurs jeans et leurs T-shirts étriqués tendus sur leurs bides de mangeurs de riz. Il aurait pu se contenter d'être un monsieur Tout-le-monde. Je lis des trucs sur lui dans les journaux. Je ne connais pas cet homme. On dirait qu'il réussit drôlement bien, pourtant, je le connais assez pour savoir qu'il a vendu son âme au diable. Mais Gautam, je doute que Gautam ait jamais perdu une nuit de sommeil. Il est né pour régner, celui-là, et tient de Dieu le droit d'échapper au châtiment qu'il mériterait.

J'arrête d'écrire, j'en ai marre. Je reste seule dans la solitude de cette ville de grisaille, dans le noir, loin de l'Inde. Est-ce que tu peux faire quelque chose avec ça ? Est-ce que ça te sera utile ? Ou cela causera-t-il un surcroît de souffrances ? Tu peux t'en servir si tu veux. Je t'y autorise. Je ne sais pas si je serai encore là pour affronter ça. J'ai déjà décidé de m'en aller. Si tu te sers de quelque chose, n'oublie pas que rien ne changera, c'est Kali Yuga, l'ère de la perte, l'ère du vice. Les gens au bord de la route ne ressusciteront pas. Le bébé ne verra pas le jour. Les Gautam de ce monde prospére-ront. Les Ajay de ce monde trinqueront toujours pour les autres. Et Sunny ? Je ne sais pas. Je ne sais plus rien. La roue va continuer à tourner vers la dissolution qui nous engloutira tous.

Son doigt s'attarde sur le pavé tactile, approche le curseur de l'icône Envoyer. Mais le courage lui manque encore une fois. Elle jette son brouillon. Elle ne s'autorise toujours pas à bouger.

TROIS

MEHRAULI, 2004

Sunny

1.

L'après-midi qui suivit l'accident, il se réveilla dans la villa de la *farmhouse*.

Dans une chambre où les baies vitrées donnaient sur la piscine, où les lucarnes au-dessus de lui regardaient le soleil, comme des yeux de cadavre.

Le soleil tapait. Chaleur du verre sous le soleil. Air froid, vide. Entortillé dans la couette blanche. Draps crème trempés de sueur. Une parfaite journée de fin d'hiver.

Souviens-toi de ça. Tourne la tête pour regarder dehors. Arbres dépouillés. Chute des feuilles dans la piscine. Souviens-toi de ça. Des nuages courent dans le bleu du ciel, masquent le soleil. Luminosité ternie, chaleur dispersée, cachée. Les draps humides se souviennent. Sa perception sans lien avec ses sensations. Encore ce tintement dans les oreilles. Retour du soleil.

Il roula sur le côté. S'il fixait attentivement la piscine, elle tremblotait.

Il voyait le vent à travers les arbres.

Mais il ne l'entendait pas. Il pensait à l'océan, très loin. « Ajay… »

Il appela Ajay d'un ton impatient, oubliant qu'il n'était plus qu'un nom et rien d'autre. Il émergeait d'un néant de défonce. Valium, 30 milligrammes. Xanax, 5 milligrammes.

Le bonheur d'un vide. Il se dégagea des draps humides, mais plus loin le lit était froid aussi. S'assit et attrapa ses cigarettes. Son briquet. Objets de la nuit.

Il avait toujours la coke de Gautam dans la poche de son pantalon.

Sa veste de costume était tombée du dossier de la chaise.

Tout en écoutant sa cigarette se consumer, il déambula en caleçon dans la villa avec, sur les épaules, une grosse couverture bleue dont il se couvrait le ventre d'une main.

Supposons que ce soit un cauchemar ?

Il avait le nez plein de croutes de coke allongées de sang.

Il ouvrit le robinet de la cuisine, cracha dans l'évier un sang séché et poisseux à la fois.

Moucha une narine après l'autre.

Du congélateur, une bouteille de Grey Goose.

Il avala le spiritueux visqueux.

Quinte de toux. Plié en deux. Haut-le-cœur.

Reprit de la vodka, attendit que les contours nets de son âme commencent à s'estomper et à s'effilocher. Il fallait qu'il fasse quelque chose.

Il n'arrêtait pas de revoir la scène.

Le virage.

Le fleuve.

Les cartes entre ses mains.

L'atout de sa vie.

2.

Et son errance dans la nuit de Delhi au volant du SUV avec les deux corps inconscients à l'arrière, avec Gautam et Neda à l'arrière, après avoir laissé les morts. Ajay, et les morts. Pas trop vite, pas trop lentement.

Dans l'attente des sirènes de police.

Du barrage routier.

Mais personne ne se manifeste. Personne ne lui fait signe de s'arrêter.

Sa voiture n'est pas endommagée.

Il n'a pas eu d'accident ; il n'a tué personne.

Il n'a rien fait de mal.

Sa voiture est nickel.

Pas différente du camion qui venait de passer.

De l'*auto-rickshaw* qui venait de passer.

Pas coupable.

Il traverse la ville.

Rien n'a changé.

Nous sommes toujours tous des naines blanches en devenir.

Il franchit un barrage routier.

Les flics regardent sa voiture d'un air endormi.

La voiture d'un autre richard.

C'est tout juste s'il ne les salue pas.

Maintenant, au ralenti dans les rues moins fréquentées, il s'engage dans une contre-allée bordée de chênes, s'arrête, éteint les lumières, agrippe le volant.

Et ?

Il bataille avec la portière. Descend, se plie en deux et vomit. Quelques tireurs de pousse-pousse dorment. Des chiens aboient. C'est tout.

Il trouve de l'eau dans le vide-poche de la portière, se rince la bouche, crache, remonte en voiture.

Les regarde tous les deux, Neda et Gautam.

Gautam est le plus proche de lui, gueule amochée, nez sanguinolent, le visage méprisant et malgré tout serein.

Neda, maquillage coulé, tête renversée, ronflant presque, vilaine à voir, bouche béante sur les dents découvertes. On croirait deux gamins épuisés par une longue journée d'excursion.

Il entend des sirènes. Mais la ville continue son train-train.

Et qu'est-ce qu'il a fait ?

Il jette un coup d'œil sur le siège passager et voit l'arme d'Ajay.

Qu'est-ce qu'il a fait ?

Il tend le bras, saisit le pistolet, le soupèse, ouvre la porte arrière du côté de Gautam, presse gentiment l'arme contre la joue charnue de Gautam. Que ce serait facile d'appuyer sur la détente.

Non.

Sa main se met à trembler. Le poids l'effraie, il ne se rappelle plus s'il y a une balle dans la chambre. Son cerveau s'embrouille, se bloque. Il fait un énorme effort de concentration et retire le chargeur, le range dans sa poche, ramène la culasse en arrière et éjecte la balle de la chambre. Elle tombe sur la route, roule dans l'obscurité.

Merde.

Faudrait-il qu'il se mette à quatre pattes ?

Non.

Ce n'est pas une question de temps. C'est une question de dignité.

Il fouille les poches de Gautam et en extrait deux pochons.

Il se rassied à la place du conducteur, range l'arme et son chargeur dans la boîte à gants. Et dans la lueur jaunâtre du lampadaire, il se sert de sa clé de voiture pour se prendre une bonne dose de coke.

Sunny compose le numéro.

Et Tinu se réveille. Grognements.

« Qu'est-ce qu'il y a ? »

Sunny tremble.

« Il y a eu un accident. »

Tinu marque un temps de réflexion, allume sa lampe de chevet.

« Raconte.

— Il y a des morts. »

Allume une cigarette.

« Qui est mort ?

— Des gens. Sur la route.

— C'est toi qui les as tués ?

— Non. Pas moi. C'est Gautam. Il les a percutés avec sa voiture.

— Tu es avec la police ?

— Non.

— Où es-tu ?

— Sur la route, ailleurs.

— Loin ?

— Loin. Je suis en sécurité.

— Tu es sûr ?

— J'en suis sûr.

— Combien de morts ?

— Je ne sais pas.

— Tu es sûr qu'ils sont morts ?

— Oui.

— Où est Gautam ?

— Avec moi.

— Dans ta voiture ? Ou dans la sienne ?

— Dans la mienne.

— Où est la sienne ?

— Sur la route. C'est une épave. »

Tinu éteint sa cigarette.

« Bon, je récapitule. Il a planté sa voiture, tu l'as tiré de là et tu l'as embarqué dans la tienne. C'est bien ça ?

— Oui.

— Et personne ne t'a vu ? Pas de foule, pas d'incident ?

— Rien.

— Où est-ce que ça s'est passé ? Précisément ?

— Sur le *Inner Ring Road*, près de Nigambodh Ghat.

— Laquelle de ses voitures ?

— Sa Mercedes.

— Et toi, tu es ?

— Dans la Toyota. La Highlander.

— Et qui d'autre est avec toi ?

— Gautam, moi, et une fille, euh…

— Neda ? »

Pause apeurée.

« Oui.

— Et où est Ajay ? »

Sunny serre les dents.

« Dans la voiture.

— Dans la voiture avec toi ? Laisse-moi lui parler. »

Silence.

« Passe-le-moi…

— Je ne peux pas.

— Sunny…

— Il est dans la voiture sur la route. »

Tinu commence à comprendre.

« Tu l'as laissé là-bas ?

— Bien obligé. »

Yeux fermés.

« Il est vivant ?

— Je lui ai fait boire du whisky.

— Sunny, il est vivant ?

— Oui. »

Tinu se ressaisit.

« Bon. Il nous reste peut-être encore du temps. Écoute-moi bien. »

Sunny se met à sangloter.

« C'est pour lui que je l'ai fait, Tinu !

— Ne craque pas.

— Dis-le à papa. C'est pour lui que je l'ai fait.

— Écoute-moi bien. »

Les choses se déroulèrent comme s'il s'agissait de quelqu'un d'autre. Tinu lui donna une adresse sur Amrita Shergill Marg. « Un certain Chandra t'accueillera sur place. Tu feras tout ce qu'il te dira de faire. »

Le fameux Chandra attendait sur la pelouse d'une propriété fermée par de hauts murs d'enceinte derrière lesquels se profilait un bungalow à trois étages. Installé dans un transat, il fumait une cigarette au clair de lune. Il portait un manteau en poil de chameau par-dessus un pyjama bleu pastel. Sous la frange molle, son visage caoutchouteux semblait refléter une lassitude amusée. Sept ou huit hommes en tenue noire de Pathans et les mains protégées par des gants chirurgicaux patientaient dans l'allée. Quand le SUV s'arrêta et que le portail se referma, ils ouvrirent les portières du véhicule et se mirent au travail.

Ils commencèrent par sortir Neda et Gautam, qu'ils délestèrent de leurs téléphones, portefeuilles et autres effets personnels, lesquels furent déposés sur la table basse en bois à côté de Chandra. Gautam fut transféré vers une deuxième allée à l'autre bout de la pelouse où il y avait deux véhicules : d'abord, une Ambassador du gouvernement, blanche, et, derrière, une BMW. Gautam fut installé à l'arrière de l'Ambassador où prirent place également un chauffeur de la police et un commando des Black Cats ; puis un flic en uniforme grimpa à côté de Gautam, le redressa et abaissa les voilages derrière tandis que le chauffeur enclenchait la première. Puis le portail s'ouvrit, l'Ambassador s'éloigna, et Gautam disparut.

Pendant ce temps, deux hommes transportaient Neda toujours inconsciente de l'autre côté du bungalow.

Sunny agrippa le volant du SUV et la regarda partir.

Chandra se leva de son transat, boutonna son manteau, vint se poster à côté de la vitre de Sunny. La tapota.

« Mon cher garçon, vous seriez bien avisé de descendre à présent. »

Sunny obtempéra.

« Je ne lui ai pas fait de mal », bredouilla-t-il.

Chandra acquiesça d'un air absent.

« Ce n'est pas à moi de me prononcer.

— Qu'est-ce qui va se passer ?

— Elle sera traitée avec tous les égards possibles.

— Et moi, qu'est-ce que je deviens ?

— Êtes-vous en possession d'une arme ?

— Dans la boîte à gants.

— De drogues ? »

Sunny tâta les pochons de coke dans sa poche.

« Je les ai jetées.

— Où ça ?

— Sur la route.

— Où ça sur la route ?

— Nulle part. Dans des buissons. »

Chandra l'examina froidement.

Il montra la BMW du doigt.

« Montez dans cette voiture et partez. »

La BMW roulait avec une lenteur de corbillard. La ville défilait derrière les vitres fumées, les prémices de l'aube éclairaient le ciel.

Sunny se mit à fouiller l'arrière du véhicule.

Le chauffeur consulta le rétroviseur.

« On cherche quelque chose ? »

C'était Eli, l'Israélien, le Juif de Cochin. Un des agents affectés à la sécurité de son père. Celui qui avait formé Ajay.

« Il faut que je boive un truc. »

Eli haussa un sourcil.

« Toi et moi, pareils, mec.

— Tu as quelque chose ?

— Je risque ma place. »

Une minute plus tard, il tira néanmoins de sa poche une flasque qu'il remit à Sunny.

« Pas finir, OK ? »

Sunny dévissa le bouchon, huma, eut un mouvement de recul.

« C'est quoi ?

— De l'arak d'Israël, mon pote. »

Sunny en prit une rasade et tressaillit.

« Pas bon ?

— C'est dégueulasse.

— Rends-moi, alors. »

Eli tendit la main.

Mais Sunny vida quand même la flasque.

Ils entrèrent dans la *farmhouse* par l'accès de service qui traversait la zone boisée. Il était près de cinq heures du matin ; la BMW roula au pas sur le chemin sombre où ses phares éclairaient papillons de nuit et nids-de-poule, tandis que le ciel bleu foncé se devinait à peine entre les arbres. L'arak brûlait Sunny. Mais ça restait abstrait. Le téléphone d'Eli se mit à sonner. Eli décrocha, écouta, puis tendit l'appareil à Sunny.

« C'est pour toi. »

C'était Tinu.

« Tu as passé la nuit à la *farmhouse,* dans la villa. Mets-toi bien ça dans la tête. Il y a du valium dans ta table de chevet, la dose nécessaire. Va te coucher, avale les pilules, ferme les yeux.

— Tu l'as dit à papa ?

— Oui.

— Tu lui as dit que c'était pour lui que je l'avais fait ?

— Va te coucher.

— Qu'est-ce qu'il a dit ?

— Repasse le téléphone à Eli.

— Qu'est-ce qu'il a dit ?

— Il ne va pas tarder à venir te voir. »

3.

Sommeil.

Le soleil de midi glisse vers le couchant.

Les rayons baignent toujours le lit.

Les draps humides sèchent.

Dans la cuisine. La vodka glacée descend dans sa gorge jusqu'à ce qu'il n'en puisse plus.

Il ouvre la porte coulissante et, toujours en caleçon, s'avance pieds nus vers la piscine, savoure le soleil sur sa peau et pense des choses du genre : une aube nouvelle. Boit à la bouteille et fait trois fois le tour de la piscine, lentement. Retourne à sa chambre, embarque la coke et son portefeuille dans la salle de bains. Ferme la porte à clé et décroche le grand miroir du mur, le pose par terre, le nettoie avec du papier hygiénique humide, l'essuie soigneusement avec d'autres bouts de papier, vide la moitié du gramme dessus. À cheval au-dessus du miroir, il prépare des rails, fixe son visage, grommelle, souffle ; il pue la vodka. Tombe à genoux. Une longue barre. Une longue rasade de vodka. Une longue barre. Une rasade de vodka. Une barre.

Et le choc de la piscine. Le bruit sourd de son cœur. Que cherchait-il ? L'eau froide, le soleil vif, son cerveau en ébullition, son corps hors du temps, sa souffrance anesthésiée par la vodka, son courage stimulé par la coke. Il resta sous l'eau aussi longtemps qu'il le put, le cœur battant à tout rompre, les yeux levés vers le soleil…

… les yeux baissés vers l'épave de la Mercedes, Gautam inconscient à l'intérieur, Neda en pleurs devant les morts, le suppliant de faire quelque chose. Qu'aurait-il pu faire ? Qu'aurait-il été censé faire ? Quoi de plus ? Qu'aurait-on pu attendre de lui ? Qu'il prenne les choses en main, appelle une ambulance, appelle la police, qu'il essaie d'aider les morts et les mourants en attendant l'arrivée des autorités ?

Vraiment ?

Risible.

Absurde.

En Suède peut-être.

Mais on est en Inde.

S'il était resté, la populace leur serait tombée dessus.

On est en Inde.

Yeh India hain.

Voici une autre option : ils sont témoins de l'accident et... poursuivent leur route.

Poursuivent leur route comme s'il ne s'était jamais rien passé. Pas de contact. Pas d'implication.

Gautam abandonné à son sort.

Tu parles d'un truc, ça !

Continuer à rouler toute la nuit. Direction Chandigarh. Et après ? Les montagnes, s'arrêter pour prendre un petit déjeuner chez Giani Da Dhaba, pousser jusqu'à Jalori, Baga Sarahan. Ils égorgent une chèvre. Passent une semaine, un mois sur place.

Et après ?

Ils restent là-haut éternellement ? Filent plus loin. Neda et lui. Ils entament une vie nouvelle, libre de tout ? Un autre pays, une autre ville, une vie humble.

Un boulot régulier.

Imagine un peu.

Neda rentre à la maison et s'aperçoit qu'il a quitté son job, qu'il a passé la journée à boire. Elle en a ras le bol. Elle hurle après lui. Il la gifle. Elle lui crache dessus, lui balance une assiette à la tête. De son poing gauche, il attrape sa main levée, lui bourre les côtes.

Tu vois un peu le résultat des courses.

Non, il n'y a pas d'échappatoire.

Il n'y en a pas.

Il remonte brutalement à la surface du bassin. Et son père est là, juste au-dessus de lui, côté villa, à contrejour, il porte un costume bleu marine, des lunettes noires, silhouette nette et solide dans la brume d'hiver. Il l'observait. Depuis combien de temps ? Que sait-il exactement ?

À présent ni l'un ni l'autre ne bougent, ne parlent.

Jusqu'à ce que Bunty lève la main, esquisse un tout petit geste invitant Sunny à s'approcher.

Il n'en faut pas plus.

Sunny s'élance vers lui.

La tension est palpable.

L'eau froide, le pâle soleil sur son dos, la lumière chatoyante sur la surface du bassin, réfléchie par les vitres de la villa. Et son père, au centre sombre et brillant de tout.

Sunny arrive au bord de la piscine, lève la tête.

« Papa… »

Et là…

Oui, Bunty lui tend la main.

Paume ouverte, il attend.

Que Sunny la prenne.

Pour être hissé dans une vie nouvelle.

Il sent croître en lui une certitude dure et froide, qui, il l'espère, ne le quittera jamais. Son père l'empoigne par le cou, le guide vers l'intérieur de la villa.

Dans la salle de bains, ce dernier baisse les yeux vers le miroir par terre, les restes de rails, le pochon encore à moitié plein.

« Ce poison, grommelle-t-il. Tu n'en as plus besoin. »

Sunny ne répond rien, se contente de fixer la coke.

L'ordre tombe :

« Balance ça dans les toilettes. »

Même là, Sunny envisage encore d'en sauver une partie.

Une dernière ligne.

« Raccroche le miroir. »

Il obéit.

Il refuse de se regarder tant qu'il n'a pas terminé.

Lorsqu'il le fait, il voit.

Il n'y a rien.

Dès que son père a quitté la pièce, il prend une douche brûlante.

Se peigne.

Enfile une chemise d'un blanc immaculé et un pantalon en laine.

Lorsqu'il entre au salon, son père, assis dans un des fauteuils, fume une cigarette, jambes croisées, la tête tournée vers le plafond comme s'il réfléchissait calmement. Sa grande masse imposante paraît tout à fait à l'aise.

« Assieds-toi. »

Sunny s'installe sur le repose-pied bien trop bas, il se rabaisse.
« Papa, je… »
Bunty lève la main.
« Pas la peine. Il n'y a rien à dire. »
Silence. Dans l'ombre chaude.
Bunty poursuit.
« Ce qui est fait est fait. »
Sunny sent sa gorge se serrer, se boucher, le brûler.
« C'est pour toi que je l'ai fait », dit-il.
C'est tout juste s'il ne se décompose pas. Il veut avant tout
que ses paroles soient prises au sérieux.
« C'était malin de penser au Polaroid, remarque Bunty en fai-
sant tomber la cendre de sa cigarette. Tu as dormi ? »
Sunny se ressaisit, hoche docilement la tête.
Bunty hoche la tête à son tour.
« Ça a été une mauvaise nuit. Mais ç'aurait pu être bien pire.
Et je sais à présent quelque chose de très important. »
Dans l'attente de ce qui va suivre, Sunny jette des coups d'œil
inquiets vers le sol. Peu pressé, Bunty se borne à fixer le visage
anxieux de son fils.
« Quoi, papa ? » murmure Sunny.
Bunty se penche en avant.
« Que tu sais ce que c'est que d'être dur. »
Sunny sent les larmes lui monter aux yeux, mais il ne craque
pas.
Satisfait, Bunty se rejette au fond de son fauteuil.
« Pourquoi ne te prépares-tu pas un verre ? »
Mais Sunny refuse d'un mouvement de tête.
« Pas pour l'instant. »
Son père observe son air brisé, ses yeux baissés.
Les effets de la coke commencent à s'émousser.
Le vide béant est en train de l'avaler.
« Où est-ce qu'il est ? demande Sunny.
— Qui ?
— Gautam ?
— Il est loin maintenant.
— Qu'est-ce qui va lui arriver ?
— Il va se rendre utile. »
Sunny n'ose demander. Mais c'est plus fort que lui.

« Qu'est-ce qu'il a dit ? »

Bunty feint l'ignorance.

« À quel sujet ? »

À quel sujet ? Au sujet de l'imbécile que j'ai été. À m'exposer devant lui, à me laisser manipuler pour le fun.

« Au sujet de la nuit dernière. »

Bunty sourit.

« Quelle importance ? Tu crois que je ne sais pas tout ? Tes plans avec lui. Tes plans avec la fille. Tu penses que je n'étais pas au courant ? »

Donc, c'est comme ça. Son père savait tout. Il avait suivi les choses tranquillement en attendant que son fils se fracasse. En attendant, en attendant que…

« Mais tu as fait table rase de tout ça. »

Bunty se lève. S'approche de Sunny, lequel lève les yeux vers Bunty qui poursuit :

« Je me tracassais pour toi. Je me tracassais à l'idée que tu n'aies pas la combattivité nécessaire pour être mon fils. Mais tu as balancé tout ce à quoi tu tenais sans l'ombre d'une hésitation. »

Il tend le bras vers le visage de Sunny, saisit sa joue au creux de sa grande main.

« Tu t'es bien débrouillé, mon fils. »

Les larmes se massent dans les yeux de Sunny, puis roulent.

Là-dessus, tout aussi soudainement, Bunty s'en va, traverse la pièce.

« Tu ne m'as rien demandé sur la fille, lui crie-t-il d'un ton guilleret. Mais elle non plus n'a rien demandé sur toi. »

Il s'arrête au niveau des portes coulissantes.

« Tu vas passer les quatre nuits qui viennent ici, à la *farmhouse*. Pour tout le monde, tu es à Singapour.

— Oui, papa.

— Eli gardera un œil sur toi.

— Oui, papa.

— Quand tu reviendras à la maison, on se mettra au boulot. »

4.

Le cinquième jour, Eli le raccompagna et Sunny réintégra la résidence. Et son penthouse, toujours quasiment vide depuis que tout y avait été démoli. En entrant, il se réjouit que tous ses souvenirs aient disparu. Il était avec son père à présent. Il mangeait avec son père, s'asseyait avec son père, participait aux coups de fil de son père le soir dans la grande salle à manger lambrissée d'acajou, seuls tous les deux.

Il se bricola une histoire. Il avait joué différents rôles toute sa vie, et il avait testé des tas de personnages, à la façon dont tous les jeunes se testaient. Pour voir qui ils pouvaient être. Pour voir quel rôle leur convenait. Durant un certain temps, ça l'avait amusé de planter un décor, de se projeter d'une certaine façon, en philanthrope avant-gardiste, en mécène, en mec bien doté de valeurs morales. Il avait fait l'objet d'un culte de la personnalité florissant, ce qu'il avait beaucoup apprécié. Il avait apprécié l'attention, l'importance qu'une petite bande lui avait accordée, et qu'il désirait ardemment pour pallier ce dont il avait réellement besoin. Ces gens-là, il les avait couverts de largesses.

Et plus il avait déployé son incroyable générosité, plus le désir de corrompre avait grandi en lui. Il avait remarqué ça à maintes reprises chez lui. Il offrait à ses amis vin, whisky, champagne, repas cinq étoiles. Il leur faisait savoir qu'ils n'avaient rien à payer, qu'il réglait tout, inutile qu'ils s'inquiètent pour l'argent, ce détail insignifiant et ridicule, parce qu'il continuerait à ruisseler de son corps, de son portefeuille, de sa carte bancaire, de son père. Il observait leur plaisir, surtout chez ceux qui n'étaient pas habitués à la richesse et devaient compter leurs roupies. Il leur imposait très volontiers luxe et plaisir. Il était inévitable que leur seuil de tolérance augmente, forcément. Qu'ils cessent peu à peu de manifester leur plaisir, leur culpabilité et leur joie devant ce qui venait de lui. Qu'ils s'habituent peu à peu à tout attendre. Et, là, il arrêtait les frais.

Quand ces fameux vieux amis revinrent vers lui, dans les semaines et les mois qui suivirent, pendant que Gautam se refaisait une santé dans les Alpes, que Neda se volatilisait dans Londres, qu'Ajay n'était plus qu'un nom ramassant la poussière, que l'accident tombait dans l'oubli, qu'on n'en parlait jamais, qu'on ne soulevait jamais le sujet, qu'on n'en savait même rien, que toutes les tensions de l'année précédente s'évacuaient, il observa avec un plaisir feutré ces parasites qui dévoraient sans hésiter tout ce qu'ils pouvaient, et ceux, qu'il avait rejetés de manière tellement cruelle et arbitraire, qui réapparaissaient, comme s'il ne s'était rien passé, faisaient la fête sans se poser de questions, consommaient sans se poser de questions et le pressuraient au maximum. Mais il succombait à son désir de les voir souffrir, de les voir céder à leurs vices. Il les étudiait, ses faux amis, les méprisait tous et se réjouissait secrètement de les corrompre. Il ne cessait de donner, sachant qu'il pourrait tout leur retirer le jour où ils auraient le plus besoin de lui.

Dans un monde global porté à la consommation en solitaire, ses désirs trouvaient leur expression dans l'anonymat des autoroutes et des suites de palaces, leur épanouissement dans leur confort calibré et leur libération dans leurs trajectoires fluides. Il lui suffisait de sortir sa carte, de donner un ordre à son chauffeur, de se carrer sur son siège et de fermer les yeux, de laisser la lueur bleue de l'avenir déferler sur lui. La voiture se chargerait du reste, la carte se chargerait du reste, le chauffeur se chargerait du reste. Il méprisait le contact des autres, la poussière, le bruit, l'échec, le chagrin. Il rêvait de se réveiller dans une ville du futur, dépeuplée, saturée de passerelles aériennes, de chemins vers nulle part que personne n'emprunterait.

Puis son père le fit venir et lui annonça qu'il allait recevoir sa récompense. À présent, il allait bâtir. Mais pas à Delhi. Pour lui, Delhi, c'était mort. Il allait bâtir de l'autre côté de la frontière, en Uttar Pradesh. Là, il y avait des terres, des terres qui leur étaient données, des terres que Ram Singh avait acquises, que Dinesh Singh superviserait, c'était le deal. C'était une toile blanche, un néant, sur laquelle il pourrait enfin construire ses rêves.

Ajay IV

Tihar Jail

1.

Pour lui, c'était une leçon, la photo de sa sœur. Tu n'es jamais tranquille. Tu n'es jamais heureux. C'est une erreur de croire que tu as un pouvoir, que tu maîtrises la situation. Ne refais plus jamais cette erreur-là. Il ne lâche pas la photo de sa sœur au bordel, il ne la lâche pas de la journée, de la nuit, c'est une arme à double tranchant, une médaille à deux faces qui équivaut au prix d'une vie. Obéissance et esclavage. Il ne se résout pas à regarder son visage. Il ne supporte pas les mots au recto. Mais il garde la photo. Toute la journée, il se torture. Il se borne à la garder avec lui, évite de poser les yeux dessus. C'est une torture, une pénitence. Sa sœur. Il veut la revoir. Il ne la jugerait pas. Il la sauverait. La nuit, avant de dormir, il s'autorise à poser les yeux sur elle.

Est-il possible de reculer ? De disparaître ? D'être éliminé. Peut-on y parvenir sans rien faire ? Ou bien doit-on choisir ? Doit-on prendre une mesure radicale ? La voici, cette pensée qui toute sa vie l'a poursuivi. Lui, Ajay, peut mourir. Il peut juste mourir. Ce serait rapide. Ça ne prendrait qu'un moment, et c'en serait fini de la souffrance.

Cette idée, amenée en pleine lumière, devient son amie. Il la bichonne. Où ? Quand ? Un tesson de bouteille contre ses poignets. Un drap autour de son cou sous la douche. Ou une overdose de Mandrax. Mais il faut qu'il s'y prenne bien. Il ne faut pas qu'il cafouille, qu'il perde son sang-froid, qu'on le découvre et qu'on le sauve. Si ça doit se faire, il faut qu'il aille jusqu'au bout. La mort lui serait un soulagement. Et ce ne serait peut-être que justice pour tout ce qu'il a fait. Pour les hommes qu'il a tués, et pour ceux qu'il a vus morts sur la route, qu'il a trahis, même s'il ne les a pas tués... Curieux cependant... à présent que ces pensées suivent librement leur cours dans son esprit, d'autres lui viennent aussi. Options qu'il n'aurait jamais cru avoir. Dire non à Sunny – c'est la première pensée qui lui vient. Sunny lui demande de monter dans la voiture, de boire le whisky. Et, lui, Ajay, il dit non. Cette simple pensée est exaltante. Il dit non. Il dit : non. C'est comme l'aveugle qui rêve qu'il voit clair. Le sourd qui rêve qu'il entend. Le muet qui rêve qu'il parle. Tout devient sonore, se pare de couleurs. Non.

Et vous, pourquoi vous ne montez pas dans la voiture ?

Il se repasse le film de sa vie à l'envers.
Chaque fois il dit non.
Non, il ne poursuivra pas Gautam.
Non, il ne tirera pas en l'air.
Non, il ne décidera pas de tuer les frères Singh.
Non, il n'essaiera pas de retrouver sa famille.
Non, il n'ira pas travailler à Delhi pour Sunny Wadia.
Non, il ne montera pas dans ce Tempo.
Non, il ne laissera pas la chèvre se sauver.

Il retourne là-bas, il a huit ans, il retourne auprès de Hema. Il est censé attacher la chèvre. Il est censé attacher la corde. Il n'attache pas la corde. La chèvre se sauve. Il la regarde se sauver. C'est ce dont il se rend compte. Il la regarde se sauver et elle mange les épinards dans le champ du voisin. Hema, elle est où ? Hema voit ce qui se passe et accourt. Elle ne le gronde pas. Elle fonce droit sur la chèvre. La tire en arrière, alors que la bête refuse d'obéir. Lui regarde. Il essaie de revoir Hema dans sa tête. Mais à présent il ne voit que la femme de la photo.

Et il revient ici, oui, avec le même problème insoluble. Combien de temps peut-il attendre ? Combien de temps avant qu'il ne reçoive la prochaine photo ? Sa sœur, allongée sur le même lit du bordel, les yeux ouverts à jamais, le sang de ses blessures fatales en flaques sur les draps. On en revient toujours à ça. Il faut que sa sœur vive. Elle est l'ultime part de lui qui existe, l'ultime part qui soit authentique. Tout le reste, on le lui a pris. Son père mort, sa mère une autre, sa petite sœur une inconnue. Mais Hema, elle fait partie de lui. Ce n'est pas possible qu'elle meure. Ce n'est pas possible qu'il meure. Il faut qu'il tue Karan et qu'il la sauve.

2.

C'est apparemment son destin et il ne peut y échapper.
Le prix de Prem est fixé.
Karan paiera cinquante mille roupies.
La remise doit se faire le lendemain.
C'est pour lui l'occasion idéale.
Le hic, c'est que Sikandar veut s'en charger lui-même.

Ajay approche Sikandar, demande à lui parler.
Prem les observe avec attention.
Sikandar dit « Parle ».
Ajay lui chuchote quelque chose à l'oreille.
Longuement. Sérieusement.
Il parle un bon moment.
Puis Sikandar éclate de rire.
Flanque une bourrade dans le dos à Ajay.
« C'est lui qui t'emmène ! » annonce Sikandar.

Dans la nuit, Sikandar ronfle, mais Prem est réveillé.
« Tu lui as dit quoi ?
— Rien.
— Pourquoi tu m'emmènes ?
— J'essaie de te protéger, répond Ajay.
— J'ai pas besoin de toi. Karan va s'occuper de moi. »
Le ventilateur vibre.
« Il m'aime. »
Le temps passe, lourd de paroles tues.
La voix de Prem, minuscule vaisseau de chagrin sur une immensité de souffrance.
« C'est qui, la fille ? »
Ajay sent sa gorge se nouer.
« La fille sur la photo.

— *Ma sœur.*

— *Ta sœur ? répond Prem, surpris. Je croyais… »*

Sa phrase se perd dans un murmure.

Il n'y a rien d'autre à ajouter.

Vient le matin. Les mots sont épuisés.

Sikandar attend près de la porte de la cellule.

Il adresse un signe de tête à Prem, lui tend la main.

Comme s'ils s'étaient rencontrés une fois ou deux et qu'ils avaient fait des affaires ensemble.

« Pas de bêtises », dit-il.

Puis il colle une tape sur l'épaule d'Ajay, le pousse dehors en riant.

« Assure-toi d'abord que t'as bien l'argent ! »

Ils descendent le couloir.

Ajay, une lame de rasoir sous la langue.

Et Prem, visage de l'espoir, visage de l'amour.

« Merci », dit Prem.

La remise s'effectue dans une des salles de la zone de douches, à l'abri des regards.

Karan est venu avec un mec.

Ajay fait non de la tête.

« Rien que nous. »

Le goon s'assure qu'Ajay n'a pas d'armes sur lui.

Rien.

Donc, Prem, Ajay et Karan entrent ensemble dans une des salles de douche.

L'argent est rangé dans un sac en jute.

Ajay commence par le compter.

Pousse Prem vers Karan quand c'est terminé.

Il ne le regarde pas.

Il épie le visage de Karan quand ce dernier prend Prem par la main.

Glisse les bras autour de sa taille.

« Maintenant, laisse-nous seuls », dit Karan.

Et c'est quoi, ce que ressent Ajay ?

De la jalousie.

Une solitude bien à lui.
Ses nerfs craquent.
Il devrait agir.
À ce moment précis, il en est incapable.

En sortant, Ajay et le mec de Karan se reluquent, hochent la tête. C'est réglé. Mais, en passant, Ajay lâche le sac de jute, bondit en arrière, noue le bras autour du cou du gars en question et lui fait une prise du sommeil. Le gars a beau se démener, Ajay le terrasse, puis le traîne jusqu'à une cabine, le met K.O.

Là, il se déshabille rapidement, ne garde que son sous-vêtement.

Retire ses sandales.

Retourne à pas de loup à la salle de douches.

Karan, seulement vêtu d'un haut, tourne le dos à la porte. En face de lui, Prem, assis sur le comptoir, a les jambes écartées et nouées autour de sa taille. Karan s'est planté en lui. Ajay tient la lame de rasoir à la main.

Il approche pieds nus, tente de calmer son cœur déchaîné.

Dans sa joie, Prem ferme les paupières et aspire Karan.

Prem ouvre les yeux.

Voit Ajay.

La lame de rasoir à la main.

Ajay porte le doigt à ses lèvres.

Comment imagine-t-il une seconde que Prem ne va pas hurler ?

Le corps de Karan se fige.

Puis Karan comprend l'expression qu'il lit dans les yeux de Prem.

Il n'a pas le temps de réagir qu'Ajay bondit.

Attrape les cheveux de Karan, les tire en arrière et cisaille sauvagement la gorge de Karan avec sa lame de rasoir. Le sang gicle, mais les artères sont trop profondes. Karan se défend, tente de se protéger tandis que Prem, dessous, bataille, hurle et pleure. Ajay tient la tête de Karan au creux de son bras, la presse, taillade de plus en plus profond, tandis que le sang gicle et se répand, que Karan s'effondre dans des gargouillis, qu'Ajay tombe avec lui.

« Qu'est-ce que tu as fait ? »

Prem hurle et, sous Ajay, Karan convulse, le rasoir dans la gorge, et la vie le quitte.

« Qu'est-ce que tu m'as fait ? »

Prem s'effondre par terre, enlace Karan, embrasse son visage, essaie d'arrêter le sang avec ses paumes.

Mais Karan est mort.

« Pourquoi ? »

Ajay ne dit plus rien.

Prem tremble, le visage déformé.

Ajay ouvre la bouche pour parler.

Mais Prem ne lui en donne pas la possibilité.

Il fait la seule chose qui lui vienne à l'esprit.

La seule chose qui lui reste.

Il enlève la lame de rasoir de la gorge de Karan et l'enfonce dans son poignet gauche. S'ouvre les veines. Refait la même chose avec le droit.

S'allonge à côté de Karan.

Regarde Ajay dans les yeux.

Ajay baisse la tête, tourne le dos.

S'en va.

QUATRE

LUCKNOW, 2006

Dinesh et Sunny

« Alors ? dit-il

— Alors quoi ? réplique Sunny.

— Alors, tu as eu ce que tu voulais… »

Installés dans une salle privée du restaurant de l'hôtel cinq étoiles, où le climatiseur étouffe leurs échanges, Sunny et Dinesh Singh regardent l'élite de Lucknow s'éclater derrière le vitrage sans tain.

« … mais est-ce que tu es content ? »

Sunny grimace, comme s'il avait avalé quelque chose de mauvais.

« Pardon ?

— C'est une question relativement simple, insiste Dinesh. Est-ce que tu es content ?

— Là, maintenant ? fait Sunny en prenant une gorgée de whisky. La conversation ne vole pas très haut. »

Dinesh sourit.

« Tu sais ce que je veux dire.

— Qui es-tu ? riposte Sunny après une longue pause. Mon psy ?

— T'en as un ? réplique Dinesh. T'en veux un ?

— Oh, merde.

— Dans un cas comme dans l'autre, la question se défend. »

Sunny regarde droit devant lui, écrase ses glaçons, fait un geste pour réclamer une autre boisson au serveur.

Dinesh refait le même geste pendant que Sunny s'allume une cigarette.

Il valide la commande de Sunny.

C'est un hôte attentif.

On est à Lucknow après tout. Sur son terrain.

Par ailleurs, il y a déjà eu des problèmes. Il est arrivé par le passé que Sunny, sous l'emprise de l'alcool et dans un accès de joie ou de colère, cause un scandale avant de s'écrouler.

À un moment donné, Dinesh sera peut-être obligé de donner un coup de fil : on arrête de servir Sunny Wadia.

Mais ça se fera en temps voulu.

Quant à la question : Sunny Wadia est-il content ?

Colle donc ça sous la rubrique Va savoir.

Si Sunny n'est pas dans une phase euphorique, c'est qu'il redescend. Il oscille d'un état à l'autre, évite l'horreur d'un équilibre qui ne ferait que dévoiler son visage dans le miroir.

Il a près de vingt-cinq ans et a déjà l'air vieux. Vieux et gros. C'est un cocktail de malheur, d'énergie noire et de costumes de prix qui le tient. C'est incroyable de voir à quel point il se laisse aller.

Sunny tourne la tête.

Il est encore capable de composer son visage pour faire illusion.

Suis-je vraiment obligé de subir tout ça ? D'encaisser tes remarques ?

Et la mimique de Dinesh lui répond :

« *Oui.* »

Leurs échanges relèvent un peu de la télépathie à présent.

Sunny se lève, et Dinesh l'oblige gentiment à se rasseoir.

« Calme-toi, lui lance-t-il. Je te vanne, c'est tout. »

Sunny était venu à Lucknow pour finaliser l'achat des terres. Aujourd'hui, l'affaire était conclue. Les terres de Greater Noida allaient leur revenir en totalité. Ils les avaient rachetées aux fermiers. Cette Megacity, comme elle devait s'appeler, allait prendre racine.

Leurs pères s'étaient occupés des détails. Tout ce que Sunny avait à faire, c'était de mettre la dernière touche. Dinesh devait l'assister, mais sa mission n'avait rien d'exceptionnel.

Pourtant, lui aussi, il avait des projets. Au cours des deux années passées, il avait évolué d'une myriade de façons. Il s'était mué en un jeune homme impressionnant. En un futur dirigeant ambitieux et efficace.

414

Avant, il ne faisait que jouer un rôle.

Dans bien des domaines, il avait singé Sunny Wadia. À la vérité, Dinesh avait été un garçon un peu gauche. Un peu « péquenaud ». Sunny avait toujours été plus stylé, plus mondain. Mais Sunny s'était mis à faire du surplace, alors que Dinesh avait bossé sur lui-même. Il avait énormément voyagé. Pour aller voir des musées, des galeries, assister à des séminaires, à des ventes aux enchères, à des défilés de mode, à des opéras. Il s'était lié d'amitié avec des auteurs et des penseurs, qu'il avait énormément cuisinés sur des sujets qu'il ne connaissait pas. Son anglais s'était tissé de nuances. Il avait appris à s'exprimer familièrement, et pimentait sa façon de parler d'éléments de jeu, d'ironie, de plaisir. Dans le temps, les gens riaient dans son dos, jugeaient qu'il en faisait beaucoup. Ils ne rient plus. Pour illustrer cette évolution, il a aussi peaufiné son style. Il continue à porter des *kurtas*, mais les met en valeur en recourant à des foulards élégants, à des broches serties de pierres précieuses, à des épingles de poche, à des pochettes. Il a aussi opté pour des lunettes de créateur inspirées, ça a été remarqué, approuvé et accepté aussi, par celles du Dr Ambedkar[1].

Oui, il soigne son apparence.

Il tient la route.

Ça se voit.

À côté de Sunny, ça saute vraiment aux yeux maintenant.

« Je ne lâcherai pas, déclare Dinesh. Je veux savoir ce qui se passe dans ta tête. »

C'est le lendemain matin.

Des nuages de mousson envahissent l'atmosphère.

Ils sont dans le 4 × 4 Pajero de Dinesh.

Sunny fume une cigarette, fixe la route devant eux, il se sent poisseux dans sa belle chemise blanche, il a les genoux relevés, les pieds sur le tableau de bord, une main sur le ventre. Il est en intenses négociations avec sa gueule de bois.

La veille, il était resté obstinément assis dans le box. L'entourage de Dinesh s'était joint à eux, avait discuté des

---

1. Le Dr Ambedkar était un juriste et un politicien, né intouchable, qui a participé à la rédaction de la Constitution indienne.

rumeurs, de politique, de justice sociale, de tactique électorale, de hip-hop et finalement « des salopes », et Sunny s'était comporté comme un serpent lové dans le malheur. Il s'était renfermé de plus en plus, tandis que le bar de l'hôtel, jouxtant leur salle privée et isolée, accueillait de plus en plus de monde.

Dans la section principale, un autre buveur s'était mis à jouer du piano, mal, en frappant les touches dans un style qu'on ne pouvait qualifier que de pure provocation. Free jazz, avait commenté Dinesh en plaisantant.

Mais, quand une jeune femme éméchée avait protesté avec une égale bravade, l'homme avait braqué un revolver sur elle, avant de le brandir devant la foule des clients. Personne n'avait eu le temps de dire ouf que Dinesh s'était levé pour désamorcer la situation.

Dinesh, le pacificateur.

Il avait désarmé le mauvais coucheur sous les yeux de tous, avait passé le bras autour de son épaule, l'avait emmené vers la sortie en écoutant ses jérémiades, et avait remis l'arme à un agent de sécurité, le tout devant la meute de journalistes de la ville, occupés à boire sec dans un coin de la salle.

Sunny avait sauté sur l'occasion pour prendre le large. Il s'était faufilé vers sa suite à l'étage sans un au revoir, avait ouvert la bouteille de whisky qu'il avait demandé à Eli de lui acheter. L'avait vidée aux deux tiers, voire plus, avant de tomber raide.

Ses propres hurlements l'avaient réveillé à quatre heures et demie du matin.

Un cauchemar. Quelqu'un l'avait entraîné dans un endroit où il ne voulait pas aller.

En fait, il s'était endormi à plat ventre et bataillait à présent pour détacher ses mains serrées au-dessus de la tête. Il s'était assis sur le bord de son lit en tentant de se rappeler qui il était, de se défaire de sa peur. Il s'était versé un grand verre de whisky, qu'il avait bu d'un trait, s'était allumé une cigarette, dont il n'avait fumé que la moitié, s'était resservi un whisky, qu'il avait avalé pareillement, et s'était recouché en se concentrant sur le ronron du climatiseur.

« Rien ne tourne rond chez moi, dit-il. Rien. »

La matinée s'éclaire sous le soleil qui filtre entre les nuages et dessèche la terre, provoque des démangeaisons cutanées chez Sunny, transforme les flaques d'eau sur la route en d'odieux miroirs.

Dinesh l'examine de la tête aux pieds d'un air dubitatif.

« Oui, t'as raison. T'as vraiment une gueule de déterré.

— C'est parce que tu m'as tiré du lit. »

Ils sont à une heure de route de Lucknow.

En rase campagne. Champs verdoyants, bicyclettes, buffles. L'air vivifiant de la mousson coule par les fenêtres et se répand sur ces terres fertiles et luxuriantes à la manière d'un courant frais dans l'océan.

Dinesh est habillé sport d'un chino APC marine, d'un polo Loro Piana en laine rouge et de mocassins en daim de la même marque.

Il est en train de dire quelque chose.

« Hein ? »

Dinesh secoue la tête.

« Est-ce que t'as encore une idée de qui tu es ? »

La réception avait appelé la chambre de Sunny à sept heures du matin.

Ils avaient laissé sonner jusqu'à ce qu'il se réveille.

Ici, la réception. Puis ils avaient passé le téléphone à Dinesh.

Il avait eu la riche idée de ne pas appeler Sunny sur son portable.

« Hé, écoute, mon vieux. J'ai besoin que tu descendes. Je veux te montrer un truc. »

« Elle va prendre combien de temps cette balade ? »

Sunny n'avait pas imaginé se retrouver en rase campagne. Seul dans une voiture avec Dinesh, sans gardes, sans agents de sécurité, sans chauffeur. En Uttar Pradesh ?

Son père n'aurait pas été d'accord.

Il y a, on s'est évertué à le lui faire comprendre, une indiscutable et constante menace de kidnapping.

Sunny jette sa cigarette. En allume aussitôt une autre ou presque.

« Oh, pourquoi ? s'exclame Dinesh. T'as prévu quelque chose ? »

Sunny s'enfonce encore davantage sur son siège, ferme totalement les yeux et se concentre sur la cigarette entre ses doigts, sur ses lèvres. Sur la très réelle et tangible cigarette et la fumée qui pénètre dans ses poumons et en sort. Est-ce qu'il dort ?

« J'aime m'échapper, ajoute Dinesh. Aller dans les villes et les villages. Prendre le pouls de l'homme du peuple. Tu devrais essayer de temps en temps. Si ça se trouve, tu apprendrais des trucs. »

Le moteur ne tourne plus. L'atmosphère est fantasque, grosse de la mousson.

Ils sont garés dans une rue d'un petit bourg hétéroclite. Klaxons oppressants, flots de piétons qui passent. Puanteur généralisée. Comment ont-ils… ?

« T'étais complètement inconscient, lui explique Dinesh. Mais tu avais l'air tellement angélique. Je me suis dit : laisse-le dormir et c'est tout. »

Sunny se redresse sur son siège. Toujours vulnérable. Momentanément sénile.

« Et ma cig… ? s'écrie-t-il en regardant ses doigts.

— Je te l'ai retirée de la main, mon vieux. Tu allais te brûler. Allez, viens. »

Dinesh descend, jovial, prêt à affronter le monde.

Ils s'installent à une table dans une simple *dhaba* donnant sur la rue principale gentiment animée, chaises en plastique rouge, nappe truffée de taches, serveurs revêches et efficaces. L'un d'eux se présente et Dinesh commande une assiette de *parathas*, deux *nimbu panis*.

Ils ressemblent à deux citadins aisés de passage dans le coin.

« C'est marrant, sans mon uniforme, personne ne me reconnaît. Je me suis rendu compte que c'est à ma *kurta* que les gens me reconnaissent. Si je me pointais vêtu d'une belle *kurta* blanche, peut-être qu'ils me situeraient. Si je me pointais avec mon père, encore plus ! Ils sauraient qui je suis. Tout le monde sait à quoi mon père ressemble. Mon père et sa célèbre moustache. Le deuxième homme le plus célèbre d'Uttar Pradesh. On pourrait dessiner cette moustache sur un visage de bande dessinée sans yeux, sans oreilles, sans nez, et je t'assure que les électeurs sauraient de qui il s'agit. Je lui disais souvent qu'il aurait dû l'imprimer sur ses bulletins de vote. Tu sais, un jour, j'étais petit, je l'ai vu sans sa moustache. Je ne me souviens plus pourquoi. Il est arrivé à la maison et il l'avait rasée. J'ai pleuré, pleuré, comme un dingue. Je ne le reconnaissais pas du tout ! »

Sunny garde le silence.

« Mais tu sais ce qui m'intéresse réellement ? »

Toujours pas de réaction.

Dinesh tapote la table.

« L'homme le plus célèbre. »

Sunny abaisse ses lunettes de soleil, le regarde avec méfiance.

« Je te parie tout ce que tu veux, poursuit Dinesh, que personne ici n'a la moindre idée de ce à quoi il ressemble. Et, pourtant – il presse si fort son doigt contre la table qu'il en devient tout blanc – et pourtant, si je me levais et criais son nom, que crois-tu qu'il se passerait ? J'essaie ? Tu veux voir ce qui se passe quand je prononce le nom de ton père tout fort ? »

Sunny le fixe de l'air de quelqu'un prêt à tuer.

Le serveur arrive avec les *parathas* et les boissons.

« Plus tôt tu me diras ce que tu veux… », lance Sunny.

Dinesh en revient à son sujet, plante les coudes sur la table. Il coupe gentiment un petit triangle de *paratha*, le met dans sa bouche. Il mange avec de tout petits mouvements de mastication bien contrôlés.

« Ce que je veux réellement, réellement, dit-il, c'est savoir ce qui t'arrive, bon sang. »

Sunny, dont l'agitation ne cesse de croître, se frotte la figure.

« Et, moi, j'arrête pas de te le dire.

— Alors, redis-le-moi.

— Il n'y a rien. Il ne m'arrive rien. »

Longue pause. Petite concession.

« Que penses-tu qu'il m'arrive ? »

Dinesh incline la tête une fois, avec fermeté.

« Je pense que tu es déprimé, mon vieux. Franchement.

— Va te faire foutre.

— Et tu sais, poursuit Dinesh, ça me touche vraiment, ce truc. Il ne s'agit pas seulement de nos relations d'affaires. En fait, ça m'affecte là – de la main, il se frappe le cœur –, juste là, ça me fait mal de te voir dans cet état. »

Il fait craquer ses jointures en douceur.

« Tu ne le sais peut-être pas, mais dans le temps je t'admirais. Je buvais tes paroles, mon vieux. Tu savais tellement de choses. Je parle du bon vieux temps à Delhi. Moi, coincé ici, je rêvais, j'apprenais le métier tandis que toi, t'étais à Delhi, comme un… comme, comme une boule de feu incandescente qui traverse le ciel.

— Je t'en prie.

— Non. Te parler, c'était voyager à travers le monde. Regarde-toi maintenant. Tu es… tu ressembles… franchement, je ne sais pas à quoi tu ressembles. Mais regarde-toi. Tu es dans un état épouvantable, Sunny. Oui, c'est vrai, ne me regarde pas comme ça, regarde ton bide plutôt. Fais quelque chose. Parce que, mon pote, tu es dans un état épouvantable. Il y a des gens qui deviennent gros parce qu'ils adorent la vie. Tu vois. Ils mangent, ils boivent et ils se marrent. Mais toi ? Non. »

Il agite le doigt, croise les jambes.

« Tu n'aimes plus rien. Tu es malheureux. Voilà ce qu'il y a. Tu es déprimé. Et ça ne peut pas continuer comme ça. Écoute, ajoute-t-il d'une voix qui se mue en un murmure au milieu du vacarme matinal, en affrontant le regard de Sunny qu'il devine derrière les verres de ses lunettes noires. Écoute, je sais ce qu'il y a. Je sais ce qui s'est passé. Cette fameuse nuit, cette fameuse embrouille avec Rathore. Ce n'est pas un grand secret. »

En face de lui, Sunny serre les dents.

« Ça te bouffe, ces trucs. »

Sunny fait non de la tête, regarde un vague point de l'autre côté de la rue.

« Tu ne sais rien du tout. »

Mais Dinesh est lancé.

« C'est cette fille, pas vrai ?

— Quelle fille ?

— Quelle fille ! »

Dinesh, feignant la surprise, éclate de rire, joint les mains.

« T'étais amoureux d'elle, non ? »

Sunny lâche un ricanement.

« Espèce de débile !

— Comment elle s'appelait ? »

Aucune réponse de la part de Sunny.

« Neda, déclare Dinesh. Elle s'appelait Neda. »

À l'affût d'une réaction, il observe Sunny.

« Ah, oui, cette salope, marmonne Sunny, comme s'il retrouvait le souvenir d'une connaissance depuis longtemps oubliée. C'était un mauvais coup. Rien de plus. Je l'ai larguée.

— Ah, bon. »

Dinesh époussette des miettes qui tombent par terre. Se saisit d'un autre morceau de *paratha*.

« Je suis content que tu aies éclairci ce point. Ça paraît beaucoup plus logique que l'histoire que j'ai entendue. »

Dinesh attend que Sunny morde à l'hameçon.

Ça prend un moment.

Mais il y vient.

« Qu'est-ce que t'as entendu ?

— Oh, non, laisse tomber, c'est rien.

— Va te faire foutre, qu'est-ce t'as entendu ?

— Tu veux vraiment savoir ?

— Bordel, crache le morceau ou ferme-la.

— Ton père l'aurait fait partir. C'est ce que j'ai entendu dire. Avec une proposition impossible à refuser, façon de parler, quand on connaît ton père. Très généreuse, financièrement parlant. »

Sunny est le néant incarné.

Dinesh pousse le plat vers lui.

« Pourquoi tu ne prends pas un peu de *paratha* ?

— Pourquoi tu te la colles pas là où je pense, ta *paratha* ? »

À ces mots, Dinesh éclate de rire.

« Tu te prends vraiment pas pour rien, pas vrai ? » insiste Sunny.

Dinesh l'ignore, prend son verre de *nimbu pani*.

« Quand j'ai cherché à étendre mes connaissances dans le domaine artistique, je l'ai fait parce que ça faisait partie de la modernité, c'était quelque chose que faisaient les gens, explique-t-il, des gens comme toi. Et j'ai appris des choses dans ce domaine, comme on cocherait une liste de courses. Mais j'ai trouvé ça fascinant. Et j'ai découvert chez – perdu dans ses réflexions, il fronce les sourcils – chez les grands maîtres, dans des galeries confidentielles et plus tard chez certains photographes, j'ai découvert chez eux quelque chose que j'avais en moi, je m'en suis aperçu par la suite. L'empathie. C'était de l'empathie. Au départ, ça m'a fait peur et j'ai mis ça de côté. Mais, de temps en temps, je sortais de mon hôtel et j'allais me balader. J'ai fait ça à Paris, autour de la gare du Nord, j'ai vu les clodos, les sans-abri. Je les ai regardés comme j'aurais regardé un tableau et après, ce tableau, je l'ai embarqué avec moi partout où j'allais. Je me suis dit, ces hommes et ces femmes, ils ont une autonomie, ils sont pleinement formés, je peux les regarder, je comprends leur souffrance.

— C'est quoi ce délire ?

— Je parle d'empathie, Sunny. Quand je suis rentré de ce fameux voyage, j'ai commencé à réfléchir. Sur ce qu'on s'était dit par le passé, et sur ce qu'on voulait vraiment dire, et sur ce qu'il était possible de faire, compte tenu du pouvoir qu'on a. Tu veux entendre ma conclusion ?

— J'ai le choix ?

— Je choisis la morale plutôt que l'esthétique. Je choisis l'empathie. La voilà ma conclusion. En ce moment présent, la morale devrait primer sur tout.

— C'est quoi ce moment présent ?

— C'est le moment de nos pères. »

Dinesh se rejette en arrière, se tait.

Sunny a le cerveau embrumé.

« Je pourrais peut-être chercher à la retrouver, reprend Dinesh. La prochaine fois que j'irai à Londres. Elle m'a toujours été sympathique. J'ai entendu dire qu'elle se débrouillait bien. Avec l'appartement qu'on lui a donné, et l'argent… ça a dû être difficile de traverser seule tout ce qu'elle a traversé.

— Va te faire foutre.

— Le véritable idiot, cite Dinesh, que les dieux raillent ou mettent à mal, est celui qui ne se connaît pas lui-même.

— Oh génial. Voilà que tu me cites Shakespeare maintenant.

— Ce n'est pas du Shakespeare.

— Et on arrête cette discussion.

— Entendu, déclare joyeusement Dinesh. Parlons d'autre chose. Dis-moi ce qui t'intéresse ces jours-ci. Parle-moi d'architecture, de cocktails, de montres. Sunny, parle-moi de ces foutues grandes villes que tu vas construire sur les terres que mon père a filées au tien.

— Va te faire voir.

— Mais notre heure est venue, Sunny ! »

Sunny regarde fixement au loin.

De l'autre côté de la rue, un point de vente d'alcool est en train d'ouvrir.

Des hommes s'alignent derrière les grilles de métal et agitent leurs billets de banque dans l'intérieur obscur jusqu'à ce qu'on les leur arrache pour leur remettre en échange de petites bouteilles en plastique et des sacs en plastique transparent remplis de gnôle.

La voix de Dinesh se fait dure, monocorde.

« Rien de tout ça ne t'amuse, pas vrai ? Dis-moi. À quand remonte la dernière fois où tu t'es marré ?

— Lâche-moi.

— Dis-moi, le gars que j'ai connu dans le temps, celui qui voulait changer le monde, a-t-il seulement existé ?

— Il a grandi.

— Celui qui voulait améliorer les choses.

— Je n'ai jamais voulu améliorer les choses.

— Pourtant, c'est un truc qu'on pourrait vraiment faire, tu le sais, pas vrai ? »

Dinesh s'anime, s'enflamme.

« Tu comprends bien qu'il ne tient qu'à nous de faire quelque chose de bien, de ne pas répéter leurs erreurs. De faire ce qu'il faut. Écoute-moi. Regarde-moi. Enlève tes lunettes de soleil. Regarde-moi. »

Lentement, Sunny abaisse ses lunettes.

Il a les yeux injectés de sang.

« Tu ne seras jamais ton père. »

Ces paroles frappent Sunny. Très fort. Scindent son cerveau en deux.

« Tu ne seras jamais ton père, et c'est une bonne chose. C'est une bonne chose. Je ne serai jamais le mien, tu ne seras jamais le tien. Mais on peut faire plus qu'eux deux réunis.

— Qu'est-ce que tu veux ?

— Sais-tu combien il y a d'habitants dans cet État ? Deux cents millions au bas mot. Si on était un pays, on serait au cinquième rang mondial en termes de population. Or, cet État est à nous. Totalement à nous, toi et moi, on est censés hériter de

423

tout. Mais regarde-le ! Regarde. Les gens sont misérables. Cet État est presque aussi misérable que toi ! »

Il s'interrompt pour donner plus de poids à ses paroles.

« Quel est le dénominateur commun ? Nos pères. »

Dinesh baisse la voix.

« Toi et moi, on connaît le pacte qu'ont conclu nos pères : le tien finance le mien pour le porter au pouvoir, puis le mien s'arrange pour qu'ils amassent l'un et l'autre des richesses qui dépassent l'imagination. C'était ça le deal. C'était ça le rêve, on est d'accord ?

— Si tu le dis.

— Mais ça s'est transformé en cauchemar. Pourquoi ?

— Parce que ton père est devenu cupide.

— Non ! Parce que le tien n'en a jamais assez.

— Tu reproches à mon père de faire trop d'argent maintenant ?

— Je lui reproche d'essayer de contrôler tout et tout le monde. Il veut tout, tout le pouvoir. C'est un vampire. Un criquet migrateur. Il dévore tout. Les services de santé, l'éducation, l'infrastructure, l'exploitation minière, les médias même. Il a la main sur tout. Mais il dépouille les gens.

— Il ne dépouille personne.

— Ne sois pas si naïf. Les hôpitaux n'ont pas de médicaments. Pourquoi ? Ils sont volés et revendus au marché noir. À qui ? À des hôpitaux privés ? Qui les vole ? Qui les revend ? Qui est à la tête des hôpitaux privés ? Tu sais qui. On devine le système derrière tout ça. Tout ce qui est public se retrouve réduit à sa plus simple expression, vendu, enlevé. En revanche, que trouve-t-on à profusion ? De l'alcool. L'alcool de ton père, depuis la canne à sucre qu'il cultive jusqu'aux distilleries qu'il possède, à la distribution qu'il contrôle en passant par les magasins où il l'écoule. Comme celui de l'autre côté de la rue. Regarde ça. Il ne devrait même pas être ouvert de si bonne heure, mais voilà. Comme ça, tu peux oublier ta vie de misère. C'est un cercle infernal. Les pauvres se font arnaquer, et je vois, à ta tête, que c'est comme si tu t'en fichais. Et je présume que c'est vrai. Alors, laisse-moi formuler les choses autrement. Les pauvres se font arnaquer, mais les pauvres votent aussi. Ils votent, Sunny. C'est la seule chose qu'on ne peut pas leur retirer. On peut essayer de les acheter.

Plus d'alcool, de viande, d'argent. Mais, tôt ou tard, ils nous vireront. »

Sunny affiche un sourire curieusement complaisant.

« Je me suis vivement opposé à ton opération foncière, poursuit Dinesh, à cette transaction visant à t'offrir la ville de tes rêves. Il faut que tu le saches. Je m'y suis radicalement opposé. Au plan politique, c'est un suicide. Une immolation. Ce sera notre mort à tous. Les fermiers ne nous le pardonneront pas. Ils feront basculer les choses. Et les élections venues, c'en sera fini de nous.

— Erratum. C'en sera fini de vous. Ils vous chasseront du pouvoir. Mais le gars qui se pointera après reniflera le pognon, il le reniflera, se ruera chez mon père et fera allégeance.

— Tu crois ça, pas vrai ? répond Dinesh. Mais, tôt ou tard, les gens voteront pour quelqu'un qui ne se laissera pas acheter. »

Sunny se lève de table.

Allume une cigarette.

« Tout le monde est achetable. »

Il plonge la main dans sa poche et balance plusieurs billets de cent roupies sur la table.

Dinesh secoue la tête.

« Tu n'imagines pas les monstres que tu invites à ta table. »

Mais Sunny se dirige déjà vers la rue.

Vers le point de vente d'alcool.

Il se tourne, hausse les épaules, esquisse un sourire amer qui dit *Je-m'en-fiche.*

LES GRANDES MANŒUVRES DU DÉVELOPPEMENT

Contes de la Glèbe Précieuse

DEAN H. SALDANHA. MERCREDI 7 FÉVRIER 2007

Sous couvert d'« intérêt public », les acquisitions forcées
servent les intérêts des investisseurs privés.
Mais, pour se défendre, les fermiers de Greater Noida
s'unissent en faisant fi des divisions de caste.

C'est un trajet à vous briser les os et le reste que la route menant au village de Maycha dans le district de Gautam Buddha Nagar dans l'ouest de l'Uttar Pradesh. Ce bout de piste truffée de nids-de-poule illustre le piteux état du développement dans cette région agricole fertile, où pourtant ni cette piste ni ce village ne verront jamais les améliorations qu'ils mériteraient : l'un et l'autre sont situés dans la zone à exproprier en vue de la construction de l'autoroute à huit voies Delhi-Agra voulue par le gouvernement d'Uttar Pradesh. Une fois achevée, cette « merveille des temps modernes » ramènera le temps de trajet entre la capitale nationale et le Taj Mahal à tout juste un peu plus de deux heures. Entre-temps, le village de Maycha aura été détruit.

Dans l'ensemble, les villageois s'étaient faits à cet état de choses. Quand, à la fin de l'année dernière, le gouvernement Ram Singh avait mis la main sur Maycha et des milliers d'autres villages de fermiers en vertu de la « Clause d'urgence », clause controversée de la loi de 1984 sur l'acquisition de terres, les fermiers affectés s'étaient vu offrir une compensation fixée sur la « valeur du marché », laquelle s'établissait autour de 250 à 400 roupies par mètre carré, si bien que, du jour au lendemain, de nombreux propriétaires terriens étaient devenus millionnaires en dollars. Si, à New Delhi, les rumeurs dénonçaient l'embarrassante proximité du gouvernement de Ram Singh avec Wadia InfraTech Ltd – société privée derrière le contrat de l'autoroute –, l'opposition sur le terrain restait dans l'ensemble discrète et se bornait à chicaner sur le calcul des indemnités. Quoique à contre-cœur, les fermiers acceptaient même l'idée qu'un projet si moderne et prestigieux puisse servir l'intérêt général de la Nation.

Néanmoins, à peine trois mois plus tard, ce simili-consensus a volé en éclats à l'occasion d'une nouvelle vague d'acquisitions. Quatre cents villages supplémentaires, dont certains sont pourtant à cinq kilomètres de l'autoroute prévue, ont reçu une ordonnance d'expropriation. Il a été annoncé qu'une entreprise du nom de Shunya Futures allait construire sur ce site la première « Tech City » de l'État, vaste projet urbaniste « sur le modèle de Singapour », qui compterait des colonies résidentielles « d'élite », des unités industrielles et commerciales, des écoles, des hôpitaux, des réserves naturelles et même un parc aquatique. Des enquêtes ultérieures ont révélé que le P-DG de Shunya Futures n'était autre que Sunny Wadia le dilettante, fils du mystérieux patron de Wadia InfraTech, Bunty Wadia.

La fureur et l'agitation ont vite suivi, les fermiers se regimbant devant la modestie relative de leur compensation en regard des gains prévisionnels de Shunya Futures. D'aucuns ont même envisagé la possibilité que l'autoroute puisse être un écran destiné à servir les intérêts des amis de Ram Singh.

L'État sur la défensive – avec des routes bloquées par des grévistes – a cherché à étouffer les manifestations dans l'œuf. Mais l'affaire s'était ébruitée ; en réaction à des manœuvres draconiennes et affichant une solidarité sans précédent, les fermiers ont fait fi des divisions entre castes, et propriétaires jats et thakurs se sont associés aux éleveurs de bétail gujjars ainsi qu'aux Jatavs et aux Dalits, ces ouvriers pauvres qui cultivent les terres sans avoir droit à aucune indemnité.

D'après Manveer Singh, l'un des meneurs, « Les fermiers ne sont pas aveuglément contre les acquisitions. Elles ont eu beaucoup de résultats positifs

427

par le passé. Mais ce projet ne présente aucun intérêt pour l'homme du peuple. Nous travaillons la terre depuis des générations, et voilà qu'aujourd'hui on nous dépossède de nos droits fondamentaux. Nous défendrons nos terres avec acharnement ».

Il convient de noter que ce n'est pas la première fois que la famille Wadia affiche des ambitions aussi brutales. Il y a plusieurs années, la vision que proposait Sunny Wadia pour le « Projet de redéveloppement de la Yamuna » avait été vigoureusement critiquée avant d'être abandonnée sans façon. Les fameux rêves « techno-utopiques » de l'héritier Wadia pourront-ils se concrétiser dans le cadre autrement plus flexible de l'oligarchie Singh-Wadia d'Uttar Pradesh ? Seul le temps nous le dira.

LES GRANDES MANŒUVRES DU DÉVELOPPEMENT

Contes des deux Singh

DEAN H. SALDANHA – VENDREDI 8 JUIN 2007

Le projet de Shunya Futures Megacity
autour de l'autoroute de la Yamuna se heurte
depuis plusieurs mois à une féroce opposition.
L'impasse semblait totale, mais voilà qu'il s'est produit
une intervention tout à fait inattendue.

Le mouvement populaire contre Megacity, projet controversé de Shunya Futures, vient de prendre un tournant surprenant. Les violentes manifestations ne paraissaient pas devoir se calmer, quand le fils et adjoint du *Chief Minister* d'Uttar Pradesh, Dinesh Singh, est descendu dans l'arène.

Dans un spectaculaire coup de théâtre, Singh a débarqué hier matin au village de Chanyakpur entouré d'éléments de la jeune garde du parti et de représentants des médias bien disposés envers lui. Les manifestants avaient été avertis de son arrivée, et le tristement célèbre criminel local, Shiny Batia, s'est chargé de le faire passer sans encombre. Une fois sur les lieux et sous l'œil des caméras de télévision, Singh a fait son discours explosif.

« Nous autres, responsables au pouvoir, ne pouvons plus continuer à traiter nos concitoyens avec mépris. Nous ne pouvons plus continuer à nous raconter que vous ne voyez pas

429

nos noirs desseins. Vous méritez mieux. Je n'ai rien contre le développement, je le défends. Mais ça ? Ce n'est pas du développement. C'est du pillage. Si l'on doit acquérir des terres, il faut le faire équitablement. Les gens doivent recevoir des dédommagements, non seulement financièrement, mais aussi en termes d'emplois, de dignité, de futur. Pas un futur Shunya, mais un authentique futur, celui du peuple. Savez-vous ce que veut dire Shunya ? Rien. C'est le vide. Les rêves creux et empoisonnés de Bunty Wadia. Ce n'est pas possible que ça continue. Je suis ici par solidarité avec les hommes qui peinent pour travailler ces terres et se voient écartés. J'envoie un message clair à mon parti et à mon père. N'oubliez pas d'où vous venez. N'oubliez pas les gens que vous servez, les gens qui vous ont portés au pouvoir. Ce pouvoir, ils peuvent aussi vous le reprendre. »

GREATER NOIDA

Eli

Vendredi 8 juin 2007, 15 h 18

1.

« Foutu connard ! »

Eli bataille avec le large volant de la Bolero et jette un coup d'œil vers le visage de Sunny qui tressaute dans le rétroviseur. L'Israélien pilote son patron à travers les vastes étendues de terres en jachère encombrées de machines à l'abandon, qui constituent désormais son domaine.

De mauvaises herbes.

D'autels délaissés.

De chiens galeux rôdant sous les arbres.

La mine sombre de Sunny.

Son teint de cercueil ouvert.

« Il a dépassé les bornes. Il a vraiment dépassé les bornes. Pour qui il se prend, bordel ? »

Eli l'interrompt :

« Boss. Boss ! T'as remarqué un truc nouveau chez moi ? »

Sunny allume une cigarette.

Ses mains tremblent.

Il sort une flasque de la poche de son pantalon, se descend une gorgée de vodka.

« Tu t'es rasé les poils du cul.

— Non. Très drôle. Ça, j'ai fait semaine dernière. »

Sunny se marre presque, reprend un peu de vodka, regarde les terres alentour derrière la vitre. Se calme un peu.

« Qu'est-ce qu'il y a ? Qu'est-ce qui est nouveau chez toi ?

— Je donne petit indice. Tu as vu *Terminator 2* ?

431

— Quoi ?

— *T2 : Le Jugement dernier.* Tu as vu ?

— Qui je suis ? Oussama ben Laden ? Tu crois que je vis planqué dans une grotte ? Bien sûr que je l'ai vu.

— Alors ? »

Eli se fend d'un grand sourire et porte la main à ses lunettes noires.

« Regarde ! Regarde un peu ! J'ai reçu ce matin. Persol Ratti 58230. Compte un peu, cinq huit deux trois zéro. Très rares. Difficiles à trouver. Pareilles que dans le film. »

Silence. Puis…

« Quel film ? »

Dans son exaspération, Eli manque exploser.

Mais il se retient.

« Ahhh, très drôle, patron. Quel film ?

— Alors, rétorque Sunny, combien t'as payé pour ça ?

— Ahhh, grommelle à nouveau Eli. J'achète enchères. On trouve pas en magasin.

— Oui, mais tu les as payées combien ? »

Eli soupire.

« Même toi, t'as pas le moyen. »

Pour le coup, Sunny rigole vraiment.

Avant que le silence ne le happe une fois de plus.

Ils continuent à rouler.

Toujours la brousse.

« Tu te prends pour le Terminator ?

— Je suis beaucoup coriace, répond Eli avec un haussement d'épaules.

— Si tu es le Terminator, moi, je suis quoi ?

— Toi, le *kid*.

— Le *kid*, qui te dit quoi faire, insiste Sunny.

— Oui ! Je sais. C'est mon job. Faire comme tu dis. Te rendre content. Tu demandes moi de mettre sur une jambe. Je mets sur une jambe. De flinguer le connard. Bien sûr, pourquoi pas ? De t'emmener au territoire ennemi. D'ailleurs, on est là maintenant. Tu veux que je torche ton cul ? Tu veux peut-être que je branlette toi ?

— Va te faire enculer.

— Non ! Merci. Là, je dis non. »

Des kilomètres de poussière et rien.

Eli marmonne.

Aspire une goulée d'air entre ses dents.

« Boss, on va où ? Tout ça – il tapote le flingue coincé dans sa ceinture –, avec juste Eli et M. Jericho, c'est vraiment idée putain pourrie. Tu vois pas comme je vois.

— Qu'est-ce que tu vois ?

— Piège. »

Ils traversent un petit village de lotissements à moitié achevés.

Les travailleurs migrants ont préparé des feux, tendu des fils à linge entre des poteaux.

« Il faut que je sache ce que ce foutu connard est en train de bricoler.

— Alors, prends téléphone, fais numéro. Sans blague ! »

Sunny hoche la tête, ouvre la fenêtre et balance son mégot.

« Le téléphone, c'est pas sûr.

— Rouler tout seuls dans le merdier, ça, c'est pas sûr. »

Eli se met en tête de régler la stéréo.

« Même pas Bluetooth !

— C'est ta bagnole, ducon.

— Ça, je sais, reconnaît Eli en acquiesçant. C'est bon pour aller magasins, pour aller acheter lait. »

Il renonce à régler la stéréo.

« Pas pour jouer avec le feu. Porsche Cayenne, mieux. Porsche Cayenne avec Bluetooth. Porsche Cayenne blindée.

— La Porsche Cayenne, c'est trop voyant. Tu sais ce que ça veut dire ?

— Oui, je sais.

— Comment tu dis ça en hébreu ?

— *Is bolet.*

— Boulette ?

— Non, connard. Pas boulette. *Is bolet.* »

Un peu plus loin, à un croisement désert, un petit kiosque avec un toit. Un homme est posté devant.

Plein d'espoir en voyant la voiture arriver, il tend les bras pour proposer un paquet de brochures.

Des brochures de promotion immobilière.

« Un homme de toi ?

— Non, fait Sunny avec écœurement.

— Peut-être tu veux je roule sur lui ?

— Au retour peut-être.

— Ha ! Mais là, je fais peur pour lui, hein ? »

Eli appuie sur le champignon et la caisse en métal fonce en brimbalant vers le croisement, dévie vers le bonhomme, puis reprend sa trajectoire initiale au dernier moment.

Sunny se délecte de voir le malheureux faire un bond de côté.

Et quand la poussière retombe…

« Sérieusement, boss, j'aurais dû appeler papa. Oncle Tinu. Dire eux, Sunny est dingue. »

Une dizaine de mètres plus loin, une mobylette surgit d'une piste parallèle cachée derrière un monticule de terre.

Dessus, deux hommes, un tissu blanc autour de la tête.

Tous les deux se tournent vers la Bolero.

« Regarde pas », ordonne Eli en tendant la main vers son arme.

Mais la mobylette s'engage sur un autre chemin et prend la direction de l'ouest.

Et ils se retrouvent à nouveau seuls.

Rien sur des kilomètres.

Vingt minutes plus tard, ils arrivent. La planque de Dinesh, une villa à la lisière d'un village de fermiers, fortifiée, gardée par ses fidèles.

Devant eux, des tracteurs et des hommes armés de fusils bloquent la route.

Eli ralentit.

« Oui, vraiment idée putain pourrie. »

Sunny brandit un Nokia bon marché et compose un numéro.

« Je suis là, connard. Oui, une Bolero. Fais-nous passer. »

Il raccroche. Eli ralentit, le barrage est à une centaine de mètres, les silhouettes des hommes en armes commencent à prendre forme. Puis ça bouge, les tracteurs reculent, dégagent le passage.

« On y va », déclare Sunny.

Eli obtempère, suit la piste surélevée, semée de gravats et récemment recouverte de terre meuble menant à la villa. Et, de part et d'autre, des légumes.

« Il se prend pour un vrai fermier, bordel. »

À leur arrivée, le portail métallique s'ouvre sur huit hommes armés de fusils d'assaut.

« C'est mauvais, marmonne Eli. C'est très mauvais.

— Ferme-la. »

Et voilà que Dinesh émerge de la villa, *kurta* blanche, lunettes rondes, mains jointes dans le dos, la mine grave.

Eli arrête la Bolero en douceur.

Et Sunny pousse sa portière.

« Reste ici, grommelle-t-il avant de s'interrompre, hésitant. Ce foutu connard a intérêt à avoir un truc sérieux à me dire. »

Deux heures passent

Assis seul sur un *charpoy*, protégé par un dais de toile blanche, Eli, les cheveux lâchés, fume ses Marlboro rouges, croise les jambes avec désinvolture et laisse pendre son poignet avec une mollesse de dandy tandis que sa cigarette se consume entre ses doigts. Pourtant, derrière les Persol Ratti 58230, ses yeux sont des requins qui ne perdent pas de vue les gardes patrouillant dans la cour de devant. Ceux-ci portent des chemises blanches ouvertes sur le cou, des costumes noirs, des lunettes de soleil panoramiques, des bijoux en or ; leur tenue vise à donner l'impression qu'ils appartiennent aux services de sécurité du gouvernement, mais ce n'est pas le cas. Ils sont armés de fusils d'assaut Type 56. Lunette de visée ajoutée. Probablement un stock de la guerre du Vietnam, à moins qu'ils ne viennent de l'Armée de libération du peuple népalais.

En tout cas, ils ne savent pas s'en servir, Eli le voit bien. Dans le pire des cas, ils n'auraient pas le temps de tirer une seule balle qu'il pourrait en descendre quatre avec son Jericho. Il se passe le film dans sa tête, deux calancheraient sans avoir pu dire ouf, et les deux autres auraient tout juste le bol de le voir tirer. Et après ? Après, ce serait une affaire de chance, d'adresse et de destin. Il s'autorise un pâle sourire. Mais combien de gars y a-t-il à l'intérieur ? Et que faire pour Sunny ?

Passé les limites de l'objectivité professionnelle, Eli oscille entre pitié et mépris quand il pense à son boss. Même si mille huit cents dollars par jour – virés sur un compte à Zurich – constituent une bonne raison de rester, il commence à réviser sa position. C'est un peu déprimant d'être le gorille de Sunny

Wadia. Son rottweiler. Son bouffon. Sa nounou. Eli regrette presque le bon vieux temps de sa jeunesse quand il n'avait qu'à dégainer pour rester en vie. Au cours de ces dernières années Wadia, il a vu un paquet de merdes. Plus qu'il ne l'avait imaginé quand il a accepté ce boulot.

Ça avait tellement bien commencé.

« Sécuriser les lieux et établir un emploi du temps pour une riche famille de New Delhi », annonçait la feuille de route. Une monotonie bien payée, tous les avantages à la clé. Durant ses jours de congé, Eli écumait les centres commerciaux où, avec ses chemises à fleurs à grand col, ses préférées, ses cheveux bouclés qui lui balayaient les épaules, il évoluait avec une grâce de panthère en décochant de grands sourires aux nanas.

Puis il avait été choisi – à cause de sa couleur de peau, avait-il présumé – pour apprendre à certains des meilleurs domestiques à tirer, à se battre, à réfléchir vite dans une situation tactique. Il se la fermait (de toute façon, il ne connaissait quasiment pas l'hindi) et assurait son boulot. Il éprouvait une certaine fierté à aider ces gamins à ne pas se faire sauter la tronche en déchargeant leurs armes.

Puis Ajay avait déboulé.

Consciencieux, appliqué, brûlant d'un feu secret.

Il avait formé Ajay à être le garde du corps de Sunny, à pratiquer le krav-maga, le jujitsu brésilien, ou du moins à connaître les bases de l'un comme de l'autre. Il lui avait aussi inculqué le maniement des armes à feu. Tout spécialement. S'était rapproché de lui, fier de le voir s'épanouir. Sunny n'était que le connard des hautes sphères. Eli n'avait pas oublié les quelques occasions où Sunny, ayant décidé d'apprendre le krav-maga lui aussi, avait débarqué sans prévenir à certains cours d'Ajay, une écervelée de mannequin pendue à son bras, et avait pris Ajay pour un punching bag humain. Ce dernier n'avait jamais réagi, n'avait jamais levé le petit doigt contre Sunny, s'était borné à s'accroupir comme un chien, la queue entre les jambes et avait encaissé. Eli avait parfois rêvé qu'Ajay lui rende la monnaie de sa pièce rien qu'une fois, histoire de lui faire ravaler son sourire hypocrite. Il aurait voulu voir Sunny souffrir.

Puis il avait voulu le voir mort. Ça, c'était le matin qui avait suivi la nuit où on lui avait demandé d'aller chez le juriste, alors qu'il n'avait pas idée de ce qui était arrivé, même quand il avait emmené Sunny à la *farmhouse*.

C'est seulement en allumant la télé à la villa, pendant que Sunny dormait, qu'il avait découvert ce qui s'était passé. Quand il avait vu le visage d'Ajay sur l'écran, Ajay, que les flics embarquaient, menottes aux poignets. Il avait compris bien assez de choses pour deviner qu'on l'avait sacrifié. Fou de rage, il avait éteint la télé et s'était rendu à pas de loup dans la chambre de Sunny où ce dernier dormait d'un sommeil médicamenteux. Ça n'avait pas duré, mais sur le moment il aurait été capable de faire n'importe quoi. De poser un oreiller sur la tronche de Sunny et d'appuyer. Mais non, non. Lui, c'était un pro. Il tenait à la vie. Il était retourné dehors et avait joué aux cartes en attendant les ordres. À onze heures du matin, une nouvelle directive était tombée – emmène le juriste au Rajasthan. Dans le SUV, on lui avait dit : tu peux déverser ta colère sur Gautam Rathore.

Ahurissant comme ces connards lisaient en vous.

Sa carrière avait suivi la trajectoire d'ordinaire réservée à une bombe à guidage laser. Il avait été chargé de veiller sur Sunny à plein temps. De le protéger, de jouer à la baby-sitter, de l'espionner, au choix. Ça allait sûrement lui péter à la gueule. Il n'était pas obligé de porter un nœud papillon et de préparer des boissons, c'était déjà ça. Et pourquoi lui ? Il ne savait pas trop. Il se disait que c'était lié au fait qu'il s'était retrouvé seul avec Sunny sur cette triste pente descendante, lors de cette nuit fatidique. Il avait déjà vu le pire (du moins le croyait-il), et ils avaient scellé leur lien dans l'arak et le sang. Au début de cette nouvelle mission, Eli avait eu droit à une audience personnelle, la seule qu'il ait eue jusqu'à présent, avec Dieu soi-même.

Tout en arpentant son QG, Bunty Wadia lui avait dit à sa façon mélodieuse et détournée : Tout ce dont Sunny a besoin, c'est d'être protégé de lui-même.

« C'est tout ? »

Eli impassible.

« Et si jamais il parle de la fameuse Neda… »

Eli avait achevé la phrase mentalement.

Ça allait de soi.

Et, bien sûr, au fond de lui, il en voulait toujours à Sunny, mais ses envies de meurtre l'avaient vite lâché. Franchement, ce mec était si malheureux, si pathétique, si paumé. Donc, malgré l'affection qu'il éprouvait pour Ajay le sacrifié, Eli, qui savait s'adapter, avait changé d'allégeance et assumé sa mission avec ce drôle de sens de l'humour que ses amis d'Israël lui connaissaient. *Risus sardonicus*, pourrait-on dire. Sardonicité à l'épreuve du feu.

À vrai dire, ça convenait bien à Sunny, l'insolence, les apartés cyniques sur le mode va te faire foutre. C'était peut-être ce qui lui avait manqué durant la plus grande partie de sa vie. Peut-être qu'il avait besoin d'un punching ball qui riposte. Non, non. Il avait besoin de bien plus. Mais c'était déjà ça. Au fil de leurs dialogues sinistrement revigorants – aucun sujet tabou (à part le père, Neda, Ajay, l'accident), aucune plaisanterie trop poussée (à part les points cités précédemment) –, leur camaraderie tordue, inexplicable, s'était développée. Sincèrement, Eli était la seule personne authentique qui restait dans la vie de Sunny Wadia : présent à chaque minute de la mascarade, il se mordait la langue, évitait son regard, disait des conneries quand il fallait en dire, gardait l'œil sur Sunny lorsque celui-ci mangeait, buvait, se droguait et déconnait dans les grandes largeurs et plus si possible. Il n'avait jamais vu quelqu'un manifester si peu de plaisir, si peu de joie face à cette grande affaire qu'était la vie. Il le lui disait, quand ils étaient seuls, et se faisait invariablement répondre d'aller se faire foutre.

Puis, il y avait les moments où ils n'étaient pas seuls, et Eli était obligé de se la fermer et de rester en retrait. C'était un boulot vraiment crevant. Oui, il y avait quelque chose de corrosif chez Sunny Wadia. Quelque chose de corrosif à veiller au grain pendant que Sunny provoquait ses prétendus amis, qu'il profitait d'eux et les tournait en ridicule. Qu'il les appâtait et les humiliait. Il fallait également prendre en compte les brusques accès de violence dingue. Combien de fois n'avait-il pas dû sortir Sunny de force d'une chambre d'hôtel saccagée, d'une bagarre dans une boîte de nuit ? Apaiser les choses après coup avec une liasse de billets, une touche d'humour, le tranchant de sa main droite contre l'arête d'un nez. Un jour, au grand amusement – grotesque – de Sunny, il avait eu recours aux trois options précitées (dans l'ordre susmentionné). Puis, il y avait les séjours à Dubaï. À Dubaï, Sunny ne voulait qu'une chose :

pousser le bouchon au maximum. La fameuse fois avec l'escort sibérienne... Seigneur, il y avait des choses qu'on ne pouvait pas chasser de son esprit. Tant qu'à filer tout ce pognon à une belle nana, le moins qu'on pouvait faire, c'était de la sauter.

Eli soupire, crache par terre avec un tel venin que tous les gardes se retournent. Il agite la main d'un geste dédaigneux, clownesque.

Putain de Sunny Wadia ! Quel cinglé !

Dinesh, d'un autre côté – lui, c'était un malin. Cette affaire avec les fermiers, Eli était sûr que c'était une jolie manœuvre, un coup de maître. De toute façon, qui voulait construire ces immeubles d'habitation à la con ? Pas Sunny, pas vraiment. Au fond de lui, Sunny donnait l'impression de détester tout le foutoir. Au fond de lui, il donnait l'impression de détester... enfin... non. Eli n'était pas près de formuler cette pensée.

Après tout, ils étaient capables de lire en vous.

À dire vrai, s'il le pouvait, il bosserait pour Dinesh Singh sans l'ombre d'une hésitation. Calme, déterminé, Dinesh était l'homme de la situation. Mais Eli savait aussi que, s'il devait passer dans l'autre camp, il risquait fort de se retrouver avec une balle dans...

Vendredi 8 juin 2007, 17 h 28

« On s'en va ! »

Eli en est à sa septième cigarette quand Sunny sort par la porte principale en chancelant.

Il a les yeux hagards, le visage exsangue, et chancelle comme si on lui avait planté un couteau entre les omoplates. Eli saute sur ses pieds et les gardes de Dinesh s'avancent aussi, alors que Dinesh est là, juste derrière Sunny, qu'il le tient par l'épaule, lui murmure calmement quelque chose à l'oreille, lui fourre une enveloppe A3 marron dans les mains. Sunny fixe l'enveloppe d'un air consterné, puis se dirige en titubant vers la Bolero tandis qu'Eli fonce à grandes enjambées, monte dans le véhicule, démarre et fait un demi-tour sur les chapeaux de roue. Un des gardes met le cap sur le portail, d'un pas un peu trop désinvolte.

« Enfoiré, beugle Sunny, qui s'installe péniblement sur le siège passager et écrase le klaxon d'une main brutale.

— Boss... »

Sunny essaie d'allumer une cigarette.

Le garde ouvre le portail avec un sourire suffisant.

Eli scrute l'horizon pour tenter de détecter d'éventuelles menaces. Le ciel pèse d'un bleu intense. Et Sunny, toujours en train d'essayer d'allumer sa cigarette, s'agite de plus en plus, au point qu'il baisse sa vitre et balance son briquet dans la poussière. C'est donc Eli qui doit la lui allumer, Eli dont les regards vont et viennent de la cigarette à la route et au front poisseux et en sueur de Sunny. Sunny, qui réduit sa cigarette à l'état de mégot en un temps record. Le tout sans un mot. Quand c'est fait, il tourne son attention vers l'enveloppe sur ses genoux.

« Boss. Qu'est-ce qui s'est passé ?

— C'est un foutu dingue, marmonne Sunny.

— Qui ça ? Dinesh ? Oui, c'est sûr, il est dingue. Ça, on sait.

— Il a disjoncté.

— Ça, oui. Mais il y a quoi dans enveloppe, boss ? »

Sunny fait courir la main sur le papier kraft et tressaille.

« Je ne...

— Tu ne ? »

Sunny attrape sa flasque, la dévisse.

« Je ne veux pas...

— Tu ne veux pas quoi ? »

Sunny lampe le reste de vodka, sort la langue pour ne pas en perdre une goutte, revisse le bouchon, s'enfonce à nouveau sur son siège et ferme les yeux.

« Veux pas savoir. »

Vingt minutes ont passé sans que Sunny ait dit quoi que ce soit. Ils sont à trois kilomètres de l'autoroute, ont presque réintégré la civilisation. Les mots *Veux pas savoir* sonnent creux dans leurs cerveaux respectifs.

Pour le moment, la vodka a assommé Sunny. Il est apathique, a le regard terne.

« Eli ?

— Oui, mon pote ?

— T'as tué combien de personnes ? »

Eli aspire une goulée d'air entre ses dents, prend le temps de mettre ses idées au clair.

« Avec tout le respect que je le dois à toi, tu demandes pas.

— Moi, je te demande, bredouille Sunny, la voix pâteuse.

— Et, moi, je dis tu demandes pas.

— Plus de dix ? »

Eli jette un coup d'œil sur Sunny, affalé, une jambe sur le tableau de bord, jambe qui glisse de temps à autre.

« Combien de personnes tu baises ? riposte-t-il.

— Vingt ? insiste Sunny en ignorant la question.

— Combien de personnes tu baises ? »

Sunny finit par entendre.

« Hein ?

— Tu dis, déclare Eli avec fermeté, combien de personnes tu baises et je dis combien je tue.

— Littéralement, s'écria Sunny, d'un air surpris. Ou métaphoriquement ? »

Eli hoche la tête.

« T'es en vrac. Pourquoi on joue ce jeu ?

— Parce que j'ai envie de savoir. »

Ils se rapprochent de l'autoroute.

« Mais ça sert à quoi ? »

Ils l'aperçoivent au loin.

Camions, voitures, motos.

« Je t'ai demandé de me dire ! »

Eli soupire.

« Tu veux que je tue qui ? »

Un court instant s'écoule durant lequel on croirait que Sunny est tombé dans les vapes. Mais il se redresse, inspire une grande bouffée d'air, ouvre les yeux et s'anime, se montre même surexcité.

« Et merde », grommelle-t-il en déchirant l'enveloppe marron.

Il en extrait ce qu'elle renferme.

Une feuille en plastique foncé.

Genre radio.

Il la regarde avec attention.

Derrière la feuille, plusieurs photos, certaines provenant d'une caméra de vidéosurveillance, d'autres prises au téléobjectif.

Eli tend le cou, mais ne parvient pas vraiment à voir ce dont il s'agit.

En tout cas, il n'y a pas à se tromper sur la réaction de Sunny.

Il est sous le choc.

Il a la nausée.

Il tremble.

« Boss ? »

Sunny s'empresse de ranger la feuille dans l'enveloppe. Instantanément dégrisé.

« Je veux que tu prennes ça, dit-il.

— C'est quoi ?

— Mets ça en sécurité quelque part. Que personne ne voie jamais cette enveloppe. Jamais.

— OK, boss.

— Si quelqu'un essaie de regarder dedans, tu le flingues.

— Et si j'essaie de regarder ?

— Tu te flingues.

— Et si t'essaies de regarder, toi ?

— Eli. Je déconne pas.

— Ok, ok, fait Eli, effrayé. Et si ton père essaie de regarder ?

— Alors, moi, je te flingue.

— Ok, boss. »

La Bolero s'engage lentement dans l'étroit passage souterrain.

Eli allume ses phares.

Obscurité totale et mégas trous dans la chaussée défoncée.

Sunny se met à parler dans le noir.

« Dinesh Singh veut faire tomber son père. Et si mon père tombe avec lui... »

Lorsqu'ils émergent du tunnel et attaquent une chaussée asphaltée de frais, Sunny fixe Eli, les yeux agressés par la lumière retrouvée.

Eli le regarde de la même manière.

Il est dix-sept heures quarante-neuf.

Le vendredi 8 juin.

Eli ne voit pas l'homme masqué qui surgit de derrière le camion garé sur le bas-côté et brandit un vieux fusil de chasse.

Sunny, oui.

Mais lorsqu'il pousse un cri, il est trop tard.

L'ENTREPÔT

Le même rêve lui revient sans cesse.
Tiré de sa vie.
Chez lui, à Meerut, il a cinq ans,
endormi à côté de sa mère,
le bourdonnement du ventilateur de plafond,
le coton de la chemise de nuit de sa mère en boule dans sa main.
C'est le rêve qui lui revient sans cesse.
C'est réel.

Il a cinq ans, il est réveillé, et sa mère n'est plus là.
Main vide serrée sur un poing vide.
Le drap porte encore la marque des formes de sa mère, de son odeur.
Il l'appelle, mais les pales au plafond assourdissent sa voix.
Il doit sauter pour poser les pieds par terre.

Tinu dort dans la cuisine.
Une lumière est allumée dans le bureau. La silhouette de son père derrière le verre dépoli.
Il s'éloigne et va d'une pièce à l'autre en appelant sa mère.
Sa voix se perd dans la violence des pales.
Mais lorsqu'il entre au salon,
le ventilateur est à l'arrêt.

Elle s'est pendue avec son dupatta[1].
Elle tire la langue,
elle a les yeux exorbités.
Vides.

---

1. Longue écharpe dont une femme indienne – en principe – ne se sépare jamais.

Il émerge comme s'il remontait respirer à la surface
comme s'il émergeait des tourbillons du fond de l'océan.
Mou comme une chiffe.
Voix rauque.
Hurlement.
Et son rêve s'estompe,
aspire de gros galets, qu'il rejette vers le rivage.
En ne laissant que l'oxygène
du hurlement.

Namasté ji, dit l'Incube.
Tu t'es pissé dessus.

Et, dans cette pièce froide et humide, Sunny se débat comme un animal en cage, face à cette présence devant lui et aux cordes qui l'attachent à la chaise.

L'Incube observe sa fureur.

Tache d'encre en jeans noir et chemise à carreaux bleue.

« Un moment, je t'ai cru mort. Puis tu t'es mis à hurler. Et tu t'es pissé dessus. »

Grinçant des dents, haletant. Le blanc de ses yeux. Dents découvertes.

Sunny émerge de ce demi-jour.

Il respire bruyamment, il a le souffle court, il est épuisé.

L'Incube lui tient la tête et verse de l'eau sur ses lèvres desséchées.

Sunny s'étouffe, puis se met à gémir.

Le soleil couchant s'insinue à travers les murs.

Puanteur du fumier, des buffles, du sang.

La douleur dans ses nerfs, dans ses os.

L'arrache à lui-même.

« J'ai demandé, poursuit l'Incube, à quoi il rêve donc pour avoir si peur ? Moi aussi, je fais des rêves comme ça. »

Sunny essaie de rassembler les éléments fracturés.

« Où je suis ? »

Son corps refuse de répondre.

« Tu es ici.

— C'est où ici ?

— Tu ne sais pas ? »

Il ne sait pas.

« Qu'est-ce qui se passe ?

— Tu as de la chance d'être en vie, déclare l'Incube. Tu n'étais pas censé être assis à l'avant. »

L'avant de quoi ? Il ne se rappelle pas, essaie de se mettre debout.

« Si tu étais mort, Sunny Wadia, je mourrais aussi. »

En entendant son nom, Sunny cligne des yeux.

« Je ne te connais pas, dit-il.

— Mais, moi, je te connais, réplique l'Incube qui pose la main sur la joue de Sunny. Je la connais, ta tête. »

Il sort une pilule de sa poche et la glisse dans la bouche de Sunny.

« Prends ton médicament. »

Il verse de l'eau entre les lèvres de Sunny, lui ferme la bouche et lui pince le nez de sa main fuselée.

« Papa va te tuer », dit Sunny.

L'Incube plonge les doigts dans les cheveux de Sunny. Trempés de sueur et de sang. Presse le pouce sur l'entaille profonde à la racine de ses cheveux.

« Il peut toujours essayer. »

Il est dans une suite d'hôtel.

Où et quand ? Impossible à dire.

Ce pourrait être en Europe.

À Milan.

À Zurich.

Ce pourrait être à Paris.

Il est dans la salle de bains en marbre, sous la douche.

Longue douche brûlante.

Klaxons et vrombissement de la circulation dehors.

Nuit, opéra. Nuit, restaurant.

Vicky dit : « Tu es né le jour de l'éclipse du soleil. »

Vicky tient son visage.

Sa mère vient d'être incinérée.

Il sort de la douche, se campe, ruisselant, sur le sol en marbre, la serviette blanche nouée autour du buste.

Il regarde le miroir. Le miroir couvert de buée.

Il pourrait y avoir quelqu'un dans la chambre, dans le lit.

Il pourrait y avoir une femme.

Mais, dans la salle de bains, il est seul.

Il ferme la porte à clé.

Robinets dorés. Marbre.

Il éteint toutes les lumières, sauf une, petite et encastrée, de sorte que, avec la chaleur, les recoins sombres et le vacarme du ventilateur d'extraction, la pièce ressemble à une matrice.

Ici, c'est le bruit du ventilateur qui compte.

Il prend une autre serviette et la pose sur son crâne.

Il se met à genoux et rampe, comme un pénitent, vers le coin.

Là, il s'autorise à recevoir une infime lamelle de lumière.

Ne regarde rien sinon cette lumière qui grossit et finit par prendre la taille de l'univers.

Là, il peut se redresser.

Là, il est en sécurité,

sous la table, en dessous du miroir,

pendant que sa mère se brosse les cheveux et lui chante une chanson.

Il aimerait pouvoir rester là.

Mais il se réveille.

Réveille.

Qu'est-ce qui a changé ?

La douleur s'est installée.

Et il revient au monde.

Une sorte d'entrepôt.

Machines agricoles, sacs d'engrais, aliments pour bétail.

Le sol est en terre compactée, les murs en brique.

Une ampoule faiblarde pend au bout d'un fil électrique.

C'est quel jour ?

Il essaie de lever la tête. Il est allongé sur un matelas crasseux.

Piqué par les moustiques et les puces, il fixe un toit en tôle ondulée.

Il a les poignets attachés par une corde. Puanteur des corps sales, son pantalon et sa chemise sont couverts de sang séché.

Il a sûrement des côtes cassées.

Le nez aussi. La mâchoire peut-être.

Il a été kidnappé, c'est clair maintenant.

Il ne se rappelle ni où ni quand ni comment.

Un grand trou noir lui sert de mémoire.

Il se tord le cou.

Un rustaud avec des membres comme des pelles, un visage tout en nez et en oreilles, est assis contre le mur. Il porte un survêtement bleu délavé, genre contrefaçon bon marché.

Il y a un vieux fusil de chasse à côté de lui.

Un Rustaud, se dit-il.

Un Rustaud qui dort.

Donc, Sunny essaie de se relever.

Mais ses jambes sont affaiblies, engourdies et, qui plus est, un métal rouillé enserre sa cheville gauche et l'enchaîne à une vieille machine.

Voilà que le Rustaud remonte le chiffon blanc passé autour de son cou pour s'en couvrir la bouche.

Tend la main vers sa pétoire.

Disparaît de l'autre côté de la porte.

Un éclair de soir crépusculaire, un champ doré, vent brûlant.

Un vieillard au corps recourbé comme un point d'interrogation mène un troupeau de buffles.

Réfléchis. Réfléchis.

Il est difficile de réfléchir au-delà de l'impact de la douleur, mais il s'efforce d'organiser son cerveau, bribe par bribe, pour retrouver le fil des événements.

Où était-il ?

Où était-il allé ?

Quel jour est-ce ? Quel mois ?

Il se concentre sur Dinesh Singh.

Dinesh Singh, les fermiers et sa Megacity. Toutes ces conneries, ces Shunyaiseries. Dinesh en train de défendre son point de vue, alors que lui, Sunny, venu le rejoindre dans son bureau, le voyait l'exposer à la télé.

Buvant de la vodka au goulot de la bouteille rangée dans le tiroir du bas, les stores baissés, un cliché.

À partir de là, il comble la faille.

Eli.

Il roulait dans la vieille Bolero déglinguée d'Eli.

Ils allaient voir Dinesh Singh.

Ce foutu connard a intérêt à avoir un truc sérieux à me dire.

Les minutes passent. Des heures ? La porte de l'entrepôt s'ouvre. Le Rustaud réapparaît. Un autre homme le suit. Sunny le reconnaît comme s'il l'avait vu en rêve. Oui, c'est l'Incube, il plastronne, sort un Nokia.

« Il est plus que temps, Sunny Wadia, dit l'Incube. Pas une minute à perdre. Donne-nous le numéro.

— Quel numéro ?

— Celui qui mettra un terme à tout ça. »

Deux sonneries, trois sonneries.
Un déclic à l'autre bout.
L'Incube prend la parole.
« Bonsoir, monsieur. Quelqu'un ici souhaite vous parler. »
Il colle le téléphone contre l'oreille de Sunny.
« Papa… je… »
Sunny bafouille.
L'Incube retire brutalement l'appareil.
« Vous entendez ? dit-il. Votre fils est vivant. Pour combien de temps ? Ça dépend de vous. Je rappellerai dans une heure pour vous communiquer nos exigences. »
Il raccroche, retire la batterie et la carte SIM, se tourne vers le Rustaud.
« Je vais m'absenter un moment. Tiens-le à l'œil. Donne-lui à manger. »
Là-dessus, l'Incube s'éloigne d'un pas raide.

Sunny reste seul avec le Rustaud.
Mais il n'est pas vraiment là.
Il dévale à nouveau l'à-pic de la conscience et se précipite vers la mer houleuse.

C'est Vicky qui lui a parlé de sa naissance.

De cette date auspicieuse. Le 16 février 1980.

Jour de la grande éclipse du soleil.

Il y était. Il l'a vue de ses propres yeux.

C'est Vicky qui lui avait parlé des démones descendues du ciel, toutes nues et montrant les crocs, à l'heure où avait été versé le sang du sacrifice, pour conférer le pouvoir à ceux qui les avaient invoquées ou sinon leur arracher les membres un à un. Assis sur la dure montagne de la cuisse de son oncle, le gamin s'était laissé emporter par les paroles de Vicky, dont les longues mèches de cheveux noirs se répandaient comme des cascades d'eau de nuit.

Un jour, Vicky lui avait murmuré à l'oreille : Tu seras plus fort qu'eux tous.

Mais il est rabougri.

Tout rabougri.

Tout est sec, étriqué et dur.

Un rocher stérile se dresse là où l'eau devrait couler librement.

Il y a une faille qu'il ne peut combler.
Une distance qu'il a franchie sans espoir de retour.
Il a tout sacrifié.
Amour, adoration, respect, loyauté, amitié.
Il ne lui reste rien à part sa dureté.
Dureté fugace qu'il n'est même pas capable d'accepter.

Le voici revenu sur cette fichue route. Cette fichue route qui le hantera à jamais.

Ajay l'aide à déplacer le corps inerte de Gautam Rathore.

Ajay ne lui a pas encore remis son arme.

Sunny n'a pas encore frappé Neda en pleine figure. Cette figure qui le hantera à jamais.

Pourquoi était-elle là ?

Pourquoi faire quoi que ce soit ?

Le temps marche dans les deux sens.

Il est là sur la route.

Elle pleure au milieu de la route.

Il est furieux contre elle.

Il pense qu'elle joue le chagrin.

Il n'en sera jamais libéré.

Le Rustaud revient un peu plus tard, chargé d'un plateau en métal. Un pichet de *lassi*, une tasse en terre cuite, trois *parathas*.

Le Rustaud verse du *lassi* dans la tasse en terre cuite.

« Bois. »

Il a la voix lourde de rancœur, hésitante, peut-être même apeurée.

« Il est où le mec avec qui j'étais ? » demande Sunny.

Pas de réponse.

« Qui es-tu ? » insiste-t-il.

Pas de réponse. Juste ces yeux tristes, emplis de solitude, aux pupilles extrêmement contractées.

« Tu n'es pas un monstre », ajoute Sunny.

Un éclair brille dans ces fameux yeux.

« La ferme.

— Tu n'es pas obligé de faire ça, poursuit Sunny, faute d'avoir vraiment quelque chose à dire.

— La ferme !

— Tu as montré que tu étais un grand manitou. On peut parler maintenant. Nous, on peut faire quelque chose d'un mec comme toi. Un mec comme toi peut devenir riche. »

Le Rustaud se remet péniblement sur ses pieds, fonce vers la porte.

« Hé ! » s'écrie Sunny.

Le Rustaud s'arrête, se fige, se tourne à moitié.

« Il est où, ton boss ? »

Le Rustaud se hérisse.

« C'est pas mon boss.

— Il aura ta peau.

— C'est pas mon boss.

— C'est qui ?

— Arrête de parler.

— Tu penses vraiment que tu vas t'en tirer ? Tu sais qu'il va ramasser le pognon et se tirer. Et même s'il le fait pas, combien de temps tu crois que tu tiendras ? Tu seras bientôt mort. Pire que mort. Alors que tu pourrais vivre et devenir riche. Tu pourrais m'aider. Tu pourrais m'aider à retrouver la liberté. »

Le Rustaud se bouche les oreilles.

« La ferme ! » crie-t-il.

Et là-dessus, il disparaît.

Les heures tournent.

La nuit tombe et le Rustaud revient.

Il s'assied par terre à côté de Sunny, le fixe d'un regard maussade.

Il paraît plus calme.

Lui et Sunny, tous les deux.

« Pourquoi tu fais ça ? » demande Sunny.

Finalement, le Rustaud regarde Sunny droit dans les yeux.

« Parce que tu as bousillé ma vie, répond-il d'une voix éteinte.

— J'ai bousillé ta vie ?

— T'as bousillé ma vie, répète le Rustaud.

— Comment ça ?

— Tu as pris nos terres.

— Tu es fermier.

— T'as bousillé ma vie.

— T'as été payé.

— L'argent nous a avancés à rien, riposte sèchement le Rustaud. De toute façon, ajoute-t-il au bout d'un moment, tout a été dépensé.

— Tout a été dépensé, répète Sunny en évaluant cette déclaration.

— Tout.

— Combien t'as touché ?

— Huit *crores.*

Sunny émet un lent et long sifflement.

« Huit *crores* ! Ça aurait dû changer ta vie.

— Ça l'a changée. En pire.

— Où c'est passé, tout ça ? »

Le Rustaud ferme les yeux pour répondre.

« On a organisé de grands mariages pour nos sœurs. On a acheté des bagnoles, des télévisions, des machines à laver. On a construit de grandes maisons, comme vous autres. Tout le village s'est rempli de grandes maisons. Mais on n'avait plus nos champs. Alors, on fait quoi une fois que les festivités sont finies ? Tout le monde passait la journée à traîner avec plein d'argent et rien à faire. Pas de champs à travailler, aucun but commun. Les gens se sont mis à boire. À se droguer. Moi, je ne connaissais qu'une chose, le travail en commun. Désormais, chacun était dans sa bulle. À acheter des voitures et des voitures. On pouvait même plus bouger avec toutes ces bagnoles neuves. Des fois, les allées étaient bloquées pendant des heures, et les gens s'engueulaient et se tiraient dessus. Tout le monde en avait marre. Mon frère a acheté une voiture de luxe à Delhi.

— Laquelle ?

— Un bolide.

— Quelle marque ?

— Lam… Lamb…

— Lamborghini, fait Sunny avec un sourire. Il a acheté une Lamborghini.

— Oui.

— Ça a dû lui coûter, quoi ? Deux *crores* et demi ?

— Deux huit. »

Sunny émet un petit sifflement.

« C'était la Gallardo.

— Je sais pas.

— Et il en a fait quoi, ton frère ?

— Le jour même où il l'a achetée, elle s'est retrouvée coincée dans une allée entre deux grandes maisons neuves. Plus il essayait de la dégager, plus il la coinçait. Le moteur faisait un tel ramdam que tout le monde est venu voir ce qui se passait, avide de donner des conseils. Mais mon frère était beurré et furax, et il a continué à appuyer sur l'accélérateur. Et le moteur a tellement chauffé qu'il a pris feu.

— Et ? »

Un soupçon de sourire éclaire les yeux du Rustaud.

« La bagnole a été réduite en cendres.

— Et il a fait quoi, ton frère ?

— Il est retourné chez le concessionnaire. Il a dit que la voiture était défectueuse. Le vendeur lui a répondu que non. Que c'était lui qui avait cafouillé. Mon frère s'est fâché. Il a sorti une arme. A exigé qu'il lui rende son argent. Mais le concessionnaire a refusé.

— Alors ?

— Mon frère lui a logé une balle dans la tête. »

Sunny prend le temps de digérer ce qu'il vient d'entendre.

« Ton frère a le sang chaud. »

Sunny s'interrompt un instant, réfléchit.

« Comment je peux t'appeler ? Comment tu t'appelles ?

— Pas question que je te donne mon nom.

— Inventes-en un. Il faut bien que je t'appelle d'une façon ou d'une autre. »

Le Rustaud hésite, scrute la pièce.

« Manoj, finit-il par dire.

— Et après, qu'est-ce qui s'est passé, Manoj ?

— Mon frère est allé en prison. Il fallait que j'y aille toutes les semaines pour graisser la patte aux flics. Quatre *lakhs* par mois pour qu'il reste en bonne santé. Qu'il mange bien et qu'il ait des couvertures. Il fallait que je retourne régulièrement à

Lucknow pour soudoyer des gens afin d'obtenir sa libération sous caution. L'argent s'est vite épuisé. On s'est retrouvés sans rien, et lui il était toujours en taule.

— C'est dommage.

— Combien de fois j'y suis allé ! Ce qu'il était en rogne. Puis, un jour, son humeur a changé. Il souriait. Il m'a expliqué qu'il avait rencontré un ami qui en avait bavé aussi, et que cet ami savait comment récupérer notre pognon. Il m'a dit de m'en remettre à ce mec, de payer sa caution. Il va t'aider. »

Sunny sourit et secoua la tête.

« C'est le bonhomme avec qui tu es à présent ?

— Oui.

— Et ça, c'était son plan ? »

Manoj baisse les yeux.

« Oui.

— Il va foutre le camp avec l'argent, Manoj. Il s'est déjà envolé, il se barre à toute blinde avec l'argent ou il est déjà mort. Et mon père ne va pas tarder à débouler ici. Et, là, tu seras mort aussi. Je pourrai dire ce que je veux, ça ne servira à rien. Tu pourrais juste me laisser partir, Manoj. Laisse-moi partir et tu seras riche, j'y veillerai.

— Je ne veux pas être riche.

— Alors, pourquoi tu m'as kidnappé ? Qu'est-ce que tu veux ?

— Je veux retrouver ma vie.

— Personne ne retrouve sa vie. »

Personne ne la retrouve jamais. La vie nous fuit, un point c'est tout. Elle ne revient jamais, malgré tous nos efforts, malgré toute notre volonté. C'est quelque chose qu'on doit garder présent à l'esprit. On s'adapte ou on meurt.

« J'ai pris ma décision », avait dit Dinesh Singh.

C'était le matin où Sunny était allé à la villa.

Avait appelé Eli du bureau et lui avait demandé de préparer la Bolero.

La Bolero, pas la Porsche.

Ça lui revient.

Eli avait garé la Bolero dans l'enceinte de la villa.

Ça lui revient.

Dinesh était venu au-devant d'eux.

« Ce foutu connard a intérêt à avoir un truc sérieux à me dire. »

Ça lui revient.

Un truc que Dinesh lui avait dit.

« J'ai pris ma décision.

— Oui. T'as décidé d'aller te faire foutre. Et tu te fous de moi par la même occasion.

— J'essaie de te sauver. »

Sunny avait avalé son whisky.

« Va te faire foutre.

— Je t'avais prévenu, avait répliqué Dinesh. Ça ne devrait pas te surprendre.

— Tu te démolis.

— Non, je me jette à l'eau. »

Ça lui revient, à travers son brouillard, ça lui revient.

Un truc dont Dinesh était au courant.

« En prenant le parti de quelques putains de fermiers ?

— Oui. Et toi aussi tu vas prendre leur parti.

— T'es malade.

— Après qu'on se sera débarrassés de l'un comme de l'autre, on changera ce pays.

— Se débarrasser de l'un comme de l'autre ?

— De mon père. Du tien.

— Va te faire foutre ! Pourquoi je ferais ça ? Je ne vais pas trahir mon père pour ta pomme.

— Alors, fais-le pour la tienne. »

Dinesh s'était dirigé vers son bureau, en avait sorti une enveloppe marron.

« Il ne s'est jamais soucié de toi.

— Il s'est toujours soucié de moi.

— Jamais. Et j'en ai la preuve. »

Il avait tendu l'enveloppe à Sunny.

« Qu'est-ce que c'est ?

— Je sais que tu te fiches des gens, et des souffrances qu'ils endurent en nos noms. Mais peut-être que ceci t'intéressera. Ton père t'a menti. Il tirait les ficelles dans son coin. Il t'a pris la seule chose que tu avais vraiment créée. »

Ça lui revient en un déluge tout-puissant.

L'enveloppe sur ses genoux alors qu'ils repartaient, Eli et lui.

L'enveloppe ouverte, les documents qui s'en répandent.

Nom de la patiente : Neda Kapur.

Et l'échographie.

L'image de son enfant dans le ventre de Neda.

Et les photos de Neda et de Chandra à la clinique de Londres, où son enfant a été renvoyé aux atomes et aux étoiles.

Il est assis, sonné, dans le noir.

Lorsque l'aube finit par apparaître, une silhouette s'assied sur un tabouret devant lui, prend une gorgée d'un alcool local dans une bouteille en plastique.

« Manoj ? gémit Sunny du fond de sa douleur et de son chagrin.

— Oh, non, lui répond-on. Manoj est parti. »

C'est l'Incube. Il n'y a pas à se tromper sur sa voix grinçante.

« Parti ? »

Sunny sent la crue de la panique monter dans sa poitrine.

« Où ça, parti ?

— Récupérer le premier paiement, voyons. »

L'Incube éclate de rire.

« Tes gens ont fait le nécessaire pour toi. »

Sunny ferme les paupières.

« Ils vont le tuer, dit-il.

— Non, non, non, répond l'Incube. Tu es l'héritier du royaume. Tu es bien trop précieux pour qu'ils prennent ce risque. »

Il se lève du tabouret, balance la bouteille d'alcool par terre, tourne lentement derrière Sunny.

« En plus, poursuit-il, c'est toi qui vas le tuer.

— Je ne comprends pas. »

L'Incube tire un long chiffon graisseux de sa poche et s'éloigne du champ de vision de Sunny, à la manière d'un mauvais magicien qui accomplit un mauvais tour.

« Pas encore, c'est tout.

— Qu'est-ce que tu fais ? »

Incapable de voir.

Incapable de se tourner ou de se libérer.

Il se contorsionne dans ses cordes.

Jusqu'à ce que l'Incube se dresse au-dessus de lui, cauchemar en chair et en os.

« Qu'est-ce que tu fais ? »

Qu'il plaque le chiffon contre la bouche béante de Sunny.

Qu'il le noue très serré.

« Je vais te raconter mon histoire. »

HONNEUR ET GLOIRE AUX DIEUX

1.

C'est l'histoire de ma vie, Sunny Wadia. Je me présente, Sunil Rastogi, éclopé et balafré. Il n'y a pas si longtemps pourtant, j'étais un jeune homme de dix-neuf ans assis derrière mon frère, à peine âgé de vingt-cinq ans, sur sa Pulsar toute neuve. Ce jour-là, c'était juste avant la nuit, l'heure où les oiseaux piaillent parti-culièrement fort au-dessus des champs et où le soleil forme une boule de feu dans le ciel. On roulait gentiment. La route avait été asphaltée depuis à peine trois mois, mais elle commençait déjà à se dégrader. C'est la vie. Écoute, Sunny Wadia. Au croisement de Bulandshahr, un homme nous a hélés, a avancé d'un pas sur la route et, paniqué, nous a fait signe de nous arrêter et, là, on a vu un autre homme immobile par terre à côté de lui.

« T'arrête pas, j'ai dit, c'est un piège », mais mon frère n'a pas eu le temps de réagir que le premier homme dégainait une arme et que l'autre bondissait sur ses pieds. Mon frère a stoppé sa moto avec calme et, comme on mettait pied à terre, il m'a dit : « Fais ce qu'ils te disent », puis il a ajouté dans un mur-mure : « On pourra toujours les tuer après. » Une rafale de vent a dû porter sa voix jusqu'à eux à la façon d'une étincelle perdue qui aurait mis le feu à ma vie, car, dans la minute qui a suivi, l'homme armé éclatait de rire et s'écriait : « C'est vrai, ça ? » Et il a collé une balle dans le torse de mon frère.

« *Behenchod* ! » j'ai braillé tandis qu'ils sautaient sur notre Pulsar et s'enfuyaient vers le soleil couchant, et que mon frère s'écroulait dans la poussière.

D'autres hommes à moto sont passés comme j'avais la main sur la blessure de mon frère, que j'essayais de stopper le sang qui s'écoulait de son corps. L'un d'eux a fait demi-tour pour aller vite chercher des policiers itinérants dont il avait vu la jeep Gypsy garée un peu plus loin. Pendant qu'on attendait, mon frère a perdu connaissance.

« Pourquoi t'as fait ça ? m'a-t-il lancé avant.

— Quoi donc ? »

Mais je n'ai jamais eu sa réponse, ça a été ses derniers mots.

Peu après, les flics sont arrivés avec leur jeep. Ils nous ont regardés de haut, comme si on était des chiens. J'ai crié pour qu'ils nous emmènent à l'hôpital.

« Emmène-le toi-même », m'a lancé l'un d'eux. L'autre m'a dit : « Tu nous prends pour une œuvre de bienfaisance ? » « Mais, sirs, j'ai insisté, vous avez votre Gypsy. Il est en train de mourir. » Ils ont continué à nous regarder sans broncher. « Je vous en prie, sirs, j'ai insisté, pour vous, c'est rien, mais c'est la vie de mon frère. » « Oh, c'est rien ? » a fait le premier flic en ricanant. Là-dessus, il a tourné les talons et son collègue l'a imité. J'ai couru après eux, Sunny Wadia. Je suis tombé à genoux. « Je vous en prie, sirs, juste emmenez-le, je vous en supplie, pourquoi vous ne voulez pas l'emmener ? » Le premier m'a toisé et m'a dit : « On veut pas de son sang sur nos sièges. » J'ai répondu : « Sir, si c'est ça, je nettoierai. Je retirerai ce sang avec mes mains, et vous ne verrez pas une seule tache quand j'aurai fini. » Tu sais ce qu'il m'a répondu ? « Et, pendant ce temps, où comptes-tu qu'on s'assiéra ? »

2.

C'est la vie, Sunny Wadia. Mon frère est mort, là, sur la route. Ma mère m'a reproché sa mort, puis, sous le choc, elle s'est effondrée et elle est morte elle aussi pendant la crémation. Mon père était déjà mort d'une intoxication alcoolique quand j'étais petit, ce qui fait que je me suis retrouvé seul avec la veuve de mon frère et leur tout jeune fils. Mon oncle habitait la maison voisine avec sa grosse dondon et leurs imbéciles de fils et, sous prétexte de m'aider, ils ont pris nos bêtes, nos terres et la veuve de mon frère en prime. Elle a pleuré et pleuré bruyamment dans la maison de mon oncle et, la nuit, allongé sur mon lit, je l'écoutais. J'ai vite compris qu'un des fils de mon oncle allait en faire sa femme.

Ah, Sunny Wadia, je me consumais de rage en fixant le plafond. Est-ce que tu imagines à quel point ça flambait en moi ? J'avais envie de les tuer tous, de leur écraser la tête avec des cailloux, de leur trancher la gorge, de trucider tous les flics de la terre. Mais j'étais qui, moi, sur cette Terre ? Sans argent, sans pouvoir, sans même une moto, une arme ou une barre de fer. Je me suis dit : « T'as intérêt à te trouver un moyen de t'en sortir, sinon t'es fichu. » Alors, tu sais ce que j'ai fait ? J'ai postulé pour entrer dans la police.

Tu as l'air surpris, Sunny Wadia, mais comprends-moi, je savais comment ça se passait dans le coin. Je n'avais pas envie d'être le prochain à me faire dégommer. Je préférais distribuer droits de vie ou de mort à tel et tel, assis dans une voiture de police. Mais, en attendant, je me suis mis à écumer la région et à voler des chaînes en or à l'arraché. C'était d'un facile ! Trop occupés à protéger des gens comme toi pour se faire du pognon, les flics ne s'intéressaient pas à ce genre de délits. Je me baladais aussi sur des marchés et un jour un type a laissé tourner son scooter pendant qu'il allait chercher des médicaments. Je le lui ai piqué, je suis parti, j'ai vendu le scooter et, avec l'argent, je me suis acheté une vieille Pulsar, comme celle de mon frère. Puis, avec le pognon des chaînes en or, je me suis offert une petite arme de poing. Si bien que je circulais à moto avec une arme planquée dans mon pantalon. C'était d'un facile ! Oui, je me disais : c'est la belle vie ! Sauf que, chez moi, j'étais toujours en butte aux soupçons, et ça me mettait en fureur de voir ma famille me traiter de haut. Alors, je sortais et je restais dehors. Quand j'étais sur ma moto, à voler des chaînes en or, j'étais libre.

Seulement, je n'arrivais pas à me sortir la veuve de mon frère de la tête. J'avais toujours remarqué son œil posé sur moi. Et maintenant je me disais que ce serait bien qu'elle soit ma femme. Je me surprenais à rêvasser que je descendais tous les autres, que je la ramenais à la maison et que je plantais mon fils en elle. Un soir que j'étais en moto sur la route, j'ai vu une fille devant moi. Une servante de quinze ou seize ans, qui travaillait dans un des nouveaux immeubles. C'était une Bihari, elle n'était pas d'ici. En la voyant, je me suis dit qu'il était beaucoup trop tard pour se balader toute seule, que c'était pas bien, et, en m'approchant, j'ai observé sa façon de marcher, j'ai noté ses longues tresses et... Oh, me regarde pas comme ça, Sunny Wadia, avec tes yeux pleins de mépris, tu connais ces désirs. Il y avait si longtemps que j'étais seul, c'était tout naturel de les satisfaire.

J'ai ralenti et me suis mis à sa hauteur, souriant, jusqu'à ce qu'elle se retourne et me dévisage. Je portais ma belle chemise, j'avais mis de l'huile capillaire. Je lui ai demandé si elle n'en avait pas marre de marcher toute seule. Elle a gardé la tête baissée et a porté son regard ailleurs. Est-ce qu'elle voulait que je l'emmène ? Non, elle a dit, mais à ce moment-là elle s'est tournée à nouveau et j'ai vu qu'elle en avait envie, alors je l'ai dépassée et lui ai barré la route.

« Ma sœur, j'ai dit, c'est dangereux par ici, il y a beaucoup de criminels et de voleurs, je peux t'emmener très vite là où tu as besoin d'aller, n'aie pas peur. »

Je lui ai demandé son nom. C'était Asha.

« Je t'emmènerai où tu veux, Asha *didi*[1]. Tes frères n'ont pas à le savoir. »

À ces mots, elle a rougi. Qu'est-ce que j'ai été charmant ! D'après moi, elle n'était jamais montée à moto. Elle a essayé de me contourner, mais par jeu cette fois. J'ai tendu la main pour l'arrêter et elle s'est immobilisée, puis je lui ai montré mon arme et lui ai ordonné de s'asseoir devant moi. Elle a obéi.

Pendant qu'on roulait comme ça, l'excitation et la colère m'ont attrapé d'un coup. Je sentais la sueur de la fille, son linge propre, sa peau, j'avais ses cheveux dans la figure. Je n'avais encore jamais approché une femme d'aussi près et ça me provoquait comme une nausée. Je ne cessais de me dire : pourquoi est-ce qu'elle ne s'est pas sauvée ? Si elle avait un tant soit peu d'honneur, elle m'aurait résisté jusqu'à son dernier souffle. Et, là, j'ai pensé à la veuve de mon frère et j'ai pris conscience des

---

1. Grande sœur.

sentiments qu'elle abritait dans le tréfonds de son cœur, elle était heureuse maintenant avec mon oncle et ses fils. La pute ! Je l'ai vue en train de coucher avec eux tous. Oh, ça m'a rendu fou de rage ! Me sentant écœuré, trahi, humilié, j'ai mis les gaz. J'ai accéléré à fond. Pendant les minutes qui ont suivi, il n'y a plus eu que la vitesse, les cheveux de la fille dans ma figure, ses gémissements, les cris qui montaient de son corps et le moteur entre mes jambes, alors j'ai foncé en vrombissant sur les routes truffées de nids-de-poule, de sorte qu'on aurait bien pu faire un vol plané et se fracasser le crâne contre un caillou. La folie s'est dissipée. J'ai stoppé la moto à côté d'un champ. Puis j'ai demandé à la fille de descendre avant qu'il soit trop tard.

3.

Oh, Sunny Wadia, je me suis fait l'effet d'être un impuissant de première. Chez moi, recroquevillé dans le noir, je rêvais de la fille sur la moto, je sentais ses cheveux, l'odeur âcre de sa sueur, l'aigreur de son haleine contre la mienne. Je serrais les dents, je mordais dans sa chair, j'imaginais son *dupatta* enfoncé dans sa bouche pendant que je l'entraînais dans le champ pour répandre ma semence. Pourquoi est-ce que je l'avais laissée partir, pourquoi est-ce que je n'avais pas pris ce qui me revenait ? Quelle mauviette, quel lâche je faisais, alors que j'avais tout, que j'avais une arme, une moto. Non, non. J'étais dans une agitation pas possible, Sunny Wadia. Je n'arrêtais pas de ressortir, de sillonner les alentours dans ma quête de quelque chose. Puis, j'ai commis une erreur. Je me promenais à moto quand j'ai repéré une autre fille dans une tenue bizarre qui ne cachait pas grand-chose. Une vraie dévergondée. Mais celle-là était déjà en train de cavaler. Je n'ai pas réalisé au début, mais c'était une de ces filles riches qu'on voit au cinéma et à Delhi. Elle courait pour le plaisir, comme font les riches. Fallait-il qu'elle soit bête pour cavaler dans les rues si loin de chez elle. Peut-être qu'elle croyait que sa richesse la protégerait.

Toujours est-il que je l'ai suivie. Je suis resté à distance et je l'ai suivie un bon moment, jusqu'à ce qu'elle arrive dans un secteur isolé ; là, j'ai accéléré, puis je lui ai barré la route, j'ai souri et j'ai dit, « Bonjour, ma sœur ». Un je-ne-sais-quoi dans mon sourire a dû l'effrayer, parce qu'elle m'a collé une sacrée claque, puis s'est sauvée à toutes jambes vers un terrain vague où ma moto n'a pas pu aller. J'ai mis pied à terre et me suis lancé à sa poursuite pour lui apprendre à me frapper, mais elle courait trop vite et a filé vers une rue passante. À partir de là, je n'ai rien pu faire. Elle devait avoir une bonne mémoire, parce que les flics n'ont pas tardé à venir me cueillir. Ils m'ont embarqué au commissariat et m'ont rossé. Mais quand la fille et son père se sont présentés et qu'ils m'ont vu tout contusionné et meurtri, ils ont dû me prendre en pitié, parce qu'elle m'a défendu. Elle leur a dit que je lui avais juste souri et qu'elle m'avait elle-même frappé. L'affaire est tombée dans le lac et on m'a relâché.

Mais quand je suis retourné chez moi un peu plus tard dans la journée, d'autres flics m'attendaient. Mon oncle a affiché un sourire suffisant quand ils m'ont embarqué. J'ai rien dit, me suis contenté de lui décocher un regard mauvais en retour. J'ai suivi les flics sans moufter, j'ai fait ce qu'on me disait. J'ai grimpé à l'arrière de leur jeep, en faisant remarquer que la garniture était rudement belle et pas du tout tachée, mais ils n'ont pas capté ma vanne. Pendant le trajet, les flics à ma droite et à ma gauche m'ont saisi par les mains et les épaules et celui devant m'a collé un sac de jute par-dessus la tête. Tout est devenu noir et on a roulé un long moment sans que je sache où on allait. Je m'attendais à ce qu'ils me fassent sortir pour me battre ou m'abattre ; je me disais que ça allait être terminé pour moi. Mais on a fini par arriver quelque part, on m'a fait descendre et on m'a conduit dans une pièce. Et là seulement on m'a débarrassé du sac de jute.

Au lieu d'être torturé, je me suis retrouvé dans un bureau d'un baraquement de police, assis seul à une belle table en bois. Accroché haut sur le mur d'en face, le portrait peint d'une policière en uniforme me fixait. Malgré la facture grossière du portrait, j'ai vu que cette femme était très intègre, scrupuleuse et très belle. J'ai compris, à ses galons, que c'était elle la SP et j'ai d'ailleurs vu son nom marqué sur la table : *Superintendent of Police* Sukanya Sarkar. Je n'avais encore jamais rencontré de femme SP, et je m'étais encore moins assis en face de son portrait. Après une longue attente, la porte à côté de la table s'est ouverte et la vivante incarnation du tableau a fait son entrée. Oh, Sunny Wadia, à quelle vitesse le sang s'est-il mis à circuler dans mes veines ! Qu'est-ce qu'elle paraissait puissante dans son uniforme, sévère et implacable, tellement différente de toutes les autres femmes. Je peux te décrire le sentiment qui a envahi mon cœur. Violent et fort. Je l'ai observée de près quand elle s'est assise à sa table, elle et sa nature féminine gainée de kaki. L'espace d'un long moment, elle ne m'a pas regardé, s'est comportée comme si je n'étais pas là ; moi, j'ai attendu la suite, ravi d'avoir un rôle à jouer dans ce jeu-là. Puis elle s'est emparée d'un portefeuille qui se trouvait m'appartenir, je m'en suis rendu compte, et a consulté mes cartes d'identité.

« Tu es un bandit, Sunil Rastogi », a-t-elle déclaré.

Ça m'a fait plaisir de l'entendre prononcer mon nom.

« Oui, sir, c'est vrai, j'ai dit.

— Madame, a-t-elle précisé, l'œil dur, en me reprenant.

— Oui, madame-sir. »

Elle m'a demandé si je savais pourquoi j'étais là et pas en cabane, place revenant de droit à un voleur de chaînes en or. J'ai fait non de la tête.

« Parce que tu travailles pour moi à présent.

— Oui, madame-sir, oui ! »

Que c'était bon à entendre !

4.

Elle m'a expliqué qu'un gang abominable ratissait la région, qu'il volait, violait, tuait. Vingt-deux viols et seize meurtres en huit mois ; ils arrêtaient des voitures en pleine nuit, faisaient descendre les passagers, violaient les femmes, tranchaient la gorge des hommes, dépouillaient ces gens de tous leurs bijoux et de leur argent. Au début, on avait peu parlé d'eux, mais les détails se propageaient avec chaque nouvelle affaire et l'inquiétude gagnait à présent les gens riches, comme toi, Sunny Wadia, qui habitaient de luxueuses villas, de sorte que les flics voulaient à tout prix résoudre l'affaire. Ce qui rendait les choses encore plus terrifiantes, c'était l'apparence du gang en question. Ces ignobles individus répugnants se déplaçaient en bandes, pieds nus, en sous-vêtements, la peau enduite de graisse de moteur noire et visqueuse comme celle des poissons, et le blanc de leurs yeux luisait dans le noir. Les journaux les surnommaient le gang des *Chaddi Baniyan*[1]. Ah, oui, je vois que tu as entendu parler d'eux. Ils sont très redoutés. À en croire certains, ils appartenaient à une tribu criminelle légendaire, se comptaient par centaines ou par milliers, vivaient au milieu de nous dans la journée et frappaient une fois la nuit venue. D'autres racontaient que c'étaient des êtres supranaturels, des démons résolus à semer le chaos.

« Débrouille-toi pour les infiltrer, m'a lancé la SP Sarkar. Et, une fois que tu seras des leurs, fournis-moi des informations sur eux, afin que je puisse les traduire rapidement en justice. »

J'en suis resté interloqué.

« Mais madame-sir, comment je fais ? »

Elle m'a décoché un regard froid et m'a répondu :

« Un homme comme toi trouvera bien un moyen. »

Ça m'a déconcerté, Sunny Wadia. Un homme comme moi ? Que savait-elle de moi ? Avait-elle ramassé la mauvaise personne par erreur ? J'ai eu envie de protester. J'étais persuadé que ça me serait impossible, mais je n'avais pas non plus envie de lui déplaire, je n'avais pas envie qu'elle me renvoie à la rue, alors j'ai rassemblé tout mon courage, j'ai hoché la tête et j'ai dit que oui, je me débrouillerais.

« Bien, elle m'a répondu en souriant. Je le savais. »

À nouveau, je me suis senti puissant, j'ai senti le sang courir dans mes veines alors qu'elle m'assénait ce dédain et ce mépris que je connaissais par cœur. Elle a ajouté qu'elle me verserait une indemnité mensuelle pour m'aider dans mon travail. Puis elle a adressé un petit signe à son n° 2, l'ASP, s'est levée et a quitté la pièce. L'ASP m'a enfoncé à nouveau le sac par-dessus la tête, m'a conduit à la jeep, et après il m'a lâché au milieu de nulle part avec une liasse de billets et un numéro de téléphone à appeler quand j'aurais quelque chose à rapporter. Oh, quelle surexcitation ! Je suis rentré à pied à la ferme, j'ai adressé

---

1. Sous-vêtements.

une grimace de mépris à mon oncle, éclaté de rire, ramassé mes affaires et, sans un regard à personne, j'ai sauté sur ma moto pour aller à Kasna, où j'ai pris une chambre bon marché et lié connaissance avec des joueurs de cartes, des buveurs et des voleurs.

5.

Voilà donc où j'en étais, Sunny Wadia, à frayer avec cette infâme racaille pour servir madame-sir et glaner d'éventuelles informations sur le fameux gang. Le seul problème, c'était que personne parmi eux ne parlait du gang, pas un mot, tout le monde s'en fichait éperdument et, quand j'ai amené le sujet sur le tapis, ils ont tous rigolé et haussé les épaules, c'était du réchauffé ; ce gang, si tant est qu'il ait jamais existé, était loin à présent, en Haryana ou au Rajasthan et il ne reviendrait pas avant un an au plus tôt. Un an ? Oui, un an. Ces gars se déplaçaient au gré des saisons, comme des éleveurs, comme le bétail, ils pâturaient. Pour moi, cette information était une bénédiction et un fléau à la fois. D'un côté, tant qu'ils n'agressaient plus personne, madame-sir ne pouvait pas m'accuser de ne pas faire mon travail correctement, mais, d'un autre, n'ayant rien à lui rapporter, je ne pouvais pas lui faire plaisir. Six semaines ont passé ainsi, à boire et à jouer, à m'autoriser de petits méfaits. Le découragement m'a saisi. Ma concupiscence et mon ardeur se sont émoussées, j'ai glissé au fond du trou. Tout me paraissait vain. Je n'étais pas fichu de me pousser à faire quoi que ce soit. Des rêves de meurtre et de fuite ont commencé à s'accumuler comme des nuages noirs dans ma tête. Je méprisais tous ceux que je fréquentais. J'avais honte d'appeler madame-sir, mais j'avais aussi très envie de revoir son visage sévère, de l'entendre me réprimander, m'ordonner de faire plus sous peine d'en subir les conséquences. Donc, j'ai appelé le fameux numéro. C'est l'ASP, le n° 2, qui a décroché. Je lui ai annoncé que je n'avais aucun élément nouveau.

« Tu déçois beaucoup madame-sir, m'a-t-il dit. Si tu ne nous es d'aucune utilité, on va t'expédier tout droit en prison. »

J'ai essayé de protester, j'ai demandé à voir madame-sir. Ça l'a offensé.

« Un peu plus de respect, Sunil Rastogi. Méfie-toi, sinon, nous on dira que le gang, c'est toi. »

Il m'a sorti ça, comme si c'était une menace épouvantable, mais pour moi ça a été un moment de grande excitation : ma solution, je la tenais.

6.

À partir de là, j'ai commencé à promouvoir mon idée à chaque soirée de beuverie avec mes nouveaux amis : par une belle nuit sans lune, est-ce que ce ne serait pas malin d'imiter ces démons et de nous attaquer à des gens sans méfiance, en nous faisant passer pour le gang des *Chaddi Baniyan* ? Ils hurlaient de rire.

« Sunil Rastogi, t'es vraiment cinglé ! »

J'ai néanmoins continué à semer ces graines dans leurs cerveaux embrouillés par l'alcool en expliquant sans relâche comment nous pourrions exploiter la peur et la terreur que suscitait ce gang tristement célèbre et les mettre au service de nos propres desseins. Puisque ce gang s'était volatilisé depuis longtemps, les modestes délinquants que nous étions, voleurs, joueurs, toxicos, violeurs à la petite semaine, meurtriers à l'occasion, pouvions donc nous l'approprier. Sunny Wadia, c'était un coup de maître ! Tu ne penses pas ? Une parfaite façon de nous en sortir. J'ai travaillé mes gars sans relâche, revenant constamment à la charge. Je leur ai dit que les riches, qui circulaient tard la nuit dans leurs bagnoles, auraient une telle trouille en nous voyant qu'ils nous céderaient tous leurs biens sans rechigner. Inutile même de blesser qui que ce soit. Je n'ai pas cessé de travailler mes gars. Dans les moments où ils étaient le plus soûls, je leur bourrais le crâne de luxure, de convoitise et d'orgueil blessé. Tous ces riches, qui se moquaient de nous, avaient tout ce dont nous étions privés. Quel mal y avait-il à leur donner une leçon ? Peu à peu, l'idée a pris racine et, un soir, ils ont commencé à en parler comme si elle venait d'eux.

Par une nuit sans lune, quelques jours plus tard, alors qu'ils avaient fumé du *charas* et descendu pas mal de bouteilles de *daru*, je leur ai exposé le plan que j'avais déjà dressé, le tronçon de route, la méthode précise. Moi, je ferais le pet ; quand le bon véhicule se présenterait, je le leur signalerais et ils balanceraient un bout de métal sous ses roues, pour le forcer à s'arrêter. Puis on les braquerait, on les dévaliserait et on s'égaillerait dans la nuit. Ils ont crié « On y va ! On y va ! ». Quelqu'un est allé chercher de la graisse de moteur, puis on a foncé à moto vers la route de campagne, on a planqué nos machines dans les champs un peu plus loin, on s'est déshabillés en ne gardant que notre *baniyan* et notre *chaddi*, et on s'est enduits de graisse. J'ai récupéré leurs porte-monnaie et leurs cartes d'identité, les ai mis à l'abri dans un sac et, une fois achevée la transformation de mes gars, je leur ai donné un rab d'alcool et de *charas*, et ils se sont mis à beugler, à crier et à danser comme des démons au milieu de la route. Moi, sobre, l'esprit affûté, émerveillé par la faiblesse des hommes, je me suis posté un peu en amont d'eux. Plusieurs voitures sont passées jusqu'à ce que je repère enfin la bonne, remplie de grosses dadames et de bonshommes à l'air faiblard. J'ai envoyé trois signaux lumineux à mes camarades de beuverie, lesquels ont jeté le bout de métal sous les roues de la voiture qui a stoppé bruyamment. Mes gars se sont précipités. Ils ont encerclé le véhicule au milieu des hurlements des passagers. Barres de fer et battes en bois se sont abattues sur la tôle et les vitres, des mains griffues ont extirpé les hommes et les femmes tassés à l'intérieur. Devant la peur des malheureux, mes gars ont perdu la boule. L'un d'eux s'est emparé d'un lourd caillou et l'a écrasé sur le crâne d'une bonne femme. Lorsqu'un des passagers a bramé et tenté de la sauver, un autre de mes gars l'a réduit en charpie et, aiguillonné par la violence et les braillements, le reste du gang a suivi. C'était impossible de les arrêter, Sunny Wadia. C'était un déchaînement de métal, d'yeux et de dents. Ils ont tranché la gorge des hommes, les ont poignardés dans le ventre, leur ont crevé les yeux, arraché leurs vêtements. Quant aux femmes, ils les ont entraînées dans les champs où ils les ont violées avant de les étrangler et de leur fracasser la tête. Lorsque ça a été terminé, il n'y avait plus un passager de vivant. Tous mes gars se sont regardés, hébétés. Ils ont tournicoté un moment en silence, ont nettoyé la graisse et le sang, ont pillé les cadavres et la voiture, puis ils sont allés récupérer leurs motos et ils sont partis.

7.

Ce déchaînement ne m'avait pas pris de court. Je connaissais le cœur des hommes. Donc, à mon réveil, je suis sorti et j'ai profité du frais soleil printanier, puis je suis allé manger une omelette à l'étal le plus proche en observant les gamins du coin qui jetaient des pétards sur les chiens errants. Après, j'ai appelé l'ASP. Mais je n'ai pas eu le temps de lui annoncer la bonne nouvelle que madame-sir lui avait arraché le téléphone des mains et m'agonisait d'injures extrêmement dures. On ne parlait que de ça. Elle était comme un moulin. J'avais échoué, le gang s'était révélé plus brutal que jamais, ils avaient tué tout le monde, il n'y avait pas un survivant, tu n'as pas fait ton job. Mais, madame-sir, j'ai dit, j'étais sur place. Elle a gardé le silence un moment.

« Tu étais sur place ?

— Je faisais le guet, madame-sir.

— Alors, c'est de ta faute, Sunil Rastogi. Pourquoi tu ne m'as pas appelée ? »

Je lui ai dit que je n'avais été informé qu'au tout dernier moment et que j'avais dû laisser mon portable.

« C'est mauvais, c'est très mauvais, a-t-elle grommelé. Bon, laisse-moi réfléchir. Rappelle-moi dans une heure. »

Elle a raccroché et j'ai attendu, puis j'ai fait ce qu'elle m'avait demandé. Là, elle a voulu que je lui raconte tout, qui ils étaient et comment j'avais réussi à les infiltrer. J'avais anticipé ces questions. Je suis resté proche de la vérité. Je lui ai dit que c'était un gang de criminels, de joueurs et de drogués qui se faisaient passer pour une mystérieuse tribu afin d'instiller la peur dans l'âme des hommes. Elle m'a écouté sans rien dire, elle semblait sceptique.

« Ils sont devenus plus brutaux, a-t-elle déclaré. La prochaine fois que le gang décidera de frapper, appelle-moi, tu feras comme tu pourras, et on leur tendra une embuscade. »

Elle m'a donné son numéro personnel.

« Et moi, je deviens quoi ?

— Ne t'inquiète pas, m'a-t-elle répondu, je veillerai à ta sécurité. »

J'avais envie de la croire. J'avais envie d'être son fidèle toutou, je rêvassais à des scènes où, flingue à la main, elle se vengeait de ce gang abominable et me délivrait.

8.

Mais je savais aussi que je n'étais pas à l'abri de sérieux ennuis. De plus, j'étais maintenant confronté à un dilemme. Si mes gars commettaient un nouveau crime et que je ne les livre pas, elle me poursuivrait. Et si je les livrais, je serais moi aussi impliqué. Et si je ne faisais rien ? Et s'ils arrêtaient et que je m'enfuie tout simplement. C'était la seule option raisonnable, Sunny Wadia. Mais alors qu'en serait-il de madame-sir ? Elle ne résoudrait pas l'enquête. Or, moi, je voulais la voir heureuse. J'ai donc fait un choix et je suis retourné voir mon gang dans la foulée. Mes gars, anéantis par ce qu'ils avaient fait – les nouvelles n'arrêtaient pas de tomber, les chaînes de télé en hindi diffusaient de macabres reconstitutions genre dessin animé – étaient occupés à boire comme des trous pour accepter leurs souvenirs. Je me suis installé avec eux à une table du fond dans notre tripot, notre secret entre nous, et je les ai regardés picoler tant et plus. Peu à peu, sous l'effet de la boisson, ils se sont mis à parler d'une voix pâteuse, à jurer, à raconter leur excitation, le sentiment de puissance qu'ils avaient éprouvé. La police, disait la télé, n'avait aucune piste, pas une, et j'ai souri en entendant ça, parce que ça signifiait que madame-sir prenait soin de moi, et mes hommes ont souri en entendant ça, parce que ça signifiait qu'ils étaient libres. Dans des chuchotements, ils sont tombés d'accord pour se faire oublier un moment, une semaine environ…

9.

… avant de recommencer. Ces cupides démons brûlaient de repiquer au truc. Mais il faut faire attention et bien regarder où on met les pieds, Sunny Wadia. Une fois la nuit venue, je les ai réunis, leur ai offert de l'alcool et des drogues, et j'ai organisé une rencontre dans un entrepôt, celui-là même où tu es assis en ce moment. Puis j'ai appelé la SP.

« Madame-sir, j'ai réussi, j'ai dit d'un ton triomphant. Ils vont remettre ça. »

Je lui ai indiqué l'endroit où le gang serait à l'affût.

« Sunil Rastogi, s'est-elle écriée d'une voix surexcitée, pour une fois dans ta vie, tu as bien fait. »

Naturellement, elle avait déjà échafaudé un plan. Ça faisait un moment qu'elle attendait ça. Elle m'a expliqué qu'elle arriverait, avec ses collègues, à bord d'une Esteem blanche, qu'ils seraient habillés et couverts de bijoux comme s'ils allaient à un mariage. Ils feraient une cible que mes gars ne pourraient pas dédaigner. Je donnerais donc le signal au gang, lequel frapperait. Et alors ? Eh bien, ce serait le début de la contre-offensive.

« Vous tirerez à vue ?

— Non, Sunil Rastogi, moi, je respecte la loi. Je les arrêterai. »

Là-dessus, elle hésita et précisa :

« Sauf s'ils me tirent dessus les premiers. »

10.

J'avais compté là-dessus. Il ne me manquait plus qu'un élément déclencheur ; élément déclencheur que j'avais déjà repéré dans la rue. Tu vois, Sunny Wadia, il fallait que j'élimine mon gang, pour elle et pour moi. Lorsque je suis allé retrouver mes gars un peu plus tard, je me suis aperçu qu'ils n'étaient ni fous de luxure ni fous de rage, mais que j'avais affaire à de timides créatures, à des êtres humains nerveux et apeurés, et que ça ne marcherait pas. Je les ai fait boire, je leur ai asséné un discours mobilisateur, j'ai parlé des putes et des *chutiyas* qui se moquaient d'eux et menaient grande vie alors qu'eux en bavaient. Je les ai poussés à boire encore davantage et j'ai réussi à les aiguillonner. Je les ai embobinés, j'ai récupéré leurs cartes d'identité, leur ai promis des plaisirs, des richesses et du sang, puis, dans la nuit, je les ai emmenés vers les champs, vers les cachettes. Les ai poussés à se dévêtir et à s'enduire de la fameuse graisse, ce qu'ils ont fait avec une solennité angoissée. Puis j'ai filé vers ma place, où j'ai attendu en faisant le guet, attendu, attendu et attendu en priant pour que mes gars ne repartent pas alors que plusieurs voitures passaient dans l'obscurité. Tout était calme et silencieux, quand j'ai vu la voiture arriver au milieu du brouillard, plafonnier allumé, j'ai vu madame-sir assise à l'arrière, habillée d'un sari rouge vif comme si elle allait à un mariage, et pure comme une déesse. J'ai eu envie de m'enfuir avec elle. J'ai allumé ma torche au passage de la voiture. Une fois, deux fois, trois fois. Je jure que j'ai vu madame-sir tourner la tête et me regarder. En plus, j'ai braillé : « Celle-là ! » Puis j'ai traversé le champ comme une flèche pour rejoindre mes gars. Comme prévu, ils ont jeté le bout de métal sur la chaussée et l'Esteem s'est arrêtée en dérapant juste devant eux. Tout s'est alors déroulé très lentement et très vite, Sunny Wadia. Les faux invités au mariage, armes au poing, ont bondi par les portières ouvertes, tandis que mes gars, pathétiques à la lueur des phares avec leur graisse, leurs maillots de corps et leurs caleçons, surgissaient avec leurs barres de fer et leurs couteaux. Ils ont lâché leurs armes. Ont levé les mains en l'air. Et, là, je suis passé à l'action. J'avais monté mon plan. Des pétards, comme les gamins qui harcelaient les chiens des rues. J'ai allumé une chaîne de pétards, je l'ai lancée et elle a explosé dans un éclair aux pieds de mes gars, ce qui a déclenché un mouvement de panique. La nuit tout entière s'est embrasée. Ça venait non seulement des flics dans la fausse voiture de mariage, qui se lâchaient avec leurs flingues, mais aussi de l'autre côté de la route, sous forme de dizaines de petites rafales. Un paquet de tireurs d'élite de la police s'étaient cachés là depuis le début. À présent, ils étaient en train de massacrer sauvagement mes gars, de les abattre sans merci. J'ai tourné les talons pour m'enfuir à travers champs et me perdre dans la nuit, le cœur battant à tout rompre.

11.

À l'approche de l'aube, j'ai tendu une embuscade à un homme à moto, lui ai défoncé la tête, piqué ses fringues et son pognon, j'ai roulé plusieurs heures d'affilée, puis j'ai abandonné la bécane et j'ai fait du stop ; un camion m'a pris et je suis arrivé à Bénarès à la tombée de la nuit. Je suis descendu au fleuve, me suis baigné, puis j'ai jeté les papiers d'identité de mon gang dans la Holy Ganga avec les autres reliques de ces vies disparues et j'ai dit une prière. À ce stade, les médias ne traitaient plus que de l'accrochage avec les flics. Je voyais des comptes rendus partout sur les chaînes de télé. Le redoutable gang des *Chaddi Baniyan* avait été décimé. Massacré dans une fusillade alors qu'ils s'apprêtaient à commettre un autre crime odieux. Dans chaque reportage, sur chaque poste de télévision, elle était là, la jeune SP, Sukanya Sarkar, madame-sir, dure à cuire dans son sari de mariage, pistolet au poing, héroïne du moment. Plus tard, elle est apparue en uniforme, démaquillée et la mine sévère, c'était ainsi que je la préférais, plantée au-dessus des cadavres recouverts de draps blancs alignés au bord de la route. J'ai reconnu chacun de mes gars à ses orteils. Là-dessus, j'ai passé des jours et des jours à épuiser mon pognon dans les bordels, mais j'en ai eu vite marre. Sunny Wadia, j'ai décidé de passer un coup de fil à la SP. Je suis entré dans une cabine et j'ai composé le numéro qu'elle m'avait donné. Dès son « Allô », j'ai dit :

« Félicitations, madame-sir, vous avez résolu l'affaire. »

Apparemment effrayée, elle est restée silencieuse un moment. Puis elle a marmonné :

« Sunil Rastogi, c'est bien toi ?

— Oui, madame-sir, le seul et unique.

— Où es-tu ?

— Madame-sir, ce serait stupide de ma part de vous le révéler.

— Pourquoi donc ?

— Parce que vous viendriez me tuer. »

J'aurais dû en rester là et raccrocher. Mais j'avais envie d'entendre sa voix encore un peu, et j'estimais qu'il fallait qu'elle ait conscience de tout ce que j'avais sacrifié pour elle. Donc, j'ai tout confessé.

« Madame-sir, je vous en prie, écoutez-moi pour une fois. J'ai quelque chose d'important à dire », et je lui ai tout raconté. Je lui ai confié que le gang était une craque, que je m'étais servi de mes amis pour monter cette histoire.

« Pourquoi ? m'a-t-elle demandé dans un filet de voix à peine plus audible qu'un murmure.

— J'avais peur, la pression était trop forte, et en plus j'avais envie de vous faire plaisir. J'avais envie de vous rendre heureuse. J'avais envie que vous résolviez l'affaire. »

Là, elle a gardé le silence. Elle a gardé le silence un long moment.

« Madame-sir ? »

Puis, d'une voix ténue et fragile, elle m'a demandé :

« Tu me dis la vérité, Sunil Rastogi ?

— Je vous dis la vérité, je le jure, je ferais n'importe quoi pour vous. »

Elle s'est tue, puis elle a prononcé un mot, un seul, au bout du fil :

« *Behenchod.*

— Madame-sir, j'ai répondu d'un cœur joyeux.

— N'appelle plus jamais ce numéro et ne parle plus jamais de ça à personne. »

12.

J'ai commencé à circuler. Dans le sud, au Bundelkhand, puis à l'est, vers le Bihar, j'allais de ville en ville, je volais quand je ne pouvais pas faire autrement, je commettais de petits délits, des délits mineurs. J'ai atterri à Ballia, à la frontière du Bihar, un endroit parfait pour un homme comme moi. Je me suis mis à bosser pour un des députés locaux. Il s'appelait Ajit Singh. Ayant entendu dire qu'il ne se passait rien en ville sans son aval, je me suis pointé au bureau de son parti un beau matin en déclarant que j'étais quelqu'un qui aimait bosser dur. Un colla-borateur qualifié m'a conseillé d'aller parler à un homme d'un autre bureau quelques rues plus loin. Celui-ci m'a demandé ce que je voulais, et j'ai répondu que je ferais n'importe quoi contre un peu d'argent et de l'alcool, même si je n'étais pas un ivrogne. Il m'a posé quelques questions, m'a interrogé sur mon expérience. Je lui ai dit que j'avais travaillé pour mon parti local quand j'étais dans l'ouest. Pour donner une leçon à nos ennemis. Ça lui a suffi.

« Comment tu t'appelles ? »

Chotu Raj, j'ai dit, et ça a été réglé, il m'a engagé. De ce jour-là, j'ai beaucoup appris en politique. Tu vois, Ajit Singh était le plus gros requin de la ville. Il avait des intérêts dans de nombreux domaines. Il draguait les lits des rivières pour avoir du sable de construction, il abattait des arbres sur les terres de la direction générale des eaux et forêts pour avoir du bois, il creusait des carrières pour avoir des pierres, il volait des médicaments dans les hôpitaux publics. À part flinguer un flic et, pourvu qu'on fasse son boulot, on pouvait faire ce qu'on voulait, on était protégés. J'ai reçu une excellente formation auprès d'Ajit Singh, j'ai compris comment la maîtresse roue faisait tourner le moulin, j'ai compris pourquoi flics, politiciens et bureaucrates bossaient main dans la main pour que cette fichue roue continue à tourner, pourquoi chaque pale, chaque rayon avait son importance, pourquoi cette roue incarnait le système lui-même ; que des mecs comme toi sont en fait la merde qui s'y accroche ; qu'une roue écrase tout ce qui se met en travers de son chemin. Et pour écraser, elle écrase ! On rackettait, on allait trouver des entreprises pour leur soutirer l'argent de leur protection, sinon on les cramait, on faisait pas mal de kidnappings contre rançons. On liquidait nos adversaires, on montait des émeutes, on organisait des manifestations. Si les communautés minoritaires en venaient à se la péter, on foutait le feu à leur quartier. Si un citoyen mal inspiré essayait de se plaindre de nous, allait trouver les médias ou le nouveau magistrat de district, on lui cassait les jambes ou sinon on zigouillait les journalistes eux-mêmes. Il fallait qu'on fasse en sorte que le message soit clair : tant que tu restes à ta place et que tu ne fourres pas ton nez dans nos affaires, la roue tournera dans le bon sens, mais si tu cherches à jouer les héros, ciao, mon pote ! Pour autant, je n'étais pas content. C'était un job monotone, sans la moindre étincelle créative. Je n'avais pas vraiment l'occasion de me distinguer. Cet état de fait a changé quand un des rivaux d'Ajit, un arriviste du nom de Govind Chaudhary, un gangster qui avait démarré dans la ferraille, est passé à la vitesse supérieure et a envisagé de disputer les prochaines élections. Un mec, n'importe lequel, se présentant aux élections dans notre secteur de la ville équivaut à une menace. Il a sa propre fortune et ses propres forces derrière lui. Ajit Singh a donc voulu lui adresser un message. On a eu un meeting et on en a discuté : quel genre de message lui adresser ? Govind Chaudhary avait un bras droit, Shiv Kumar. Ce dernier était un ancien associé d'Ajit, qui était passé dans l'autre camp. D'après nos informations, sans lui, Chaudhary était perdu. Il a donc été décidé que Shiv Kumar serait éliminé devant le tribunal, pas moins, trois jours plus tard, à la date précise où une affaire de racket devait être jugée en sa faveur. Ce serait assurément un puissant message. Ne restait plus qu'à choisir celui qui se chargerait de l'éliminer et comment. Oh, bon sang, Sunny Wadia, au quartier général d'Ajit Singh, ces échanges n'en finissaient pas, tout le monde parlait pour ne rien dire et se gargarisait de grandes déclarations. Moi, je ne suis pas trop causeur et, installé au fond de la pièce, j'écoutais sans la ramener. Quand j'en ai eu marre de ces fausses bravades, je me suis levé pour annoncer que je m'en chargeais. Puis je suis sorti. Mais il n'était pas question que j'attende trois jours ni que je me limite à Shiv Kumar.

13.

Je suis retourné à ma chambre, où j'ai passé le reste de la journée à me préparer avec un stock de bouteilles de *daru* et du *charas*. Des hommes d'Ajit sont venus me trouver pour m'annoncer qu'ils avaient leur propre équipe, et que je ne faisais pas partie du plan ; je leur ai ri au nez et je les ai virés. À vous de voir, j'ai répondu. J'ai sifflé ma dernière bouteille et j'ai attendu que le soir tombe, et une fois mon sang bien pris de *nasha*, je suis sorti, tout étourdi dans l'obscurité ; j'ai évité les postes de police, j'ai évité tout le monde et, une fois à proximité de la maison de Shiv Kumar, je me suis enfoncé dans une des allées obscures de la colonie cossue et suis resté caché au milieu des arbres jusque tard dans la nuit. Puis je me suis déshabillé pour ne garder que mon *chaddi* et mon *baniyan*, j'ai dissimulé mes vêtements, me suis enduit les membres de la graisse que j'avais prise avec moi, me suis nettoyé les mains, puis je les ai enveloppées dans des linges propres pour mieux grimper. Des flics surveillaient la rue de Shiv Kumar, et deux gardes armés sa résidence. Je me suis hissé sur le toit d'une maison proche et suis ensuite passé de toit en toit pour atteindre son domicile. J'ai sauté et atterri sans bruit sur le balcon. C'était une belle bâtisse, du genre de celles que possèdent tous les grands messieurs aujourd'hui. Personnellement, ça ne me faisait ni chaud ni froid. J'ai sorti la porte du balcon de son rail, suis entré et j'ai descendu le couloir au sol en marbre frais, puis je suis arrivé à la chambre, où j'ai vu les corps endormis de Shiv et de sa femme. Un jeu d'enfant, Sunny Wadia. Shiv Kumar n'était qu'un homme. Rien qu'un homme. Je n'ai pas perdu de temps. Je lui ai tranché la gorge. Son sang s'est répandu partout tandis qu'il poussait son dernier soupir dans un gargouillis. Sur ce, sa femme s'est réveillée en sursaut et je l'ai bâillonnée de la main. Dans sa terreur, elle a écarquillé les yeux et m'a mordu comme un chien enragé. Ça m'a mis dans une telle fureur que j'ai dû résister à une furieuse envie de la tailler en pièces, mais, pour mon plan, il était nécessaire qu'elle reste en vie. Je me suis bagarré avec elle. Son désir de vivre était si vif qu'elle s'est révélée plus forte que la plupart des hommes. Elle m'avait mordu au sang, mais dès qu'elle m'a eu lâché, j'ai pu me dégager et lui flanquer une tripotée. Je l'ai frappée jusqu'à ce qu'elle perde connaissance, puis je l'ai ligotée et j'ai fouillé le reste de la maison. Le bourdonnement des ventilateurs de plafond avait étouffé le bruit de notre échauffourée, de sorte que les autres occupants n'avaient rien entendu. Il y avait deux domestiques endormis au rez-de-chaussée, deux gardes en faction devant la maison et deux enfants. Shiv Kumar avait eu le bonheur d'avoir deux garçons. J'ai tranché la gorge des domestiques en premier. Puis je me suis rendu à pas de loup dans la chambre des gamins et je les ai regardés. Fallait-il que je les élimine ou est-ce que je les laissais dormir ? Malheureusement, j'ai commis l'erreur de réfléchir trop longtemps. Tu vois, la femme de Shiv Kumar a repris connaissance et s'est mise à hurler alors que j'étais planté devant les enfants. Les gamins se sont réveillés et ils m'ont vu dans mon *chaddi* et mon *baniyan*, couvert de graisse et de sang et les dominant de toute ma hauteur. Ils ont poussé des hurlements formidables. Les gardes sont entrés en force dans la baraque, alors j'ai détalé. J'ai bondi par la fenêtre, me suis carapaté par les toits et j'ai sauté dans les arbres proches juste à temps pour éviter les coups de feu. J'ai attrapé mes vêtements dans les fourrés et j'ai réussi à m'échapper, à traverser la ville, puis j'ai passé la nuit en planque dans la forêt.

14.

Le lendemain matin, la nouvelle s'était répandue. Le redoutable gang des *Chaddi Baniyan* avait réapparu et ils avaient tué le fameux Shiv Kumar. Les gardes, la femme et les enfants ont confirmé leurs dires respectifs. Ils étaient au moins cinq, ont-ils affirmé. Des monstres couverts de graisse noire, avec des yeux qui luisaient dans la nuit. Les gens ne parlaient que de ça. Il régnait partout une peur extraordinaire et la ville vibrait d'une énergie démoniaque. Les tueurs étaient décrits en des termes hyperboliques. Ce n'étaient pas des êtres humains. Ils avaient des yeux rouges et des doigts griffus. La rumeur a alors couru que la femme de Kumar avait mordu un des monstres. Tout le monde a décrété que ce sang allait la contaminer et qu'elle allait devenir comme eux. Cette bêtise m'a bien fait rigoler.

Je suis retourné au quartier général d'Ajit Singh à la nuit tombée. Je suis entré furtivement, dans le noir, et j'ai noté la peur et la terreur des membres du gang.

« T'as entendu ? T'as entendu ? » Le gang des *Chaddi Baniyan* est ici ! Ils ont commencé par dessouder Shiv Kumar ! Mais va savoir à qui ils vont s'attaquer après ? »

Comme je m'enfonçais dans la maison, j'ai entendu la voix fâchée d'Ajit Singh, qui pestait contre l'imbécile qui avait fait ça ! Shiv Kumar était censé mourir en public, sa mort devait être un message politique, une affirmation du pouvoir et des desseins d'Ajit Singh, et pas une histoire de fantôme tout juste bonne à effrayer l'homme du peuple.

« Et si l'homme du peuple pensait que le redoutable gang des *Chaddi Baniyan* travaille pour vous ? » j'ai dit en émergeant à la lumière.

Et là-dessus j'ai levé la main et ôté mon pansement pour lui montrer les profondes marques que m'avait laissées la morsure.

« Elle m'a opposé plus de résistance que les hommes, j'ai ajouté en riant.

— Qui es-tu ? a fini par me demander Ajit Singh, d'une voix altérée par la peur.

— Je m'appelle Sunil Rastogi de mon vrai nom. Mon gang rôde dans l'ombre et vit pour tuer. »

J'avais à peine prononcé ces mots que le silence s'abattait dans la pièce, que les mines farouches changeaient et que les gens présents s'écartaient de moi. Que c'était bon, Sunny Wadia, de jouir du respect que je méritais.

Sauvant les apparences de justesse devant ses hommes, Ajit Singh m'a remercié profusément de ce que j'avais fait. Il m'a néanmoins exhorté à partir ; les flics allaient tomber à bras raccourcis sur tout le monde. Il a ajouté que ça allait se tasser un moment du côté des activités, qu'il faudrait que je fasse profil bas, qu'il n'y aurait rien pour occuper quelqu'un comme moi.

« Mes occupations, c'est moi qui m'en charge », j'ai répliqué, ravi de le voir s'aplatir et me faire de la lèche.

Puis un de ses assistants lui a chuchoté quelque chose à l'oreille. Ils ont discuté un moment, en jetant des regards perçants dans ma direction. Leur échange terminé, Ajit m'a annoncé qu'il avait une nouvelle proposition à me faire, qu'il me la soumettrait seul à seul dans une heure.

« Faites-le maintenant », j'ai rétorqué.

Il m'a expliqué qu'il fallait qu'il s'entretienne avec quelqu'un de plus haut placé que lui, et que j'allais devoir attendre. Soucieux de ne pas trop tirer sur la corde, j'ai accepté. J'ai passé l'heure qui a suivi à fumer voluptueusement, enveloppé par les regards que les hommes d'Ajit, un peu plus loin, posaient sur moi à la façon de délicats rayons de soleil sur un après-midi hivernal.

Une fois le délai écoulé, Ajit Singh m'a conduit à son cabinet particulier et voici ce qu'il m'a dit : dans le nord de l'État, dans les forêts du Teraï qui bordent le Népal, se trouvait le *dera*[1] secret d'un homme puissant et formidable, qui avait eu vent de mon histoire et souhaitait me rencontrer.

« C'est qui ? j'ai demandé.

— Il s'appelle, m'a répondu Ajit Singh dont la voix s'est transformée en un murmure alors que nous étions seuls dans la pièce, Himmatgiri. C'est un seigneur de la guerre et sa connaissance de la magie noire, *kala jadoo*, surpasse celle de tout autre homme ici-bas. »

Kala jadoo ? La magie noire ? J'ai dû me retenir pour ne pas rire. Il n'y a pas de magie noire sur terre, il n'y a que les actions des hommes. On avait donc, planqué dans les bois, un filou qui exploitait la sottise des imbéciles. Je vais être clair, la stupidité d'hommes tels qu'Ajit Singh me faisait doucement rigoler. Néanmoins, ce nom d'Himmatgiri me plaisait beaucoup. Au grand soulagement d'Ajit, j'ai dit que je serais heureux d'aller rencontrer cet homme et voir ce qu'il valait. Quelques instants plus tard, j'étais en route.

15.

Bref, j'en étais là, Sunny Wadia, au pinacle de ma carrière, passant de gang en gang à la manière d'une idole, nourrie, vénérée et crainte. Toujours précédé par ma réputation. Souvent, les gens se taisaient, se contentaient de me fixer de loin ou de jeter de furtifs coups d'œil dans ma direction, comme s'ils avaient du mal à croire que j'étais qui j'étais et que j'avais fait ce que j'avais fait. Et j'étais qui de toute façon ? Un tueur ? Un démon ? Au fond, j'étais un jeune homme qui avait été injustement traité à plusieurs reprises et qui avait survécu, c'est tout. Je repensais à madame-sir, aux actes que j'avais commis et aux nombreux pétrins dans lesquels je m'étais fourré au fil de mon parcours. Mais à mesure que j'approchais de ma destination, ce genre de pensées a commencé à se dissiper. À la place, j'en suis venu à m'interroger sur ce fameux Himmatgiri. Qui était-il au juste ?

---

1. Campement.

Qu'avait-il fait ? Mes convoyeurs m'en donnaient des comptes rendus contradictoires, se montraient souvent vagues. Ils avaient parfois un mouvement de recul quand ils entendaient prononcer ce nom, et ils se tournaient pour jeter un coup d'œil autour d'eux, comme si les murs avaient des oreilles. D'autres murmuraient que c'était un grand *rishi*, un sage, ou la réincarnation de saints guerriers du passé. Une fois ou deux seulement, un *goon*, revêche, cynique ou courageux a éclaté de rire et déclaré que cet Himmatgiri était un imposteur, ou bien qu'il n'existait même pas, déclarations qui donnaient lieu à d'intenses débats. Comment tu le sais ? C'est pas évident ? Comment tu peux dire un truc pareil ? Fais gaffe à toi quand tu iras te coucher. Himmatgiri va venir te chercher. J'ai demandé : « À quoi il ressemble ? » On m'a répondu : « C'est un géant. » Avec des mèches de cheveux noirs sur un front haut, des yeux d'animal et des bagues étincelantes aux doigts. Il se trimballe avec une hache de la taille d'un homme. Non, il trimballe un sabre. Non, il ne trimballe rien, aucun mortel ne peut l'atteindre. Là, qu'est-ce que j'ai rigolé ! Autour de moi, ils se sont tus. C'est dans cette atmosphère équivoque que j'ai pénétré dans les forêts du Teraï au nord de Maharajganj, et c'est là que mon histoire prend un tour bizarre.

16.

Le gang auquel je m'étais joint appartenait à la mafia du bois, très puissante dans cette région. Ces gars étaient impliqués dans l'abattage et la contrebande de *khair*, l'acacia à cachou. Tu en as peut-être chez toi ? Il y en a chez tous les riches. Ou peut-être même dans les splendides appartements que tu es en train de construire un peu partout ? Bref, j'avais été rattaché à telle équipe de bûcherons. Des coriaces, qui connaissaient leur boulot. Ils devaient en principe m'accompagner à travers la forêt jusqu'à l'endroit où s'arrêterait mon voyage et me confieraient alors à Himmatgiri. En échange, j'assurais leur sécurité au cours du trajet, pendant qu'ils se livraient à leurs missions d'abattage la nuit.

« Et cet endroit où on va rencontrer le mystérieux Himmat-giri, c'est où ? » j'ai demandé.

Ils m'ont répondu qu'on ne le saurait que plus tard. J'avais beaucoup de mal à comprendre tout ça, mais je n'ai pas élevé la voix pour les questionner, étant donné que le silence était mon ami, je le savais. Mais, après avoir marché un bon moment à travers la forêt dans la lumière du soir, j'ai résolu de les provoquer.

« Vous savez, il y a des gens qui pensent que ce fameux Himmatgiri n'existe même pas », j'ai dit en rigolant.

J'ai senti un frisson parcourir les rangs. Un des vieux bûcherons a grommelé :

« Je dirai une prière pour toi ce soir. »

Et personne n'a rien ajouté sur Himmatgiri. J'ai continué à marcher en silence, mon fusil dans les bras.

Et donc le boulot a commencé. De manière très scientifique. On ne travaillait que de nuit. Le bois était placé sur des bicyclettes et amené à la route par des sentiers forestiers, puis il était chargé sur des camions et mélangé à du bois légal vendu aux enchères au Dépôt gouvernemental. Lesdits camions passaient par des postes de contrôle choisis où les fonctionnaires de service avaient été soudoyés pour fermer les yeux à des heures précises. Ça paraît relever d'une routine ennuyeuse, mais ça ne dit rien de la région démoniaque dans laquelle on évoluait.

Je n'ai jamais été croyant, Sunny Wadia. Mon frère l'était, ma mère aussi. Mais pas moi. Je me baignais dans les eaux sacrées et faisais mes *pujas* comme tout le monde, mais je n'ai jamais senti Dieu en mon cœur. Du moins jusqu'au jour où j'ai atterri dans cette région. Tu as déjà vu la forêt du Teraï en pleine nuit ? Je suis sûr que tu as vu beaucoup de choses, mais il y a des lieux que les hommes comme toi ne connaissent pas. Des lieux et des façons d'être. Si tu y allais, tu irais avec tes grosses bagnoles, ton costard et tes mecs. Tu ne te baladerais pas seul au beau milieu de la nuit. Il y a des flopées d'esprits et de divinités là-bas. Des léopards, des éléphants et des tigres. Et puis il y avait Himmatgiri. Plus on s'enfonçait dans la forêt, plus son nom jamais invoqué semblait peser sur tout. Malgré notre puissance de feu – AK chinois, pistolets mitrailleurs Sten, grenades, fusils de chasse, pistolets, machettes –, on avait la sensation de risquer la mort à tout moment. Les hommes superstitieux portaient des amulettes, disaient des prières, faisaient des sacrifices dans notre campement. Ils tuaient des chèvres et des poulets pour les déités du coin et priaient avant d'aller abattre les premiers arbres de la nuit.

Comment est-ce que j'étais arrivé là ? Où est-ce que j'allais ? J'avais l'impression de ne plus bien me le rappeler. Il y avait un vide derrière moi, et juste les arbres se déployant à l'infini dans l'obscurité. Il me revenait de vagues bribes du voyage que j'avais entrepris, des meurtres que j'avais commis, mais même eux me paraissaient irréels, comme si je les avais rêvés, comme s'ils avaient eu lieu dans une autre vie. Je me sentais coupé de la personne que j'avais été et à laquelle je m'étais tellement cramponné. Lorsque je parlais à l'équipe de bûcherons, c'était comme s'ils parlaient à quelqu'un d'autre, quelqu'un qui les accompagnait dans la forêt depuis longtemps, qui partageait leur quotidien depuis des années. Par moments, j'oubliais jusqu'à mon nom. Sunil Rastogi. Il fallait que je me le répète lorsqu'on regagnait notre campement sous la protection de la lumière du matin. Sunil Rastogi. Sunil Rastogi. Mais même ce nom avait perdu de sa signification et s'était détaché de son objet, comme n'importe quel terme répété à l'envi.

C'est au cours de la cinquième nuit, ou de la cinq centième peut-être, que ça s'est passé. On était en train de couper des arbres au plus profond de la nuit, trois heures du matin. Une fraîcheur subite est tombée. On venait de passer au Népal. Ça faisait maintenant deux heures qu'on travaillait. Je patrouillais les limites de notre zone, une cigarette à la bouche, en scrutant la jungle à l'affût de gardes forestiers, de léopards. Puis ça a été la pause et l'abattage s'est arrêté. Les scies et les haches se sont tues. Aussitôt après, le brouillard s'est levé, il a surgi de partout, si rapidement que je n'y ai plus rien vu. Un malaise m'a saisi, quelque chose de très mauvais était sur le point de se produire. J'ai écouté sans bouger, sans parler, à m'abîmer les yeux dans la forêt et j'ai commencé à imaginer des tas de choses. Des choses qui circulaient dans le noir. La panique m'a saisi, je me suis enfoncé dans le brouillard en appelant mes hommes à grands cris, mais, non, il n'y avait rien. Je me suis éloigné de plus en plus jusqu'à ce que le brouillard se dissipe et que je m'aperçoive que j'étais seul et perdu. Puis j'ai entendu une voix dans le vent. Sunil Rastogi, elle disait.

Subitement, je n'avais plus envie d'être là. Je n'avais plus envie de rencontrer cet homme. J'avais envie de rentrer chez moi. J'avais envie de m'enfuir. J'ai tourné les talons pour repérer un chemin. J'ai tourné les talons pour m'enfuir. J'ai serré le fusil dans ma main. Et c'est là que je l'ai vue. Vision que nul ne pourrait jamais au grand jamais se représenter. Une fille. Une fille nue avec de longs cheveux noirs, qui courait entre les arbres. Elle était à dix mètres de moi tout au plus, d'une pâleur spectrale au clair de lune, et elle courait. Elle m'a paru belle, mais quelque chose d'affreux émanait d'elle. Lorsque j'ai entraperçu son visage, j'ai compris ce que c'était : elle avait beau ne pas émettre le moindre son, elle avait le visage tordu, figé dans le cri qu'elle poussait. Je suis resté paralysé lorsqu'elle m'a coupé la route, et quand je me suis retourné pour la regarder s'éloigner en courant, j'ai vu un grand carré rose en forme de bulle sur son dos à l'endroit où la peau avait été arrachée. J'ai suivi la scène, ébahi, pendant qu'elle s'évanouissait dans le brouillard et, lorsqu'elle a eu disparu, tous les bruits ont repris vie, alors que, moi, je hurlais de terreur et tirais des coups de feu dans la nuit avec mon AK.

En entendant la pétarade, les hommes de mon équipe de bûcherons ont lâché leurs outils et se sont précipités vers moi. Oui ! Ils avaient été là tout du long.

« Qu'est-ce qu'il y a ? ont-ils crié. Un éléphant ? Un léopard. »

Je les ai regardés sans y croire. Ils n'avaient donc rien vu ? Le brouillard ? La fille ? Ils se sont consultés du regard.

« Où étiez-vous partis ? ai-je braillé. Où étiez-vous ? »

Ils ont manifesté une certaine réticence, affiché un air entendu et méfiant.

« On est arrivés, a répondu l'un d'eux.

— Où ça ?

— On ne va pas plus loin », m'a-t-on répondu.

Un des gardes a pris la parole :

« Montre-moi ton arme. »

Mon fusil était apparemment enrayé. Là-dessus, ils me l'ont arraché des mains et après ils m'ont attrapé, m'ont conduit vers un arbre où ils m'ont attaché avec une corde épaisse. Ils m'ont bâillonné. M'ont bandé les yeux. Je ne pouvais ni bouger ni voir ni hurler. Je les ai juste entendus s'éloigner, et le silence de la forêt est revenu. On m'offre en sacrifice, je me suis dit. Puis des bruits de pas. Des bruits de pas se sont approchés sur le sol de la forêt. Se sont faits plus proches. Se sont arrêtés devant moi, et, là, j'ai entendu un souffle régulier, j'ai senti un souffle brûlant, et j'ai frissonné quand mon nom s'est élevé des profondeurs du torse d'un inconnu.

« Sunil Rastogi. C'est donc toi l'homme qui ne meurt pas. »

Et ses mains ont arraché le bandeau qui couvrait mes yeux.

17.

C'était la dernière chose que je me rappelais. Je me suis réveillé quatre jours plus tard, en haillons, dans une bourgade que je ne connaissais pas, allongé parmi des mendiants, à côté d'un canal, marinant dans ma crasse, une bouteille d'alcool vide à la main. J'avais les pieds à vif, le corps meurtri. On était en milieu de journée, le soleil tapait fort. Le marché était animé et personne ne faisait attention à moi, on me prenait pour un ivrogne, un fou. Une vieille cul-de-jatte, une sorcière, m'a hurlé dessus. Je me suis levé et me suis éloigné en chancelant, je souffrais le martyre. J'allais clopin-clopant en essayant de me rappeler comment j'étais arrivé là, quand je me suis arrêté pour me regarder dans le rétroviseur d'une moto. J'ai manqué en tomber à la renverse. J'avais les joues griffées, les lèvres brûlées et couvertes de cloques. On aurait dit que j'avais vieilli d'un coup. Ce que je voyais, c'est l'homme que tu vois aujourd'hui. J'ai compris alors qu'on m'avait dépouillé de quelque chose. De quelque chose ici, dans ma tête. Dans mon cœur. Et même plus bas, dans mes couilles. J'ai essayé désespérément de me rappeler comment je m'étais retrouvé dans cet état. La seule chose dont je me souvenais, c'était de mon nom. Sunil Rastogi. Mais je n'étais pas moi-même. Je n'étais pas l'homme que j'avais été. J'étais sans le sou et paumé. La chance m'avait quitté. J'ai tenté de mendier et je me suis fait cracher dessus. J'ai tenté de mendier tant que j'ai pu, et je me suis fait tabasser par les flics.

Ils m'ont laissé en sang. J'ai traversé des fossés nauséabonds en me traînant. Je me suis fait mordre par des chiens errants. Moi ! Moi ? Non... il n'y avait pas de moi. J'avais été vidé de ma substance. Je me suis échappé à la nuit et j'ai marché à travers champs. J'ai dormi dans des temples et dans de vieux bâtiments. Mais je ne supportais pas d'approcher d'autres hommes. Je me suis mis à dormir en pleine nature. Je détestais fermer l'œil. Le sommeil fourmillait de monstres. Même éveillé, j'avais la sensation que quelque chose derrière mes paupières m'observait. Mais quand j'essayais de comprendre ce qui s'était passé, mon cerveau basculait dans les ténèbres. Je n'entrevoyais la vie que du coin de l'œil. J'ai compris qu'il fallait que je fuie.

18.

Mais fuir où ? Je ne pouvais penser qu'à un seul endroit, l'ouest, chez moi, là où tout avait commencé. Il faut que tu comprennes, Sunny Wadia, que j'étais désespéré, désespéré et effrayé. Et le pire était l'amnésie qui me taraudait. Mais qu'est-ce que tu racontes ? tu te demandes. Chez moi, ce n'était pas tout aussi dangereux ? Est-ce qu'ils n'attendaient pas de m'arrêter, là-bas ? Peut-être. En même temps, j'en doutais. La seule personne qui savait que j'étais un criminel était madame-sir. Et, pour se protéger, elle n'aurait jamais prononcé mon nom. Par ailleurs, j'avais l'impression que des années avaient coulé, que les péchés d'antan étaient oubliés. Non, j'allais rentrer chez moi, faire montre d'humilité, reprendre les terres de ma famille. Mener une existence de solitude et de travaux simples. Cette éventualité m'a porté pendant que je progressais vers l'ouest en mendiant ma subsistance. Il m'a fallu plusieurs semaines pour arriver à destination. Imagine ma stupeur, Sunny Wadia, quand, en atteignant Greater Noida, j'ai découvert que tous les terrains agricoles avaient disparu, que des villages entiers avaient été rayés de la carte, que d'énormes ensembles d'appartements se construisaient et que de grandes demeures destinées aux anciens fermiers sortaient de terre. Non sans difficulté, j'ai localisé l'endroit où j'étais né et me suis alors aperçu qu'une propriété dotée d'un haut portail métallique surmonté de caméras vidéo remplaçait la vieille maison du village. J'ai appelé mon oncle par son nom ; pas de réponse. J'ai appuyé sur l'interphone du pilier du portail et une voix m'a répondu. Qui était là ? Qu'est-ce que je voulais ? Si je ne m'éloignais pas, ils lâcheraient les chiens. Même si je n'étais plus en haillons, je faisais piteuse mine dans ce décor grandiose. Une part de moi a eu envie de tourner les talons et de repartir. Une autre a dit non, ce sont tes terres. J'étais en train de balancer quand un battant du portail s'est ouvert à la volée et un de mes jeunes cousins est apparu, habillé d'un magnifique costume et équipé de lunettes noires, d'une grosse montre et d'un énorme flingue américain. Ah, me suis-je écrié, c'est un truc de famille ! De quoi tu parles, toi, le dingue ? Je lui ai demandé s'il ne me reconnaissait pas. D'autant qu'il était planté sur mon lieu de naissance. En guise de réponse, il m'a conseillé d'aller me faire voir, sinon, il me descendrait. J'ai réussi à sourire de sa repartie. Je suis ton cousin, j'ai dit. « Sunil ? » s'est écriée une voix de femme derrière lui. C'était la veuve de mon frère. Grassouillette, couverte de bijoux et en jeans ! Elle avait des manières de reine, c'était elle qui tenait la maison à présent… en la voyant, le feu m'a échauffé les reins, la tempête s'est levée dans mon cœur…

19.

Elle a prié mon cousin de me laisser entrer. À l'intérieur de l'enceinte, nos vieilles maisons en brique étaient toujours debout à côté de palais en marbre flambant neufs. Des buffles sommeillaient encore à côté des SUV. Et dans la cour, notre vieille dadi[1] édentée roupillait sur un *charpoy*. Tout ce tumulte a attiré mon oncle. Il était devenu extrêmement gros et imposant et était tellement couvert d'or qu'en toute logique il aurait dû s'écrouler. Tous mes cousins se sont avancés, en me fusillant du regard, prêts à en découdre.

---

1. Grand-mère.

« Sunil, m'a lancé mon oncle, espèce de vaurien, espèce de *chor*[1]. Qu'est-ce que tu veux ? »

Je lui ai répondu que je ne cherchais pas d'histoires, que j'avais beaucoup voyagé et que maintenant, à la fin de mes pérégrinations, je voulais rentrer chez moi. Il m'a répondu :

« Ici, il n'y a rien pour un voleur. »

Le sang m'a monté à la tête, je me suis laissé aller.

« C'est toi, le voleur, mon oncle, j'ai dit, étant donné que ces terres sont à moi et à moi seul, que c'est toi qui me les as prises. »

Il a éclaté de rire et m'a repoussé.

« Un ruffian de ton calibre ne mérite pas de terres. »

Je suis resté là, humilié et conscient qu'ils ne céderaient pas. Je me rendais compte que les choses avaient bien changé, que j'étais très diminué, avili, et que la chance m'avait quitté. Tous ont commencé à se moquer de moi. Ils voyaient poindre sur mon visage l'avenir de vagabond qui m'attendait sur les grands chemins. Qu'est-ce que je pouvais faire ? J'ai baissé la tête et me suis avancé vers le portail donnant sur la route. Mais avant que je franchisse le seuil, la veuve de mon frère m'a appelé par mon nom. Je me suis tourné encore une fois et voilà qu'elle a ôté sa grosse chaîne en or.

« Prends ça, m'a-t-elle dit, pour te remercier de tout ce que tu as fait par le passé. »

J'ai accepté la chaîne avec humilité. La veuve de mon frère n'avait pas oublié la personne que j'avais été. Lorsqu'elle partageait le lit de mon frère, c'était à peine si je pouvais la regarder dans les yeux tant j'avais honte. Même aujourd'hui, j'avais du mal à regarder son visage. Mais, avec cette chaîne en or, j'allais entamer une vie nouvelle. Mes rêves n'ont pas duré longtemps. Dix minutes plus tard, alors que j'avançais d'un pas léger sur la piste en terre, une jeep Gypsy de la police m'a barré la voie. Un homme correspondant à mon signalement avait volé une chaîne de femme à l'arraché.

---

1. Voleur.

20.

Oui, mon oncle avait poussé la veuve de mon frère à faire le sale boulot à sa place. La police m'a embarqué, a monté un dossier contre moi, m'a tabassé, puis m'a transféré à la prison de Dasna. Après tant d'années, après tout ce que j'avais fait, c'était un sort fort à propos. Se faire pincer pour ce par quoi j'avais commencé. Et qu'est-ce que j'ai ressenti ? Du soulagement, plus ou moins. J'étais débarrassé d'un poids. Après tout, j'étais un voleur de chaînes en or. J'ai décidé de me soumettre à mon destin. De renoncer à la vie, de laisser la prison me mettre sous sa coupe. Une fois dedans, j'ai perdu tout désir, plus rien ne me manquait. Les autres m'ignoraient. Devant mon visage, mes cicatrices, mon délabrement, personne ne me provoquait. Je n'étais ni chassé ni chasseur. Je vivais en ascète. Les amateurs de chair fraîche me fichaient la paix. Si j'avais dû me regarder, je savais que mon image ne m'aurait renvoyé aucune trace du Rastogi des *Chaddi Baniyan*. Je ne me regardais pas, c'est tout. Je faisais celui qui ne s'intéressait pas à son image ; j'étais quelqu'un qui pouvait sourire avec indulgence devant les folies de la jeunesse. C'est ainsi que j'ai rencontré Sonu, le frère de Manoj. Il avait le sang chaud, comme moi à son âge. Il brûlait toujours de trouver quelqu'un qui écoute son histoire. Je lui ai prêté l'oreille. Il m'a dit avoir tué un homme au cours d'une dispute. Il était entré chez un concessionnaire de Delhi et s'était engueulé avec un vendeur à cause d'une voiture ; engueulade qui s'était soldée par la mort du vendeur. Oui, Sonu lui avait logé une balle dans la tête. À présent, il n'avait aucun espoir d'être libéré à moins de pouvoir réunir une importante somme d'argent. Suffisamment pour soudoyer tout le monde et obtenir une libération sous caution. Comment vas-tu réunir une somme pareille ? je lui ai demandé. Il n'y a qu'un moyen, m'a-t-il confié, le regard figé dans une lueur de violence. Je vais pousser mon incapable de frère à kidnapper contre rançon le *behenchod* responsable de tous nos malheurs. Cet enfoiré du nom de Sunny Wadia.

21.

Peut-être les choses commencent-elles à te paraître plus claires à présent ? Tu crois que mon histoire décousue ne vise qu'à en arriver là. Détrompe-toi ! Il y a entre nous plus de liens que tu n'imagines. Lorsque Sonu m'a parlé de son plan, j'y ai à peine réfléchi. Ça ressemblait à un truc que j'aurais fait dans le temps, mais qui n'était plus d'actualité. Ça m'est sorti de l'esprit. En dépit de ses manœuvres, ses rêves de revanche et d'évasion me laissaient froid. Mais tout a changé, Sunny Wadia, quand j'ai vu ta tête. Là-haut, sur l'écran de télé accroché au mur de la cellule d'un des *dadas*.

« Le voilà ! C'est lui ! a braillé Sonu. Voilà l'enfoiré qui m'a volé ma vie. Je vais prendre ma revanche ! »

Tout le monde s'est foutu de lui.

« Comment ça, tu vas prendre ta revanche ? Tu sais pas qui c'est ?

— C'est l'enfoiré qui a bousillé ma vie, a beuglé Sonu. Il nous a piqué nos terres avec son pognon, il nous a tous pourris.

— Non, non, on lui a répondu. C'est pas ça.

— C'est qui, alors ?

— C'est le fils de Bunty Wadia ! »

Je n'ai pas moufté pendant ces échanges. Mais, de retour en cellule, je me suis retrouvé comme possédé. J'ai pris Sonu à l'écart, l'ai regardé droit dans les yeux et je lui ai dit :

« Fais-moi libérer sous caution ! »

Il m'a repoussé.

« Te faire libérer sous caution ? Pourquoi ça ?

— Fais-moi libérer sous caution, j'ai répété.

— Qu'est-ce qui te prend !?

— Rien. Je suis redevenu moi-même.

— Tu racontes n'importe quoi, il a ajouté.

— Pas du tout. Maintenant, sers-toi de tout l'argent que tu as et fais-moi libérer sous caution. Et après je kidnapperai Sunny Wadia pour toi. »

22.

Même si Sonu était un fieffé crétin, il allait vouloir connaître mes motivations. Il fallait que j'invente quelque chose. Je lui ai donc servi l'histoire de ma vie. Lui ai confié que j'étais un criminel redouté qui faisait le mort, et dont les méfaits n'avaient pas encore été découverts. Mais que j'avais maintenant des fourmis dans les pattes. J'étais bouclé depuis trop longtemps. Donc, en échange d'un modeste pourcentage de la rançon, je monterais le kidnapping parfait, laisserais l'argent avec son frère et reprendrais la route. Quelques heures passées à l'embobiner m'ont permis de le convaincre. À partir de là, il a fallu que je le serre de près. Que je lui raconte mes hauts faits le soir, en attendant que tout soit réglé, pendant qu'il s'organisait avec son frérot pour payer ma caution.

Ça, c'était il y a trois semaines. Et aujourd'hui nous voici face à face, Sunny Wadia. Et à présent la question que tu dois te poser. Que s'est-il passé dans cette fichue prison ? Que m'est-il arrivé quand tu es apparu à la télé ? Quelle est la véritable raison qui m'a amené ici ? Me croiras-tu si je te dis que c'est ton visage ? Quelque chose dans ton visage m'a parlé. Quelque chose dans ton visage m'a mis en transe. Dès l'instant où je t'ai vu et pour une raison qui me dépasse, j'ai été contraint et forcé de sortir du gnouf et te rencontrer en personne. Il n'y avait que toi, Sunny Wadia, je ne pensais qu'à toi. Il fallait que je t'approche, et je ne comprenais pas pourquoi. Malgré les semaines que j'ai consacrées à te traquer, à monter un plan, à attendre le bon moment, je n'avais pas idée des raisons profondes qui m'animaient. Je ne savais même pas ce que je ferais une fois que j'aurais mis la main sur toi. Puis la chance s'est présentée. Toi et ton copain, seuls dans cette Bolero, au milieu de nulle part. On a saisi l'occasion. On a flingué ton copain. Bousillé ta bagnole. On t'a mis ici. J'ai retiré ton bandeau pour te regarder dans les yeux. J'ai compris pourquoi j'étais ici. Je me suis rappelé les quatre jours perdus.

23.

Comment avais-je pu les laisser filer, ces jours qui m'avaient été volés, ces jours où on m'avait dépouillé de ma vie, alors qu'avant je n'étais redevable à personne et qu'après je n'ai plus été que l'ombre de moi-même. Comment avais-je pu ne pas chercher à savoir ? Pourquoi étais-je reparti en courant chez moi comme un chien battu ? Je vais te le dire, Sunny Wadia, c'est parce que ces jours-là avaient été des trous noirs. Mais, aujourd'hui, ils me reviennent, eux qui étaient loin, le brouillard s'est dissipé, et ces jours se déploient clairement devant moi. J'ai senti la main dans la forêt arracher le bandeau qui m'aveuglait. J'ai senti qu'on libérait mon corps de la corde et de l'arbre. J'ai vu des hommes autour de moi, tous vêtus de noir, tous porteurs d'armes à feu, de sabres, armés jusqu'aux dents, comme on dit, tous avec des yeux cernés, de longs cheveux ramassés sur le haut du crâne, fixés avec un chakram tranchant, et bien d'autres chakrams autour des avant-bras et du cou, comme des disciples, comme des moines. Puis on m'a soufflé quelque chose à la figure et, quelques secondes plus tard, je n'ai plus pu ni bouger ni parler. Allez savoir pourquoi, je n'avais aucune envie de hurler. Puis d'innombrables mains m'ont soulevé de terre et porté, porté à travers la forêt, et j'ai perdu la notion du temps, de l'espace. Il m'a semblé que des heures ou des minutes s'écoulaient. Il m'a semblé qu'on me portait sur une centaine de miles ou que je faisais du surplace. On a atteint un camp, un ensemble de bâtiments aux allures de caserne avec des tours de guet et des barbelés en pleine forêt, dans la fente d'un ravin. On a franchi le portail, puis on m'a mené à une petite pièce où il y avait un matelas et une couverture et on m'y a laissé. C'était l'aube. Le soleil se levait et j'ai regardé les ombres qu'il traçait au plafond, et après je l'ai regardé se coucher. Toute une journée avait passé. À aucun moment, je n'avais pu ni parler ni bouger. Sunny Wadia, j'avais peur. Je n'avais jamais eu aussi peur. Ne pouvoir ni hurler ni bouger, c'est intolérable. Un cauchemar. Mais c'était pire encore que de ne pas savoir ce que l'avenir me réservait. À mon grand soulagement, mes membres ont recommencé à se mouvoir une fois la nuit tombée. D'abord, mes doigts, puis mes orteils. Je les remuais d'avant en arrière, ravi de les faire bouger. Mais ma joie n'a pas duré, une peur nouvelle l'a vite remplacée. Je repensais à la fille d'une pâleur spectrale qui courait à travers bois, la peau arrachée, qui courait sans bruit. Je ne pouvais toujours pas parler. Était-ce le sort qui m'attendait ? J'ai essayé de me calmer. Tu es Sunil Rastogi. Le plus chanceux des hommes sur terre. Fort de cette certitude, j'ai apaisé mes idées les plus folles et me suis ragaillardi avec une autre vérité toute simple : j'étais un homme et pas une fille. Ça m'a tranquillisé. J'ai tendu l'oreille afin de glaner des indices me permettant de savoir où j'étais. Curieux, la veille, pendant que j'étais paralysé, je n'entendais rien. À part des chants d'oiseaux et des cris d'animaux. Je m'étais demandé si ce camp était désert et si je n'avais pas imaginé tout ce que j'avais vu. À présent, j'entendais des tas de voix différentes, une grande animation. Je me suis doucement relevé. J'ai avancé d'un pas mal assuré vers les barres de métal qui m'offraient une obscure fenêtre sur le monde. À la lueur de lanternes, j'ai vu partout ces hommes en noir qui brandissaient leurs armes et, derrière la clôture, une procession de corps de femmes transférés d'un des bâtiments et poussés dans un camion. Pas morts, tu vois, mais asservis. La poignée de ma porte a tourné. J'ai été surpris dans la position où j'étais, en train de regarder dehors.

« C'est donc toi », a dit la voix.

C'est là que je l'ai vu. Un géant.

« Celui qui ne meurt pas. »

Qu'est-ce que j'étais censé répondre ? Je me suis figé. J'ai eu l'impression d'avoir été attrapé. Il est entré, il portait une longue *kurta* noire, ses cheveux lui tombaient sur les épaules, ses yeux ressemblaient à des charbons bordés de kohl et un *tilak* rouge et jaune lui barrait le front. J'ai dû lever la tête, tendre le cou pour le voir. Je me suis retrouvé sous son emprise, et celle du scintillement des bagues à ses doigts. Himmatgiri. Il était flanqué de deux de ses hommes. L'un d'eux charriait un tabouret en bois, l'autre une lanterne. À son signal, ils se sont tournés, ont posé le tabouret et la lanterne, et ils nous ont laissés seuls après avoir refermé la porte. Himmatgiri s'est mis à arpenter la pièce et j'ai remarqué qu'il avait des gestes pleins de douceur, une grâce féline. J'avais l'impression qu'il me connaissait. Il s'est approché. Toujours agrippé aux barres de métal, j'étais muet. J'ai noté une curieuse aigreur métallique dans son haleine.

« Comment se fait-il, m'a-t-il demandé en posant la main sur ma tête, que tu ne meures pas ? »

24.

Juché sur son tabouret, il m'a interrogé toute la nuit. Qu'est-ce que je pouvais dire ? J'avais de la chance. Je n'avais que ça à la bouche. J'avais de la chance. Lui voulait en savoir davantage. D'après lui, à ma place, n'importe quel homme aurait déjà dû mourir plusieurs fois. Il avait suivi mon cheminement depuis Ballia, depuis l'assassinat de Shiv Kumar. Comment avais-je fait ça ? Je n'en avais pas idée. Qu'est-ce que je savais du gang des *Chaddi Baniyan* ? Rien, j'ai dit. J'avais tout concocté. Ce gang, m'a-t-il expliqué, connaissait certaines choses. Ils pratiquaient certaines pénitences, certains sacrifices. Je ne suis pas des leurs, j'ai dit. Mais Sunil Rastogi, tu es un tueur, a-t-il répliqué en souriant. Il m'a obligé à revenir en arrière. Il m'a obligé à raconter l'histoire de ma vie. De ma naissance jusqu'à notre rencontre. C'est pour ça que je te raconte si bien mon histoire, Sunny Wadia. Je l'ai déjà répétée. Oui, il ne voulait pas que je me repose. Cet interrogatoire s'est poursuivi toute la nuit. Je ne me rappelle rien, à part sa voix. Quand l'aube est apparue, on m'a apporté une boisson spéciale, épaisse et âcre, dans une tasse en terre cuite. Il en a bu aussi. Il est revenu sur certains points. Qu'est-ce que j'avais pensé dans les moments de crise ? Comment est-ce que j'avais pris mes décisions ? Je n'en avais pas idée. Je n'en avais pas idée. Lui semblait chercher une clé. Lorsque la lumière du jour a envahi ma cellule, il est parti. Allongé sur mon lit, je n'ai pas fermé l'œil, pétrifié dans la lumière, avec des visions de ma vie. Je ne l'ai pas revu jusqu'à la nuit d'après, quand il a resurgi avec des lanternes et de quoi manger. Il s'est assis sur le même tabouret.

« Je suis arrivé à la conclusion que tu dis la vérité, a-t-il déclaré. Tu es un réceptacle. »

25.

Son portable se met à sonner. Un moment, dit Rastogi.

Il s'écarte du tabouret, répond au téléphone.

« Allô ? »

Il sourit.

« Oui. »

Il se retourne vers Sunny.

Manoj ne va pas tarder, ce sera bientôt terminé pour toi. Laisse-moi finir mon histoire.

26.

Où j'en étais ? Ah, oui, Himmatgiri. Il s'est assis en face de moi et a souri. « Je suis arrivé à la conclusion que tu dis la vérité, a-t-il déclaré. Tu ne sais pas d'où vient cette magie. Tu ne sais pas pourquoi tu ne peux pas mourir. Mais ce n'est pas un hasard si tu es venu me trouver, Sunil Rastogi. » Il s'est levé de son tabouret et s'est approché de moi, s'est accroupi et a sorti une chaîne accrochée sous ses vêtements. Au bout de cette chaîne, il y avait un anneau d'or où était sertie une pierre d'un vert tellement intense qu'on ne voyait qu'elle.

« Tu as passé toute ta vie à courir le pays pour arriver ici, a-t-il dit, et tu es désormais mon obligé. »

Je me suis surpris à trembler. Il m'était impossible de m'opposer à lui.

« Mais tu vas bientôt partir.

— Pour aller où ? ai-je répondu en repoussant des larmes, bouleversé par la confiance qu'il plaçait en moi.

— À l'ouest. Là où tu es né. Tu suivras le destin, ce destin qui t'a accompagné tout du long.

— Oui, j'ai murmuré.

— Et, une fois sur place, tu oublieras tout jusqu'au jour où tu verras un visage ; ce visage guidera ta main. Tu le chercheras, ce visage, et tu lui remettras un message.

— Quel message ? »

27.

Sur ces mots, Rastogi se lève de son tabouret, dans l'entrepôt, tire de sa poche un manche en ivoire et dégage de ses doigts agiles la lame mortelle encastrée à l'intérieur.

« Il a dit d'abord tu remettras un message de souffrance. »

Sunny commence à se tortiller et pousse un cri étouffé.

« Puis tu partageras l'histoire de ta vie. »

Sunny lutte contre les cordes qui le ligotent, bande tous ses muscles dans l'espoir de se libérer un peu.

Essaie de se lever avec la chaise à laquelle il est attaché, de l'abattre à nouveau contre le sol pour tenter de la casser.

Quelque chose.

N'importe quoi.

Mais il souffre le martyre, il est faible et rien ne marche.

« Ta vie est aussi souffrance. La souffrance née de notre terre. »

Rastogi s'accroupit tout près de Sunny et scrute son regard.

« Et après ? je lui ai lancé. Je le tue ? Oh, non, il a répliqué. Tu le laisses en vie. Et je lui ai demandé, Pourquoi ? »

Rastogi tend la main et saisit la joue de Sunny dans sa paume en coupe.

Tout ce que Sunny entend, c'est son cœur qui bat à tout rompre.

Pas le bruit de la moto au loin.

« Tu entends ? s'écrie Rastogi en se levant d'un bond. Oui, Manoj est là. »

Il s'écarte de Sunny et se dirige vers la porte.

S'éloigne.

S'éloigne.

Le bruit prend du poids, moto roulant pleins gaz.

Rastogi se plaque contre le mur à côté de la porte.

« Pendant qu'Himmatgiri me remettait sur mes pieds et me tenait dans ses bras, je lui ai reposé la question. Pourquoi ? Pourquoi tout ça si c'est pour lui laisser la vie sauve ? »

La moto est pratiquement là.

Sunny voit le trait de lumière dentelée des phares sous la porte.

« Tu sais ce qu'il a dit, Sunny Wadia ? »

Le moteur de la moto s'arrête.

Bruit de pas sur le sol poussiéreux.

« Sunil *bhaiya*[1], Sunil *bhaiya* ! »

Manoj accourt, fou de joie, il serre un sac en toile dans ses bras et entre en trombe sans voir Rastogi, caché derrière la porte.

« Sunil *bhaiya*, je l'ai ! »

Il s'arrête, dérape, voit Sunny ligoté, qui essaie de crier derrière son bâillon.

Manoj n'a pas le temps de réfléchir que Rastogi s'avance, l'attrape par les cheveux, lui tire brutalement la tête en arrière et lui cisaille la gorge. Il enfonce profondément et vicieusement la lame jusqu'à ce que le sang jaillisse de l'artère tranchée.

Manoj lâche le sac, porte les mains à son cou, essaie de dire quelque chose, mais il se noie en lui-même.

Rastogi maintient la tête de Manoj en arrière, lui écarte les bras.

Sous les yeux de Sunny, la vie fuit Manoj.

Il a les prunelles dilatées de chagrin.

Ses jambes se dérobent sous lui.

Il fait des bruits de gargouillis.

Tente vainement d'attraper l'arme coincée dans sa ceinture.

Mais il est déjà en train de quitter ce monde.

Rastogi le fait glisser à terre.

Il lâche le corps inerte de Manoj, le déleste de son arme, ramasse le sac en toile rempli d'argent, se dirige vers la porte. Il se retourne une dernière fois.

« Parce que le visage que tu verras, m'a dit Himmatgiri, c'est le visage de mon fils. »

---

1. Frère.

CINQ

NEW DELHI, JANVIER 2008

Le roi avait un comportement très bizarre

Matin

1.

Sunny se réveille nu à côté des filles de la veille. Maria et ? Il ne se rappelle même pas le nom de l'autre nana. Il leur a fait absorber tellement de vodka et de LSD que Maria elle-même ne se le rappelait pas dans la débâcle finale. Il les avait gentiment persuadées de faire l'amour ensemble devant lui, comme dans la fameuse scène de *Requiem for a Dream*. Ça l'avait excité de penser qu'à leur réveil elles seraient obligées de se regarder en face.

C'est un vrai salaud, un chien qui creuse un trou fantôme. Une aiguille qui cherche une veine.

La lumière lui fait mal, la journée lui fait mal, tout lui fait mal, bordel. Il se lève péniblement, avance en chancelant sur le sol en marbre pour rejoindre la salle de bains, laquelle est plus grande que l'appartement de Maria à South Ex. Il entre dans une des cabines de douche vitrées du sol au plafond, conçues pour ressembler à des capsules de téléportation, mais qui aujourd'hui ressemblent davantage aux cages psychiques où Bacon condamnait ses papes. Il pisse fort et longtemps, jet de malveillance brute, plaque les paumes contre le verre, la tête tendue en un cri silencieux, et regarde sa vie se perdre dans la canalisation.

Il sort et enfile un des peignoirs du Langham accroché à un support mobile au milieu de la pièce.

Lorsqu'il regagne la chambre, les filles ne bronchent pas. Il regarde Maria, à plat ventre. N'éprouve rien. Il en a même marre de ce vide qui l'habite. Il referme la main sur trois comprimés du tas de Xanax à 2 mg traînant sur sa table de nuit, les enfourne, puis les avale avec un fond de bière, attrape un paquet de Dunhill, ressort par la porte battante silencieuse et haute de près de trois mètres et s'enfonce dans les couloirs frais de l'aile qui est la sienne dans cette gigantesque demeure, dédale aux allures de musée, petites vitrines fermées sur des œuvres artistiques ou des objets précieux : macabres figurines dans le désert Mojave, fragment du mur de Berlin, mannequin revêtue d'un kimono en soie et d'un masque d'escrime, et suspendue en l'air par des cordes de bondage kinbaku dans le style Araki.

Il ouvre une porte donnant sur une vaste salle de bal criarde, cinquante mètres de long, au plafond piqueté de minuscules lumières retraçant les constellations d'un ciel de nuit. Un archipel de canapés en velours, grands comme des lits, ponctuent la pièce en contrebas où, pareils aux victimes d'un culte d'empoisonneurs, des corps endormis sont disséminés. Le système stéréo installé dans les murs diffuse en sourdine de la musique chill-out, les vibrations des basses sortent de panneaux encastrés dans le sol. Il se fraie un passage à travers le désordre, passe la main sur le large arrondi du bar, forme platonicienne typique de toutes les boîtes de nuit qu'il a connues. Tassé à l'opposé du côté où on sert, Fabian, le gestionnaire de patrimoine, qu'Ashwin a ramené de Paris, est affalé contre le mur, le regard vide, paumé, une arbalète chargée dans les bras. Sunny l'enjambe, attrape une bouteille de tequila sur l'étagère.

Il s'approche d'un des gigantesques bow-windows regardant les jardins de la propriété. Tel un empereur captif, il scrute les pelouses impeccables, l'amphithéâtre derrière, le havre de paix que représente le bois à l'horizon, les centaines d'ouvriers qui plantent des tentes dans la vive lumière de février, installent des tables, montent les deux scènes sur lesquelles les artistes se produiront, construisent les bars et les remplissent, assemblent la mini-grande roue, les attractions de fête foraine : galerie des glaces, train fantôme, stand de tir.

Il dévisse le bouchon de la bouteille et boit la tequila au goulot. Fait une pause.

« Merde. »

Il reprend de la tequila, commence par une bonne rasade, puis s'asperge la tête, se mouille les cheveux, s'en flanque dans les yeux, la barbe, le peignoir. Il laisse tomber la bouteille par terre, puis extrait le paquet de Dunhill de sa poche, se fourre une cigarette dans la bouche, réfléchit aux conséquences de la tequila associée au feu...

Clac !

Une flèche d'arbalète se fiche dans le plafond.

Il allume la cigarette quand même.

Aujourd'hui, Sunny se marie.

Dans sa cellule, Ajay baisse les yeux vers le costume safari tout neuf étalé sur son matelas. Peau d'une autre vie. On lui a demandé de le mettre. Quelqu'un viendra le chercher dans une demi-heure. On le conduira à la résidence Wadia, puis on le ramènera à la prison avant la fin de la nuit.

Permission de sortie compassionnelle d'une journée.

Il n'a pas voix au chapitre.

Sa présence a été requise.

Il ne sait pas pourquoi.

Ce qu'il fera une fois là-bas, il ne le sait pas non plus.

Va-t-on lui demander de servir les boissons ?

D'épauler Sunny ?

Ou juste de traîner à l'arrière-plan, tête baissée, à l'abri des regards ?

Absurde récompense de quatre loyales années de silence en tant que prévenu.

« Amuse-toi bien ! » rugit Sikandar.

Il se verrait très bien les zigouiller tous.

Sur la photo de sa sœur au bordel, l'homme qui partageait l'image a été coupé. À présent, les mots au revers ne disent plus que... CE QU'ON TE DEMANDE. Il range la photo dans sa poche intérieure, attrape le goulot de bouteille et un nouveau bout de papier alu dans lequel il perce des trous à l'aide d'un cure-dents, étale le tabac, le saupoudre de Mandrax écrasé, allume, inspire.

Sunny revient dans la chambre et les filles sont toujours là. Il ne supporte plus de les voir. Il consulte l'horloge au mur. Huit heures cinquante-deux. La cérémonie de mariage au *gurdwara*[1] est prévue à midi. Et, lui, il est là, ruisselant de tequila, à se fumer une cigarette, à regarder Maria qui lui tourne le dos.

L'autre est allongée à l'autre bout du lit, roulée en boule, les bras croisés et serrés sur le corps.

« Je sais que t'es réveillée », dit-il.

Il se lève et récupère la belle boîte du Cachemire rangée sur son étagère, la pose sur le lit, sort du tiroir de sa table de chevet un petit miroir, une vieille carte AmEx, un billet de banque japonais tout neuf. Ce n'est qu'en l'ouvrant qu'il se rend compte que sa réserve de coke d'urgence est épuisée.

Il est trois heures vingt-deux à Londres et Neda est assise à une longue table en bois dans la partie salon du grenier aménagé d'Old Street où elle habite désormais.

Nuit de samedi à dimanche.

Elle attend. Elle n'attend pas.

Elle n'a pas pu fermer l'œil. Des étudiants dehors chantaient, buvaient et renversaient des poubelles. Elle avait allumé la radio, baissé le son, s'était fumé une cigarette, puis elle avait râpé du gingembre et du *haldi*[2] au-dessus d'une casserole, avait fait bouillir le tout avec de l'eau, puis avait laissé infuser.

À présent, assise à la table, la tasse entre les mains, elle regarde les murs de brique à nu, les tapis persans délavés sur le parquet, l'éclairage élégant, les plantes tropicales, essaie de comprendre comment elle a fait pour atterrir là.

Son compagnon, Alex, est le directeur design de la petite agence de pub de Soho où elle travaille comme rédactrice publicitaire. Il a trente-cinq ans, il est écossais. Il est méthodique, mais enjoué. Il aime les activités de plein air. Il aime le surf des neiges. Il l'a repérée dès le premier jour. Il s'est montré

---

1. Temple sikh.
2. Curcuma.

gentil avec elle, a couvert ses erreurs, l'a regardée comme s'il essayait de la voir. Ça s'est passé comme ça. Elle a laissé faire. Elle ne l'aime pas. Ou peut-être que si. Ce n'est pas important.

Elle travaille dur. Ne dit rien de ce qu'elle pense. Surveille les mots comme un faucon. S'efforce d'être méthodique elle aussi.

« Parfois, j'ai l'impression que tu dors au volant, dit-il.

— Super poétique.

— Que tu es happée par les phares d'une bagnole.

— C'est toi, la bagnole ? lui demande-t-elle en lui caressant les cheveux.

— Je crois que je suis plutôt celle qui suit.

— Si c'est ça, t'es un voyeur. »

Elle n'a pas touché à l'argent des Wadia depuis longtemps. Elle a découpé leurs cartes de crédit, de débit. Elle a cessé de voir Chandra et Chandra a cessé de se manifester. Elle a même cessé de googler le nom de Sunny. Elle s'attendait à ce que le couperet tombe. Mais ils ont cessé… de la poursuivre. Ils la laissent tranquille. C'était comme si sa vie d'avant n'avait jamais existé.

Puis elle a appris la nouvelle. Sunny se mariait. Saleté de Facebook. Tous ces gens de Delhi qui l'avaient ajoutée comme amie ces dernières années, ça avait été sa faiblesse, ce lien qu'elle avait maintenu. À présent, elle voyait les photos postées. Le *mehendi*[1], le *sangeet*[2]. La villa de la *farmhouse* et sa piscine. Du coup, tout lui était revenu. Et maintenant elle est réveillée. Attend ce fameux jour. Attend quelque chose. Elle vit à nouveau à l'heure de l'Inde.

Elle entend la clé de la porte d'entrée tourner dans la serrure.

Alex rentre après une nuit passée à jouer au poker avec ses copains.

« Nom de Dieu, s'écrie-t-il en la voyant. Deuxième nuit d'affilée. »

---

1. Cérémonie précédant le mariage où les mains (et les pieds) de la future mariée sont ornés de dessins au henné.

2. Cérémonie précédant le mariage durant laquelle les deux familles chantent ensemble pour mieux consolider leurs liens.

Il a le vin sympa. Sent l'eau de Cologne, le whisky et la fumée de cigarette.

Elle se tourne gentiment.

« Je ne t'attendais pas, si c'est ce qui t'inquiète. »

Il s'approche, lui relève les cheveux et dépose un baiser au creux de sa nuque.

« Tu n'arrives toujours pas à dormir ? »

Elle hausse les épaules, ignore la question.

« Et alors, qu'est-ce qui se raconte par chez toi ?

— Il se raconte que je deviens vieux et fauché.

— Combien t'as perdu ?

— Suffisamment, répond-il, puis se reprenant : Non, sérieusement parlant, ça va.

— À ton odeur, tu as passé une bonne soirée au moins. »

Il met le cap sur le bar.

« Tu veux un dernier verre ?

— Non.

— Je peux te demander un truc, ajoute-t-il, la langue déliée par l'alcool. T'as été alcoolique ? »

Elle lui oppose un sourire calme, placide.

« Où t'as pêché ça ?

— C'est une question raisonnable.

— Si je l'avais été, je le serais toujours.

— Toxico ?

— Non.

— Alors quoi ? »

Il se sert un verre de cognac, le hume, prend la direction de la chambre.

« Une froussarde en convalescence », dit-elle.

À son réveil, Maria découvre Sunny installé dans un fauteuil vintage en cuir, le peignoir ouvert, il fume, le regard perdu dans le vide.

« Teresa », dit-elle en se tournant pour secouer Teresa et la réveiller.

Maria vient de Mexico et, depuis un an maintenant, elle tient un restaurant à Delhi. Teresa vient de Madrid, elle s'est baladée dans le Sud, sac au dos, pendant trois mois. À sa descente d'avion, il y a de cela trois nuits, elle s'est fait plumer par un taxi de Delhi qui l'a débarquée dans un endroit complètement perdu, et après trois mecs louches l'ont suivie de près jusqu'à son hôtel à Paharganj. On l'avait mise en garde à propos de cette ville, au fait que c'était un endroit très dur. Le lendemain matin, elle avait poussé la porte d'une agence de voyages et y avait acheté un billet de bus pour Jaipur. Puis elle était allée dans un café internet et y avait cherché un endroit, n'importe lequel, où elle puisse se sentir chez elle. Un restaurant mexicain dans South Ex lui avait paru devoir faire l'affaire. Elle avait passé la journée à Lodhi Gardens, Khan Market et Humayun's Tomb, puis à dix-neuf heures elle était allée dîner. La modernité du décor et la jeune Mexicaine qui tenait l'endroit l'avaient surprise. Ce n'était pas du tout le Delhi qu'elle avait craint. Comme il était tôt et qu'il n'y avait encore personne, Maria s'était précipitée sur elle. L'autorité de Maria et le soulagement que lui avait procuré leur langue commune avaient balayé l'épuisement et le sentiment de solitude de Teresa. Maria s'était assurée que Teresa profite de tout ce qu'il y avait de meilleur, *gorditas, mutton cabeza tacos, tamales oaxaqueños*. Et à chaque moment de calme, elle était venue boire sa bière à la table de Teresa. Elles s'étaient mises à parler de l'Inde ; fatiguée de Delhi, Maria s'était réjouie d'entendre les doléances de Teresa et, sachant que les riches Indiens anglophones ne risquaient pas de la comprendre, elle avait déversé ses propres griefs. Une fois purgées de leurs récriminations, elles avaient parlé de ce qu'elles aimaient dans ce pays. Elles bavardaient encore quand les autres clients étaient partis. Maria avait sorti une bouteille de mezcal.

« Je dois aller à Jaipur demain ! » s'était exclamée Teresa.

Maria avait déclaré que c'était impossible.

« Tu restes avec moi. Au moins cette nuit. »

Teresa s'était contentée de sourire et avait accepté.

Dans la voiture qui les ramenait chez Maria, Teresa avait cru percevoir un truc.

« J'ai quelqu'un », avait-elle dit, se sentant aussitôt toute bête.

Maria lui avait jeté un regard interrogateur.

« Quelqu'un ?

— En Espagne.
— Un mec ou une nana ?
— Un mec. »
Maria avait souri, mais n'avait pas insisté.
Teresa était tombée raide sur le canapé.
Au matin, Maria lui avait apporté son café, avait décrété qu'un de ses chauffeurs emmènerait Teresa récupérer ses affaires à son hôtel.
« Dors chez moi quelques nuits, lui avait-elle dit, tu seras totalement libre. Juste un truc : il faut que j'aille au mariage du mec qui m'a financée. Je vais avoir besoin d'une copine.
— Un mariage indien ! s'était écriée Teresa. J'en ai fêté un à Kottayam ! »

Maria, dans le brouillard de la redescente, cligne des paupières et secoue Teresa.
« *Oye.* »
Teresa ouvre les yeux. Fixe Maria avec un dégoût sans fard.
Elle se lève, commence à s'habiller.
« *Ya me voy.*
— *A donde ?*
— *A la recamara.*
— *Yo también.* »
Teresa ne la regarde pas.
« *Quiero estar sola.* »

Sunny consulte Maria tandis que Teresa s'esquive.
« Qu'est-ce qu'elle a dit ? »
Maria se lève, se couvre les seins et rassemble ses vêtements.
« Elle veut rester seule.
— Pourquoi ?
— Moi aussi.
— Pourquoi ?
— Pourquoi t'as fait ça ?
— C'est toi-même qui l'as fait. »
Elle s'énerve après lui.
« Dire que tu te maries aujourd'hui !
— Et alors ?
— Je ne voulais pas ça.

— Ça ne m'a pas sauté aux yeux.

— Tu es répugnant. »

Il se contente de la regarder et de sourire.

« Il y a un truc qui ne tourne pas rond dans ta tête, poursuit-elle. Ce que je suis obligée de faire, c'est le business. Mais pourquoi t'en prendre à elle ?

— Je te savais pas gouine à ce point-là, lâche-t-il.

— Tu ne me connais pas du tout. Elle ne va plus jamais me parler, tu sais.

— Qu'est-ce que tu veux que ça me fasse ?

— *No mames, güey.* »

Elle enfile sa robe et se dirige vers la porte, culotte et soutien-gorge à la main.

« Je n'ai jamais rencontré quelqu'un d'aussi répugnant que toi.

— Foutue brouteuse de gazon.

— *Chinga tu madre !* Suce-moi la queue !

— Suce la mienne », réplique-t-il.

Elle ouvre la porte à la volée.

« Non, franchement, insiste-t-il d'une voix froide et distante. Suce-moi la queue ou je ferme ton resto, je te fous à la porte de ton appart et je fais annuler ton visa. »

Elle se fige.

« Tu ne peux pas faire ça.

— Tu sais bien que si. »

Elle se tourne vers lui.

« Pourquoi tu ferais ça ?

— Ma bite est pas assez bonne, hein ?

— Pourquoi tu fais ça ? murmure-t-elle.

— Parce que t'es une pute.

— Tu peux pas faire ça aux gens. »

Elle hoche la tête. Puis sort de la chambre.

Juché sur le plan de travail en métal de la cuisine du personnel, Eli est en train de se boire un café quand, sur l'écran de vidéosurveillance accroché dans le coin, il voit Teresa partir en toute hâte. Il fait pivoter son épaule criblée de plomb et douloureuse – c'est elle qui a pris le gros du coup de feu –, et marmonne « Putain de Sunny Wadia ».

Puis il avise les chefs.

« Vous voyez rien, d'accord ! »

Au cours des derniers mois, la porte de la chambre de Sunny a représenté une grande source de distraction pour les chefs. Eli a noté qu'ils portaient machinalement les yeux vers l'écran tout en travaillant. Un autre écran, dans le coin opposé, contrôle l'entrée de la salle de bal, mais il ne les intéresse absolument pas. C'est dans la chambre de Sunny que la magie opère.

Ce matin, ils ont la satisfaction de voir partir une étrangère à moitié nue.

Ils échangent des sourires, heureux de cette bonne fortune dont ils profitent par procuration.

« Sauvages », grommelle Eli.

Il saute du plan de travail, grimace sous les vieux restes de la douleur. La clavicule brisée, le pneumothorax.

« Vous avez de la chance d'être vivant », avait dit le médecin.

En se réveillant à l'hôpital sans savoir si Sunny était vivant, et conscient qu'il allait avoir à s'expliquer devant la famille, il n'avait pas eu le sentiment d'avoir de la chance et avait feint l'amnésie. Et ce sentiment lui était resté jusqu'à ce qu'il apprenne que Sunny avait été retrouvé vivant. Et qu'il ait récupéré l'enveloppe planquée dans un coin de la Bolero.

On lui avait quand même fait la gueule un moment. Il s'était préparé à être viré. Il avait aussi envisagé de partir. Mais il s'était aperçu qu'il ne pouvait pas laisser Sunny. Il avait besoin d'aller jusqu'au bout de ce truc.

Oh, merde.

Sur l'écran : Maria s'en allait.

Il lui faut quarante-deux secondes pour arriver à la chambre de Sunny. Soixante pas, il les a mesurés. Eli les compte un à un, les mains dans le dos. Il croise la fille au vingt-septième pas, la salue respectueusement alors qu'elle s'essuie les yeux et, une fois devant la porte, il prend le temps de respirer, place la main devant sa figure, regarde à travers ses doigts écartés.

« Toc, toc, crie-t-il, ça risque rien si je rentre ? »

Il s'attend à des invectives.

Quand aucun bruit ne se matérialise, il entrebâille la porte. Essaie de prendre les choses à la légère.

« Sunny Wadia, dernière nuit de liberté, on se sent un tonus de lion ? Oui ? »

Mais, à l'intérieur, il voit Sunny sur le bord de son lit, un billet de banque roulé et enfoncé dans le nez, qui se penche vers un petit miroir sur lequel se déploie un rail de poudre bleue.

« Oh, non, mon pote, s'exclame Eli en se précipitant. Ça, c'est pas normal. »

Quand il rejoint Sunny, la ligne bleue a été aspirée.

« C'est quoi, ça ? Tu sniffes Xanax maintenant ? T'es malade. »

Eli s'empare du miroir tandis que Sunny s'effondre et ferme les yeux.

« Tu prends combien ? »

Eli fouille les poches du peignoir de Sunny à la recherche du pochon.

« Tu transpires la tequila, baba ! Pourquoi ça ? Il faut que je donne flumazénil ?

— Flumazénil, répète Sunny d'une voix pâteuse.

— Tu vas au temple dans trois heures.

— Au gurdwara.

— Temple, gurdwara. C'est pareil. Dieu regarde toi. Papa regarde moi.

— Fiche-moi la paix.

— Viens. On prend douche froide. »

Il traîne péniblement Sunny vers la salle de bains.

L'installe dans la cabine de douche.

Tourne le jet d'eau froide.

Eli ne cille pas devant la nudité pétrie de drogues de Sunny, devant ses bourrelets, ses cicatrices récentes. Il met de côté son portefeuille et son téléphone, entre à son tour dans la douche tout habillé. S'empare du savon et entreprend de briquer Sunny.

Ce qui le trouble, c'est l'acharnement de Sunny à se détruire.

Malgré tout, il s'efforce de garder un ton léger.

« Un jour, au Liban, je suis passé derrière lignes ennemies, beugle-t-il pour se faire entendre malgré le bruit de l'eau. Juste moi. Pas officiel. Ils m'ont envoyé parce que j'ai tête d'Arabe. Tu comprends ? En réalité, j'avais pas choix. Entre nous. Je fais un truc très mal. Alors, ils disent, tu vas prison ou tu vas Liban. Tu décides. Je choisis Liban. Je presque meurs. Deux fois ! »

Il colle des claques à Sunny.

« Mais tu sais quoi ? Même Liban est mieux que briquer le cul à Sunny Wadia. »

Rien. Sunny ne réagit pas.

Eli arrête le jet d'eau, baisse les yeux sur cette forme impossible.

« Dort comme bébé. C'est l'heure Flumazénil. »

Flumazénil : un antagoniste compétitif du récepteur de benzodiazépine inhibant l'activité au niveau du site du récepteur de benzodiazépine sous le complexe GABA/récepteur de benzodiazépine.

C'est-à-dire : neutralise l'OD de Xanax de Sunny.

Agit en 1 à 2 minutes ; 80 % de réaction en l'espace de 3 minutes.

Eli traîne Sunny sur le sol de la salle de bains, va chercher dans le réfrigérateur à médicaments un flacon, une seringue et un garrot en caoutchouc.

Combien de fois a-t-il fait ça durant les sept à huit mois qui les séparent de la libération de Sunny ?

Cinq ? Huit ? Il a arrêté de compter.

Il prépare la seringue, serre le garrot pour trouver la veine.

Pique.

Le téléphone de la chambre se met à sonner.

Eli libère la solution dans le sang de Sunny, défait le garrot dans la foulée.

L'extension de la salle de bains se met à sonner à son tour.

« Je crois que c'est pour toi », dit Eli.

Et Sunny grogne comme un chien.

« OK. Je réponds. Dis, tu vas faire grosse merde, d'accord ? »

Il se redresse de toute sa taille, soulève le récepteur avec un grand sourire feint.

« Allô, dit-il d'une voix tonitruante. Eli à l'appareil. »

Il écoute un moment.

« Oui, sir. Oui, sir. »

Sunny ouvre les yeux. Inspire un bon coup. Assied son corps nu.

Se frictionne le visage.

« Je veux un Diet Coke, décrète-t-il.

— Oui, sir, une seconde. Il arrive maintenant. »

Il couvre le récepteur de la main et murmure d'une voix sifflante :

« C'est papa. Il veut parler à toi. »

Sunny soupire, baisse la tête, attrape le téléphone.

« Oui. J'arrive. »

2.

Sunny se présente, plus ou moins alerte, devant Bunty Wadia.

Il a le regard, le visage et la gueule de bois de circonstance pour un jour de noces.

Masseuses et esthéticiennes sont là pour arranger ces détails cosmétiques.

Mais que faire pour son âme ?

Depuis sa libération, Sunny et Bunty se sont à peine parlé.

Bunty a adopté une attitude indulgente, compatissante.

Il a accordé à Sunny de l'espace et du temps.

A promis de traquer Rastogi.

Il a pris part au débriefing de Sunny, a été là aussi quand on a traité sa déshydratation, ses côtes meurtries, son poignet cassé, ses plaies infectées.

Un appareil de localisation avait été glissé dans le sac de billets.

Ce dernier a été retrouvé, sans l'argent, à côté de la moto de Manoj. Ils ont fait appel à un artiste-peintre qui a établi un portrait-robot du visage que Sunny a vu.

Mais quid des visages qu'il voit dès qu'il ferme les yeux ?

Manoj se vidant de son sang.

Mots noyés dans un gargouillis de bulles de sang rose au fond de sa bouche.

Et l'autre visage.

Celui dont il ne prononce pas le nom à voix haute.

Sunny a dit à Bunty, aux flics, à tous ceux qui ont écouté que tout cette affaire était liée aux terres.

Ils ont vérifié son histoire.

Sonu, le frère de Manoj, était en taule.

Ils sont remontés jusqu'à l'oncle de Rastogi.

Et ils ont aussi rapidement localisé Sukanya Sarkar, et son effroyable secret.

Mais, malgré tout ça, malgré les flics, les indics, les sources bien informées, les infiltrés, les balances, Rastogi s'est volatilisé. Il a juste été aperçu, a laissé quelques traces ici et là.

Pourquoi ?

Comment a-t-il pu disparaître si facilement ?

Allez savoir si une part essentielle de l'histoire n'est pas restée dans l'ombre ?

Celle qui commence avec Ajit Singh et se termine avec…

« Je sais, dit Bunty, c'est difficile pour toi depuis l'incident avec ce… »

Sunny hausse les épaules face au nom qu'on ne prononce pas.

« Mais on le retrouvera, poursuit Bunty, on va l'attraper.

— Moi, je le veux mort », dit Sunny.

Bunty soutient le regard de Sunny.

« Ce n'est qu'une question de temps. »

Je le veux mort.

C'est une scie, une rengaine perpétuelle.

Elle repasse en boucle dans son cerveau la nuit venue, en parallèle d'une foule d'autres choses non formulées.

« Mais ce n'est pas de ça que je veux parler, continue Bunty. Je veux parler de l'avenir. Ça fait longtemps que tu es un homme, mais aujourd'hui, avec cette union, tu vas devenir mon héritier. »

Bien sûr, pense Sunny… Il pense que Bunty en sait plus qu'il ne le montre.

Et même si depuis quelque temps Bunty se révèle plus gentil envers lui, Sunny le regarde aujourd'hui avec un pur mépris.

Un mépris qui le submerge.

Tu as tué mon enfant. Tu n'es pas mon père.

Ou peut-être que non. Et que tu l'es.

Il ne sait pas, ce qui est pire.

Il y a des limites à ce qu'il peut encaisser.

D'où le Xanax, le Flumazénil.

D'où la souffrance qui se propage.

« Et je voulais te dire que tu avais raison, continue Bunty. Tu avais raison pour ce qui concerne notre avenir. Tu avais raison pour ce qui était de quitter l'Uttar Pradesh. C'est ce qui justifie en partie cette union. Par le biais de ce mariage, on va marcher avec le Pendjab. Et grâce à ce que tu as fait pour moi avec Gautam Rathore, le Madhya Pradesh peut nous revenir. Quant à ce que tu décideras de faire… prends ton temps. Tu ne te maries pas seulement à une famille aujourd'hui, tu te maries à une femme. J'espère qu'elle prendra bien soin de toi. J'espère qu'elle te donnera un fils. Mais ce que tu feras ensuite t'appartient. On peut quitter l'Uttar Pradesh. Ram Singh, c'est du passé.

— Et qu'en est-il de… – Sunny serre les poings – de Vicky ?

— C'est aujourd'hui la dernière fois que tu seras obligé de le voir.

— Pourquoi ?

— Je vends les raffineries de sucre.

— Pourquoi ?

— C'est quelque chose que j'aurais dû faire depuis long-temps. »

Sunny met les bras dans le dos. Inspire à fond.

« Il faut que j'y aille. »

Il fait demi-tour.

« J'aurais dû te protéger. »

Bunty prononce ces mots avec plus d'émotion que Sunny n'en a jamais perçu chez lui.

« J'aurais dû te protéger, répète Bunty.

— Quand ça ?

— Quand je t'ai envoyé à la raffinerie. Quand Vicky… »

Sunny ferme les paupières un instant.

« Je savais ce qu'il faisait, poursuit Bunty. Je n'aurais pas dû t'expédier là-bas.

— Mais tu m'y as expédié.

— Depuis, tout a été fait pour te protéger. »

Sunny acquiesce calmement.

« Il faut que j'y aille.

— Peut-être que tu me trouves dur. »

Sunny ne peut plus trop supporter ce discours.

« Je vais être en retard. »

Il se tourne et s'éloigne vers la porte.

« Mais je suis ton père et tu es mon fils. »

De retour dans sa chambre, Sunny remet la main sur son téléphone. Il appelle Eli.

« Apporte-moi du whisky. Apporte-moi de la coke. »

En attendant, il se balance d'avant en arrière.

3.

Ça fait trois heures que Neda lit les ragots en ligne. Des extraits de tabloïdes de Delhi. Des journaux du Pendjab. Maintenant, elle sait tout de la future mariée, une golfeuse qui roule en Enfield. Farah Dhillon, reine rebelle de la vie mondaine de Chandigarh, visage en forme de cœur et sourire asymétrique.

Elle s'en veut de souffrir encore après tout ce temps.

Elle revoit Delhi à la fin de l'hiver. L'air vif, le ciel bleu et clair, la brume paresseuse noyant les pelouses sous le pâle soleil du matin. Son père en train de fumer une cigarette quelque part. Sunny quelque part. Elle rouvre son ordinateur portable, consulte Facebook une fois encore, fait défiler les photos de la soirée organisée dans la *farmhouse* de Sunny et postées dans la nuit. Elle ne reconnaît pratiquement rien, mais revoilà la fameuse piscine. Il y a des membres de la vieille bande, bouteilles à la main. Plus d'étrangers qu'avant. Aucune photo de Sunny.

Elle repense à la piscine. Repense à Ajay. Considère qu'il lui appartient.

Il est quatre heures et demie du matin.

Elle allume une cigarette, s'approche de la porte de la chambre, écoute le discret ronflement d'Alex. Revient se poster près de la fenêtre. Regarde les rideaux de pluie. Attend que le jour se lève. Attend que le jour s'achève.

Et alors quoi ?

Il faudra vivre avec, suppose-t-elle.

Elle fait l'inventaire du chariot à alcool, se décide pour la bouteille d'Absolut, la colle au congélateur, allume une autre cigarette.

Eli pousse la porte cinq minutes plus tard, il s'est changé. Chemise hawaïenne à large col, jeans skinny noir. Il porte un plateau avec une bouteille de Yamazaki cinquante ans d'âge, un seau à glace, un verre à whisky, deux canettes de Coca-Cola. Pose le tout sur la table basse.

« Comme tu as demandé.

— Où est la coke ? »

Eli pointe le doigt vers les Coca.

« Juste là, petit con.

— Connard, riposte Sunny, qui met des glaçons dans son verre et ouvre le whisky. C'est de la cocaïne que je veux.

— Je suis qui, moi ? Dealer ? J'ai pas.

— Alors, va en chercher.

— Où ça ?

— Demande à un des cons dans la salle de bal. De toute façon, tout ce qu'ils ont, c'est à moi. »

Pendant qu'Eli part à la chasse à la coke, Sunny se descend un grand verre de whisky. Il a l'intention d'approcher la toute dernière limite de l'inconscience, puis de se remettre en selle avec un méga rail.

La puissance de la coke lui donnera l'impression d'émerger d'entre les vagues.

Quand Eli réapparaît, Sunny en est à son troisième verre.

« T'es en train de tuer toi », affirme Eli en s'asseyant à côté de lui.

Sunny fixe le sol d'un œil vitreux.

« Je m'en tape. »

Il lève la tête.

« Elle est où la coke ? »

Eli repêche de sa poche de chemise un pochon qu'il pose sur la table.

« Tu sais quoi j'ai été obligé à faire pour ça ? Un mec a failli tirer moi à l'arbalète. »

Sunny brandit le pochon à la lumière.

Il y a pratiquement un gramme dedans.

« Connards. »

Il a des mouvements très lents, le verbe pâteux.

« Va me chercher un miroir et une carte.

— S'il te plaît…

— Va te faire voir.

— Et merci, tu connais ?

— Va te faire voir.

— Tu sais quoi ? dit Eli en obtempérant, tu peux pas parler aux gens comme ça et imaginer que tu vas survivre. »

Il pointe son torse du doigt.

« Je prends coup de fusil pour toi. Je vais hôpital. Je mens ton père. Je cache ton secret. Je fais tout ce que tu demandes. Jamais tu dis merci. »

Il essuie le miroir avec un Kleenex, vide le pochon de coke, prépare trois grands rails, roule un billet de banque.

« Va te faire voir, marmonne encore une fois Sunny.

— Pourquoi tu fais ça ? proteste Eli en lui tendant le billet. Tu sais quand quelqu'un parle comme ça, je coupe la langue. »

Sunny affiche un sourire narquois. Se penche, un œil fermé, pour aspirer le premier rail. Rate son coup.

« Tu penses que je blague, poursuit Eli. Non, non, je suis sérieux. Je fais ça. Je coupe la langue et je la pousse bien fond de la gorge. Je regarde la personne étouffer. Pas de problèmes. Je dors bien. Je rêve petits chats. »

Sunny s'y prend correctement cette fois-ci, sniffe tout le rail.

« Mais toi, continue Eli, pour toi, je fais rien. Tu sais pourquoi ? »

Sunny le regarde avec cette fausse clarté mentale d'un cerveau défoncé à la coke.

« Pourquoi ?

— Parce que t'es déjà niqué. »

Sunny se rejette en arrière, ferme les yeux.

« Moi, je sais reconnaître mec qui a mal, mon pote.

— Tu peux te barrer maintenant. »

Eli se dirige vers la porte.

« Tu sais quoi ? Je pense que t'étais bonne personne avant. »

Sunny hoche la tête.

« Tu sais pas qui je suis. »

Dans sa main, à présent, il tient l'échographie de son enfant dans le ventre de Neda.

Il tient le rapport.

Nom de la patiente : Neda Kapur.

Une dernière chose, un élément de doute.

Il faut qu'il sache.

Il sort son téléphone, compose le numéro marqué sur le rapport.

Son téléphone est posé sur la table devant elle.

La cigarette se consume dans sa main.

Quand la sonnerie retentit – numéro inconnu –, elle répond immédiatement.

Clairvoyance.

Désespoir.

Porte l'appareil à son oreille.

Entend le silence d'une pièce fermée, d'un esprit fermé. Et de toutes ces putains d'années.

Et s'il l'avait appelée une fois ? Rien qu'une fois ?

Elle l'entend respirer.

Bruyamment, mais régulièrement. Que c'est brutal.

L'océan, le sable, le feu.

« Sunny », dit-elle.

S'il y a un truc qu'elle ne veut pas, c'est pleurer.

Elle se force à esquisser un sourire feint.

« Je me suis laissé dire que les félicitations étaient de mise. »

Rien.

Elle attend.

Attend.

Il continue à respirer.

Va-t-il continuer à garder le silence après toutes ces années ?

Puis il se met à parler.

« J'ai besoin que tu me dises un truc. »

Sa voix si pondérée, si froide.

Elle a l'impression de perdre pied une fois de plus.

La piqûre de l'anesthésiste dans sa veine.

Ses entrailles arrachées.

Elle éteint sa cigarette, se lève et s'approche du congélateur, cale le téléphone entre son épaule et son oreille.

Elle attrape la vodka glacée. L'apporte à la table avec un petit verre.

La vie et ses détours inattendus.

Elle agite la bouteille, verse la vodka dans le verre. Le vide d'un trait.

« Qu'est-ce que tu veux savoir ? »

Se ressert.

« Est-ce que tu as tué mon fils ? »

Quelle brusquerie, quelle grossièreté.

Ça la fait rire.

« Tu trouves ça drôle ?

— Non, dit-elle en l'interrompant. Ça n'a jamais été drôle. D'un bout à l'autre. »

Elle s'approche de la fenêtre, contemple la rue mouillée, les lumières orangées. Le bus N55 passe, des travailleurs matinaux sont assis au niveau inférieur, moroses, quelques fêtards à l'étage. Une fois encore, elle boit son verre cul sec.

« C'est vraiment pour ça que tu appelles ? Le jour de ton mariage ?

— Est-ce que tu l'as tué ? »

Silence. Elle se ressaisit.

Elle perçoit la brûlure de la vodka, son ventre qui s'échauffe peu à peu.

« Tu aurais dû me prévenir. »

Elle n'en croit pas ses oreilles.

« Va te faire foutre, s'écrie-t-elle. J'aurais dû te prévenir ? J'aurais dû te prévenir ? Va te faire foutre. Tu m'as abandonnée. Après tout ce qu'on avait fait, dit et partagé. Tu m'as abandonnée. Je croyais que tu m'aimais. Je l'ai vraiment cru. J'ai pensé que tu n'avais pas besoin de le dire, parce que c'était vrai. Et qu'est-ce que tu as fait ? Tu m'as plantée. »

Un silence.

Puis une voix monocorde, dure.

« Je ne savais pas.

— Écoute-toi un peu. »

Elle repart à la cuisine, met la main sur un plus grand verre, s'assied à la table et se ressert une vodka.

« J'en ai marre, Sunny.

— Je ne savais pas », dit-il avec dans la voix une infime fêlure.

Elle ferme les yeux.

Alors, c'est vrai.

Sur le moment, le choc est violent.

Mais ça passe.

« C'est pas grave maintenant, murmure-t-elle. Mais quand l'as-tu appris ? »

La pluie dégouline sur le carreau.

Il ne répond pas.

Elle allume une autre cigarette.

« Elle est jolie, ta femme.

— Dis-moi encore un truc, ajoute-t-il calmement. Il t'a obligée à faire ça ? »

C'est une question qu'elle s'est posée un million de fois.

« Il t'a forcée ?

— Tu cherches un responsable, réplique-t-elle. Je comprends.

— Est-ce qu'il t'a obligée ? Est-ce que c'était lui ? Ou bien toi ? »

Elle l'entend se faire un rail.

« Quelle importance ?

— Mon fils est mort.

— Mon fils à moi aussi est mort. Il va bien falloir qu'on paie d'une manière ou d'une autre.

— Est-ce que c'était lui ? insiste-t-il. Est-ce qu'il t'a obligée à le faire ?

— Je te propose un jeu, Sunny. Tu me réponds, je te réponds. Je te dirai ce que tu veux savoir. Tout ce que tu as à faire, c'est me dire un truc, toi aussi : est-ce que ça en valait la peine ? Tout ce que tu as fait, ta vie, tous les gens qui t'aimaient et que t'as balancés, en passant d'un truc à l'autre, en te débrouillant pour toujours trouver un responsable. En exhibant ton cœur brisé, en montrant ce qu'on t'avait fait subir, puis en faisant subir la même chose aux autres. Tout bien considéré, est-ce que ça en valait la peine ?

— Lui ou toi ?

— Tu as l'air de croire que c'est le point charnière. Qui a fait ce choix, lui ou moi ? Lui ou moi ? Qui, de nous deux, a tué notre fils. Tu es triste, Sunny ? Tu es paumé ? Est-ce que le fait de le savoir pansera ta blessure ? Eh bien, voici ma réponse, Sunny. Voici la vérité. »

Elle lève les yeux et aperçoit Alex qui l'observe depuis le seuil de la chambre, mais il est trop tard pour qu'elle s'arrête.

« Ton père n'a pas tué notre fils. Je ne l'ai pas tué non plus. Le responsable, c'est toi, Sunny. C'est toi. »

Dans le vide de sa chambre, Sunny fixe son téléphone.

Il lui faut un moment. Il se calme.

Appelle Dinesh Singh.

« Mon pote ! répond Dinesh d'un ton joyeux. Pourquoi t'appelles ? C'est aujourd'hui que tu te maries !

— C'est toujours d'actualité ? demande Sunny.

— Ton mariage ? À toi de me le dire, mon vieux.

— C'est toujours d'actualité ?

— Ferme-la, bordel, répond Dinesh.

— C'est-toujours-d'actualité ?

— Pas au téléphone, bon sang.

— Il n'y aucun risque avec le téléphone.

— Il y a toujours un risque avec le téléphone, espèce de crétin.

— Fais-le et c'est tout, poursuit Sunny. Fais-le et c'est tout. Je veux qu'il disparaisse.

— Mon pote, réplique Dinesh. Fais une prière pour que personne ne nous ait écoutés. Parce que c'est parti. »

Après-midi

1.

Ils sont mariés.

Sunny et Farah Wadia.

Ils sont assis côte à côte dans la salle du gurdwara qui accueille la congrégation. Farah, resplendissante dans un *lehenga*[1] carmin, ruisselle de bijoux ravissants, sourit pudiquement, présente un menton digne pour l'occasion, des lèvres en arc de Cupidon ouvertes sur un sourire parfaitement imparfait et une dent de travers au milieu de son visage en forme de cœur. Et Sunny, avec son turban et son *sherwani*[2], impassible derrière ses lunettes de soleil Ray-Ban, ressemble à un *badass* de Bollywood ou à sa figure de cire au musée Madame Tussaud.

À la *farmhouse*, Tinu est assis sur le bord de son lit de jour, il fume, il attend. Sur la table devant lui, trois téléphones. Trois téléphones, chacun pour un motif spécifique.

L'un d'eux se met à sonner.

Tinu tire une autre bouffée de sa cigarette et se lève.

Le van de police traverse South Delhi avec à l'arrière Ajay, revêtu du fameux costume safari tout neuf, comme s'il n'y avait

---

1. Tenue traditionnelle généralement composée d'une jupe longue et d'un *choli* qui peut être court ou long. Pour un mariage, il sera souvent long.

2. Long manteau que les hommes portent près du corps.

jamais eu un quelconque problème. Les yeux perdus dans une brume de Mandrax, il regarde devant lui, le poignet menotté à celui de son gardien.

Le van s'arrête à l'avant-poste de police de Mehrauli, à cinq cents mètres de la propriété. Des agents de sécurité supplémentaires ont été déployés en renfort dans le quartier. Le portail de la colonie où se trouve la *farmhouse* s'enorgueillit d'une demi-douzaine d'agents privés prêts à vérifier les papiers d'identité des visiteurs, ouvrir les coffres et examiner le châssis des véhicules à l'aide de miroirs d'inspection télescopiques.

Des chiens policiers sillonnent les allées.

Un flot de voitures de luxe ne va pas tarder à déferler. Pour l'heure, seule la Land Rover noire circule dans le sens opposé.

À son approche, les gardes saluent, courent ouvrir le portail.

Tinu le franchit à grande vitesse et tourne vers le sud et l'avant-poste de police. Une fois à proximité, il ralentit, donne un coup de klaxon, puis bifurque vers l'une des allées derrière.

Le van transportant Ajay suit.

Les deux véhicules se garent. Les moteurs cliquettent et refroidissent. Et Ajay est poussé dehors, sans ses menottes.

Devant lui, Tinu descend de la Land Rover, fait le tour, ouvre la portière côté passager et l'invite à s'asseoir.

« Allez. Amuse-toi bien », dit le garde responsable d'Ajay.

« Tu as mangé ? » s'enquiert Tinu.

Ajay est maintenant assis dans la Land Rover à côté de Tinu, qui l'étudie, note qu'il a le regard vide, le cuir dur. C'est un soldat à présent. Ou bien le reflet de ce qu'il a été.

« Pourquoi je suis là ? demande Ajay.

— Ce que je veux, répond Tinu, c'est que tu te reposes. »

La Land Rover franchit le portail de la propriété.

« Profite de la journée. Mets-toi à l'aise. Tu es notre invité d'honneur. »

Ils remontent rapidement l'allée au milieu d'une débauche de pelouses, statues, fontaines et parterres de fleurs. Tout au bout, la résidence, soixante-dix pièces réparties sur trois étages.

Ils s'arrêtent au niveau de l'entrée gravillonnée. Tinu coupe le moteur et descend.

Ajay descend aussi, sans attendre qu'on l'y invite.

Un chauffeur accourt afin d'aller garer la Land Rover plus loin.

« Qu'est-ce que je peux t'offrir ? demande Tinu, une fois la voiture partie. *Chai* ? *Pani* ? Une boisson fraîche ?

— Une cigarette. »

Un vague sourire aux lèvres, Tinu médite sur cette réponse, puis offre une Classic Mild à Ajay, qui se sert, ôte le filtre, contemple posément la pelouse, les tables couvertes de plats et de boissons, les scènes, les attractions de fête foraine. Tinu lui propose du feu quand son téléphone se met à sonner. Un appel important.

« Pourquoi n'attends-tu pas par là ? lui suggère-t-il, le doigt tendu vers le premier groupe de tables. Mange quelque chose, prends un *chai*. Je reviens. Ne t'éloigne pas. »

Tinu se précipite vers la résidence, les mains en coupe autour du micro de son appareil.

Est-ce que c'est un test ? Ajay traverse les gravillons, gagne la pelouse et baisse les yeux. Que l'herbe est verte, verte. Il retire ses mocassins, ses chaussettes. Tire une longue, très longue bouffée de sa cigarette, qu'il fume sur son poing serré, dans le style de la prison.

Qu'est-ce que je fais ici ?

Ils l'observent, il le sait.

Il continue à se promener, se plante au milieu d'un groupe d'employés ; de gens chics, d'étrangers aussi. Ces derniers se bourrent de *samosas*[1], de *pakoras*[2], de sandwiches, de parts de pizza. Boivent des canettes de Coca-Cola, des bouteilles d'eau minérale. Soulèvent des thermos géantes pour se servir en café, en *chai*. Il y a trois seaux à glace remplis de Heineken. Un étranger lui décoche un sourire plein d'espoir.

« Pourrais-je en avoir une ? »

Il est vite déconcerté par le regard fixe d'Ajay.

Et par le fait, en y regardant de plus près, que le jeune homme n'est pas aussi servile qu'il l'avait pensé.

---

1. Snack généralement farci aux pommes de terre, parfois mélangées de petits pois.

2. Beignet de légumes à base de farine de pois chiche.

Ajay attrape pourtant une bouteille. L'ouvre avec ses dents et la lui passe.

S'éloigne avec une Heineken pour sa consommation personnelle. Contemple les bois dans le lointain, la vieille villa près de la piscine. S'arrête, décapsule sa bière et la descend, les paupières closes.

Recroqueville les orteils dans l'herbe.

Savoure la brise légère, le soleil d'hiver sur son visage.

Doux, parfait, martien.

Indifférent.

Une salve d'applaudissements le tire de sa rêverie : le cortège nuptial arrive.

Dix Audi noires se présentent, quatre s'arrêtent devant la demeure, six empruntent une allée tracée à travers les pelouses pour gagner les dépendances deux cent cinquante mètres plus loin, du côté du modeste zoo. Ajay a les yeux rivés sur les quatre véhicules à l'arrêt devant la résidence Wadia. Des deux premiers émergent des gardes du corps en costumes noirs et lunettes de soleil, qui se dispersent, leur boulot fait. Du troisième descend Bunty, seul, en Armani et lunettes noires. Il s'immobilise et allume une cigarette, que rapetissent ses mains énormes, son visage barbu. Il regarde son domaine autour de lui, fort de tout le temps qu'il lui offre, puis gravit les marches du perron. Du quatrième véhicule apparaissent les jeunes mariés. D'abord Farah, toujours en train de rire, toujours joyeuse, elle salue de la main le personnel et les employés qui s'approchent, grimpe les marches du perron à la hâte pour rattraper son beau-père. Elle lui chuchote quelque chose à l'oreille et Bunty éclate de rire à son tour. Elle pose la main sur son revers, à la vue de tous. Ayant fait valoir ses droits, elle se tourne et dévale les marches avec une grâce féline, traverse les pelouses d'un pas dansant, en suscitant des exclamations ravies sur son passage. Bunty la regarde s'éloigner, puis se tourne et disparaît à l'intérieur de la bâtisse.

Et cette grande bagnole noire reste seule au milieu des gravillons.

Ajay la fixe. Quels sentiments abrite-t-il dans son cœur ?

Et il finit par sortir.

Sunny Wadia.

Insondable derrière ses lunettes de soleil.
Il paraît bien seul.
Il s'allume une cigarette.
Ne regarde rien.
Entre dans la résidence.

2.

Les proches de Farah sont logés dans les deux dépendances, deux bijoux de quatorze chambres se partageant une salle de sport, un sauna, une salle de cinéma, une gigantesque cuisine, un spa, une piscine olympique chauffée.

Les domestiques occupent un modeste bâtiment derrière.

Les enfants courent, hurlent, sautent dans la piscine. Le grand-père paternel de Farah sert le whisky. C'est dans ces dépendances que logeront la plupart des proches de la mariée – sa mère, son père, les parents de son père, deux tantes maternelles, une tante et trois oncles paternels, leurs enfants, ses cousins, ses cousines, son frère, ses deux sœurs, leurs conjoints et leurs enfants – au cours des deux prochains jours.

Il ne manque que le grand-père maternel de Farah. Il est déjà en train de regagner Amritsar à bord d'un des avions privés de Bunty. Ce n'est pas grave. Il a fait ce qu'il avait à faire. C'est lui qui a célébré le mariage, qui a lu le *Guru Granth Sahib,* le livre sacré.

Giani Zarowar Singh est un chef religieux d'une autorité sans pareille, un des hommes les plus respectés de la communauté, un des plus révérés. Il demeure le conseiller moral et spirituel du *Chief Minister* du Pendjab, lequel est lui-même un parent peu éloigné de la mariée, par la branche paternelle.

En réalité, c'était Giani Zarowar que Bunty épousait.

Farah représentait simplement le moyen d'y parvenir.

La famille de Farah s'était ruinée. Son père était un homme généreux, optimiste, négligent, un homme enjoué et avide, un joueur, un alcoolique accaparé par d'impossibles projets.

Devenir riche !

Il avait de grandes ambitions face à la roulette de la vie et y laissait chaque fois sa chemise.

Au nombre de ses extravagances, une boîte d'équipement médical mal pensée censée fabriquer des pièces détachées pour scanners IRM. Gérée en dépit du bon sens, elle avait coûté une fortune à mettre sur pied et avait perdu énormément d'argent dès le premier jour. Au lieu d'écouter Lovely, son épouse, le père de Farah avait tenté de compenser en achetant des terres agricoles en Sierra Leone (un échec, quinze *crores* de roupies fichus en l'air), des stations-service dans le New Jersey (diesel coupé, ce qui lui avait valu des ennuis avec les autorités, lesquelles lui avaient infligé une amende de huit *crores* de roupies) et une mine de diamants au Ghana. Ç'avait été le pompon. Pour monter cette dernière affaire, il avait dépêché son fils aîné, lequel était revenu au bout de six mois, allégé de cinq *crores* de roupies, l'équipe de direction ghanéenne totalement accro à la cocaïne.

Farah avait suivi cette cascade d'événements tout en devenant une femme que tous les hommes adoraient. À trois ans, elle avait été envoyée en pension dans une école au pied de l'Himalaya. À ses sept ans, c'en avait été fini des vacances de ski en Europe. Les voyages aériens en première classe avaient cessé à ses huit ans. L'appartement de Mayfair avait été vendu quand elle en avait eu dix. La maison de Zurich quand elle en avait eu treize. L'adolescence venue, elle et ses frères et sœurs en avaient été réduits à passer leurs vacances à Shimla, à jouer au Monopoly en plaçant des maisons en plastique sur les rues où ils avaient eu de vrais appartements.

Ils avaient fait au mieux pour préserver les apparences. Le dimanche, ils allaient déjeuner à l'hôtel Taj. Et ils avaient toujours leur bungalow, avec sa luxuriante pelouse et des domestiques qui restaient parce que c'était aussi leur terre et qu'ils n'avaient nulle part où aller. Ils vivaient tous ensemble dans une pauvreté asymétrique : la mère et les tantes de Farah buvaient du gin sur la pelouse à l'ombre d'un parasol et entretenaient des liaisons avec de jeunes militaires admirablement découplés, pendant que les hommes de la maison allaient dilapider les derniers biens qui leur restaient.

Farah apprit à se débrouiller, mit à contribution des petits copains mal dégrossis, se lança dans le parapente, la chasse, apprit à conduire une moto, à jouer aux cartes et à tricher. En société, son charme, son intelligence, sa dureté exerçaient gentiment leur magie sur des hommes autoritaires. Son prof de gymnastique lui fit grâce des frais de cours. Et puis il y avait son vénérable grand-père. Elle était la prunelle de ses yeux. À cause de leurs liens, personne ne pouvait prendre le risque de se la mettre à dos.

Quand Bunty en vint à préparer son approche, Farah était une jeune femme de vingt-quatre ans très organisée et très attirante. Bunty l'avait rencontrée une fois, un an plus tôt, à l'occasion d'un mariage VIP à Chandigarh. Il avait commencé par se renseigner sur la famille, puis avait noté dans un coin de sa tête que Farah était intelligente, fougueuse, qu'elle avait de l'aplomb, qu'elle buvait et fumait, mais sans excès et sans y mettre un point d'honneur. Qu'elle était ambitieuse. Qu'elle avait la tête sur les épaules. Plus Bunty se renseignait, plus Farah lui plaisait.

Pendant que Sunny se rétablissait à l'hôpital, il s'était rendu au Bhoutan, où Farah passait des vacances à l'hôtel Aman avec un riche ami anonyme. Il lui avait envoyé un message : accepterait-elle de le rencontrer dans le décor de conifères de la Lodge de Paro ? Il avait une proposition d'affaires à lui soumettre. Assise sur la terrasse, à déguster un Château de Montifaud XO tout en contemplant la vallée dans la brume et les montagnes constellées de monastères, elle avait souri et dit :

« Ce n'est pas très réglo.

— Je sais », avait répondu Bunty.

3.

Revenu sur la pelouse, Ajay balance sa cigarette d'une chiquenaude, examine le col vert de la bière, pose la bouteille vide par terre. Il traverse le gazon, les gravillons, pieds nus, et monte les marches du perron.

Il suit Sunny à l'intérieur.

Personne, pas de gardes pour le stopper.

À l'intérieur. Silence et fraîcheur. Un escalier en fer à cheval, en marbre, de part et d'autre de l'énorme vestibule, où un ravissant tapis persan de trente mètres de long se déploie jusqu'à un bassin d'ornement. Sur le mur, un portrait de Bunty, de près de cinq mètres de haut. Au loin, des domestiques vont et viennent.

Ajay suit son instinct. De vagues souvenirs de plans entrevus. Gravit les marches de droite jusqu'à l'entresol, tourne encore une fois à droite et pousse une porte rembourrée de cuir.

Devant lui, un dédale de couloirs. Déserts, frais, sonores, ornés d'œuvres d'art. Il avance lentement, presse les pieds contre le marbre, sans bruit, il s'attend à être arrêté à tout moment et de toute façon il s'en moque. Il passe toute une batterie de portes fermées, entend des rires déplacés. Il passe devant une salle de billard. Devant une autre remplie de jeux d'arcade et de flippers. Vide, inutilisée. Mais les rires résonnent, de plus en plus forts.

Il trouve leur source.

Une gigantesque cuisine et trois chefs dedans. L'un d'eux mime une histoire. Quelqu'un part en courant. Ils rient de plus belle et jettent un coup d'œil sur un écran vidéo dans un coin de la pièce. Là-dessus, ils voient Ajay et s'interrompent. Lui, sur le seuil, ne les voit pas. Il fixe un pot de confiture de figue, un morceau de jambon de Parme, un bout de cheddar.

Il n'a pas oublié cette association.

L'un des sandwiches préférés de Sunny.

Seulement, le jambon est coupé trop fin, et, pour le fromage, ils auraient dû prendre du gruyère.

Il entre et ils le regardent, surpris. Cet uniforme inconnu, presque familier, ces traits tirés, burinés.

« Qui tu es ? Qu'est-ce que tu veux ? »

Vague inquiétude.

Il ne répond pas.

Il se borne à s'approcher de l'évier, remonte ses manches, se lave les mains.

Dit : « Ce n'est pas comme ça qu'il faut faire. »

Revigoré après un petit somme, un joint et un peu de speed, Eli enfile une chemise à fleurs toute propre. Il attend avec impatience la réception ce soir ; il a pris une décision importante, libératrice. Demain matin, il démissionnera ; ces conneries n'ont que trop duré. Terminée, sa vie de baby-sitter.

Il est l'heure d'aller se siffler une bière à la cuisine.

La première chose qu'il voit, ce sont les chefs.

Horrifiés, bouche bée.

Puis le mec devant le plan de travail en train de démolir des tranches de pain.

De les tartiner avec le couteau à beurre, de les mettre en pièces.

Puis de découper grossièrement le jambon.

De le flanquer sur le pain avec des mains furieuses.

Des mains qui aplatissent le pain.

Des mains qui s'interrompent, se referment, soulèvent un plat en l'air, puis le lâchent.

Le plat en morceaux sur le plan de travail.

Silence.

« Sortez et attendez dehors, ordonne Eli aux chefs. Tout de suite. Ajay ? »

Eli tend la main d'un geste lent, comme si Ajay était un animal perdu qui serait revenu au bercail.

« Tu te rappelles moi ? Eli. Ton copain. »

Il voit Ajay tenter de se ressaisir.

« Tu devrais pas être ici, dit Eli. T'as rien faire ici. Mais je comprends. Je pige. Ils t'ont fait le mal. On va promener ensemble ? Dehors. Asseoir sur le toit peut-être. Si tu pousses pas en bas. Tu écoutes ?

— Où il est ? »

Eli agite le doigt.

« C'est plus un souci pour toi.

— Où ?

— Ajay, faut m'inquiéter pour toi ? »

Ajay se tourne vers lui et ses yeux découvrent alors l'écran de télé.

Et le voilà : Sunny Wadia. Il descend le couloir et entre dans sa chambre. Sans attendre, Ajay se rue vers la porte de la cuisine et, à sa grande surprise, Eli recule et le laisse passer. L'inquiétude des chefs dehors augmente encore d'un cran.

« Allez chercher Tinu, leur demande Eli. Tout de suite. »

« Il faut dire, lance Eli qui double Ajay, puis fait marche arrière pendant que son compagnon cherche la chambre de Sunny avec détermination, si tu fais truc dingue ? Si tu fais truc dingue… »

Il ne termine pas sa phrase.

Ajay continue à avancer.

« Peut-être tu veux tuer lui. Moi, je critique pas. Sincèrement. Des fois, moi aussi, je veux tuer lui. »

Il regarde de droite et de gauche.

Tourne dans le couloir.

Repère la porte.

Eli tend la main.

« Je sais ce qu'ils font toi, ajoute-t-il. Je sais ce qu'ils font. Et c'est pas bien. »

Ajay s'arrête.

Eli s'interpose entre lui et la porte.

Il ne sourit plus.

Se met en position de combat.

« Laisse-le entrer », lui lance Sunny de l'autre côté de la porte.

4.

Dans les dépendances, Farah ne perd pas de temps pour installer sa famille.

Elle circule en aboyant des ordres destinés autant à sa famille qu'aux domestiques, déploie une telle autorité naturelle que le personnel Wadia se plie à ses exigences, et en redemande.

Ce qui a manqué dans cette maison, c'est une solide poigne de femme.

Une fois satisfaite de l'organisation des choses, elle jette sa bouteille de bière vide à la bonne, puis, vêtue du sari en soie de Bénarès que Bunty lui a offert, elle sort majestueusement du bâtiment et regagne la résidence qui est pratiquement la sienne.

Elle s'apprête à y entrer lorsqu'un des gardes du corps de Bunty l'intercepte.

Bunty l'attend dans la serre. Une voiturette de golf va l'y conduire.

Tours et détours au gré de l'allée boisée.

Deux autres gardes sont en faction de part et d'autre de la porte.

Farah avance à grands pas vers eux, tête haute.

« Papa ! » s'écrie-t-elle en voyant Bunty.

Elle le serre un long moment dans ses bras, appuie la joue contre son torse, inhale l'odeur de son eau de Cologne. Lorsqu'ils s'écartent l'un de l'autre, il lui dit :

« Allons faire un tour. »

Ils se promènent en silence.

« À quoi penses-tu ? lui lance Bunty au bout d'un moment.

— Que je suis très heureuse aujourd'hui, répond-elle en jetant un coup d'œil vers lui. D'être ici avec vous.

— Tu n'as pas à me flatter, dit-il en souriant. Je sais que tu te demandes ce que le vieux bonhomme que je suis attend de toi. »

Elle affiche une grimace horrifiée.

« Papa, vous n'êtes pas vieux. »

Il fronce un peu les sourcils.

« Si, aujourd'hui je le sens, après toutes ces années.

— C'est naturel un jour pareil. »

Il acquiesce.

« Ça marque un tournant. »

Ils poursuivent leur promenade. Quelque chose le tracasse, elle le voit bien.

« À quoi pensez-vous, papa ?

— Un jour, tout ça lui reviendra.

— Et vous êtes inquiet.

— À cause de pas mal de choses.

— C'est normal.

— Je t'ai parlé de cet incident, l'an dernier.

— Oui.

— Ça l'a changé. Il est en colère. Jamais satisfait.

— Quel homme l'est ? »

Il effleure son bras.

« Celui qui t'a épousée.

— Ne vous moquez pas de moi, papa.

— Il est trop sensible. »

Puis, quelques secondes plus tard :

« Pour ça, il tient de sa mère. »

Elle acquiesce avec bienveillance.

« Par chance, je ne suis pas comme ça. Je ne peux pas faire de miracles, mais je vous promets – se mettant au garde-à-vous, elle lui adresse un salut plein de gaieté – une vigoureuse remise en forme. »

Bunty éclate de rire.

« Je suis sûr que tu réussiras.

— J'ai toujours su m'y prendre avec des hommes comme Sunny. C'est un jeu d'enfant. Je me débrouille bien avec les enfants. Quand je suis aux commandes, ils ne font pas de bêtises.

— Il a de la chance de t'avoir. »

Ils continuent à marcher.

« Ce qui me préoccupe le plus, ajoute-t-elle, c'est ce que vous allez m'apprendre. Vous vous souvenez de ce que vous m'avez dit au Bhoutan ?

— J'ai dit beaucoup de choses.

— Vous avez dit "Je ne compte pas que tu épouses l'homme, ni même la famille, je compte que tu épouses le business". Vous avez été honnête dès le début, et ça m'a plu. J'y ai vu une opportunité. »

Elle tend le doigt vers une plante.

« Qu'est-ce que c'est ?

— *Solandra maxima*. La liane trompette.

— Et celle-ci ?

— Lys de feu. *Gloriosa*.

— Que c'est joli.

— Mais toxique. Tiens, voici ma préférée, ajoute-t-il en entraînant Farah, fascinée. L'orchidée Shenzhen Nongke.

— Elle est assez quelconque. »

Il sourit.

« Elle n'est pas en fleur. Mais elle est extrêmement chère. Sais-tu pourquoi ?

— Parce qu'elle est rare ?

— Parce que ce sont des hommes qui l'ont créée. »

Bunty glisse la main dans sa poche et un sort un écrin.

« Qu'est-ce que c'est, papa ?

— J'ai quelque chose pour toi. »

À l'intérieur : un énorme diamant.

« Papa !

— Un cadeau pour une jeune femme pas sentimentale.

— Qu'il est beau !

— Je l'ai choisi avec soin. Il vient de Sierra Leone. »

Elle le regarde avec un sourire espiègle.

« Là où sont morts les rêves de ma famille.

— Dis-toi qu'ils sont ressuscités. »

Il se saisit de la bague et la glisse à l'index de Farah.

« Il te va à la perfection.

— Maintenant, décrète-t-elle en sortant un paquet de cigarettes de son sac, parlons affaires. »

Il ouvre grand les mains.

« Vas-y.

— Je ne suis pas si jolie que ça et la première idiote venue pourrait donner naissance à un fils. Vous voulez élargir votre territoire. Je me trompe ? »

Il sourit.

« Pas du tout.

— En ce cas, il convient de prendre une décision.

— Une décision ? répète Bunty, amusé.

— Vous voulez juste mettre la main sur l'alcool au Pendjab ? Ou vous voulez tout ? »

5.

Ils sont assis l'un en face de l'autre.

Ajay et Sunny Wadia.

Sur les chaises en plastique rouge autour de la petite table.

Sunny avec ses Ray-Ban. Ajay ne fait même pas mine de baisser les yeux.

« Un verre ? » propose Sunny.

Il n'attend pas de réponse, remplit généreusement deux verres de whisky.

« En souvenir du bon vieux temps. »

Il ajoute des glaçons. Pousse un des verres sur la table. Ajay tend le bras vers le sien, de sorte que sa manche de veste remonte et révèle un tatouage.

« C'est quoi ? » s'enquiert Sunny.

Ajay interrompt son geste, relève davantage sa manche.

Un poignard de facture grossière, autour duquel s'enroule un serpent de facture grossière.

« Tu l'as fait toi-même ? » demande Sunny.

Ajay baisse sa manche sans répondre, porte le verre à ses lèvres, prend une gorgée hésitante, en reprend une plus consé-quente. Repose son verre.

« Donnez-moi une cigarette », dit-il.

Sunny lui tend son paquet ouvert, regarde les yeux injectés de sang d'Ajay, note la main légèrement tremblante.

« On a changé, toi et moi. »

Ajay prend la cigarette.

Sunny se penche avec du feu.

« Qu'est-ce que t'allais dire ? »

Il allume la sienne, et tous deux fument un instant sans rien dire.

« Tu le sais au moins ? »

Ajay se contente de le dévisager.

« Tu allais m'attaquer ? »

Vraiment ?

« J'ai entendu dire que tu avais tué des mecs en prison. »

Ajay jette un coup d'œil sur la pièce.

« Un ou deux. »

Sunny retire ses lunettes de soleil.

« Je sais, tu ne travailles plus pour moi, dit-il. Mais bientôt tout va changer.

— Vous m'avez déjà dit ça la dernière fois.

— Et j'aurais besoin de quelqu'un comme toi. »

Tinu pousse brutalement la porte, tombe sur cette scène et regarde avec effarement les deux hommes en train de boire leur whisky.

« Toi, aboie-t-il, je t'avais dit d'attendre dehors. »

Puis il soupire, secoue la tête.

« Maintenant, suis-moi. Bunty veut te parler. »

Sunny va pour se lever.

« Pas toi, précise Tinu en pointant le doigt sur Ajay. Lui. »

6.

Ajay se tient devant le bureau de Bunty, Tinu juste derrière lui, sur le qui-vive. Dans une atmosphère empuantie par la fumée, Bunty déclare :

« C'est la première fois que nous avons l'occasion de discuter ensemble. »

Résigné, Ajay observe Bunty, jette un coup d'œil vers Tinu.

« Il n'y a rien à dire, grommelle-t-il.

— Ne t'inquiète pas. Tout va bien, fait Bunty en souriant avant de lancer à Tinu : Tu peux nous laisser à présent. »

Sur la vaste véranda de la résidence, Sunny fume une autre cigarette. Il scrute l'horizon. Surveille, le long de l'enceinte de la propriété, les discrètes tours de guet où sont embusqués des tireurs d'élite. Se dit : Dinesh a intérêt à ne pas rater son coup.

Il essaie de bien démêler tout ça dans sa tête. Le qui, le quoi, le quand et le où. Le pourquoi, ça, il ne cherche même pas à comprendre.

Il entend une porte s'ouvrir à l'intérieur, voit Tinu sortir.

Voit Tinu répondre au téléphone.

Bunty se lève et fait le tour de son bureau. Se poste à quelques centimètres du visage d'Ajay. L'examine de la tête aux pieds.

« J'ai une question à te poser. Je serais content que tu me dises la vérité. Avant cette malheureuse affaire avec mon fils, tu es retourné chez toi. Que s'est-il passé là-bas ? »

Ajay le regarde droit dans les yeux.

« J'ai tué trois hommes.

— Pourquoi ?

— Ils cherchaient à me voler.

— Et ils cherchaient à te voler quoi ?

— De l'argent.

— Et tu ne t'es pas fait prendre ?

— Je suis revenu ici.

— Je vois. Et en prison ?

— J'ai tué aussi.

— Pour qui ? »

Ajay hésite.

« Pour moi. »

Bunty réfléchit à cette réponse.

« Ce que mon fils t'a fait était injuste, finit-il par dire. Je ne le nie pas. Mais ça s'inscrivait dans un projet plus vaste. Et, quoi qu'il ait pu se passer en prison, je sais que tu m'es resté loyal. »

Il pose la main sur l'épaule d'Ajay.

« Les raisons de ton emprisonnement sont difficiles, mais elles n'auront bientôt plus lieu d'être. Il y aura bientôt un accord, qui garantira ta liberté. Ma question, c'est : Que fera alors un homme comme toi ? »

Ajay pense à sa sœur. Se rappelle les paroles de Vicky.

FAIS CE QU'ON TE DEMANDE.

Mais voici maintenant l'occasion d'avouer.

Il s'apprête à parler.

Mais… trop tard…

Sunny est perdu dans ses pensées turbulentes quand Tinu, sur le seuil du bureau, l'appelle d'une voix pressante.

« Sunny, viens vite ! lui crie-t-il avant de disparaître à l'intérieur.

Quand Sunny finit par le suivre, Tinu est en train de chuchoter à l'oreille de Bunty.

Est-ce qu'ils savent ?

« On a du nouveau, annonce Bunty. Impossible de ne pas t'en parler. »

Tinu se tourne vers Sunny.

« On l'a retrouvé. »

Ça lui fait comme un coup de poing dans le ventre.

« Qui ça ? »

Sunil Rastogi. Il a été repéré dans les rues d'Old Delhi. Ça a commencé par une rumeur, balancée par un indicateur, mais les hommes de Tinu ont confirmé la nouvelle. Il a été vu à Darya Ganj, puis il a été pisté jusqu'à une vieille communauté chrétienne, un bungalow oublié dans le temps, caché derrière des haies et des roseraies dans la colonie des Civil Lines.

« Il se fait appeler Peter Mathews », précise Tinu.

La sueur envahit peu à peu le front de Sunny.

« On a des gars qui surveillent le périmètre, les petites rues par lesquelles il pourrait fuir et les artères plus importantes. Il faut qu'on fasse gaffe à ne pas lui flanquer la trouille, sinon il nous filera entre les doigts encore une fois. Comme à Saharanpur.

— À Saharanpur, intervient Bunty, il ne s'en est pas tiré tout seul. »

Six Subaru SUV noires ont franchi le portail et roulent vers la résidence. Élégantes, solides, couvertes de poussière.

« Descendez-le », dit Sunny.

Bunty avise Tinu.

« On pourrait faire venir Shiva ou Dadapir de Bombay. »

Tinu lui oppose une main prudente.

« Il faut d'abord surveiller ses allées et venues.

— Il n'y a rien à surveiller, riposte Sunny. Je le veux mort. »

Tinu consulte son téléphone, propose une autre option.

« On peut faire venir des contacts d'Uttar Pradesh ce soir. Je peux les appeler. »

Ajay regarde du coin de l'œil les écrans vidéo accrochés au mur.

Des SUV noirs arrivent devant la résidence.

Du premier descend Vicky, vêtu comme à son habitude d'une longue tenue noire de Pathan, le front ceint d'un *tilak* rouge et orange, les yeux protégés derrière des lunettes de soleil panoramiques, les doigts scintillant de bagues.

Le regard de Bunty va d'Ajay aux écrans.

Revient sur Ajay.

Remarque que ce dernier écarquille les yeux, que ses mains tremblent.

« Il le fera », déclare Bunty.

Il faut à Ajay plusieurs secondes pour se rendre compte que tout le monde est tourné vers lui.

« Ce n'est pas possible, proteste Tinu. Il n'est venu que pour le mariage. Il est toujours en prison.

— Il le fera, insiste Bunty. Il descendra Rastogi pour moi. »

Bunty regarde Sunny.

« Pour toi. »

Mais le regard de Sunny s'est déjà posé sur le mur aux écrans.

Sur la diversion dehors.

Sur les nombreux *goons* qui émergent des autres véhicules.

Vicky au centre de tout ça.

« Je vais m'en charger, déclare Ajay. Mais, sir, faites une chose pour moi. »

Il plonge la main dans sa poche intérieure, en tire la photo déchirée, abîmée.

Sa sœur.

Nue.

Seule.

La tend.

Bunty l'examine, regarde la femme sur le lit, ne bronche pas. Il tourne la photo, lit les mots qui restent… CE QU'ON TE DEMANDE.

« Qu'est-ce que c'est ?

— Ma sœur.

— Qu'est-ce que tu veux de moi ?

— Elle est à Bénarès. Mettez-la en sécurité. »

Des voix dehors. Un tumulte.

Bunty plante son regard dans celui d'Ajay. Lui rend la photo.

« Rapporte-la-moi quand le boulot sera fait. Et on la retrouvera. Tu as ma parole. »

Il a à peine terminé sa phrase que Vicky Wadia entre en plastronnant.

« On dirait que la fête a commencé sans moi, lance Vicky d'une voix enjôleuse, mais où est le whisky, frangin ? »

Sunny semble au supplice.

Il remet ses lunettes de soleil.

« Il faut que j'y aille. »

Il se tourne pour passer devant Vicky, mais celui-ci l'attrape par le bras.

« Félicitations, mon garçon. »

Sunny se dégage de son emprise.

« Je ne pensais pas que tu viendrais », fait Bunty d'un ton mesuré.

Vicky s'approche du bureau de Bunty.

« Tu t'es trompé. »

Vicky s'arrête à côté d'Ajay.

« Comment va ta mère ? lance-t-il d'une voix moqueuse. Et tes sœurs ? Elles vont toutes bien ?

— Allons-y, dit Tinu, qui jette un œil noir à Vicky, saisit Ajay par le bras et l'entraîne.

— On se parlera plus tard ! » crie Vicky.

7.

Au milieu de l'opulence toute commerciale du bureau de Bunty, Vicky examine avec un intérêt marqué les photographies aux murs : Bunty devant une raffinerie de sucre, Bunty sur un chantier, Bunty et Ram Singh. Il s'arrête face à un cliché jauni sur lequel deux adolescents posent à côté de la cabine d'un camion, l'un se protège du soleil, la main en visière devant les yeux, l'autre serre un pistolet.

« Ah, nous voilà, fait Vicky en souriant. J'ai cru que tu m'avais complètement éliminé. »

Bunty s'assied sur le bord de sa table de travail.

« Tu n'as jamais aimé les photos.

— Regarde-nous, poursuit Vicky, presque nostalgique.

— On n'était que des gamins. »

À brûle-pourpoint, Vicky, une lueur dans l'œil, se tourne :

« Et, avec l'autre gamin, tu voulais quoi ?

— Ajay.

— C'est comme ça qu'il s'appelle ?

— Tu le sais très bien. »

Bunty s'assied à sa table, allume une cigarette.

« Je voulais le remercier, c'est tout. Ça a été un serviteur loyal.

— Et un bon soldat.

— Peut-être pour toi, réplique Bunty avec un regard entendu.

— Rien ne t'échappe », riposte Vicky en agitant le doigt.

Bunty examine Vicky à loisir.

« Maintenant, dis-moi, frangin, qu'as-tu encore bricolé ?

— Comment ça ?

— Dans mon dos.

— Tu es impossible. Tu vois tout.

— Pas là-bas dans ce monde de ténèbres, où tu as choisi de vivre.

— Choisi ? répète Vicky en se détournant de la photo. J'ai été exilé, si je me souviens bien.

— Tu t'es exilé tout seul, répond Bunty d'une voix éteinte. Tu n'étais pas en état.

— Et c'est toujours toi qui as décidé. »

Vicky s'examine sous toutes les coutures, affiche un large sourire, ouvre les bras.

« Mais regarde-moi aujourd'hui ! »

Bunty prend une grande inspiration, rapproche sa chaise de sa table et se penche sur les papiers devant lui, tel un père las de son enfant impertinent.

« Il va falloir arrêter certaines de tes activités, dit-il.

— Comme quoi ?

— Tu penses que je ne suis pas au courant de tes trafics. Avec ces filles ?

— Je pensais que tu fermais les yeux.

— Et qu'est-ce que ça te rapporte au juste ?

— C'est sûr qu'on ne joue pas dans la même cour. »

Vicky se plante au milieu de la pièce, se déploie de toute sa taille, joint les mains devant lui. Comme surgi de nulle part, le géant émerge.

« Mais, bon, il n'y a pas que l'argent. »

Bunty balaie cette réponse.

« Le monde a changé. On n'est plus des *goondas*.

— Je n'ai jamais été un *goonda*.

— J'oublie ! Toi, tu étais un homme de Dieu, réplique Bunty en souriant.

— Dieu est partout. »

Bunty ouvre son tiroir, prend quelque chose en métal, le lance en l'air.

« Dieu est une pièce d'un *paisa*[1]. »

Vicky rattrape la pièce et l'escamote avec dextérité.

Ce tour ne manque jamais de calmer le jeu. Il est aussi vieux que leur antagonisme.

Bunty se radoucit, se carre au fond de son siège.

« Tu as toujours été colérique. »

Vicky s'approche de lui.

« Et toi, tu as toujours été le mec rationnel. N'empêche, dit-il en se penchant par-dessus la table, c'est ta violence qui est à l'origine de tout. »

Bunty le considère d'un air imperturbable.

« Tu sais ce que je veux, insiste Vicky. Montre-moi. »

Bunty fait une grimace dédaigneuse.

« Encore le même truc ?

— Au nom du passé, s'entête Vicky. Montre-moi. Montre-moi tes mains. »

Bunty hésite, soutient le regard de Vicky.

Puis il écrase sa cigarette.

Tend les mains.

Les retourne lentement, telles des cartes secrètes.

Dévoile deux grandes cicatrices.

De profonds sillons en diagonale lui entaillent les paumes.

« Je n'ai pas oublié ce jour-là », dit Vicky, l'œil brillant.

Il tend le bras et prend les mains de Bunty dans les siennes, fait courir ses pouces avec révérence sur les vieilles entailles.

« Ça m'a donné du pouvoir, mais, toi, ça t'a donné bien plus. »

Bunty ne dit rien, mais ses prunelles ne démentent pas ce constat.

« Tu l'as toujours ? demande Vicky.

— Le cerf-volant ? répond Bunty en acquiesçant. Bien sûr. »

Vicky ferme les yeux.

« Tu te rappelles comment il volait ? »

Il revoit en imagination le cerf-volant de leur enfance déployé sur un ciel bleu sans nuages.

---

1. Un centième de roupie.

Le cerf-volant et sa longue ligne enduite de poudre de verre.

Il virevolte, tressaute, lutte du haut des toits contre d'autres cerfs-volants dans le ciel.

Se faufile au milieu d'eux, tranche leur ligne et les envoie mordre la poussière.

Dans son imagination, il voit un visage.

Le visage grotesque d'un jeune garçon.

« Qui est encore vivant, de ce jour-là ?

— Tinu. Toi. Moi », répond Bunty.

Un jeune garçon, couvert de sang.

« On était dingues », dit Vicky en riant.

Il ouvre les yeux, lâche les mains de Bunty.

« On a fait ce qu'on avait à faire, rétorque Bunty. Et on est passés à autre chose.

— Oui, reconnaît Vicky en balayant le bureau d'un geste, et aujourd'hui tu vis dans ce trou étouffant en te cachant du monde. »

Il sort la piécette d'un *paisa* de derrière son oreille, la renvoie d'une pichenette.

« Le pouvoir pour le pouvoir. »

La piécette rebondit sur la table de Bunty.

« Chez toi, c'est un désir ardent. Pour moi, le pouvoir a toujours représenté autre chose. Le plaisir. La douleur. »

Bunty allume une cigarette.

« C'est pour ça que tu n'as pas grandi.

— Oh, j'ai grandi, mon vieux. J'ai grandi et j'ai pris du champ. C'est ça, la tragédie. »

Vicky prend une longue inspiration et fait mine de scruter le passé.

« Je pense souvent à ces jours lointains. C'est un drôle de truc, la mémoire, tu ne trouves pas ? Qui peut dire ce qui s'est réellement passé ? Pas les livres d'histoire. Pas la bouche des morts. Bien sûr, il doit y avoir des témoignages quelque part. Sur ce qu'on a fait. »

À ces mots, Bunty se referme sur lui-même.

« Assez joué, déclare-t-il. J'ai du travail. Va profiter de la soirée. »

Vicky se tourne vers la porte.

« C'est un jour faste. Les corps célestes sont alignés.

— Essaie juste de ne pas créer de problèmes. »

Vicky arbore un grand sourire et hausse les épaules.

« J'ai rien prévu. »

Une Bolero est garée le long d'une façade tranquille de la résidence, loin des lumières, des employés et des stands animés. Une porte s'ouvre sur Ajay et Tinu. On a fourni des vêtements neufs à Ajay. Jean skinny noir et T-shirt assorti. On lui a confié un téléphone portable. Un plan dessiné à la main avec, au dos, une esquisse grossière de la cible. Une petite liasse de roupies.

« Ça me plaît pas, grommelle Tinu. Je ne comprends pas pourquoi il t'envoie. Mais c'est comme ça. »

Il fixe les yeux injectés de sang d'Ajay.

« Comment tu te sens ?

— Ça va.

— Tu as tout ce qu'il te faut. »

Il ouvre la portière arrière.

« Tire à la première occasion. C'est le chauffeur qui a ton arme. »

Ajay grimpe dans la voiture.

« Il va t'emmener à Kashmiri Gate, puis tu continueras à pied. »

Il referme sur Ajay.

Il tourne les talons.

« Le monde est devenu fou. »

Nuit

1.

La nuit descend comme un rideau, des flots d'invités arrivent et, pareils à des bancs de glaces flottantes, s'égaillent dans la propriété, escortés par des hôtesses sibériennes, grandes, blondes, sympathiques, dévoilant juste ce qu'il convient de peau. Des hommes de pouvoir se regroupent en cercles confidentiels. Boissons et canapés circulent. Métal rutilant et klaxons impatients bloquent la voie d'accès. À l'intérieur, tout est jonché de fleurs, de lumières. La réception est un festival, une *mela*[1].

Dans le domaine de Sunny : des hommes et des femmes ; bourrés, la tête dans le pâté, défoncés, re-bourrés. Ses amis : les hommes qu'il a attirés, courtisés et démolis, les pas encore démolis, mais en passe de l'être, les curieux, les téméraires, ceux qui se sont abaissés suffisamment longtemps pour se calquer sur les bernacles ventousées à la coque d'un navire, les suffisamment médiocres pour être plus ou moins ignorés ou ceux qui ont juste ce qu'il faut de pouvoir pour s'en foutre. Ils colonisent la vieille villa et la piscine plus loin. Des massages ont accompagné leur descente et leur dégrisement tout au long de la journée. Ils commencent à enfourcher la prochaine vague de défonce.

Ils sortent de la résidence, contournent dans le noir la vaste pelouse éclairée et gagnent le petit bois derrière où la fête parallèle doit démarrer dans une cuvette en retrait. Des DJ de

---

1. Fête religieuse ou foire commerciale.

Tokyo et de Berlin passent de la psytrance, de la deep tech et de la tech house. Des barmen du speakeasy Death & Taxis préparent des cocktails personnalisés avec des ingrédients exotiques. Randy, le cousin de Farah, s'est occupé des drogues. Cent grammes de cocaïne, cinquante grammes de MDMA. De la Cream est descendue de Malana. De l'herbe est montée du Kerala. Des gouttes de LSD White Fluff ont été envoyées d'Amsterdam. Des drogues ont été cachées dans des œufs décoratifs en bois, ne reste plus qu'à les trouver. D'autres sont offertes dans des petits sacs-cadeaux, au même titre que des montres, des parfums et même, dans une pochette-surprise, les clés d'une Maserati Quattroporte.

Sur la pelouse principale, c'est plus plan-plan. Soixante tables de douze couverts chacune. Et sur chaque table quatre bouteilles de Johnnie Walker, six bouteilles de Pol Roger sur glace et des coffrets de Montecristo n° 4, le tout devant être réapprovisionné en un rien de temps.

Il y a treize stands différents proposant les cuisines de rue du monde entier.

Et un bar à n'en plus finir proposant pratiquement toutes les boissons imaginables sur terre.

Il y a des sculptures sur glace, cinq mille lampions dans les arbres, accrochés à d'invisibles câbles. Au-delà de la marée de tables et de lumières, deux scènes dominent les pelouses. Une entreprise de Tel-Aviv gère l'éclairage, la sono et les décors. Une scène pour les interprètes de musique classique, l'autre pour les jeunes stars de Bollywood. Pour l'instant, les vieux musiciens jouent un doux raga du soir.

La liste des invités est un *Who's Who* de l'Inde moderne. Il y a des hauts fonctionnaires, des commissaires, des ministres de tout l'échiquier politique, ministères de l'aviation civile, de l'environnement, de la santé, des transports, des mines pour n'en nommer que quelques-uns ; il y a quelques hommes de Dieu, des fonctionnaires à la retraite, quatre magnats des médias, des éditeurs et des journalistes de tout poil, un journaliste corrosif connu pour remuer la boue et traquer les corrompus ; il y a des producteurs de films, des metteurs en scène, des acteurs et des actrices, des légendes vivantes, des starlettes et des héros en germe ; il y a des représentants de multinationales et des principales ONG ; il y a des capitaines d'industrie, des barons des mines, des milliardaires de l'acier, des promoteurs immobiliers, de grands manitous du transport maritime et trois ministres en prison, ostensiblement libérés pour raison médicale. Il y a des membres de familles royales, bien entendu. Il y a des rois de la volaille et des pilotes de Formule 1. Il y a des joueurs de cricket et des stars de hockey, des lutteurs et des champions de tir, il y a des présentateurs de télé, des chirurgiens réputés et des cardiologues ravis de tirer sur leur gros cigare.

Chacun a bien conscience que c'est un rare spectacle que personne ne reverra peut-être jamais. Bunty Wadia, et tous ceux qui se sont appuyés sur lui, ou sur lesquels il s'est appuyé, tous réunis en un même lieu. C'est une occasion unique de spéculer sur son réseau et ses ramifications.

2.

À l'arrière de la voiture, Ajay se raccroche aux dernières précieuses minutes qui lui restent. Il sait qu'elles ne vont pas durer. Au fond de son cœur, il s'est libéré de tout maître. Et pourtant voilà qu'une fois encore on l'a retenu et choisi et qu'on le pousse vers la mort. Pourquoi fait-il ça ? Ah, oui. Il regarde à nouveau la photo de sa sœur. La seule chose sur terre qui le ligote. Mais sera-t-il débarrassé, détaché d'eux, même lorsqu'il l'aura délivrée ? Non, ils trouveront toujours un moyen de le tenir. À tout moment, ils pourront enlever sa sœur. Sa mère et sa plus jeune sœur aussi. Il n'a qu'une option : faire comme si ça ne lui importait pas trop. La ville, les lueurs jaunâtres lui tournent la tête. Il n'a plus vu la ville de nuit depuis la fameuse nuit où tout a changé. Il la voit à présent à travers le filtre du Mandrax, le filtre du whisky, à travers des yeux assassins. Il regarde le monde défiler, compte l'argent que Tinu lui a remis.
Deux mille roupies.
Cela suffirait-il à… ?

Il interpelle le chauffeur.

« Passe-moi le flingue. »

Le chauffeur lui retourne son regard dans le rétroviseur.

« À l'arrivée. »

Assis sur le trône au milieu de la pelouse principale, Sunny et Farah Wadia, côte à côte sous le dais, reçoivent les vœux de bonheur de leurs invités. Des domestiques posent leurs cadeaux sur des tables proches, qui gémissent sous le faix.

« Tu pourrais sourire au moins, marmonne Farah derrière un grand sourire. Pourquoi tu n'es pas fichu d'être heureux ? Tout ce que tu pourrais désirer ou dont tu pourrais avoir besoin, tu l'as. »

Sunny n'a pas un mot en réponse, accepte sans rien dire les vœux et cadeaux de chaque invité, joint chaque fois les mains en guise de remerciements.

« Tu es le pire salopard que la Terre ait jamais porté. »

Lui scrute la foule derrière ses verres de soleil.

Il cherche Dinesh.

Il cherche Eli.

Essaie de repousser une crise de panique.

C'est parti. Pas moyen de revenir en arrière.

Gautam Rathore se lève de sa table et vient se placer dans la file qui patiente. Un serveur passant par là lui offre une coupe de champagne que Rathore refuse poliment. Ça fait quatre ans qu'il est sobre ; frais et dispos. Il affiche des cheveux gris et une certaine gravité, depuis que son père a trouvé la mort dans un accident d'hélicoptère qui a fait beaucoup de bruit. C'est un grand propriétaire terrien à présent : ses contacts politiques raflent toutes les terres agricoles et les convertissent en terrains constructibles, là où les villes adorent se déployer. D'ici peu, il aura la fortune et les connexions nécessaires pour se métamorphoser en faiseur de roi dans son État. Quand les dirigeants idoines feront leur entrée en scène, allez savoir à qui pourront échoir les droits miniers ?

Debout devant Sunny, il lui remet une simple enveloppe, s'attarde juste un moment, peut-être espère-t-il entendre un mot ? Mais non, Sunny se borne à esquisser un petit signe de la tête et joint les mains pour le remercier. Face à lui pour la première fois depuis des années, Gautam éprouve soudain une envie toute pavlovienne de lui balancer un truc blessant, méchant.

Puis il repense à ses Douze Étapes.

Première étape : Bunty Wadia.

Il complimente Farah avec sincérité et s'éloigne.

« J'aimerais bien une dose de coke, déclare Farah quand se présente un moment de calme. Et aussi un polichinelle. »

Sunny ne réagit pas.

« Fais-moi confiance, poursuit-elle en lui collant une claque sur la cuisse. J'ai tout ce dont tu as besoin. »

Là-dessus, elle se lève, salue tout le monde de la main, jette un dernier regard à Sunny, puis ajoute :

« Je serai à côté du lac, entre ici et le bois. »

Et elle s'éloigne elle aussi.

Seul.

À présent, Sunny est tout seul.

Sur ce trône d'où il contemple ses invités, il ne s'est jamais senti aussi seul.

Et elle s'abat sur lui, cette crise de panique qu'il a combattue toute la journée, toute la semaine, tout le mois. Panique de bien des années. Solitude d'une vie entière. Fureur. Certitude que, cette nuit, ça va se faire, que c'est en train de se faire, c'est sûr. Et il ne sait même pas ce que ça va être. Il a tout laissé entre les mains de Dinesh Singh. Tout ce qu'il sait, c'est que leurs pères ne vont pas tarder à être écartés, impliqués dans une affaire qui aura raison d'eux, ce qui permettra à Sunny et Dinesh de ceindre la couronne.

La couronne.

Bon sang !

Le trône et la couronne.

Lui qui n'est même pas capable de rester assis sur ce trône, alors l'autre !!

Il regarde devant lui et appréhende l'immensité du domaine de son père.

La complexité de l'échéancier que Bunty a dans la tête.

Et lui…

Lui qui n'est même pas capable d'anticiper deux coups aux échecs.

Pourquoi fait-il ça ?

Pourquoi ?

Dinesh, lui sait pourquoi. Pour le pouvoir. Et peut-être même pour le bien de l'État. Parce qu'il croit à la démocratie, à la primauté du droit, peu importe ce que ça peut bien vouloir dire. Mais, lui, Sunny Wadia, pourquoi ? Par vengeance. Par haine. Parce qu'il a le cœur brisé ? Pour rien du tout. Mais par désir d'éliminer tout ce qui est associé au mal qu'il a causé. Oui, une fois encore, il fait exploser sa vie. Il fout le feu aux océans, à l'atmosphère, il transforme son univers en supernova.

Et que restera-t-il après ?

Vont-ils seulement réussir ?

Franchement, il n'est tellement pas taillé pour ça.

Il regarde Bunty à sa table, cigare à la bouche, et tous ces gens bien intentionnés qui lui tapent dans le dos, lui murmurent à l'oreille.

Il ne peut pas faire ça.

Il n'arrive même pas à respirer.

La sueur dégouline sur son front. Oh, bon sang.

C'est une chose que de nourrir des rancunes en son for intérieur, et c'en est une autre que de les balancer à la face du monde.

Peut-il attraper son téléphone, arrêter tout ?

Non. Non.

Mon pote, c'est parti.

Et si Farah avait raison ?

Tout ce que tu pourrais désirer ou dont tu pourrais avoir besoin, tu l'as.

Pourquoi tu n'es pas fichu d'être heureux ?

Pourquoi ?

Puis la mémoire lui revient.

L'échographie.

L'image ondoyante de son enfant ondoyant, éternellement perdu dans l'espace et le temps.

Le voilà aussitôt englouti dans l'océan noir et froid de son esprit.

Ramené au sable, à la mer, au feu. Au moment où il pense que son enfant a été conçu.

Peut-il rester ici ?

Non.

Il en revient à la nuit de l'accident.

Sang. Whisky. Coke. Fureur.

L'odeur du métal et de l'essence.

Le visage ensanglanté d'Ajay.

Le visage abîmé de Neda.

Et les paroles de son père qui, toute sa vie, l'ont poursuivi.

Dur.

Tu dois être dur.

Eh bien, papa, on y est.

Oh, merde.

Papa.

Oui, il se noie.

Noie.

Moi, tout ce que j'ai jamais voulu, c'était cette vie-là.

Il serre les poings.

S'exhorte au calme.

C'est là qu'il voit arriver Ram et Dinesh Singh.

Et merde.

Il tourne les talons et s'enfuit vers le bois.

Farah contemple l'eau du lac, le reflet de la lune dedans.

Elle ne relève pas la tête.

« Je n'étais pas sûre que tu viennes.

— J'ai besoin de quelque chose, avoue-t-il en s'approchant d'un pas mal assuré et en ôtant les lunettes qui masquent son regard apeuré.

— C'est toujours mieux que rien », répond-elle en souriant.

Sa voix est douce, rassurante.

Elle prend la main moite de Sunny et l'entraîne sous le couvert des arbres.

Du côté de la résidence, la fête flamboie. Et de la cuvette en retrait leur parviennent de puissantes lignes de basses psytrance que leur porte le vent.

Mais, là, il n'y a qu'eux deux.

Il frissonne.

« J'ai besoin de quelque chose.

— Chut. »

Elle lui caresse la joue, sort un pochon de coke d'entre ses seins. Il le regarde, hoche la tête.

« J'ai besoin de plus. J'ai besoin...

— Dis-moi ce dont tu as besoin.

— J'ai besoin...

— Dis-moi. »

La voix de Sunny se brise.

« D'être heureux.

— Chéri, je peux te rendre heureux », lui dit-elle dans un murmure.

Elle range la coke et porte la main vers sa queue.

Il ferme les yeux.

Repousse la panique.

De ses doigts déliés, elle s'insinue, fait courir doucement son pouce sur toute la longueur de son engin inerte.

« Avec moi, le bonheur est garanti, proclame-t-elle.

— Pas ça. J'ai besoin de plus.

— J'ai ce qu'il te faut. »

De sa main libre, elle ouvre son sac, attrape un pilulier.

« Ouvre-le », dit-elle.

Sunny porte son attention sur le pilulier, de sorte que sa queue perd de sa vigueur. Alors, Farah la presse un peu plus fort.

« Ah, ah, ah, pour avoir ta récompense, il faudra d'abord me faire plaisir. Concentre-toi. »

Ça ne sert à rien.

« C'est quoi ? » demande-t-il.

Six méga-pilules de MDMA.

« Le bonheur que tu cherches », répond-elle.

3.

Ajay est maintenant au bout de Kashmiri Gate ; derrière lui, la gare routière vivement éclairée avec toutes ses familles enveloppées dans leurs châles, qui, dans la fraîcheur de la nuit, somnolent au milieu de leurs bagages en attendant leur départ tandis que d'autres bus s'éloignent. C'est ici qu'il avait débarqué, plein d'espoir, avec en main la carte de Sunny Wadia. À présent, il a sur lui le plan de Tinu, avec les lieux où il doit s'introduire, l'arme qu'il doit utiliser et le portrait grossièrement esquissé de l'homme qu'il doit abattre. En tout cas, il a fait du chemin.

Il porte son regard vers le cimetière Nicholson, de l'autre côté de la rue, et l'autopont à droite sous lequel vivent les toxicos. Il fonce en évitant la circulation, bondit par-dessus le séparateur de voies, et rejoint le trottoir opposé. Il s'achète un paquet de cigarettes et une boîte d'allumettes et entre dans la colonie des Civil Lines.

À la réception, Ram et Dinesh s'installent à leurs tables avec leur suite.

Il n'est plus question de dissension entre le père et le fils. Dinesh a négocié avec les fermiers un accord qui satisfait tout le monde. Bien qu'affaiblie pour affronter les prochaines élections, leur dynastie est toujours solide. Ram Singh se rue sur Bunty tandis que Dinesh boit un soda à petites gorgées et fait le tour des invités.

Dans la pénombre d'une chaussée sans éclairage public, Ajay fume une cigarette sous un *neem* et examine son arme de plus près. Un Luger P08, un 8 coups, dont le numéro de série a été biffé. Le chauffeur lui a dit : c'est du costaud, il fera le job. Il vérifie la sécurité, glisse le Luger dans le devant de son jean. Il déplie le plan une fois de plus, se repère, s'enfonce dans l'allée devant lui. À mi-chemin, sur la gauche, une différence de maçonnerie signale une nouvelle propriété. C'est ici qu'il doit escalader la clôture. Une fois de l'autre côté, il bondit vers les buissons, s'accroupit et tend l'oreille pour localiser la présence éventuelle d'un chien.

Ça pulse dans son cœur, dans sa tête.

Très prudemment, il porte son regard vers la pelouse impeccable et le solide bungalow colonial plus loin. Les lieux semblent assez déserts, il n'y a que quelques lumières allumées à l'entrée.

Toujours accroupi, il veille à ne pas faire de bruit.

Il attend un moment.

Attend.

Sensible au poids rassurant de son arme.

Assis seul sur la crête de la cuvette protégeant sa fête débridée des regards indiscrets, Sunny contemple les lieux pétris de lumières stroboscopiques, les corps en sueur qui dansent, les visages hilares, braillards, le bar, la tente, les feux. Impossible qu'il participe à quoi que ce soit. Mais il attend, le ventre noué par le stress, que la MDMA porte ses fruits.

La MDMA.

Oui.

Il a pris une dose héroïque.

Il le sent aux nausées qu'il éprouve, à ses yeux en berne, au reflux des molécules de vie.

Il attend que la MDMA lui dise que tout va s'arranger.

Il perçoit sa présence avant de l'avoir vu.

« Tu regardes du mauvais côté », lui dit Vicky.

Il s'assied sur le gazon avec un gémissement d'une vulnérabilité surprenante.

« Je deviens vieux », explique-t-il en enveloppant Sunny d'un regard tendre.

Sunny frissonne devant sa proximité.

« Qu'est-ce que tu me veux ? »

Ajay se fraie un chemin autour de la propriété et arrive devant le bungalow. La porte d'entrée est ouverte, et il y a de la lumière à l'intérieur.

Combien de temps faudrait-il qu'il attende ici ?

Faudrait-il qu'il grimpe sur le toit ?

Faudrait-il qu'il jette un coup d'œil à travers toutes les vitres ?

Ou qu'il entre tout simplement ?

Il essaie d'échafauder une histoire qui tienne debout, mais il n'en a pas. Tout ce qu'il a, c'est sa descente de Mandrax et une arme. Il fait un pas dans l'allée et un gros chien noir déboule de derrière la porte. Avance vers lui en se dandinant, les pattes frétillantes.

« Je vois que vous vous êtes fait un ami ! »

Du jardin à droite surgit un jeune barbu, trapu, enveloppé dans un châle épais. Il ne manifeste aucune surprise, aucune peur. La présence d'Ajay ne semble pas lui paraître incongru.

Ajay ne sait quoi dire.

« Ne vous inquiétez pas, elle ne mord pas. Elle ne fait que péter ! Mais, la nuit, elle me réchauffe, donc ce n'est pas cher payé. »

Il joint les mains et salue Ajay.

« À propos, je suis le frère Sanjay. Vous êtes perdu ?

— Oui, s'entend répondre Ajay.

— Vous pouvez parler ?

— Oui.

— Vous avez peut-être besoin de repos ?

— J'aimerais un peu d'eau.

— Bien sûr, bien sûr ! C'est pour tous un droit fondamental ! »

Il prend Ajay par le bras et le guide vers le bungalow.

« Et d'où venez-vous, mon ami ?

— De nulle part.

— Oh, là, là ! Vilain endroit. Même si on dit « Heureux celui qui ne sait rien », moi, je préfère savoir, pas vrai ? Bien, vous avez besoin d'une douche et d'un repas, c'est évident. Croyez-moi, vous n'êtes pas le premier ! »

Au-delà du salon, un vieux bureau tapissé de bouquins et une cheminée.

Lumière chaude.

Sérénité.

« Ce que j'attends de toi ? s'écria Vicky en feignant la surprise. Rien ! Rien du tout !

— Alors, laisse-moi tranquille ! » crie Sunny, écœuré de s'entendre protester comme un gamin colérique.

Vicky pose la main sur son épaule.

« C'est juste que ça me fait mal de voir ce que tu deviens, c'est tout. »

Qu'est-il censé répondre à ça ?

« Oui, ça me fait mal, répète Vicky.

— Qu'est-ce que je deviens ?

— Tu te démolis. »

Sunny hausse les épaules.

« Mais c'est pas grave, poursuit Vicky. J'ai étudié ton horoscope. J'avais vu ça dès le départ. Tout ce que tu as fait, les profondeurs où tu as sombré, les souffrances que tu as encaissées, ça te mène à ça. Et aujourd'hui, c'est le jour où tu vas devenir un homme. »

« Il y a quelqu'un ? Il y a quelqu'un ? »

Frère Sanjay entraîne Ajay plus avant dans le bungalow.

« Nous avons un invité ! » braille frère Sanjay.

Ils franchissent une porte cintrée et pénètrent dans une salle à manger où se dresse, au milieu et dans le sens de la longueur, une solide table en bois dur, qui pourrait asseoir vingt personnes. Mais il n'y a qu'un homme tout au bout, un vieux prêtre blanc, chauve, presque sourd et aveugle, occupé à manger une assiette de saucisses-purée.

« Qu'est-ce que c'est ? hurle-t-il.

— Un voyageur éreinté, répond frère Sanjay.

— Non, je ne veux pas acheter de radio !

— Ne faites pas attention à lui, ça le prend par moments. »

Frère Sanjay tapote Ajay d'une main rassurante.

Quant au vieux prêtre, il se renferme dans sa bulle.

« Tenez, ajoute frère Sanjay, asseyez-vous, je vous apporte à manger. »

Bouleversé et désorienté, Ajay jette un coup d'œil autour de lui.

Cette gentillesse pleine de spontanéité le touche.

Il n'oublie pas son arme.

Ni la mission qui l'attend.

Sanjay revient avec deux plats de riz et de *dal*, avec des légumes sur le côté. Il consulte l'horloge au mur et lâche un petit *tss tss*.

« Il est toujours en retard.

— Qui ça ? crie le vieux prêtre.

— Peter Mathews, répond frère Sanjay.

— Touchez pas à mes saucisses », insiste le vieux prêtre.

Un cuisinier barbu, bourru, apparaît.

« Mon père ! Tout va bien ?

— Il veut mes saucisses ! »

Le cuisinier adresse un clin d'œil à Ajay. Au prêtre, il crie :

« Je ne le laisserai pas faire. »

Le cuisinier s'éclipse au moment où un autre personnage se profile dans le couloir. Pensif, silencieux et tête basse, il a une coupe au bol, peu élégante.

Il commence par saluer le vieux prêtre, puis s'assied en face d'Ajay, à côté de Sanjay.

« Bonsoir, dit-il, la main sur le cœur. Je me présente, Peter Mathews. »

« Pourquoi tu me fais ça ? gémit Sunny, en se prenant la tête entre les mains.

— Je me rappelle le jour de ta naissance, répond Vicky. Il y avait une éclipse. C'était une belle journée. J'aurais aimé être auprès de ta mère.

— S'il te plaît. Arrête de me torturer. »

Il sent la montée de la MDMA, qui le détache de la réalité, descelle sa fureur.

« Qu'est-ce que je regrette ces années », poursuit Vicky.

Sunny se tourne pour le regarder et voit distinctement son propre visage.

« Qu'est-ce que tu me fais ? » répète-t-il.

Vicky lui décoche un sourire déformé.

« Rien que tu ne te sois déjà infligé. »

Il fait glisser de son petit doigt une bague en or et émeraude.

« Elle voulait que je te la donne. »

Sunny fixe le vert vibrant de l'émeraude.

« Je lui avais dit que j'attendrais. »

« Je passe ma vie avec la conviction croissante que je suis perpétuellement en train de mourir. C'est plus fort que moi, ce sentiment. Chaque fois que je traverse une rue, je crois qu'une voiture m'a renversé. Une version de moi continue à avancer, mais l'autre est morte. Ce sont des pensées terribles, je le sais, mais c'est quelque chose dont je ne peux me défaire. Avez-vous entendu parler du multivers, frère Sanjay ?

— Je ne peux vous répondre par l'affirmative.

— Ce sont des mondes multiples où coexistent tous les mondes possibles. Dans celui où nous vivons, je pourrais très bien me poignarder maintenant, explique Peter Mathews, ou vous poignarder vous, frère Sanjay, ou même notre nouvel ami, qui vient d'arriver.

— Oh, là, là.

— Ici, nous serions tous morts, alors que dans les autres mondes nous serions encore vivants.

— Mieux vaut ne pas penser à ça, s'écrie frère Sanjay avant de reprendre son entrain et d'ajouter d'un ton vif : Néanmoins, ce n'est pas une raison pour se montrer cruel. »

Ajay continue à dévisager Peter Mathews.

Est-ce qu'il sait ?

Est-ce qu'il soupçonne quelque chose ?

Faudrait-il qu'il sorte son arme et l'abatte ?

Peter Mathews regarde Ajay à son tour et sourit.

« D'où venez-vous ? demande-t-il.

— Il est de nulle part », répond frère Sanjay, pour plaisanter.

Mathews se sert un verre d'eau.

« Non, ce soir, il est venu de quelque part ailleurs, réplique-t-il.

— De prison, fait Ajay.

— Oui, dit Mathews, je l'avais deviné à votre tatouage. Je travaille tout le temps avec des prisonniers. Et qu'aviez-vous fait ?

— J'ai tué des gens.

— Oh, là, là, s'écria frère Sanjay en riant, c'est peut-être vous qui allez nous tuer ce soir. »

Sunny serre la bague dans sa main, chatoyante, vibrante.

Il affiche un grand sourire.

Il prononce le mot.

« Rastogi. »

Vicky affiche un air bienveillant et sourit.

« Rastogi », répète Sunny en se remettant sur ses pieds.

Il éclate de rire.

Ne peut se contrôler.

« Oui, acquiesce Vicky, oui, Rastogi !

— Non, fait Sunny. Non. Tu ne comprends pas ! »

Son rire emplit l'air.

« Je suis libéré de vous deux ! » crie-t-il.

Il jette la bague vers Vicky.

« Où tu crois qu'il est allé, Ajay ? »

Le sourire de Vicky s'efface.

Sunny, hilare, recule en chancelant.

« Sunil Rastogi va mourir ! »

A-t-il trébuché ou l'a-t-on poussé ? il n'en sait rien.

Toujours est-il que Sunny tombe.

Monstre des collines.

Il atterrit par terre avec un bruit sourd.

En rythme avec la basse qui cogne.

Un hippy à dreadlocks joue les jongleurs de feu à sa gauche.

Dans l'esprit de Sunny, le feu se distend.

Formule de bonnes choses sur le monde.

Lui dit que tout va s'arranger.

Sunny saute sur ses pieds, se met à danser, lève les bras au ciel.

Tous l'observent.

Crient son nom.

Sunny Wadia est revenu !

SUN-NY !

SUN-NY !

Et, au-dessus d'eux, à l'insu de tous, Vicky Wadia sort son téléphone portable.

« Une seconde, je vous en prie, s'écrie Peter Mathews, un doigt en l'air, en sortant son Nokia esquinté. Oui, répond-il d'un ton enjoué. Je vois. Je vois. »

Il soupire.

« Je ne peux rien promettre, mais j'essaierai. »

Il raccroche, range l'appareil dans sa poche.

Le doigt d'Ajay libère la sécurité à côté de la crosse en bois du Luger.

« Tout va bien ? » s'enquiert frère Sanjay.

Peter Mathews dit :

« Tout va assez… »

Il n'a pas terminé sa phrase qu'il bondit, noue le bras autour du cou de Sanjay qu'il oblige à se remettre debout, saisit sur la table le couteau du vieux prêtre aux saucisses et entraîne Sanjay sous la menace de sa lame vers l'office derrière.

Ça se passe très vite, et Ajay tarde à réagir.

Le temps qu'il se relève et sorte son arme, Mathews et Sanjay ont disparu.

« Mais qu'est-ce qu'il y a ? » hurle le vieux prêtre.

Dans l'office, Mathews entraîne vers la porte de dehors un Sanjay récalcitrant. En voyant surgir Ajay, Mathews cogne la tête de Sanjay contre le mur, puis le pousse devant lui pour empêcher Ajay de tirer. Quand Ajay bute sur Sanjay, Mathews s'est volatilisé.

Une pension à trois étages se dresse juste derrière.

Ajay entend des pas plus haut dans la cage d'escalier.

Entend les cris du cuisinier.

Lève la tête et voit Mathews tourner sur le palier du premier étage.

Il se lance à sa poursuite, grimpe les marches quatre à quatre, pendant que le cuisinier sort à son tour du bungalow, un couperet à la main.

Au premier, toutes les portes sont fermées d'un côté comme de l'autre.

Ajay entend des pas plus haut dans l'escalier.

Il suit leur bruit en courant, trébuche dans sa hâte.

Lorsque enfin il parvient au deuxième, il aperçoit une porte ouverte.

Il s'y engouffre sans réfléchir.

Il franchit le seuil en courant, arme au poing, prêt à tirer.

Mais il n'y a personne.

Lorsqu'il entend à nouveau des pas, il est presque trop tard.

Il pivote et voit une barre de fer s'abattre vers son visage.

Il lève la main gauche.

Bruits sinistres.

Et maintenant Mathews est sur lui.

Ils s'agrippent l'un à l'autre, bataillent, Mathews essaie de désarmer Ajay qui se cramponne à son arme, autant qu'il le peut.

« Tu bousilles tout », braille Mathews.

La main gauche d'Ajay lui fait souffrir le martyre.

Alors, il déplie les jambes et essaie de se débarrasser de Mathews, mais ce dernier lui oppose une résistance étonnante. Faute d'options, Ajay serre les dents et abat, de toutes ses forces, sa main gauche blessée sur la gorge de Mathews.

Ajay sent la douleur atroce le lancer dans tout le bras.

N'empêche, il a réussi.

Mathews bascule en arrière, haletant.

Il suffoque.

Ajay tient enfin ce monstre dans sa ligne de mire.

Il n'a plus qu'à appuyer sur la détente.

Il n'y parvient pas.

« Attends, attends ! » s'écrie Mathews, des larmes dans les yeux.

Et Ajay obtempère.

C'est aussi simple que ça. Les lèvres de Mathews se retroussent en un sourire inquiétant.

Et Ajay murmure :

« Tu es Sunil Rastogi. »

Mathews acquiesce dans un filet de voix.

« Oui. »

Sous les yeux d'Ajay, Rastogi se matérialise, tandis que disparaît l'enveloppe de l'humble Mathews.

Rastogi jette un coup d'œil vers la porte, vers le rez-de-chaussée et le brouhaha qui se rapproche.

« Ils vont t'attraper, tu le sais, hein ? dit-il. T'as intérêt à me flinguer ou à te barrer.

— Il faut que je te flingue.

— Alors, fais-le. »

La main d'Ajay tremble.

« Je ne peux pas.

— Pourquoi ?

— Je ne sais pas.

— Moi, je crois que je sais pourquoi, réplique Rastogi en souriant.

— Dis-moi, bredouille Ajay dans un murmure.

— Tu ne veux plus être un esclave.

— Mais il faut que je te tue, insiste Ajay. Je n'ai pas le choix.

— Tu souffres, dit Rastogi. Je le vois dans tes yeux. Je suis passé par là, on est comme des frères, toi et moi.

— Il faut que je te flingue.

— Rappelle-toi ce que j'ai dit, en bas. Imagine un univers où tu n'aurais pas à tuer. Où serais-tu ? »

Il voit que la main d'Ajay n'est plus centrée, qu'elle tremblote.

« Chez moi, répond Ajay.

— Où ça ? »

Ajay ferme les yeux.

« Dans les montagnes.

— Alors, retournes-y.

— Je ne peux pas, crie Ajay. Il faut que je te tue.

— Pourquoi ? »

Malgré son désarroi et la douleur qui le ravage, Ajay glisse les doigts dans la poche de son jean et en sort la photo de sa sœur, qu'il garde depuis si longtemps avec lui :

« Pour la sauver ! »

Il brandit le cliché au bout de sa main enflée.

Rastogi s'en saisit, l'approche de ses yeux. Il scrute intensément l'image, la fille dans le lit du bordel, si farouche, si effrayée. Puis il porte son regard de la photo à l'homme qui lui fait face.

« C'est qui ? demande-t-il d'une voix adoucie, conciliante.

— Ma sœur, explique Ajay dans un sanglot. Ma sœur ! Pour la sauver, il faut que je te tue.

— Mon vieux, riposte Rastogi dans un éclat de rire. C'est pas ta sœur.

— Qu'est-ce que tu racontes ?

— Je raconte qu'ils t'ont menti.

— Comment ça ?

— Moi, je dis que ce n'est pas ta sœur.

— Explique-toi.

— Je connais cette fille. Je ne la connais que trop bien. Elle vient du Bihar, mon vieux. Elle s'appelle Neha. C'est un bordel de Bénarès. Je le sais, j'y ai bossé !

— Non. Ce n'est pas vrai ! C'est ma sœur.

— Peut-être. Et peut-être que je me trompe.

— C'est ma sœur.

— Ou peut-être qu'ils t'ont menti, mon vieux. Écoute, je connais cette fille. Regarde-la ! Elle ne te ressemble même pas. »

Rastogi approche la photo du visage d'Ajay.

Ce dernier regarde la fille comme si c'était la première fois.

Et tout son univers se désagrège.

Peut-être que c'est vrai. Peut-être que ce n'est pas elle…

Et en ce cas ?

« Oui, ils t'ont menti, poursuit Rastogi. Ils mentent à tout le monde. Ils ont promis qu'ils la sauveraient, pas vrai ? »

Ajay relève la tête.

« Oui.

— Et, en réalité, ils t'ont envoyé crever ici. »

La descente de Mandrax, le choc, la douleur de sa confusion, la douleur de sa main blessée, dans la tête d'Ajay, tout pulse et se bouscule.

Des étages inférieurs montent les cris d'une populace.

Rastogi tend le doigt vers la fenêtre ouverte derrière.

« Tu peux attendre qu'ils t'attrapent. Qu'ils te tuent. Qu'ils te remettent aux flics. Ou tu peux filer. Filer et vivre libre. »

En haut de l'escalier, le cuisinier ouvre la marche, suivi par plusieurs garçons du voisinage armés de battes de cricket, de crosses de hockey, de couteaux de cuisine. Ils serrent les coudes, avancent d'un pas apeuré, échangent des cris. Là ! ils braillent devant la porte, entrent en trébuchant.

Par terre, Peter Mathews sanglote.

« Il a essayé de me tuer ! crie-t-il en pointant le doigt vers la fenêtre. Il s'est sauvé. »

Le cuisinier se précipite et taillade la nuit avec son couperet.

« Poursuivez-le », crie Peter Mathews.

La populace s'exécute, ressort en courant, dévale l'escalier, se disperse dans la nature en beuglant qu'il faut fouiller la propriété.

Quant à Sunil Rastogi, il se relève, récupère la photo que, dans son désespoir, Ajay a abandonnée.

Il sourit en lui-même.

Étudie le corps de la jeune femme, son visage.

Il ne l'a jamais vue de sa vie.

Un nouveau convoi avance sur la route menant à la propriété des Wadia.

Une flotte de véhicules de la Special Task Force[1] et du CBI[2].

Pendant que s'intensifient les recherches pour retrouver l'intrus, Rastogi traverse tranquillement le bungalow. Sur son dos, un long sac en toile verte à fermeture Éclair.

Il sort directement par la porte d'entrée, attrape un casque de moto au passage.

Lorsqu'il franchit le portail principal, il sort son téléphone.

Il compose un numéro.

« Le problème est réglé. »

Dans l'allée, il enfourche une Yamaha, un modèle sport dont il a la clé, lance le moteur, accélère à fond et met le cap sur la gare routière.

À la réception, les vedettes de Bollywood dansent sur la scène.

Bunty fume son cigare, il est content.

Dinesh Singh regarde Vicky.

Vicky sourit à son téléphone.

Et, dans la cuvette, le cerveau de Sunny explose.

Plaisir. Douleur.

Il n'a pas de maîtres.

Il pardonne au monde entier.

Tout va s'arranger.

Le convoi est maintenant devant le portail des Wadia.

Les agents de sécurité vont à sa rencontre. Qu'est-ce qu'ils veulent ?

Ils ne savent pas qui habite ici ?

---

1. Chaque État a le pouvoir de constituer une STF pour lutter contre certains problèmes : réseau criminel, contre-insurrection, terrorisme.

2. Central Bureau of Investigation (Bureau central d'enquête) : agence du gouvernement central chargée des enquêtes criminelles, de la sécurité nationale et du renseignement.

Ils ne savent pas qu'il y a un mariage ?
Si.
Ils n'en ont rien à faire.
Ils ont un mandat. Ils viennent perquisitionner.
Et arrêter Ram Singh et Bunty Wadia.
Il leur faut une signature.

Vicky jette un coup d'œil sur Bunty, qui répond au téléphone.
Pose les pieds sur un meuble tout en observant l'agitation du personnel.
Observe plusieurs VIP qui répondent au téléphone.
Observe le responsable de la sécurité qui se rue sur Tinu.
La tête de Tinu qui vire au gris.

Au loin, la file des véhicules de police remonte l'allée.
Pendant ce temps-là, Bunty, toujours assis, garde un sourire digne.
En revanche, plusieurs fonctionnaires, bureaucrates, ministres se lèvent de leurs sièges. Des téléphones s'allument. Des coups de fil sont échangés.
Qu'est-ce qui se passe ?
Quelqu'un est-il au courant ?

Arrêter un *Chief Minister* en exercice et le père du marié le soir des noces. Et Bunty Wadia, s'il vous plaît. Devant les invités.
Voilà qui est sans précédent.
Quelqu'un va payer.
Le mandat est présenté.
C'est l'anarchie.
Ram Singh se met à tempêter.

Des documents ont émergé – des photos, des lettres, des cassettes, des vidéos, des enregistrements. Une série d'assassinats, de rançons, d'affaires de corruption s'étalant des années quatre-vingt-dix à aujourd'hui. Des raids sont en cours dans tout l'Uttar Pradesh. Et tout ramène toujours les autorités à Bunty Wadia et à Ram Singh.
Ram Singh perd les pédales.

Insulte les agents présents, les repousse brutalement.

Qu'on ait pu lui faire ça. C'est honteux.

Qu'on ait pu si peu le redouter.

Et, en plus, il sait que c'est son fils.

Même si Bunty garde son calme, la réception bat de l'aile.

La multitude de lumières clignotantes.

Les hommes en uniforme.

Ram Singh en pleine crise.

Une bagarre. Une petite émeute.

Les hommes de Ram attaquent.

Des armes apparaissent.

La foule est en proie à la confusion la plus totale.

Déjà quelques VVIP plient bagage, foncent vers leurs chauffeurs et leurs voitures.

D'autres approchent la police afin de discuter.

Et Bunty sourit chaleureusement.

C'est ce que voit Sunny, qu'Eli a arraché au paradis de sa défonce.

Dans l'allée grouillante de monde, Tinu prend Sunny à part.

L'entraîne vers un de leurs SUV.

« Ils l'embarquent et nous on suit. »

Il pousse à l'arrière un Sunny en sueur, les yeux égarés.

Eli saute à côté de lui, range son Jericho.

La police emmène Ram et Bunty, chacun dans un SUV.

Ils descendent l'allée en direction du portail.

Tinu hurlant au téléphone.

Et Sunny absorbé par toutes ces lumières.

« Qu'est-ce que c'est beau ! s'écrie-t-il en posant la main sur l'épaule d'Eli. C'est réel ?

— Oui, crétin, répond Eli. C'est réel. »

Le convoi quitte la route de la colonie et prend de la vitesse.

Tinu, Sunny et Eli, trois voitures derrière celle dans laquelle se trouve Bunty.

« Qui a magouillé tout ça ? braille Tinu. Renseigne-toi ! »

Il raccroche. « Celui qui a magouillé ça pourra me supplier à quatre mains de le faire clamser plus vite. » Il se tourne vers Sunny. « Dans une heure, il sera sorti. Ils n'ont rien sur lui. C'est un scandale. »

Sunny acquiesce énergiquement.

« Tout va s'arranger. »

Devant, dans le SUV de Bunty, calme étudié.

Les agents sont pleins de déférence, respectueux.

Bunty, assis droit comme un i, ne manifeste ni peur ni colère.

Le convoi atteint Mehrauli.

Devant, un *Tempo* est tombé en panne. Un bouchon.

Les policiers en tête du convoi descendent de leur véhicule.

Entreprennent de régler la circulation, demandent à d'autres gens de déplacer le *Tempo* pour dégager la route.

Sunny baisse sa vitre et passe la tête dehors.

Essaie de se redresser pour mieux voir.

Ils entendent le bruit strident, aigu, du moteur avant même de le voir.

Le bruit strident et aigu d'une Yamaha, modèle sport, en train de rétrograder.

De l'autre côté du terre-plein central, en sens inverse de la circulation.

Elle arrive de derrière.

Sunny la voit passer devant lui.

Elle est en roue libre.

Elle ralentit.

Elle s'arrête.

À hauteur du SUV de la Task Force où se trouve Bunty.

Le pilote casqué plante sa jambe gauche dans le sol.

Retire l'objet de son sac en toile.

Le cale entre ses bras.

Métal.

Noir.

Long.

Bunty jette un coup d'œil sur sa droite.
L'espace de cette fraction de seconde, il voit.
Il empoigne le flic à côté de lui et s'en fait un bouclier humain.

Le canon crache le feu.
Arrosage assourdissant.
De l'AR-15 entièrement automatique à chargeur cent coups.
Décimant le SUV de la police.
Détaillant chair et métal.
Avant que, d'un coup de pédale, la moto redémarre.
Bifurque vers l'est au carrefour direction Sainik Farms.

Eli est de l'autre côté, loin.
Quand il descend et réplique par des tirs, c'est déjà trop tard.
Les flics descendent à leur tour avec leurs Glock 17.
Mais la moto a disparu.

Sunny avance sur la route en titubant.
Fixe ce qui reste.
De la chair massacrée, déchiquetée, à l'intérieur.
De ce qui était son père.

À plus d'une heure du matin, quelque part au Pendjab, le bus HRTC[1] à destination de Manali s'arrête devant une *dhaba* au bord de la route. Les passagers ensommeillés descendent à la queue leu leu. Parmi eux, Ajay, vêtu de son T-shirt noir et de son pantalon noir. Il a déjà balancé son Luger. Tout ce qu'il possède sur terre, c'est quelques milliers de roupies, son chagrin et sa liberté. Il se volatilisera dans les montagnes de son enfance. Il s'assied, commande un *chai* et un *dal makhni*[2]. Puis lève la tête vers le flash d'information sur l'écran de la télé.

---

1. Himachal Road Transport Corporation. Bus appartenant à la Corporation des transports routiers de l'Himachal.
2. Plat à base de tout petits haricots noirs et un peu de haricots rouges cuisinés avec de la crème.

GLOSSAIRE

Accha : bien, bon.

Aloo : pomme de terre.

Aloo tiki : croquettes de pommes de terre aux épices.

Aré : exclamation indienne exprimant l'exaspération, la colère, la surprise.

Auto-rickshaw : véhicule motorisé à trois roues destiné au transport des personnes et/ou des marchandises.

Baniyan : maillot de corps.

Basti : bidonvilles, quartiers pauvres.

Beedi : petite cigarette roulée dans une feuille de *Diospyros melanoxylon*, appartenant à la famille des *Ebenaceae*.

Behenchod : putain de ta sœur.

Bhaiya : frère.

Bhajan : chant dévotionnel adressé à diverses divinités (Shiva, Krishna, Lakshmi, Ganesh, Parvati…).

Bhurji : œufs brouillés avec épices.

Bukhari : gros poêle à bois.

Bun makhan : pain au lait grillé et fourré.

Chaat : snacks.

Chaat masala : mélange d'épices associant graines de cumin, de fenouil, de coriandre, menthe séchée, sel gemme en poudre, poudre de mangue verte, de tamarin, de chili, de gingembre et grains de poivre noir pour saupoudrer divers snacks, pommes de terre, radis blancs, salades de fruits.

Chaddi : slip.

Chai : thé (en général au lait).

Chalo : va-t'en. Circule. C'est bon.

Chapati : galette de pain.

Charas : concentré de cannabis préparé avec des plants encore sur pied.

Charpoy : lit avec un cadre en bois tendu de cordes tressées.

Chawal : riz.

Chela : disciple, élève.

Chicken changezi : délicieux poulet à la mughlai cuisiné avec de nombreuses épices, chili, gingembre, graines de lotus, coriandre en poudre, garam masala, fenugrec, d'autres ingrédients encore et de la crème.

Chikna : jeune homme glabre. Terme insultant à l'égard des transgenres, mais pouvant avoir une connotation moins agressive envers une personne considérée comme attirante.

Chili : piment rouge.

Chole kulcha : « ragoût » de pois chiches aux épices accompagné de pain rond sans levain ni levure.

Chor : voleur.

Chunni (ou dupatta) : longue écharpe permettant de se couvrir la tête aussi bien que les épaules.

Chute : conne.

Chutiya : connard. Petit con.

Crore : dix millions de roupies indiennes.

Dacoït : brigands de grand chemin, en général des paysans dépossédés de leurs terres et devenus maoïstes.

Dada : brigand, « mafioso », chef (le terme, qui peut avoir d'autres sens, traduit une forme de respect).

Dadi : grand-mère.

Dal : lentilles ou haricots mungo.

Dal fry : plat pouvant être réalisé à partir de plusieurs variétés de lentilles ou même de haricots mungo.

Dal makhni : plat à base de tout petits haricots noirs et un peu de haricots rouges cuisinés avec de la crème.

Dalit : anciennement Intouchable, Harijan.

Daru : alcool légal.

Dera : campement.

Desi : propre au sous-continent.

Dhaba : gargote.

Dia : lampe à huile.

Didi : grande sœur.

Doodh : lait au curcuma.

Dupatta (ou chunni) : longue écharpe dont une femme indienne – en principe – ne se sépare jamais.

Farmhouse : ancienne ferme restaurée et transformée en résidence luxueuse.

FIR : premier rapport d'enquête.

Ghee : beurre clarifié.

Gobi : chou-fleur.

Golgappa (ou pani puri) : sorte de chou dans lequel on verse un liquide de différentes saveurs sur un mélange de pommes de terre écrasées, de poix chiche et de chutney.

Goon : terme d'origine anglo-saxonne désignant des voyous ou des hommes de main.

Goonda : terme hindi utilisé dans le sous-continent pour désigner un voyou.

Gora (féminin gori) : un Blanc.

Gurdwara : temple sikh.

Haldi : curcuma.

Hanuman : le dieu singe.

Jalebi : équivalent de *zlabia*. C'est un beignet de couleur orangée trempé dans un sirop.

Jhuggi : bidonville en terre battue et toits de tôle.

Ji : marque de politesse, se plaçant toujours après le nom ou le prénom de la personne à qui l'on s'adresse.

Kaam : travail. Travailler.

Kachori : snack frit, sorte de beignet farci aux haricots mungo, gingembre, coriandre, fenouil…

Kakori : kebab de mouton.

Khichdi (ou encore kitchari/kitcheri) : plat ayurvédique à base de riz basmati et de lentilles corail. C'est un plat que l'on consomme quand on est malade ou convalescent (ou pour se mettre en forme).

Koris : caste dite « répertoriée », des Intouchables en fait, regroupant des populations de tisserands dans les États d'Uttar Pradesh, du Maharashtra, du Madhya Pradesh et de l'Orissa.

Kshatriyas : caste des rois, des nobles et des guerriers.

Kumbh Mela : la plus grande fête religieuse hindoue.

Kurta : tunique.

Kushboo : désigne une odeur plaisante, agréable.

Lakh : cent mille roupies.

Lassi : boisson traditionnelle à base de lait fermenté ou de yaourt battu. Se boit nature, salé, sucré ou additionné de fruits, d'amandes…

Lathi : bâton.

Lehenga : tenue traditionnelle généralement composée d'une jupe longue et d'un *choli* (corsage) qui peut être court ou long. Pour un mariage, il sera souvent long.

Malana cream : variété de résine de cannabis particulièrement réputée.

Mandi : bazar.

Mandir : temple.

Mehendi : cérémonie précédant le mariage où les mains (et les pieds) de la future mariée sont ornés de dessins réalisés au henné.

Mela : fête religieuse ou foire commerciale.

Momo : sorte de ravioli népalais.

Mutton biryani : riz au mouton.

Naan : pain oblong et plat cuit dans un four tandoor.

Naga sadhu : ascète nu ayant renoncé à toute possession matérielle.

Namasté : salut traditionnel indien, mains jointes devant soi en prononçant : « namasté ».

Nasha : intoxication. Ivresse.

Neem : margousier.

Nigambodh Ghat : ici, lieu de crémation situé à côté de la Yamuna. Les ghats sont les marches menant à un fleuve.

Nihari : sorte de ragoût de mouton cuit avec de nombreuses épices.

Nimbu : citron vert.

Nimbu pani : boisson à base de jus de citron vert et d'eau plate.

Paan : préparation à base de noix d'arec, de tabac, d'épices et parfois d'autres ingrédients enroulée dans une feuille de bétel.

Paisa : un centième de roupie.

Pakora : beignet de légumes préparé, en principe, avec de la farine de pois chiche.

Palak : épinard.

PAN card : carte d'identification fiscale.

Paneer : fromage de bufflonne.

Pao : pain d'origine portugaise.

Papad : fine galette à base de lentilles noires, ou éventuellement d'autres ingrédients, frite ou simplement cuite dans une poêle sans matière grasse.

Paratha : pain plat très populaire, cuit à la poêle, souvent fourré aux pommes de terre.

Pasis : caste dite « répertoriée », des Intouchables en fait, qui recueille la sève de palmier, habitant généralement au Bihar et en Uttar Pradesh.

Patiala peg : à en croire la légende, le maharaja de Patiala invita l'équipe de polo irlandaise à jouer sur ses terres. La veille, il organisa une fête au cours de laquelle il servit aux joueurs de généreuses doses de whisky. Le lendemain, ceux-ci se réveillèrent la tête bien lourde et perdirent le match ; depuis, on parle du Patiala peg. Plus simplement, le Patiala peg correspond au double d'une dose standard et à la distance entre l'index et le petit doigt.

Poori bhaji : pommes de terre bouillies avec des épices et légèrement écrasées, accompagnées d'une sorte de pain à base de pâte sans levain et frit.

Porc sekuwa : porc aux herbes et aux épices, rôti au feu. C'est une recette népalaise.

Puja : prière.

Pukka : authentique, véritable, de bonne qualité, solide, mûr. Une pukka maison est construite en dur.

Rajma : haricots rouges.

Roomali : fine « crêpe » de pain.

Roti : pain en général (chapati ou autres).

Sabzi : légumes, petits pois, carottes, okras, pommes de terre, chou-fleur…

Sadhu : ascète renonçant à la vie matérielle afin de se libérer du cycle des renaissances et se fondre dans le divin.

Salwar kameez : ensemble composé d'un pantalon bouffant et d'une tunique.

Samosa : snack généralement farci aux pommes de terre, parfois mélangées de petits pois.

Sangeet : cérémonie précédant le mariage durant laquelle les deux familles chantent ensemble pour mieux consolider leurs liens.

Sardar : terme respectueux désignant un homme de la communauté sikh.

Shaadi : mariage.

Shahtoosh : antilope tibétaine fournissant une laine très prisée. Les châles en *shahtoosh* sont aujourd'hui interdits à la vente, les trafiquants tuant les bêtes pour se procurer leurs poils.

Shakarkandi chaat : snack à base de patate douce servi avec beaucoup d'épices, du jus de citron…

Sherwani : long manteau que les hommes portent près du corps.

Tandoor : four en terre cuite en forme de jarre.

Tamatar jhol : variété de curry à la tomate.

Tempo : fourgonnette, camionnette.

Thekedar : recruteur local.

Tilak : marque portée sur le front, généralement apposée au cours d'une cérémonie religieuse, ou en signe de bienvenue. Elle dénote l'appartenance à un groupe religieux (shivaïte, vishnuite).

Tola : unité de mesure. Un tola équivaut à 11,66 g.

Tulsi : basilic.

Uncle : oncle. Terme affectueux à l'égard d'un adulte plus âgé.

Valmikis : sous-caste tout en bas de l'échelle sociale. Les Valmikis sont voués à nettoyer à la main les toilettes publiques.

Walla/walli : marque l'état, la qualité de quelqu'un. Un coconut walla est un vendeur de noix de coco, un Delhi Walla, un habitant de Delhi. Walli correspond au féminin.

Ce livre existe grâce au travail de toute une équipe.

Communication : Caroline Babulle, Sandrine Perrier-Replein, Typhaine Maison, Inès Paulin, Adélaïde Yvert.

Coordination administrative : Martine Rivierre.

Studio : Pascaline Bressan, Barbara Cassouto-Lhenry, Joël Renaudat.

Fabrication : Muriel Le Ménez, Céline Ducournau, Bernadette Cristini, Sophia Paroussoglou, Isabelle Goulhot.

Commercial, relation libraires et marketing : Laetitia Beauvillain, Perrine Therond, Ombeline Ermeneux, Élise Iwasinta, Morgane Rissel, Arthur Rossi, Aurélie Scart.

Cessions de droits : Isabelle Votier, Benita Edzard, Lucile Besse, Sonia Guerreiro, Costanza Corri.

Gestion : Sophie Veisseyre, Chloé Hocquet, Isabelle Déxès, Camille Douin.

Services auteurs : Viviane Ouadenni, Jean-François Rechtman, Catherine Reimbold.

Ressources humaines : Mylène Bourreau.

Juridique : Laëtitia Doré, Anaïs Rebouh, Valérie Robe, Lucie Bergeras, Julia Crosnier.

Avec le soutien des équipes d'Interforum et d'Editis qui participent à la création, la diffusion et la distribution de ce livre.

édition pré-presse
livres numériques

44400 Rezé

Achevé d'imprimer en décembre 2022
par Normandie Roto Impression s.a.s.
61250 Lonrai (Orne)
Dépôt légal : janvier 2022
N° éditeur : 64797 / 01 – N° imprimeur : 2205986

Imprimé en France